Onderneming & Maatschappij

Onderneming & Maatschappij

Op zoek naar vertrouwen

Onder redactie van
Jan Peter Balkenende
Muel Kaptein
Eduard Kimman en
Jan Peter van den Toren

2003 ⇛ KONINKLIJKE VAN GORCUM

© 2003, Koninklijke Van Gorcum BV, Postbus 43, 9400 AA Assen.

NUR 801

ISBN 90 232 3890 7

Grafische verzorging: Koninklijke Van Gorcum, Assen

Inhoud

Introductie

Ondernemingen zijn de bron van werkgelegenheid, producten en diensten, kennisontwikkeling en kapitaalgroei. Ondernemingen hebben tijdens de industrialisering van de afgelopen twee eeuwen de vervuiling van het leefmilieu mede veroorzaakt. Thans hebben zij een onmiskenbare rol in de wending naar een meer duurzame economie te vervullen. Geen duurzame maatschappelijke ontwikkeling zonder de maatschappelijke bijdrage van bedrijven, die soms wettelijk en soms door stakeholders wordt gevergd.

Willen we als maatschappij vraagstukken oppakken op bijvoorbeeld het gebied van milieu, veiligheid, gezondheid, diversiteit, mensenrechten en inkomensverdeling dan kan dat niet zonder de inspanningen van ondernemingen. In ondernemingen wordt vertrouwen gesteld door aandeelhouders, werknemers, consumenten, leveranciers, NGO's (non-gouvernementele organisaties), de overheid en de samenleving in het algemeen. Steeds meer bedrijven verstaan vandaag de dag niet alleen dit appèl maar zien ook in dat een goede maatschappelijke inbedding van de organisatie ook de directe bedrijfsvoering ten goede komt. Het gaat niet langer om de vraag of activiteiten ondernomen worden voor de winst of uit principes, maar gaat het om de vraag: hoe kunnen de ecologische en sociale prestaties van de onderneming bijdragen aan haar financiële prestaties? *En*: hoe kunnen de financiële prestaties aangewend worden voor het verbeteren van de ecologische en sociale prestaties? Kortom, onderneming en maatschappij zijn steeds meer op elkaar aangewezen.

Maar daarmee is nog niet alles gezegd. Sterker nog, daar begint het pas mee. Want wat houden deze maatschappelijke verantwoordelijkheden van ondernemingen dan precies in? Waar begint en eindigt de maatschappelijke rol van ondernemingen? Wat kunnen we als maatschappij met recht van ondernemingen vragen en wanneer overvragen we ondernemingen? En wat kunnen ondernemingen van de maatschappij en van de overheid verwachten?

Ondernemingen zijn doorgaans niet geïnteresseerd in een academisch of vrijblijvend antwoord, maar willen in de praktijk met alle betrokkenen zelf een praktische oplossing vinden. Daarom is het van belang dat de ondernemingsvorm het mogelijk maakt dat de betrokkenen een voldoende inbreng kunnen hebben. Die inbreng moet worden georganiseerd zodat de betrokkenen met elkaar in dialoog gaan. Deze dialoog kan door afzonderlijke bedrijven worden vormgegeven. Daarnaast mag de vraag worden gesteld op welke wijze de overheid randvoorwaarden kan bieden om deze dialoog mogelijk te maken en zelfs uit te lokken. Maar overheidsregelgeving is geen voldoende antwoord. Verantwoord ondernemen is uiteindelijk een gezamenlijke zoektocht van de meest betrokkenen zelf. Een gezamenlijke zoektocht die onderling vertrouwen vereist maar ook vertrouwen genereert.

Opzet van dit boek

Dit boekt beoogt te inventariseren welke intellectuele en praktische bagage de deelnemers aan deze zoektocht kan worden aangereikt. Vanuit verschillende perspectieven wordt de maatschappelijke rol van ondernemingen belicht.

Deel I van dit boek bevat drie artikelen over de ontwikkelingen waarin bedrijven zich geplaatst weten. Enerzijds bevat het bedreigingen voor de ondernemingen die deze ontwikkelingen negeren. Anderzijds biedt het kansen voor ondernemingen om deze ontwikkelingen te integreren in haar beleid. Kimman begint in hoofdstuk 1 met een exploratie over de manier waarop ondernemers en ondernemingen vertrouwen wisten te krijgen. Differentiatie en economische veranderingen versterken de culturele omslag in het denken over ondernemingen. Klamer bespreekt in hoofdstuk 2 een palet aan concrete maatschappelijke vraagstukken die steeds meer op het bordje van het bedrijfsleven komen te liggen. In hoofdstuk 3 neemt Waterval ons mee in een wetenschappelijke uiteenzetting van het begrip vertrouwen vanuit diverse disciplines.

Deel II van dit boek is een uitwerking van het begrip vertrouwen naar de diverse stakeholders van de organisatie toe. Achtereenvolgens passeren de revue de werknemer zowel in zijn relatie met zijn manager en vice versa (Koene en Paauwe in hoofdstuk 4) als in het arbeidsrecht (Loonstra in hoofdstuk 5), de consument (Beversluis in hoofdstuk 6), het milieu (Cramer in hoofdstuk 7) en de belegger - en dan vooral de pensioenfondsen (Wildeboer Schut in hoofdstuk 8). In hoofdstuk 9 beschrijft Hardjono hoe het kwaliteitsdenken, dat zijn vertrekpunt had in de relatie tussen onderneming en consument, ook vertaald zou kunnen worden naar de relaties tussen onderneming en andere stakeholders.

In deel III wordt nagegaan welke betekenis het begrip vertrouwen heeft voor verschillende organisatievormen: voor de commerciële onderneming (Kimman in hoofdstuk 10), de familieonderneming (Ladrak in hoofdstuk 11), de structuurvennootschap (Van den Toren in hoofdstuk 12), de coöperatie (Van den Heuvel in hoofdstuk 13), de Europese vennootschap (De Koning in hoofdstuk 14) en ten slotte de maatschappelijke onderneming (Balkenende in hoofdstuk

15). Hoe passend zijn deze ondernemingsvormen in een tijd waarin de diverse maatschappelijke spelers zich nadrukkelijker bemoeien met het bedrijf?

Het laatste deel handelt over de wijze waarop vertrouwen kan worden georganiseerd. In hoofdstuk 16 laten Bartels, Kaptein en Sikken zien hoe bedrijven zelfregulering toepassen en hoe zij hierop toezicht uitoefenen. Compliance management wordt geplaatst binnen het kader van corporate governance en de maatschappelijke verantwoordelijkheden van een onderneming. Roeterdink behandelt de relatie tussen onderneming en consument vanuit instrumenten als de risicocommunicatie en het receptief debat in hoofdstuk 17. In hoofdstuk 18 bespreken Kaptein en Van Tulder vervolgens de stakeholderdialoog als een communicatiemiddel om bedrijfsdilemma's met de omgeving bespreekbaar te maken en daarmee vertrouwen te genereren voor de, soms pijnlijke, keuzes die bedrijven moeten maken. In hoofdstuk 19 neemt Kolk ons mee in de opkomst van maatschappelijke verslaglegging: waarom een verslag en wat is de inhoud van een dergelijk verslag zijn enkele vragen die worden beantwoord. Ten slotte belicht Blokdijk in hoofdstuk 20 de rol van de accountant ten aanzien van maatschappelijke verslaglegging.

In het slothoofdstuk blikken we terug en stellen we ons nogmaals de vraag hoe vertrouwen te organiseren in de wisselwerking tussen onderneming en maatschappij.

Ten slotte

Met deze compilatie aan artikelen hopen wij de geïnteresseerde lezer een overzicht te bieden van de vraagstukken op het gebied van onderneming en maatschappij. Als auteurs hebben we de afgelopen jaren vanuit diverse rollen en verantwoordelijkheden gewerkt aan de relatie tussen onderneming en maatschappij. Deze bundel vindt haar oorsprong in een conferentie georganiseerd vanuit de VU-leerstoel Christelijk Sociaal Denken over economie en maatschappij waar de eerste auteur tot 2002 aan verbonden was. We hebben deze bundel primair samengesteld en geschreven vanuit onze academische verantwoordelijkheden, maar hebben onze inzichten steeds kunnen toetsen aan de maatschappelijke functies die we vervullen. We hopen zo bij te dragen aan de zoektocht van ondernemingen en stakeholders naar vertrouwen. Begin 2002 moest de eerste redacteur door een toenemende politieke verantwoordelijkheid zijn taak deels overdragen aan de tweede redacteur, die zich toen aansloot bij het trio dat sinds het begin van de jaren negentig bezig was het christelijk-sociale denken toe te passen op de vraagstukken van maatschappij en onderneming.

Jan Peter Balkenende
Muel Kaptein
Eduard Kimman
Jan Peter van den Toren

Deel I Algemeen

1
De culturele inbedding van de onderneming

Door Eduard Kimman

Eeuwenlang heeft het gildensysteem ervoor gezorgd dat leerlingen, knechten, gezellen en meesters intensief bij de uitoefening van een ambacht betrokken werden. Het gilde beïnvloedde de bedrijfsuitoefening op verschillende manieren. Van een open arbeidsmarkt was geen sprake. Het poorterschap was doorgaans een vereiste om een leidende functie te mogen bekleden. Aan het einde van de achttiende eeuw wordt dit systeem opgeheven. Een nieuwe maatschappelijke ordening komt tot stand gebaseerd op abstracte rechten. Er komen vrijheden, waaronder de vrijheid van vergadering, van openbaarmaking en van onderneming. De moderne onderneming opereert onder randvoorwaarden die niet de traditionele en concrete ambachten en handelsbelangen beschermen, maar die meer en meer enige algemene en haast globale trekken gaan vertonen. De moderne onderneming is ingebed in een commerciële cultuur die de globalisering bevordert. Drie algemene karakteristieken zijn de voortgaande industriële expansie, de ontwikkeling van algemene verzorgingsarrangementen en de popularisering van de cultuur.

1.1 Commerciële cultuur

De eerste karaktertrek is een steeds dieper ingrijpende industrialisering van de productie. In het bestek van dit betoog is het onmogelijk ver terug te gaan in de geschiedenis, gesteld dat het kòn. Twee eeuwen geleden is er een ingrijpende verandering geweest in de economie, die al in die tijd werd aangeduid met Industriële Revolutie. Het is een verandering die meteen wetenschappelijke nieuwsgierigheid heeft opgeroepen en aanleiding tot nieuwe disciplines is geweest. Niet alleen de technische universiteiten zijn ondenkbaar zonder de industrie, maar ook subdisciplines als bedrijfseconomie, bedrijfssociologie of, tout court, bedrijfskunde. Industrialisering is een wijze van werken, een wijze van organiseren en een wijze van denken. Frédéric Le Play was een Franse ingenieur die reeds in 1829 de sociale gevolgen van de industrialisatie in Frankrijk in kaart bracht. Halverwege de negentiende eeuw, toen Duitstalige onderzoekers ook mensonwaardige leefomstandigheden van de industriële loonarbeiders vaststelden, verschijnt het Communistisch Manifest, als een eerste poging om de politieke gevolgen van industrialisatie uit te tekenen. De socialistische beweging, die

enige tijd later hier uit voortvloeide, zag zichzelf aanvankelijk als een wetenschappelijke beweging die de logische stappen wilde zetten, die bij een nieuwe
vorm van werken hoorden. Vanaf het laatste kwart van die eeuw gevolgd door
de sociaal-christelijke beweging, vooral vanaf 1891, die ook de emancipatie van
de arbeider en de bestrijding van met de armoede samenhangende inkomensongelijkheid beoogde.

De eigenaardigheden van de nieuwe klassen van ondernemers en industriële
werknemers, de urbanisatie buiten de traditionele steden en de ontwikkeling
van internationale handel door beurzen en wereldtentoonstellingen werden
bestudeerd door uiteenlopende figuren als Thorstein Veblen, het echtpaar Sid-
ney en Beatrice Webb, Emile Durkheim of Max Weber, respectievelijk in de Verenigde Staten, het Verenigd Koninkrijk, Frankrijk en Duitsland. Hun werken
zijn te beschouwen als de studie van een nieuwe commerciële cultuur. Hun studies zijn een vorm van action research. De auteurs zijn ook geëngageerd in de
discussie met betrekking tot de verbetering van de door hen beschreven problemen. Na hen komen voorstellen voor een herordening van de samenleving
volgens hoofdlijnen, die het resultaat zijn van een vermenging van een bestaande bestuurscultuur en economisch-theoretische inzichten.
De meeste sociaal-economische ordeningen in Europa gedurende de twintigste
eeuw waren dergelijke versmeltingen. Het Sovjet-communisme was een vermenging van de Russische autocratische cultuur met een aantal marxistische
ideeën. Het Italiaanse fascisme was een vermenging van een reeks inzichten
over sociaal-economische sturing met de Italiaanse cultuur die nu en dan ver-
rukt is van een sterke leider om hem vervolgens weer naar huis te sturen. Ook
het Nationaal-Socialisme was een dergelijke menging. Van deze drie ideolo-
gieën kan gezegd worden dat het tijdgebonden versmeltingen waren van sociaal-economische ideeën met elementen van de nationale cultuur. Het zijn
moderne ideeën ingebed in een bestaande cultuur. Het utopisch marxisme hoort
bij romantische Duitsers uit de negentiende eeuw, het militante communisme
hoort bij niet-adellijke officieren en politici die bewijzen dat een nieuw staats-
verband beter is dan een traditioneel verband waar ze net uit komen, het naoor-
logse planningsoptimisme en het maakbaarheidsstreven van de jaren zestig en
zeventig past bij een generatie West-Europeanen die voor het eerst kennisma-
ken op de universiteit met sociologie.

De verzorgingsstaat

Socialisten, sociaal-democraten en christen-democraten vonden elkaar min of
meer in variaties van een sterke staat met ordenende bevoegdheden in contrast
met de heersende ideologie van de negentiende eeuw, die gemakshalve als 'libe-
raal' werd bestempeld. De eerste helft van de twintigste eeuw brengt de overheid met behulp van wettelijke maatregelen en soms met de oprichting van
bepaalde instellingen een minimale sociale zekerheid voor iedereen tot stand.
Na de Tweede Wereldoorlog was er in de westerse industrielanden een situatie

van toegenomen volkswelvaart. Het huishouden, de fabriek, het kantoor en vervolgens elke werkplek werden volgestouwd met moderne apparatuur. Nieuwe materialen vervingen traditionele materialen, nieuwe media vergemakkelijkten en versnelden de communicatie, transportmiddelen zoals een auto kwamen bijna binnen ieders bereik. In alle industrielanden nam de overheid initiatieven in de richting van wat Beveridge 'welfare state' noemde, niet geheel juist vertaald als 'welvaartsstaat'. Ook de federale regering van de Verenigde Staten nam wetten aan op het terrein van de volksgezondheid, volkshuisvesting, verzorging bijzondere ziekten, uitkeringen in geval van werkloosheid en andere bijzondere situaties. Vergeleken met West-Europa worden de risico's van ziekte, oudedag en arbeidsongeschiktheid minder sterk door de Amerikaanse regering gedragen, zodat ongeveer veertig miljoen Amerikanen niet verzekerd zijn voor ziektekosten. In de jaren tachtig ontstond er onder de Republikeinse presidenten Reagon en Bush Sr een beweging om te gaan snijden in de programma's voor Social Security. Die discussie werd ook gevoerd in West-Europa. Verdwenen is aan beide zijden van de Atlantische Oceaan het geloof dat de overheid welvaart kan creëren waar de individuele burger het niet kan. Maar elke overheid heeft de plicht een sociaal vangnet te onderhouden en de tien tot vijftien procent van haar onderdanen, die onder een zekere welvaartsminimum leeft, in financiële zin tegemoet te komen.

De argumenten die pleiten voor een herziening van de verzorgingsstaat variëren van een te frequent misbruik van de voorzieningen, de inefficiëntie van de uitkerende instanties tot een ander mensbeeld, dat wil zeggen een andere kijk op de lasten en onzekerheden die mensen zelf zouden moeten dragen. Ondanks afnemende politieke wil duurt bij sociaal filosofen de zoektocht voort naar een rechtvaardig systeem, dat op gelijkheid, compensatie dan wel stimulering van capaciteiten gebaseerd is. Vanaf A.K. Sen en J. Rawls in de jaren zeventig tot aan Ph. Van Parijs en Philip Selznick in de jaren negentig proberen deze ethici principes uit te denken die toegepast in systemen meer rechtvaardigheid of althans minder onrechtvaardigheid zouden bewerkstelligen.

Consumptie

De cultuur in West-Europa is pluraal, dat wil zeggen open voor een grote verscheidenheid aan waarden, aan visies, aan levensbeschouwingen, aan modes, aan stijlen, aan kunstproducties, aan definiëringen. Von der Dunk merkt op dat nergens voor het nageslacht de cultuur van een tijdperk zo zichtbaar wordt als in de kunsten. Bouwwerken, schilderijen en sculpturen blijven achter en getuigen ervan hoe met alle mogelijke materialen kunst werd geproduceerd, op uitzonderlijk veel locaties en door allerlei mensen. De grens tussen de cultuur van de verschillende klassen is verdwenen. Vergeleken met de openbare cultuur, gemanifesteerd in kerken, paleizen en openbare gebouwen, is de cultuur nu vooral komen te staan in het teken van bezit: 'ze werd een algemeen toegankelijk marktartikel.' Door het verwateren van de verschillen tussen de standen, die per stand hun groepsnormen en hun standsbesef hoog konden houden, is er een algemene levensstijl ontstaan, die niet terug te voeren is op een bepaalde stand of burgerlijk te noemen is. Het statuselement verdween niet, want de gelijkvormige levensstijl onthulde een individueel gevoelde behoefte om zich toch weer op de een of andere manier te onderscheiden. Reclame speelt hier op in en suggereert de toekomstige consument een statusophoging, een deelname aan een euforisch geluk of een individuele toename in welzijn. Zo proberen ondernemingen goederen en diensten aan de man te brengen, waardoor de burger vooral van waarde wordt als afnemer, als consument: 'Het werd zijn voornaamste functie want het was de voorwaarde om de groei en daarmee de algemene welvaart in stand te houden.' Sociologen verzonnen het etiket van 'de consumptiemaatschappij' voor deze welvaart, maar voor Von der Dunk is onze wereld een 'productiemaatschappij': de stroom van artikelen veranderde de samenleving en werd de vanzelfsprekende maatstaf om vooruitgang te meten. Kunst werd een consumptieartikel dankzij de grammofoonplaat, het fototoestel, de film en de televisie. Het zou afstomping in de hand werken.

"De distantie tot het sublieme werd opgeheven, wat neerkwam op een schoonheidsinflatie. Het gemakkelijke eclecticisme van deze immense mengcultuur weerspiegelde de maatschappij van een middenklasse waarin alle geledingen waren versmolten." (Von der Dunk, 2000: II, 262).

1.2   Verdergaande individualisering

De boven genoemde factoren – te weten industriële werkgelegenheid, de verzorgingsstaat en de consumptieve cultuur – bevorderen de individualisering. De industrialisatie heeft een scheiding van wonen en werken bevorderd, aanvankelijk alleen voor fabrieksarbeid, maar op den duur voor bijna alle loonarbeid. Het werkmilieu stelt de werknemer in staat een inkomen te verwerven, zonder dat de werkgever verplicht is of zich verplicht voelt huisvesting aan te bieden. In contrast met de negentiende-eeuwse werkgever biedt de onderneming van vandaag louter een werkplek, waarmee inkomen gegenereerd wordt. De verzorgingsstaat is het geheel van arrangementen dat elke burger in staat stelt los van een dwingend verband te leven. De verzorgingsstaat bestaat uit algemene arrangementen en bevordert niet concrete solidariteit en gemeenschap. Ook de verzorgingsstaat bevordert dus de individualisering. En uiteindelijk ook de onderneming. Elke onderneming is afhankelijk van enige factormarkten, waaronder de arbeidsmarkt. Werknemers worden ingehuurd; zij nemen uiteenlopende culturele achtergronden mee. De gewenste ondernemingscultuur is een streven om enige harmonisering in al deze verschillen aan te brengen. Want de onderneming wil de werknemer wel binden, maar nooit tot aan het moment dat de werknemer de onderneming een last zou zijn. De gewenste flexibilisering op de arbeidsmarkt is afhankelijk van de mate waarin de werknemer, bij beëindiging van het arbeidscontract, de arbeidsmarkt 'op kan'. Het is dus zaak de werknemer te scholen in 'employability' dat zoiets uitdrukt als de capaciteit van elk individu om zich economisch er door te slaan, om iets te ondernemen.

Individualisering wil zeggen dat mensen handelen vanuit een bewustzijn dat iedereen een eigen leven te leiden heeft. Individualisering is het proces waardoor een individu zich weet los te maken van een collectief of een geheel. Was dat aanvankelijk voorbehouden aan kunstenaars of ondernemers, op den duur was de cultuur zo gewijzigd, dat steeds meer mensen een 'eigen' leven konden en mochten leiden. Voor de enkeling betekent dat vaak door onderwijs of opleiding weg groeien van het milieu van afkomst. De toegenomen mobiliteit is deels een uiting van individualisering en deels kweekt het individualisering aan. Individualisering is dus ook verbonden met een zekere oppervlakkigheid, een zeker vermogen om snel contacten te leggen. Maar dat zijn geen bindingen voor het leven. Individualisering roept niet loyaliteit op, trouw en bestendigheid. Mensen leren snel 'vrienden' te maken, zich ergens te nestelen en zich thuis te voelen, zonder dat daarbij het gevoel bestaat dat op deze plek ook echt wortel geschoten wordt. Individualisering en ontworteling zijn op elkaar betrokken. Individualisering is de actieve uitdrukking van dit proces; ontworteling de passieve uitdrukking ervan.

Individualisering is ook een ideologie die typisch bij het kapitalisme en bij een marktmaatschappij past, zoals reeds opgemerkt door Burnham (1941). Vanaf het benadrukken door Luther van het persoonlijk lezen van de Bijbel, via het persoonlijk geweten, zoals benadrukt door de Puriteinen, loopt er een ontwikkeling tot aan de *homo economicus* in de klassieke economie. Voor Burnham hoort het particuliere initiatief hier ook bij. Ook mensenrechten benadrukken het individualisme. Vooruitgang en persoonlijke groei vormen de bestaanshorizon van de individuele consument. In contrast hiermee staat een gemeenschappelijke levensoriëntatie, waarin een mens lid is van een stand, van een familie of van een ander cultureel collectief en waarin de mens een bestaanshorizon heeft, die hem verbindt met verleden en toekomst. Bij een dergelijke opvatting horen normen, rechten en verplichtingen, die opgelegd worden: autonomie is in een dergelijke opvatting van zeer beperkte betekenis. In de wereld van vandaag echter komt de individuele burger op een andere manier aan normen en waarden, heeft die burger andere manieren om 'erbij te horen' en voorziet de burger op een andere manier in zijn levensonderhoud dan de poorter uit de wereld van de standen en de gilden.

Vanaf de Verlichting en de Industriële Revolutie – het zou te ver voeren over hun onderling samenhang hier uit te weiden – heeft individualisering zich doorgezet. In de wereld van de kunsten en de letteren was er al langer plaats voor onafhankelijke geesten. In de negentiende eeuw zijn sterke persoonlijkheden, waarmee grote delen van de bevolking zich kunnen identificeren, als het ware de emancipatoren. Publieke optredens van joden, katholieken, of immigranten als kunstenaar, schrijver of publiek figuur inspireerden hun achterban tot emanci-patie. Uit diezelfde minderheden kwamen ook ondernemers voort. Uiteenlo-pende soorten van ondernemers, want de ondernemer die een familiebedrijf vestigde, dreef op waarden als familiezin, loyaliteit en conventionaliteit, maar de innovatieve ondernemer die met geld van anderen een succesvol idee reali-seerde, was geïnteresseerd in *know-how*, in management, in markten.

Is individualisering een bedreiging? Er zijn verschillende maatschappelijke ver-schijnselen die ermee in verband worden gebracht, zoals het gebrek aan solida-riteit, het gebrek aan sociale cohesie en een geografische spreiding gebaseerd op inkomensverschillen. De maatschappij is steeds minder gebaseerd op institu-tionele banden: familie, kerk, gezamenlijke opleiding (alumni of *old boys net-works*), politieke partij. Individualisering is een levenshouding, een gevoel, een moraal: 'ik sta er zelf bij, ik heb mijn leven in de hand, ik moet er iets van maken.' In die zin is individualiteit – al in de Renaissance afgebeeld, verwoord en ge-idealiseerd – de voorwaarde voor het functioneren van de dominante coördina-tie-vorm in onze maatschappij, de markt. Op die markt verschuift de betekenis van vertrouwen van een inter-subjectieve ervaring naar een verwachtet dat ik niet in de steek zal worden gelaten (Nooteboom, 2002).

Coördinatie door een markt

Hier hoeft niet te worden uiteengezet dat in de afgelopen twee decennia in toe-nemende mate vertrouwd werd op 'vraagsturing', ofwel op marktwerking. Uit de verzuchting 'Laat het maar aan de markt over....' blijkt vertrouwen in het functioneren van de markt, maar wellicht ook een niet geheel gerechtvaardigd wantrouwen. Op de eerste plaats een wantrouwen in de overheid als onderne-mer. De publieke sector bleek niet in staat te zijn efficiënt voorzieningen aan te bieden, die een eeuw of minder aan de staat waren toevertrouwd om diverse redenen. Het staatsmonopolie van de PTT en andere diensten was een eeuw geleden een 'natuurlijk' of voor de hand liggend gegeven. Ruim tien jaar gele-den werd minder dogmatisch gekeken naar de openbare nutsbedrijven. De energiebedrijven dienden te innoveren en daarvoor was nieuw kapitaal nodig, dat via de beurs vergaard zou moeten worden. Op de tweede plaats werd de sociale zekerheidsstaat gewantrouwd. De feitelijke sociale zekerheid voor de werknemers bracht met zich mee dat er weinig arbeidsonrust was, dat er wei-nig gestaakt werd en dat werknemers en werkgevers in 1982 bereid waren een akkoord te sluiten, waarin loonmatiging tegen arbeidstijdverkorting en flexibi-lisering werd uitgeruild. Hiermee was het Poldermodel geboren, zoals deze typische sociaal-economische ordening van Nederland in 1996 door het Britse weekblad 'The Economist' werd gekarakteriseerd. Toch bleek Nederland allengs een minder sterke, minder stuurbare en ook meer frauderende samen-leving in de jaren negentig te zijn geworden. Op de derde plaats groeide er een wantrouwen in overleg en gezamenlijke regie. Door het accepteren van econo-mische noties zoals deregulering, privatisering en marktwerking werd overheidsinmenging en sturing van bovenaf minder geaccepteerd. Van hogerhand werd een nieuw mededingingsregime opgelegd. Nederland zou moeten ophouden een kartelparadijs te zijn

Een verschuiving in enige gangbare economische inzichten, samen te vatten met de woorden van een verschuiving in het 'economisch paradigma', maakte het mogelijk het hecht getimmerde bouwwerk van de sociale verzekeringen en voorzieningen in een decennium grondig te verbouwen. De uitgangspunten, zoals bijvoorbeeld collectieve zorg en een overheid als garant, veranderden in individuele verantwoordelijkheid en een vangnet van overheidswege. In plaats van een streven naar een redelijke inkomensverdeling, werd schoorvoetend in de jaren tachtig een zekere inkomensongelijkheid toegelaten, omdat door het vastgestelde minimumloon de prijs van de arbeid te hoog was geworden en de kansen op arbeid kleiner had gemaakt. De politici die de veranderingen in het loongebouw verdedigden voorzagen niet dat de inkomens zo uit elkaar zouden groeien in de jaren negentig. De spil van het loonsysteem was niet langer 'Jan Modaal', maar het ijkpunt werd het inkomen van een topvoetballer, CEO's van multinationale ondernemingen, of het dagtarief van bekende media-figuren.

Opmerkelijk is de opmars van de markt: niet alleen ter coördinatie van economische transacties maar ook ter legitimering van groeiende inkomensongelijkheid en verschillen in welvaart. Het is niet goed mogelijk bevredigend uiteen te zetten waarom 'de markt' tegen het einde van de twintigste eeuw zo terugkwam als alternatief voor andere coördinatievormen. Was het een gevolg van een almaar verder werkend individualisme, een hang naar morele autonomie? Of was het anti-autoritair, in de zin van afkeer van falende, bureaucratische overheden? Vermoedelijk kan op beide vragen enigszins bevestigend geantwoord worden.

Een wat erg gemakkelijk opvatting is dat een markt vrij moet worden gelaten, dat markten zichzelf corrigeren en dat markten efficiëntie bevorderen. Maar de meeste markten zijn niet zo volmaakt, doorzichtig en vrij van haperingen, als ze zouden moeten zijn volgens de economische theorie. Zonder spelregels, zonder normen voor de participanten persoonlijk en zonder toezicht zijn markten onbestaanbaar. Maar niet alle normering is toelaatbaar. De wetten van het oerwoud bevatten ook normen, maar die zijn waarschijnlijk minder geëigend, indien een efficiënte marktuitkomst en een zekere mate van rechtvaardige verdeling verwacht wordt. Er wordt vandaag meer verwacht van de markt dan in de negentiende eeuw. Ook al heeft de markt bewezen een effectief alternatief voor door de overheid goedgekeurde monopolies te zijn, dan betekent dat toch niet dat markten vanzelf al rechtvaardigheid, duurzaamheid of gespreide welvaart genereren. Markten werken wel zonder overheid, maar niet zonder toezicht. De tucht van een markt is een mythe. Er kan wel tucht op de markt zijn, mits een scheidsrechter aanwezig is.

1.3   Organisaties in een individualistische cultuur

Ondernemingen zijn ingebed in een commerciële en individualistische cultuur die totstand is gekomen als gevolg van processen waarin ondernemingen een beslissende rol hebben gespeeld. Ondernemingen zijn ingebed in een cultuur waar ze min of meer zelf om gevraagd hebben. Die cultuur wordt gedomineerd door marktprocessen. Als gevolg van de commercialisering is het spelelement in de economie toegenomen. Niet alleen op de markten, maar ook binnen de ondernemingen of instellingen van onderwijs en gezondheidszorg: er is een spel tussen bestuur en toezichthouder. De markt en de vergaderzaal als forum, als 'speelplaats'. Op de markt en in de vergaderzaal wordt een spel gespeeld. De participanten kunnen er hun kunstjes, hun competenties en hun waren laten zien. Op de markt en in de bestuurskamer worden nieuwe spelletjes gespeeld en nieuwe spelregels ontwikkeld, zoals er in de wereld van de kunsten almaar vernieuwing plaats vindt. In de muziekscène vindt innovatie plaats met behulp van eerdere melodieën en met behulp van materiaal, instrumenten of elementen die tot dusverre nog niet als 'kunst' werden aangewend. Wat we zien in de wereld van de kunst, is te beschouwen als een metafoor voor wat zich afspeelt binnen organisaties.

Marktprocessen kunnen als gevolg hebben dat de ondernemingen, actief op de markt, op prijs, kwaliteit en leveringsvoorwaarden concurreren, waardoor uiteindelijk de vrager op een markt (consument, opdrachtgever van een gebouw, eindverbruiker in ruime zin) het beste af is. Dat is alleen waar, indien dat georganiseerd wordt. Een maatschappij die de distributie over laat aan markten in plaats van aan overheidsregie, is niet per se een liberale maatschappij. Maar de normen worden, behalve door de overheid, ook aangegeven door (verzelfstandigde) arbiters en door tegenkrachten, die door de burger in de *civil society* zelf georganiseerd moeten worden, bijvoorbeeld als NGO: Amnesty International, Vereniging Natuurmonumenten, Dierenbescherming, of Transparency International. In markten wordt kennis gegenereerd, mits er onderzoek plaats heeft; in transparante markten vindt *benchmarking* plaats, mits auditors en certificeerders zelfstandig en onafhankelijk te werk mogen gaan; in markten vindt innovatie plaats, mits er wetten zijn die uitvindingen, modellen en merken beschermen. Markten functioneren dus wel, mits een groeiend aantal randvoorwaarden vervuld wordt. Indien dat zo is, dan is de consument beter in staat op te komen voor zijn of haar rechten, dan zijn werknemers beter beschermd op de arbeidsmarkt, dan kunnen aandeelhouders invloed uitoefenen op de leiding van de onderneming.

Marktwerking is aanvaardbaar, mits er heel veel georganiseerd wordt, in voorwaardenscheppende betekenis. Daarnaast zijn er ook verwachtingen ten aanzien van de organisaties, die spelers in de markten zijn. Voldoen die organisaties aan eisen van integriteit, van transparantie, van een goed *human resources*-beleid, enzovoort. Eisen dus uit het oogpunt van organisatie- of bedrijfsethiek. Bovenop die eisen kunnen nog eens extra hoge verwachtingen komen, indien de marktsituatie zelf gepercipieerd wordt door de burgers als een situatie waarin een enkele onderneming meer dan gemiddelde marktmacht heeft: er wordt dan verwacht dat zo'n marktleiderschap ook een moreel leiderschap is en dat de marktleider ook in moreel opzicht de lat hoger weet te leggen. Dit zijn eisen, geformuleerd door buitenstaanders. Insiders weten dat marktleiderschap doorgaans van voorbijgaande aard is en dat moreel leiderschap een onderneming kwetsbaar maakt voor verwijten als hypocrisie bijvoorbeeld, wanneer in het concern iets wordt aangetroffen dat niet strookt met de idealen die door de leiding worden verwoord.

De verwachtingen ten aanzien van organisaties nemen toe in de mate waarin de maatschappij voor haar voortbestaan afhankelijk geworden is van organisaties. Het handelen van mensen in organisaties wordt afgebakend door functie en taak binnen die organisatie, maar is ook sociaal genormeerd, want een handelend mens is bijna altijd een sociaal-handelend mens, dat wil zeggen dat het geheel of de samenleving altijd wel enigszins geraakt wordt door de handelingen van de enkeling, hoe miniem en indirect ook. Hoe individueel of individualistisch het handelen van een mens wordt gedefinieerd, er blijft de samenleving, als forum, waar bepaalde kwaliteiten goed- of afgekeurd worden. Het ethische discours poogt helderheid te scheppen en een onderscheid aan te brengen tussen wat als normaal beleefd wordt en als norm gezien zou moeten worden. Wat algemeen geaccepteerd wordt, hoeft in een moreel perspectief niet acceptabel te zijn. Normen zijn soms voorgegeven. Normen komen vaak van buiten en worden opgelegd. Normen, als spelregels, worden ook ontwikkeld, terwijl het spel gespeeld wordt. Maar hoe dan ook, normen hebben een sociale functie: ze maken het 'sociale' mogelijk. Normen maken het menselijk samenleven, het samenwerken in organisaties, het samenwonen, het handelen op de markt of het spelen van welk spel dan ook mogelijk.

De normen en waarden in een traditionele gemeenschap verschillen van die in een individualistische samenleving. Maar in alle samenlevingen, alle werkverbanden, alle organisaties zijn normen actief. De hoge morele normen zijn niet *per se* en nooit vanzelf de normen die in een bepaalde samenleving als nastrevenswaard beleefd worden. Het mag dan wel gebruikelijk zijn dat met ellebogenwerk, leugentjes om bestenwil en het laten prevaleren van het eigenbelang mensen in een bepaalde organisatie tot bepaalde posten doordringen, maar daarmee is dat soort gedrag nog niet goed te praten. Het is juist de taak van het ethische discours om, waar dat nodig is, het normale van het normatieve te onderscheiden en te bevorderen dat het normatieve normaal gevonden gaat worden.

In de organisaties, die de belangrijkste spelers zijn op de markten, werken mensen, ruilen en kopen mensen, en zijn mensen bereid allerlei andere handelingen te verrichten. Meestal doen ze dat als functionarissen van organisaties, tenzij ze als eindgebruiker of consument optreden. Engagement in een organisatie is eigenlijk altijd ook een partieel en tijdelijk streven naar gemeenschappelijkheid. Het grote verschil tussen een traditionele samenleving en een moderne samenleving is dat er een scala van mogelijkheden en keuzen is voor de intensiteit waarmee participanten zich binden in een organisatie. Het grote verschil tussen vandaag en vijftig jaar geleden is dat die mensen individueler ingesteld zijn, dat hun waarden verder uit elkaar liggen en dat er meer aan getrokken moet worden om binnen een organisatie een enigszins aanvaardbare organisatiecultuur te scheppen. Verontrustend is dat niet. Wel uitdagend.

Literatuur

Beveridge, W. (1942). *Social Insurance and Allied Services*. London: HMSO.
Burnham, J. (1941). *The Managerial Revolution*. New York: The John Day Company.
Dunk, H.W. von der (2000). *De Verdwijnende Hemel: Over de cultuur van Europa in de twintigste eeuw*. Twee delen. Amsterdam: Meulenhoff.
Nooteboom, B. (2002). *Vertrouwen: Vormen, grondslagen, gebruik en gebreken van vertrouwen*. Schoonhoven: Academic Service.
Zijderveld, A.C. (1988). *De Culturele Factor*. Cullemborg: Lemma.

2

De maatschappelijke uitdagingen

Door Huib Klamer

De aanpak van maatschappelijke vraagstukken is geen exclusieve verantwoordelijkheid meer van de overheid, maar doet een appèl op alle betrokken maatschappelijk actoren, onder wie het bedrijfsleven, en vraagt om coalities tussen die actoren. Dat wordt hierna toegelicht in paragraaf 1. Bedrijven zijn zich steeds vaker bewust dat zij integraal onderdeel vormen van de samenleving. Dit uit zich in een actieve maatschappijbetrokken opstelling. Voor het bedrijfsleven is het steeds belangrijker om een *maatschappelijke agenda* te hebben, dat wil zeggen te beseffen welke maatschappelijke ontwikkelingen en uitdagingen zich aandienen en welke rol bedrijven daarbij kunnen spelen. Een aantal van die ontwikkelingen wordt hierna concreet geschetst in paragraaf 2. In paragraaf 3 komt de vraag aan de orde of maatschappelijke betrokkenheid een *nieuwe succesfactor* voor bedrijven wordt naast traditionele criteria zoals winstgevendheid, efficiency, kwaliteit en innovatievermogen. De groeiende maatschappelijke betrokkenheid van bedrijven is een gevolg van de grotere *interdependentie* (wederzijdse afhankelijkheid) tussen al die cellen die tezamen het organisme van de maatschappij vormen. Dat wordt uiteengezet in paragraaf 4 van dit hoofdstuk.

2.1   Hoe maatschappelijke verantwoordelijkheid organiseren?

Waar ligt de verantwoordelijkheid om maatschappelijke uitdagingen aan te pakken? Lang heeft het idee bestaan dat alléén de overheid verantwoordelijk en competent is om maatschappelijke problemen aan te pakken. De overheid heeft zeker belangrijke rollen te vervullen – als (mede)regisseur, facilitator, regelaar, aanbieder –, maar steeds duidelijker wordt dat de inbreng van burgers, bedrijven en maatschappelijke organisaties onontbeerlijk is. In een netwerkmaatschappij functioneren overheid en bedrijven minder op zichzelf, maar stemmen processen steeds meer af in netwerken en coalities. Dat vraagt om een type 'civil society' waarvan de leden – burgers, bedrijven, maatschappelijke organisaties – zich betrokken weten bij maatschappelijke vraagstukken en deze vervolgens aanpakken, soms zelfstandig, maar vaak in partnerschap ('concerted action'). De verschillende actoren hebben verantwoordelijkheden, die complementair zijn, interdependent en overlappend. Ieder blaast zijn partij mee, zoals in een jazzband. De centrale regie, zoals in het symfonieorkest, ontbreekt veelal. Nu eens ligt het primaat bij de ene, dan weer bij de andere actor.

Globaal bestaan er *vier lijnen* waarlangs maatschappelijke betrokkenheid vorm krijgt en kan worden gestimuleerd:

a *Vrijwillige, spontane, deels belangeloze, initiatieven.*
   De zorg die burgers en ondernemingen vrijwillig op zich nemen, is omvangrijk. De tijd die burgers besteden aan vrijwillige zorg (inclusief de zorg voor gezinsleden), is anderhalf maal zo groot als de hoeveelheid betaald werk. Bedrijven zetten vrijwillig projecten op voor langdurig werklozen, bijvoorbeeld door werkervaringsplaatsen, stimuleren starters en bekommeren zich om ex-gedetineerden; zij besteden aanzienlijke bedragen aan giften of sponsoring, en doen zelfs aan vrijwilligerswerk (als alternatief voor het jaarlijks dagje uit, als vorm van teambuilding-training of als bijdrage aan de 'community' waarvan zij deel uitmaken). Bij al deze vrijwillige, spontane initiatieven is het directe eigenbelang niet of zwak aanwezig.

b *De motor van het eigenbelang.*
   Door zich maatschappelijke betrokken op te stellen kunnen bedrijven zich profileren in de richting van klanten en werknemers. Markant voorbeeld is de Bodyshop die van maatschappelijk ondernemen een 'unique selling point' heeft gemaakt. Maatschappelijk ondernemen wordt dan een marketinginstrument. Sommige bedrijven sponsoren maatschappelijke doelen (bijvoorbeeld de Vereniging Natuurmonumenten en Foster Parents) om zo een sociaal of groen imago op te bouwen.
   Bedrijven streven maatschappelijke betrokkenheid na omdat de 'markt dat wil'. Een niet te verwaarlozen groep van consumenten verlangt van bedrijven dat zij maatschappelijke problemen (milieu of de mensenrechten) serieus nemen. Heel sterk speelt dit bijvoorbeeld bij voedselveiligheid. Bedrijven die het hiermee niet zo nauw nemen, riskeren een afstraffing door de consument.
   Het eigenbelang kan ook de vorm aannemen van *verlicht eigenbelang.* In deze opvatting wordt het voordeel van de eigen maatschappelijke inspanning vooral op de langere termijn verwacht. Bedrijven kunnen zich bijvoorbeeld het minderhedenvraagstuk aantrekken, omdat er steeds grotere krapte ontstaat op de arbeidsmarkt (direct eigenbelang), maar ook omdat zij beseffen dat langdurige werkloosheid ontwrichtend werkt op de maatschappij en dus ook nadelig uitpakt voor het bedrijfsleven (verlicht eigenbelang).

c *Instituties, arrangementen en afspraken tussen maatschappelijke actoren.*
   Eén actor alléén is vaak niet in staat om een probleem aan te pakken. Het ontwikkelen van doorbraaktechnologie bijvoorbeeld kan vragen om coalities tussen bedrijven, kennisinstituten (bijvoorbeeld universiteiten) en de overheid (bijvoorbeeld om aanloopsubsidies te verlenen die de kostprijs van nieuwe energievormen concurrerend maken). Milieuzorg wordt vaak effectief gewaarborgd door vrijwillige afspraken te maken, met name in de vorm van convenanten tussen bedrijven en overheid.

De vele maatschappelijke organisaties bieden kaders om tot dergelijke afspraken, initiatieven en projecten te komen. Veel CAO's bevatten afspraken over de aanpak van de (jeugd)werkloosheid. In centrale instituties als de Stichting van de Arbeid stellen centrale werkgevers- en werknemersorganisaties aanbevelingen op voor hun leden over de combinatie arbeid en zorg. Zulke arrangementen zijn kenmerkend voor het Nederlandse poldermodel.

d   *Stimulansen, regelgeving en voorzieningen door de overheid.*
Steeds terugkerende vraag in de politiek is of de overheid het bedrijfsleven kan, moet en mag dwingen om maatschappelijke vraagstukken op te lossen, bijvoorbeeld door het te verplichten om een percentage allochtonen of gehandicapten in dienst te nemen, of dat kan worden vertrouwd op de werking van de markt en het zelfregulerend vermogen van bedrijven (al dan niet binnen de institutionele kaders als werkgeversorganisaties, CAO-overleg en de Stichting van de Arbeid). Vaak bestaat de neiging in de politiek om zelf een leidende rol te spelen.

Deze vier vormen van maatschappelijke betrokkenheid staan niet los van elkaar, maar vullen elkaar aan. Het motief van het eigenbelang (b), heeft de afgelopen jaren duidelijk terrein gewonnen ten opzichte van het belangeloos handelen (a). Maatschappelijke betrokkenheid wordt meer dan vroeger geïnspireerd door zakelijke motieven. De overheid blijft een belangrijke rol spelen (d), maar kan de aanpak van maatschappelijke vraagstukken vaak overlaten aan vrijwillige initiatieven (a), vertrouwen op de marktwerking (b) dan wel proberen te komen tot onderlinge afspraken (c).

2.2   De agenda van de toekomst: ontwikkelingen en uitdagingen

Een maatschappelijke agenda geeft de ontwikkelingen aan en de uitdagingen die om een adequaat antwoord vragen. Maar evenmin als de toekomst 'maakbaar' is, is zij voorspelbaar. Er zullen zich spontane ontwikkelingen en trendbreuken voordoen, zoals vijftig jaar geleden niemand heeft voorzien hoe groot de effecten zouden zijn van de informatietechnologie. Een beeld van de toekomstige uitdagingen heeft dus altijd een hypothetisch karakter. Achteraf blijken toekomstvoorspellingen vaak meer te zeggen over de tijdgeest ten tijde van de voorspelling dan over de toekomst zelf. Het is steeds weer moeilijk om duurzame trends te onderscheiden van tijdelijke trends.

> Een voorbeeld van een verkeerde voorspelling annex trendbreuk biedt de Franse statisticus die aan het begin van de twintigste eeuw voorzag dat Parijs aan het einde van die eeuw een grote berg paardenpoep zou worden. Deze statisticus zag namelijk dat het aantal paardenkoetsjes in Parijs drastisch toenam en extrapoleerde dit naar de toekomst. Hij hield geen rekening met de komst van de auto die een doorbraak betekende in de vervoerstechnologie. Weg paardenkoetsjes, weg paardenpoep!

Trends moeten in samenhang worden bezien want zij werken op elkaar in, versterken elkaar of compenseren elkaar. Een voorbeeld: bevolkingsgroei en economische groei verhogen samen de druk op het milieu; maar dat kan weer worden gecompenseerd door technologische vernieuwing (bijvoorbeeld energiebesparende technieken of nieuwe landbouwmethodes).

Zaken doen in een global village

De wereld wordt vaak voorgesteld als een 'global village'. In dat dorp weet iedereen alles van elkaar, praat iedereen met iedereen en doet iedereen zaken met iedereen. De fysieke afstanden in plaats en tijd belemmeren steeds minder het verplaatsen van informatie, beelden, kapitaal, goederen en mensen. Zo ontstaat wat wel de 'globale netwerkmaatschappij' wordt genoemd (Castells, 1996).

De opkomst van de global village heeft twee oorzaken:
* Allereerst de *technologie*, met name de combinatie van informatica, telecommunicatie, media, Internet, satellieten en vooral de interactie tussen deze technologieën.
* Ten tweede de *liberalisering*, met name van het handels- en kapitaalverkeer, door de vorming van de interne markt binnen de Europese Unie (EU), de val van de Berlijnse muur in 1989, het verdwijnen van de centraal geleide economieën en het verminderen van handelstarieven en -barrières in het kader van de WTO (World Trade Organisation).

Door te 'mondialiseren' vervlechten nationale economieën steeds meer met elkaar. Dat heeft twee kanten. De toename van de wereldhandel biedt kansen voor export en stimuleert economische ontwikkeling. Arme landen worden minder afhankelijk van hulp. 'Trade' blijkt effectiever dan 'aid'.

Daartegenover staat dat landen, met name ontwikkelingslanden, kwetsbaarder worden. Een crisis in een land (of regio) slaat gemakkelijk over. Incidenten escaleren snel tot een vertrouwenscrisis bij kapitaal- en kredietverstrekkers en consumenten, wat kan leiden tot kapitaalvlucht, onderbesteding en ondermijning van de eigen munt. Vooral kleine economieën lijken soms niet bestand zijn tegen de enorme, grotendeels speculatieve kapitaalstromen die dagelijks over de wereld circuleren. Er lijkt een kloof te ontstaan tussen de reële economie (de transacties van goederen en diensten) en de financiële markten van liquiditeiten, aandelen en derivaten. Dat kan ontwrichtend werken op economieën en roept de vraag op of aan het geliberaliseerde kapitaalverkeer regels en voorwaarden moeten worden gesteld. Door een nieuwe internationale financiële 'architectuur' te ontwerpen voor het geld- en kapitaalverkeer (bijvoorbeeld in het kader van het IMF – het Internationale Monetaire Fonds – of de organisaties van centrale banken).

Mondialiseren heeft ook grote culturele effecten. Het leidt tot diffusie van waarden en consumptiepatronen. De westerse, met name de Angelsaksische, economische normen worden steeds meer de wereldstandaard. Zo werd de komst van de eerste McDonald's in Rome gezien als een aanval op de nationale pizza. Een dergelijke reactie kan worden afgedaan als een frictie met een tijdelijk karakter. Maar de reactie kan veel krachtiger zijn wanneer de export en aantrekkings- kracht van westerse waarden en leefstijlen als bedreigend worden ervaren voor de eigen identiteit. Dan ontstaan sterke tegenreacties, zoals protectionisme, regionalisme, etnocentrisme, fundamentalisme of zelfs terrorisme. Voormalige minister-president Ruud Lubbers wees daar al in 1997 op tijdens een lezing bij het NCW over globalisering en waarden.

Lokale, regionale, nationale en religieuze bindingen bieden mogelijkheden voor identificatie en beleving van eigen identiteit en hoeven allerminst als negatief te worden beoordeeld voor het proces van globaliseren. Als die bindingen echter de vorm aannemen van een tegenbeweging, kunnen zij ontaarden in regressie, isolationisme en agressie. Dit botsen van culturen is te zien in de verschillende fundamentalistische stromingen, het meest duidelijk in de Islamitische wereld. Hadden veel conflicten vroeger vooral een ideologisch karakter, waarbij de tegenstellingen Oost-West en liberalisme-socialisme domineerden, thans zijn conflicten vooral etnisch-cultureel-religieus van aard.

Transnationale bedrijven worden meer 'footloose' en zijn steeds minder gebon- den aan één locatie. Bedrijven kunnen besluiten hun productieactiviteiten te verplaatsen, te concentreren - met het oog op te behalen schaalvoordelen - of uit te besteden naar landen met lagere lonen. Toen het Franse Renault in 1997 zijn vestiging in het Belgische Vilvoorde wilde sluiten leidde dat tot nationale en internationale protesten. Zulke verschuivingen binnen concerns zijn een logisch gevolg van de eenwording van markten en zullen zich in de toekomst onge- twijfeld vaker voordoen. Hoe betrokken zijn internationale bedrijven nog bij hun lokale omgeving? Ook al zitten bedrijven minder 'vast' aan een locatie, mondialisering en lokale maatschappelijke betrokkenheid kunnen elkaar goed aanvullen. Conform het motto 'Think globally, act locally' is de strategie van bedrijven steeds meer 'global', maar vinden de operationele activiteiten altijd plaats in een concrete maatschappelijke context met de daar geldende waarden en normen. Bedrijven komen wél steeds meer voor ethische dilemma's te staan als: Hoe verhoudt zich het belang van de lokale vestiging tot het bredere bedrijfsbelang? Gelden plaatselijke normen en gebruiken of dient men Wester- se standaarden te hanteren (bijvoorbeeld als het gaat om arbeidsvoorwaarden, milieu en eerlijk zaken doen)?

De discussie over de arbeids- en milieunormen speelt een belangrijke rol in het overleg tussen regeringen over het verder liberaliseren van de wereldhandel. NGO's pleiten wel voor het koppelen van het liberaliseren van handel aan het naleven van mensenrechten en milieubescherming. Een dergelijke koppeling kan gemakkelijk een alibi worden voor protectionisme en kan daarom waar- schijnlijk beter worden vermeden. Bij het Nederlandse bedrijfsleven bestaat breed het besef dat het een aantal fundamentele arbeidsnormen dient te erkennen zoals de vrijheid van vakvereniging, het recht om collectief te onderhandelen, de uitbanning van gedwongen arbeid, de uitbanning van kinderarbeid en het verbod van discriminatie (zoals die zijn vastgelegd in verdragen van de Internationale Arbeidsorganisatie (ILO) in Genève, waarin vertegenwoordigers van werkgevers, werknemers en overheden participeren). Probleem is steeds hoe de naleving kan worden gewaarborgd.

Actueel is de discussie over de betekenis van mensenrechten. Het is allereerst de verantwoordelijkheid van nationale staten om mensenrechten te vertalen in eigen wetgeving en toe te zien op de naleving daarvan. Als landen daartoe niet in staat zijn of daarmee in gebreke blijven ('soft states'), rijst de vraag in hoeverre bedrijven dan een eigen verantwoordelijkheid dienen te nemen. Steeds vaker accepteren bedrijven expliciet een verantwoordelijkheid voor het naleven van de mensenrechten die samenhangen met het verrichten van arbeid (bijvoorbeeld door dit vast te leggen in een bedrijfscode). Zo wordt in 24 procent van de bedrijfscodes van de grootste honderd ondernemingen in Nederlands aandacht besteed aan de mensenrechten in het algemeen en besteedt 26 procent van de bedrijfscodes aandacht aan de mensenrechten van de eigen medewerkers (Kaptein, Klamer en Wieringa, 2003). Moeilijker ligt de vraag in hoeverre bedrijven ook een verantwoordelijkheid hebben als het gaat om politieke mensenrechten (zoals het recht op een eerlijk proces en vrijheid van meningsuiting).

Veel bedrijven formuleren een eigen 'code of conduct' of 'business principles'. Zo heeft Shell in zijn code als de eigen verantwoordelijkheid van zijn werkmaatschappijen vastgelegd: "Het uitoefenen van het bedrijf als verantwoordelijke leden van de samenleving, het naleven van de wetten van de landen waarin zij werken, het uiting geven aan hun steun voor de fundamentele mensenrechten voor zover dat binnen de legitieme rol van het bedrijfsleven past en het in acht nemen van normen voor gezondheid, veiligheid en milieu conform het streven om bij te dragen aan duurzame ontwikkeling". C&A heeft in een code voor leveranciers vastgelegd dat kinderarbeid, onveilige en ongezonde arbeidsomstandigheden, onderbetaling verboden zijn, en heeft daarvoor een eigen controleorganisatie in het leven geroepen. Het Nederlandse WE International implementeert de SA8000 norm (voor 'Social Accountability') die de belangrijkste ILO-standaards bevat, en verlangt van zijn toeleveranciers dat zij deze norm toepassen en zich daarop laten controleren.

De demografische tijdbom

De wereldbevolking groeit exponentieel. Tussen 1955 en 2000 is het aantal wereldbewoners verdubbeld tot zes miljard. In de komende vijftig jaar wordt een verdere toename verwacht tot 7,9 á 10,9 miljard (United Nations, 2001).

De bandbreedte in de voorspelling van de bevolkingsgroei is groot. Bij het huidige aantal van circa drie kinderen (2,82) per vrouw is de prognose 10,9 miljard. De ervaring leert dat bij het stijgen van welvaart en opleiding het geboortecijfer daalt totdat de bevolkingsomvang stabiliseert of zelfs terugloopt. Als het geboortecijfer daalt naar 1,7 kinderen per vrouw, wordt de prognose 7,9 miljard. De middenvariant gaat uit van een daling tot 2,15 kinderen, komt uit op 9,3 miljard mensen in 2050. Bevolkingspolitiek, gericht op het verlagen van geboortecijfers, lijkt slechts beperkt effect te hebben (behalve wanneer dwang gebruikt wordt, zoals in China gebeurde). De VN-wereldconferentie in Caïro in 1994 stelde zich het ambitieuze doel om de wereldbevolking te stabiliseren op 8 à 9 miljard, door gezinsplanning, maar vooral door het bestrijden van analfabetisme en door het verbeteren van de positie van vrouwen.

Demografische ontwikkelingen tonen grote regionale en nationale verschillen. De groei vindt voor het overgrote deel plaats in de ontwikkelingslanden – Azië, Afrika en Latijns Amerika. De bevolking van Europa groeit nauwelijks in de komende twintig jaar (uitzondering vormen Duitsland, Spanje en Italië waar het aantal inwoners flink gaat dalen), maar verandert qua leeftijdsopbouw en samenstelling. Europa vergrijst, ontgroent en verkleurt (meer ouderen, minder jongeren, meer allochtonen). Nederland ijlt enigszins na, want de Nederlandse bevolking neemt in de eerstkomende decennia licht toe: van zestien miljoen in 2000 tot achtien miljoen in 2035.[1]

Sociale en economische gevolgen

De bevolkingsexplosie wordt wel de moeder genoemd van alle grote vraagstukken: de voedselvoorziening, het energie- en watergebruik, de milieudruk, de stroom van migranten en vluchtelingen, de werkloosheid, schaarste aan ruimte en de verstedelijking. Deze groei doet direct de vraag rijzen: Kan dat? Wat is de 'carrying capacity' van de aarde? Kunnen zo veel mensen gevoed worden? Wat zijn de gevolgen voor het milieu? Hoe kan dit in goed banen worden geleid?

Mondialisering en bevolkingsgroei leiden onvermijdelijk tot grote stromen van migranten die etnisch-culturele concentraties vormen, vaak gesegregeerd leven, moeilijk werk vinden en in beperkte mate participeren in de omringende samenleving. De multiculturele 'global village' moet niet worden voorgesteld als een idylle, waar mensen probleemloos samenleven. Burgers moeten leren omgaan met culturele verschillen maar zien die soms meer als bedreiging dan als verrijking. De integratie van allochtonen en nieuwkomers staat hoog op de politieke agenda's.

In Nederland zullen de effecten van vergrijzing, ontgroening en verkleuring geleidelijk zichtbaar worden naar het bedrijfsleven:

- Op de *arbeidsmarkt* ontstaan forse tekorten, met name aan technici en verpleegkundigen. Ook winkelpersoneel is moeilijk te vinden. Sectoren en bedrijven wedijveren met elkaar om de gunst van de schaarser wordende jongeren. Dat veroorzaakt een opwaartse druk op de lonen. Als de personeeltekorten toenemen, zullen bedrijven ouderen langer in dienst moeten houden, zich actiever opstellen in de richting van allochtonen. Steeds meer bedrijven verplaatsen productieactiviteiten naar het buitenland (of besteden deze uit).
- De vergrijzing zal bedrijven nopen om een veel actiever *ouderenbeleid* te voeren. De trend van de afgelopen decennia was dat werknemers op steeds jongere leeftijd afvloeiden; die trend zal mogelijk worden omgebogen. Op langere termijn zal de pensioneringsleeftijd misschien hoger komen te liggen.
- Nederland zal zich mogelijk opnieuw openstellen voor *arbeidsmigranten*, met name vaklieden of specialisten aan te trekken uit landen buiten de EU.
- *Consumptiepatronen* veranderen geleidelijk, zij het niet zo opvallend. Seniorenwinkels zullen er niet komen, omdat ouderen minder graag op hun leeftijd worden aangesproken. Dienstverleners doen er verstandig aan om veel aandacht te besteden aan productkenmerken, die voor de vaak koopkrachtige ouderen belangrijk zijn, zoals persoonlijke zorg en gemak.

De zorg voor natuurlijke hulpbronnen

Veel méér mensen zijn aangewezen op dezelfde ruimte en hulpbronnen. Dat roept een reeks van vraagstukken op over de toekomstige voedselvoorziening, het energiegebruik en het gebruik van schaarse ruimte.

1   *Voorzien in voldoende voedsel voor de global village*

In de negentiende eeuw voorspelde Malthus (1766-1834) dat de bevolkingsgroei onvermijdelijk tot catastrofale voedseltekorten zou leiden. Achteraf bezien heeft Malthus de mogelijkheden van productiviteitsstijgingen in de landbouw over het hoofd gezien. Ook nu zijn er deskundigen die dit doemscenario – in een moderne variant – waarschijnlijk achten. Het World Watch Institute verwacht voedseltekorten, omdat de natuurlijke voedselbronnen – landbouwgrond, zoet water, visgrond – afnemen door erosie, houtkap, overbevissing, het onttrekken van zoet water voor steden en industrie. Volgens deze pessimistische visie hebben de productiviteitsverbeteringen zoals die in de afgelopen decennia zijn gerealiseerd in Europa, Noord-Amerika en Azië door het toepassen van nieuwe technologieën (nieuwe zaden, meststoffen, pesticiden), inmiddels hun plafond bereikt. Daarbij komt de hogere consumptie in ontwikkelingslanden, waar de stijgende welvaart leidt tot meer consumptie van vlees, wat een groter beslag legt op landbouwgrond en extra vraag creëert naar graan (grondstof voor veevoer).

Het tekort aan zoet water lijkt zelfs een groter probleem te worden dan het ontbreken van geschikte landbouwgrond. De vraag naar zoet water zal fors toenemen; wereldwijd naar schatting 25 tot 30 procent in de periode 1990-2020 (RIVM, 1997). Zelfs in een nat land als Nederland wordt water schaarser, ook al merken burgers daar (nog) weinig van. Watertekorten kunnen gemakkelijk tot grote spanningen leiden in droge gebieden zoals rondom de Nijl, de Eufraat en de Jordaan.

Tegenover de pessimisten staan optimisten die wijzen op de groene revolutie: de nieuwe, hoogproductieve graanrassen, meststoffen en de irrigatie in de jaren zestig en zeventig, met name in Azië. De rijstproductie in Azië is in de afgelopen 25 jaar verdubbeld. Het landbouwareaal in Afrika (bijvoorbeeld Kongo) en zeker in Latijns Amerika kan nog fors groeien, ook al gaat dat ten koste van natuurgebieden. Daarvoor moet nog wel aan een aantal voorwaarden worden voldaan: grotere politieke stabiliteit, aantrekkelijke prijzen en goed waterbeheer.

De optimisten zijn van mening dat voldoende voedsel geproduceerd kan worden voor de wereldbevolking. Daarbij zien zij een sleutelrol voor nieuwe technologieën (bijvoorbeeld ziekte- en droogteresistente graanrassen). De voedselproblemen zullen voorbijgaan aan Noord-Amerika en Europa, omdat deze werelddelen een gunstig, gematigd klimaat hebben en een bevolking die niet of nauwelijks toeneemt. Problemen zullen vooral regionaal zijn, bijvoorbeeld in de Afrikaanse landen bezuiden de Sahara, die te kampen hebben met zeer sterke bevolkingsgroei en instabiele politieke verhoudingen. Verder kunnen problemen ontstaan in de droge landen, met name in het Midden Oosten, die meer voedsel zullen moeten invoeren dan nu.

Bij het ontwikkelen van nieuwe technologieën zal het bedrijfsleven een belangrijke rol vervullen. Daarbij zal meer dan vroeger aandacht nodig zijn voor de nadelige effecten van bijvoorbeeld bestrijdingsmiddelen en monoculturen. Het gaat er om technologische, ecologische, economische en sociale aspecten van landbouwproductie te integreren.[2]

Een bedrijf als Unilever is zich terdege bewust van het belang van duurzame voedselproductie. Op het terrein van de visserij, waar Unilever een sterke marktpositie heeft, werkt Unilever steeds meer vanuit de gedachte van duurzaam beheer van visstanden. Verder ontwikkelt Unilever eiwitten die vlees vervangen en veel minder beslag leggen op het milieu dan vlees.

---

2   Nieuwe energiebronnen

De economische groei, tezamen met de groei van de wereldbevolking, leidt tot een forse stijging van het energiegebruik. Die toename ligt in de orde van grootte van 85-125% tussen 1990 en 2020 (RIVM, 1997). De Nederlandse consument toont twee gezichten. Als het op daden aankomt, blijken burgers vooral milieubewust als het hun weinig moeite, tijd en geld kost. De burger brengt zijn oud papier en glas naar de daarvoor bestemde bakken en isoleert zijn huis. Maar hij neemt ook steeds vaker een vliegvakantie, pakt gemakkelijk de auto om naar zijn werk te gaan en schaft steeds meer elektrische apparaten die zijn gemak dienen zoals de wasdroger, afwasmachine en magnetron (Sociaal Cultureel Planbureau, 1999). Daarentegen heeft het Nederlandse bedrijfsleven in de afgelopen jaren de energie-efficiency in processen en producten sterk weten op te voeren. Het heeft bovendien beloofd door 'benchmarking' tot de top van de wereld te willen horen als het gaat om energiebesparing.

Het Nederlandse bedrijfsleven heeft meer dan honderd convenanten afgesloten gericht op beperking van energiegebruik, vervuiling en afval. Deze convenanten hebben effect gesorteerd. In 2001 gebruikten de grote bedrijven in de chemische sector 25 percent minder energie per eenheid product dan in 1989, ook al neemt het absolute energiegebruik nog toe door de economische groei. Goede resultaten zijn geboekt met de forse reductie van de verzurende gassen NO_x en SO_2. De convenanten zijn een voorbeeld hoe met vrijwillige afspraken tussen belanghebbenden grote verbeteringen bereikt kunnen worden (deze convenanten zijn een goed voorbeeld van wat wel het 'groene poldermodel' wordt genoemd).

Kan het energiegebruik van burgers en bedrijven verder worden gereduceerd? De energie-efficiency van producten kan toenemen, bijvoorbeeld door dematerialisatie (gebruik van minder en lichtere metalen). Bedrijven kunnen meer restwarmte gebruiken (bijvoorbeeld door op industrieterreinen samen te werken). Moeilijker is het om de consument te beïnvloeden. Het gedrag van consumenten zal alleen veranderen als substantiële heffingen worden ingevoerd op brandstof voor auto?s en vliegtuigen.

Op termijn zullen nieuwe energiebronnen moeten worden ontwikkeld. In de loop van de geschiedenis hebben mensen steeds weer nieuwe bronnen van energie ontdekt. Na hout werd wind een nieuwe energiebron. Later kwam daar steenkool bij, gevolgd door gas en aardolie en in de twintigste eeuw kernenergie. Nieuwe energiebronnen zijn: biomassa (verbranding van huisvuil, afval en hout), wind, waterkracht en zonne-energie. Het ontwikkelen van de laatste energievormen is sterk afhankelijk van de lokale omstandigheden (de continue aanwezigheid van wind en zon), mogelijke energiedragers en de kostprijs die voorlopig nog niet concurrerend is met de prijzen van fossiele brandstoffen. Hier kan de overheid stimulerend optreden. Verwacht wordt dat omstreeks 2020-2030 het gebruik van olie gaat afnemen. Gas wordt belangrijker, terwijl ook het gebruik van biomassa, wind en zonne-energie als energiebronnen fors zal toenemen (Shell, 2001). Op de duurzaamheidconferentie in Johannesburg in 2002 is besloten tot een substantiële verhoging van hernieuwbare energie.

3 Beperken CO_2 uitstoot en klimaateffecten

Volgens veel deskundigen gaat de CO_2-uitstoot die gepaard gaat met het gebruik van fossiele brandstoffen, leiden tot verwarming van de atmosfeer (het broeikaseffect), hoewel sommigen de omvang van het effect in twijfel trekken.[3] Verwarming leidt tot stijging van de zeespiegel en klimaatverandering. Het stijgen van de zeespiegel is desastreus voor een arm land als Bangladesh, maar kan ook voor een laaggelegen land als Nederland op den duur belangrijke gevolgen hebben (zoals de aantasting van dijken en duinen en de instroom van meer zout water).

Eind 1997 zijn in Kyoto vergaande wereldwijde afspraken gemaakt over het beperken van de emissie van broeikasgassen. De emissies in Europa moeten tussen 2008 en 2012 ten opzichte van 1990 afnemen met acht procent. Voor Nederland – dat relatief al schoon produceert – is een reductie afgesproken van zes procent. Op langere termijn zijn waarschijnlijk grotere reducties nodig. Dat vraagt vergaande aanpassingen die alleen mogelijk zijn met doorbraaktechnologie. Probleem met doorbraaktechnologie is dat doorbraken moeilijk zijn te voorspellen. Er bestaat geen zekerheid of en wanneer grote sprongen vooruit daadwerkelijk kunnen worden gerealiseerd.

> De Europese autoproducenten hebben in 1998 afgesproken om de uitstoot van CO_2 in 2008 met 25% terug te brengen; dat is zeker een forse verbetering. Een echte doorbraak is de ontwikkeling van een alternatief voor de benzinemotor, door de brandstofcel. Autofabrikanten als Mercedes en Fiat zullen binnen afzienbare tijd dergelijke auto's op de markt brengen.

Hoe nuttig alle nationale inspanningen ook zijn, direct moet bedacht worden dat het terugdringen van CO_2-uitstoot vooral een internationale aanpak vraagt. Investeren in energiebesparing geeft in landen met een geringere energie efficiency een veel grotere opbrengst dan in een relatief zuinig land als Nederland. De afspraken van Kyoto bieden de mogelijkheid van 'joint implementation'; dat betekent dat een land deels aan zijn reductieverplichtingen kan voldoen door te investeren in CO_2-reductie in een ander land. Zorgen voor schonere lucht in het buitenland kan zo aantrekkelijker zijn dan investeren in meer schone lucht in eigen land. Een dergelijke afkoop van de eigen reductieverplichting moet niet zo ver gaan dat de prikkel voor milieubewust gedrag in eigen land zou verdwijnen. De Nederlandse regering wil een deel van zijn reductieverplichting binnenlands realiseren en de helft buitenlands.

De veranderende rol van de overheid

1 Marktwerking neemt toe

De overheid treedt terug, maar blijft tegelijk nadrukkelijk aanwezig waar behoefte is aan sturing, regie en coördinatie. De domeinen van politiek en vrije markt zijn niet strikt te scheiden. Veel vraagstukken vragen om coalities van meerdere actoren, waarbij zelden één actor bij uitsluiting van anderen volledig competent is. Verantwoordelijkheden worden steeds meer gedeelde en (her)verdeeld. Beleid wordt vaak een vorm van 'co-makership'. Veel maatschappelijke belangen worden een gedeelde verantwoordelijkheid van overheid en private sector waarbij nieuwe vormen van ordening ontstaan. Dat vraagt om een nieuwe rol voor de overheid. Enkele voorbeelden:

- *Elektriciteitsvoorziening* en *telecommunicatie* zijn geprivatiseerd maar de overheid behoudt een toezicht houdende functie. De overheid vervult de rol van de marktmeester.
- De *sociale zekerheid* is geen exclusieve publieke verantwoordelijkheid meer, maar behoort tot de eigen verantwoordelijkheid van de ondernemer én werknemer. De overheid is verantwoordelijk voor de basisvoorziening (WAO, Nabestaandenwet) of schept een kader (Ziektewet). De Ziektewet is geprivatiseerd en heeft plaats gemaakt voor de verplichting van werkgevers om bij ziekte loon door te betalen. De ondernemer is verantwoordelijk voor preventieve zorg en reïntegratie van arbeidsongeschikten en wordt daar ook op afgerekend. De WAO-premie kan per bedrijf verschillen wat een stimulans vormt voor bedrijven om arbeidsongeschiktheid te voorkomen. Veel werknemers verzekeren zich bij voor het WAO-gat, dat ontstond door de versobering van de WAO.
- De *milieuzorg* is een publiek belang maar het bedrijfsleven is nadrukkelijk medeverantwoordelijk. Zij sloot daarvoor talloze convenanten af, als branche en/of met de overheid en past op grote schaal interne milieuzorgsystemen toe.

De markt heeft als ordeningsprincipe aan betekenis gewonnen in de afgelopen tien jaar. Zoals in veel andere landen heeft ook de Nederlandse overheid een expliciet beleid gevoerd gericht op liberalisering (bijvoorbeeld minder vestigingseisen voor ondernemers, ruimere winkeltijden, vrije tarieven voor vrije beroepsbeoefenaars zoals notarissen en makelaars en een verbod op mededingingbeperkende afspraken). De grotere marktwerking leidt tot meer economische dynamiek, kansen op buitenlandse markten maar ook tot de komst van nieuwe concurrenten uit datzelfde buitenland. Het spel in de markt wordt scherper, wat kan leiden tot krappere marges. Per saldo lijken de economische voordelen van een grotere marktwerking evenwel groot. Tegelijk roept de privatisering (NS, Schiphol) tegenbewegingen op, omdat de politiek garanties wenst voor de dienstverlening.

2 Wennen aan de Europese overheid

De staat kent bevoegdheden toe naar het supranationale niveau van de Europese Unie (en naar lagere overheden) en verliest daarmee autonomie. De Europese landen die zich hebben aangesloten bij de Europese Unie, hebben zich gebonden aan een aantal economische criteria die hun nationale beleidsvrijheid inperken met betrekking tot rente, inflatie, financieringstekort en staatsschuld.

Een steeds groter deel van de nationale regelgeving wordt aangereikt vanuit Europa. Bedrijven krijgen in toenemende mate te maken met de Europese instituties (bijvoorbeeld bij aanbestedingen en fusies).

Nationale politiek heeft in toenemende mate een internationale dimensie gekregen. Heel duidelijk wordt dat bijvoorbeeld in de belastingheffing – de BTW, winstbelasting en accijnzen. Tegelijk willen staten de vrijheid behouden om zich te kunnen onderscheiden en zelfs te concurreren met andere lidstaten (bijvoorbeeld om een aantrekkelijke vestigingsplaats te zijn voor bedrijven). Sommigen vrezen dat dat kan leiden tot een tarievenslag (bijvoorbeeld door lage tarieven in de vennootschapsbelasting). Ook op andere terreinen zoals immigratie en criminaliteitsbestrijding, neemt de behoefte aan beleidscoördinatie of -harmonisatie toe, maar hier is weinig vooruitgang.

In de komende jaren zal verder worden gediscussieerd over het beter functioneren van de Europese instituties, zowel met het oog op de verdere uitbreiding van de Europese Unie als op de versterking van de relatie burger-Europa. Europa blijkt weinig te leven bij burgers en er zijn regelmatig anti-Europese tendensen waar te nemen. Uitdaging zal zijn om een Europese 'civil society' te bouwen waarin burgers, bedrijven en maatschappelijke organisaties over grenzen heen met elkaar samenwerken. Misschien kunnen maatschappelijke organisaties een grotere rol gaan spelen bij de aanpak van Europese vraagstukken. De Europese Commissie heeft zich positief uitgelaten over de mogelijkheid van milieuconvenanten zoals die in Nederland worden afgesloten tussen overheid en bedrijfsleven. Op termijn kunnen medezeggenschap van werknemers in bedrijven en CAO's wellicht ook op Europese schaal vorm krijgen.

Een Europese ziel is rudimentair aanwezig. De invoering van de euro heeft totnogtoe hieraan geen impuls gegeven. Misschien kan een parallel worden getrokken met de vorming van de identiteit van de nationale staten in de negentiende eeuw. De nationale identiteit ontstond vooral met de opkomst van de nationale eenheidsstaat; daarvóór identificeerden mensen zich veel meer met de stad of regio waar zij woonden. Mogelijk kunnen sterkere Europese instituties leiden tot de vorming van een Europese identiteit.

Veranderingen in waarden

1   *Het nieuwe arbeidsethos*
Opvattingen over arbeid veranderen. Lang is arbeid gezien als een noodzakelijk kwaad, een plicht (Calvijn) of een roeping (Luther). Thans krijgt arbeid een positievere, intrinsieke, immateriële waarde. Werk is bijna onmisbaar geworden voor het leggen van sociale contacten, voor het beleven van eigenwaarde, voor het verkrijgen van sociale status, voor het ontplooien van persoonlijke talenten en voor maatschappelijke betrokkenheid. De statusverhoging van arbeid lijkt een soort compensatie voor de lossere sociale verbanden in familie, dorp en

buurt en wordt versterkt door het hogere opleidingsniveau van mensen wat leidt tot hogere ambities met betrekking tot hun werk.

De opwaardering van arbeid heeft zijn weerslag in de stijgende arbeidsdeelname van vrouwen. Ongeveer de helft van de moeders blijft nu werken, ook al blijft de zorg voor kinderen meestal nog op de schouders van de vrouw neerkomen (Sociaal Cultureel Planbureau, 1998). De herverdeling van werk- en zorgtaken tussen partners gaat langzaam. Emancipatie zal in de toekomst het karakter krijgen van man-cipatie, waarbij mannen geleidelijk meer huishoudelijke- en zorgtaken op zich nemen.

De nieuwe generatie, vaak goed opgeleide jongvolwassenen, wil zijn leven zo inrichten dat werken, zorgen en privé-leven allen tot hun recht komen. Een steeds groter wordende groep hoogopgeleide vrouwen wil evenals de man carrière maken ('dual careers'). De combinatie van werk en privé-leven leidt tot veel haast en drukte. Mensen komen tijd tekort om te voldoen aan al hun ambities (werk, carrière, opvoeden, huishouden, hobby's, sport, vakanties, vrienden et cetera). De juiste afstemming tussen werk en privé wordt steeds crucialer. In de verschillende fases van zijn leven en loopbaan willen werknemers een eigen balans kunnen vinden tussen werken, zorgen, leren en vrije tijd.

Zeker als het arbeidsaanbod schaarser wordt, kunnen bedrijven werknemers aan zich binden ('caring company') door faciliteiten aan te bieden in de arbeidsvoorwaarden (deeltijdarbeid, thuisarbeid, flexibele werktijden en verlofvormen).

2 Meer diversiteit

Lang gaf het typisch modale gezin het volgende beeld te zien: blank, een alleenverdienende vader, moeder thuis en twee kinderen. Geleidelijk is een grote pluriformiteit aan huishoudens ontstaan. Het aandeel van het traditionele huishouden met kinderen is tussen 1960 en 1995 teruggelopen van 56% tot 31% (Sociaal Cultureel Planbureau, 1998). In dezelfde periode steeg het aantal alleenstaanden van 12% naar 31% en nam het aantal paren zonder kinderen eveneens toe.

Deze diversiteit heeft ingrijpende gevolgen:
- Het arbeidsaanbod wordt gevarieerder (met name meer arbeidsparticipatie van vrouwen).
- De wensen van werknemers met betrekking tot hun arbeidsvoorwaarden gaan meer uiteen lopen. De alleenverdiener in het klassieke gezin hecht waarde aan een weduwen- en/of wezenpensioen, maar voor een alleenstaande werknemer heeft dit minder betekenis. Tweeverdieners zonder kinderen vinden verloffaciliteiten en vakantie vaak belangrijk. Om die verscheidenheid aan wensen te honoreren krijgen CAO's (en arbeidsvoorwaardenpakketten) een raamkarakter van een 'menu à la carte' waaruit werknemers kunnen kiezen al naar gelang hun persoonlijke voorkeuren.

- Er ontstaan nieuwe marktsegmenten. Er is meer vraag naar 'convenience' artikelen en 'fast food' (met name voor de tweeverdieners en alleenstaanden die tijd tekort komen).

3 Meer sociale mobiliteit

De relatiemobiliteit neemt toe. Mensen gaan veel aarzelender een duurzame relatie aan dan vroeger; jongeren wonen langer op zichzelf en gaan eerst samenwonen (Sociaal Cultureel Planbureau, 1998). Huwelijken zijn minder duurzaam. Desondanks blijven mensen een vaste relatie uiterst belangrijk vinden. Het merendeel van de alleenstaanden en gescheiden mensen wenst weer een vaste relatie, ook al is de duurzaamheid beperkter dan bij de vorige generatie. Sociale verbanden en gemeenschappen zijn losser geworden, brokkelen af en krijgen een meer tijdelijk karakter. Dat heeft te maken met de hogere eisen die mensen stellen aan relaties.

Ook in de relatie tussen werkgevers en werknemers lijkt een soortgelijke aarzeling in het aangaan van een vaste relatie aanwezig. Via tijdelijke contracten of uitzendrelaties wordt eerst bezien of het klikt. Is eenmaal de begeerde vaste aanstelling op zak, dan veranderen werknemers toch gemakkelijker van werkgever dan vroeger. De idealen van 'life time employment' en bedrijfstrouw behoren tot het verleden.

Werknemers zijn meer dan vroeger verantwoordelijk voor hun eigen levens- en werkproject en moeten zich de vraag stellen: Waar liggen mijn kansen? Wat vind ik leuk? Wat wil ik? Waar ben ik goed in, hoe houd ik mijn 'employability' op niveau? Werknemers krijgen een veel ondernemender instelling dan hun oudere collega's.

Tegelijk blijft de relatie met het bedrijf voor de werknemer van groot belang. Werknemers willen ergens bij horen, plezier hebben in hun werk, een clubgevoel ervaren, zonder zich direct levenslang te binden. Bij alle mobiliteit, grootschaligheid en massaliteit bestaat behoefte aan persoonlijke aandacht en betrokkenheid, ook binnen organisaties. Dat eist van bedrijven veel aandacht voor sociale relaties en cultuurvorming. Een advies van Faith Popcorn, een bekend trendwatcher in de marketing, aan managers in grote bedrijven is: "Handel alsof je werkt in een kleine organisatie."

Evenals werknemers worden ook klanten mobiel, veranderen gemakkelijk van voorkeur en worden kritischer. Keken werknemers en consumenten vroeger vooral naar de hoogte van hun loon dan wel naar de aantrekkelijkheid van de prijs, nu gaat het hen mede om de emotie, het gevoel dat het bedrijf en product oproepen. Nu producten steeds minder in kwaliteit van elkaar verschillen, worden emotionele, ethische en maatschappelijke overwegingen belangrijker in het bestedingspatroon van mensen.

2.3 Maatschappelijke betrokkenheid als nieuwe succesfactor voor bedrijven

Wordt maatschappelijke betrokkenheid voor bedrijven een nieuwe succesfactor? Zo ja, wat is de relatie met andere succesfactoren als efficiëntie, kwaliteit, flexibiliteit en innovatie?

De criteria voor het succes van bedrijven verschuiven gedurende de laatste decennia. Nieuwe criteria vervangen niet oude criteria maar komen er bovenop. Die criteria, waarvan de eerste vier zijn ontleend aan Bolwijn en Kumpe (1992), zijn weergegeven in tabel 2.1.

Tabel 2.1 Ontwikkelingen succesfactoren

periode	succesfactor	organisatie
1950-70	efficiency/kwantiteit	lopende band/arbeidsdeling
1970-80	kwaliteit	medezeggenschap/overleg
1980-90	flexibiliteit	netwerken/procesbeheersing
1990-	innovatie	zelfsturing/ondernemerschap
2000-	maatschappelijke betrokkenheid	partnerschap/betrokkenheid

Na de Tweede Wereldoorlog, in de jaren van wederopbouw, richten bedrijven zich vooral op kwantiteit, het verbeteren van *efficiëntie*, het terugdringen van kosten door middel van grootschalige productie en mechanisering. De ideale organisatie is de fabriek met de lopende band en een zo ver mogelijke doorgevoerde vereenvoudiging van functies. Op sociaal gebied komen in bedrijven en bedrijfstakken collectieve regelingen tot stand en een wettelijk stelsel van sociale zekerheid.

De tweede golf is de *kwaliteitsgolf*. Nadat materiële behoeftes lijken vervuld, worden in de jaren zeventig consumenten en werknemers kritischer en verlangen kwaliteit. Nieuwe thema's worden 'humanisering' van de arbeid, invloed in de arbeidsorganisatie en zorgvuldig omgaan met het milieu. Deze tweede golf komt boven op de eerdere golf van de efficiëntie. Kwaliteit staat voortaan voorop, ook al blijft efficiëntie onverminderd belangrijk.

De derde golf is de *flexibiliteitgolf*. De maatschappij laat een grote diversiteit in leefstijlen zien, wat leidt tot differentiatie in markten en consumenten die meer eigen, specifieke wensen stellen. Dat vereist een flexibele bedrijfsorganisatie met veel aandacht voor logistieke processen en korte doorlooptijden, zodat 'just in time' en op maat kan worden geleverd. De standaardarbeidspatronen verdwijnen. Organisaties krijgen het karakter van netwerken. Nieuwe thema's worden: maatwerk, keuzemogelijkheden in arbeidsvoorwaarden, deeltijdarbeid, flexwerk en aandacht voor diversiteit.

De vierde golf van de jaren negentig draait om *innovatie*, het vermogen om 'opportunities' te benutten, 'marktniches' te ontdekken en technologische vernieuwingen snel toe te passen in processen en producten. Innovaties volgen elkaar in hoog tempo op. Bedrijven functioneren in een 'copy cat world' waarin vernieuwingen snel worden gekopieerd door anderen ('benchmarking'). De innovatiedrang vraagt om een arbeidsorganisatie waarin werknemers zich ondernemend gedragen, en verantwoordelijkheden worden gedecentraliseerd naar businessunits en zelfsturende groepen. Sociale thema's zijn: intern ondernemerschap, resultaatafhankelijke beloning, ontwikkelen van competenties, employability, permanente educatie en sociale zekerheidsarrangementen ('employee benefits'). Ook deze golf komt boven op de vorige. Bij alle innovatie blijft aandacht nodig voor flexibiliteit, kwaliteit en efficiency.

Wordt *maatschappelijke betrokkenheid* de nieuwe succesfactor? Er wordt wel gesproken over de drie P's van de 'triple bottom line' voor succes: profit, people, planet. De recente beursschandalen tonen aan dat er nog de P van Principles aan toe te voegen is. Verantwoord ondernemen vindt zijn basis in principes zoals eerlijkheid, openheid en goed burgerschap. De volgende stap is maatschappelijke betrokkenheid. De onderneming is geen autonoom instituut, maar onderhoudt relaties met haar sociale omgeving (buurt, stad), overheden, instituties (beroepsopleidingen, universiteiten) en de samenleving als geheel (burgers, NGO's). In dat kader leggen bedrijven steeds meer contacten met NGO's als representanten van burgers. In zijn meest vergaande vorm kan beleid mee tot stand komen in interactie met de diverse stakeholders (interactieve beleidsvorming). De relatie tussen bedrijf en samenleving kan worden voorgesteld als een bundel van sociale contracten. Die contracten scheppen over en weer verplichtingen. Als het bedrijf niet aan die verplichtingen voldoet, valt de legitimiteit, de 'licence to operate', weg onder haar bestaan. Van bedrijven mag worden verwacht dat zij met hun middelen en competentie bijdragen aan maatschappelijke vraagstukken die te maken hebben met hun productie, werkprocessen en de verrichte arbeid. Dat hoort tot hun missie. Op die maatschappelijke betrokkenheid worden bedrijven steeds meer aangesproken. Daarin kunnen zij zich onderscheiden. Bedrijven die hun maatschappelijke verantwoordelijkheid vormgeven, kunnen daarvoor door consumenten, werknemers en andere stakeholders extra gewaardeerd worden (althans door een substantieel deel van hen) en zo een concurrentievoordeel behalen. Maatschappelijke betrokkenheid wordt natuurlijk niet de enige succesfactor; efficiency, kwaliteit, flexibiliteit en innovatie blijven essentieel voor succes. Maatschappelijke betrokkenheid wordt daaraan als extra dimensie toegevoegd.

2.4   Interdependentie als leidend beginsel van de netwerkmaatschappij

Bedrijf en maatschappij zijn steeds meer onderling verbonden, interdependent. In een netwerkmaatschappij maakt autonomie plaats voor besef van interdependentie. Dat vraagt ook om een passende filosofie.

Visie op mens en onderneming

Tijdens de Verlichting in de tweede helft van de achttiende eeuw ontstaat een nieuwe mensvisie. Centraal komt het idee te staan van de *autonome mens*, de mens die zich laat leiden door rationele overwegingen, zichzelf de wet stelt en dienovereenkomstig zijn leven en zijn sociale verbanden inricht. Deze mensvisie heeft tweeërlei effect. Enerzijds ontworstelt de mens zich met zijn rede aan knellende traditionele opvattingen en regels, hij voelt de vrijheid om zijn leven naar eigen inzicht vorm te geven en te werken aan vooruitgang en ontwikkeling. Anderzijds ontaardt diezelfde autonomie meer dan eens in een egocentrisch individualisme dat sociale verbanden en moraal ondermijnt. Deze onvermijdelijke spanning is kenmerkend voor de Verlichting en ligt ten grondslag aan veel maatschappelijke vraagstukken. Daarmee rijst de vraag of het Verlichtingsideaal van de autonome mens houdbaar is.

Als alternatief of tenminste als correctie en aanvulling op het beeld van de autonome mens kan de *afhankelijke mens* worden gesteld. Elk mens is aangewezen op medemensen en op de natuur. Als pasgeborene is de mens afhankelijk van de zorg van zijn ouders en aan het einde van zijn leven, als (hoog)bejaarde, moet hij opnieuw een appèl doen op de zorg van anderen (zoals familie en/of professionele zorgverleners). Die zorg en aandacht van anderen is letterlijk van levensbelang. De mens is evenzeer afhankelijk van de natuur. Zonder de natuurelementen aarde, water, lucht en warmte kan de mens niet leven. Het is van levensbelang voor de mens om de kwaliteit van zijn leefomgeving te bewaren.

De vrije markteconomie bestaat bij gratie van de autonome onderneming die producten op de markt brengt, steeds weer vernieuwt en zonodig breekt met tradities, en consumenten die vrij zijn om te kiezen. Leidende principes zijn de vrije marktwerking en het eigenbelang.
Een aanzienlijke groep mensen kan, zoals Adam Smith al liet zien, voor de bevrediging van hun materiële behoeftes een beroep doen op het eigenbelang van medeburgers en daarvoor met hen economische transacties aangaan. Die mogelijkheid beperkt zich evenwel tot de mensen die koopkrachtig en dus autonoom zijn. Het principe van het eigenbelang heeft een begrenzing en behoeft een noodzakelijk complement in de principes van solidariteit en onderlinge zorg. Adam Smith zelf besefte dat al toen hij opmerkte dat de markt ingebed dient te zijn in een samenleving waarin mensen 'moral sentiments' ervaren jegens elkaar.

De onderneming is evenmin autonoom ten opzichte van de natuur. Het bestaan van de onderneming op langere termijn is alleen gewaarborgd als voldoende grondstoffen duurzaam aanwezig blijven. Dat vraagt óók van de onderneming dat zij zorgt voor haar omgeving zoals een hovenier dat doet voor zijn tuin.[4] Ook voor een bedrijf geldt dus dat het autonoom is én afhankelijk.

Groeiend besef van interdependentie

Er ontstaat een toenemend bewustzijn van interdependentie. Historisch kunnen drie fases worden onderscheiden:
- In de *premoderne samenleving* functioneert de maatschappij volgens het Algemeen Menselijk Patroon (de term is afkomstig van de Nederlandse historicus Romein). De levenssferen van wonen, werken, zorgen, leren en geloof zijn nauw met elkaar vervlochten. Interdependentie is vanzelfsprekend.
- Na de *industriële revolutie* wordt de maatschappij in gescheiden compartimenten opgedeeld. Huishoudens, scholen, kerken, overheden en bedrijven worden ontvlochten en functioneren op zichzelf. Volgens het recept van Taylor en Ford worden arbeidsprocessen minutieus georganiseerd.
- In de *nieuwe tijd* ontstaan opnieuw vervlechtingen tussen bedrijfsleven, huishoudens, scholen, aanbieders van sociale zekerheid, zorgverlening en overheden (er wordt ook wel gesproken over ontgrenzing). Er ontstaan nieuwe vormen van interdependentie in talloze gedaantes en benamingen zoals 'public-private partnerships', 'co-makerships', convenanten en de 'caring company'.

Interdependentie heeft ook een spirituele dimensie waarvan de sporen kunnen worden teruggevonden in de diverse godsdiensten en levensbeschouwingen:
- In het Joodse denken is het welzijn van elke Jood onlosmakelijk verbonden met het welzijn van het Joodse volk als geheel.
- Volgens de Rooms-Katholieke sociale leer is de mens geen individu dat zichzelf genoeg is, maar is hij een persoon die van nature en voor zijn geluk is aangewezen op zijn sociale omgeving. De mens draagt een brede verantwoordelijkheid naar anderen; hem worden geen materiële bezittingen ontzegd, maar zijn privé-eigendom is ondergeschikt aan de 'universele bestemming van alle aardse goederen'.
- Het humanisme benadrukt de autonomie van de mens maar stelt daartegenover dat de mens niet als middel, als 'instrument' mag worden gezien maar moet worden gerespecteerd en benaderd in zijn eigenwaarde.
- Oosterse godsdiensten – Boeddhisme, Hindoeïsme, Taoïsme – hebben een sterk holistische inslag en spreken over het belang van mededogen en de samenhang van alle leven, waarbij de mens participeert in een omvattend kosmisch verband.

Godsdiensten kunnen zo het idee van interdependentie en moreel besef versterken en daarmee een positief alternatief bieden voor de uitwassen van een individualistische mensvisie. Godsdienst en levensbeschouwing kunnen mensen een motivatie bieden om hun wederzijdse afhankelijkheid onder ogen te zien en gemeenschappelijke vraagstukken aan te pakken. De verschillende wereldgodsdiensten kunnen mogelijk een verbond vormen in de strijd voor behoud van de aarde en de oplossing van de grote humanitaire vragen. Vanuit dit vertrekpunt heeft de theoloog Hans Küng gepleit voor een 'Weltethos' dat aan de verschillende godsdiensten de noodzakelijke impulsen ontleent om de grote maatschappelijke problemen onder ogen te zien en op te lossen. Een dergelijk bondgenootschap lijkt meer dan ooit noodzakelijk in onze global village. Een verbindend woord is wellicht compassie.

Noten

1 Voorspelling van het CBS, opgenomen in *Demos*, tijdschrift van het NIDI (Nederlands Interdisciplinair Demografische Instituut) van januari 2001.
2 Aldus professor Bouma in een interview met het Verbond, bijlage van *Forum* van 9 april 1998.
3 Zo'n persoon is Bjorn Lomborg: www.lomborg.com. Deze critici ontkennen niet dat er een zeker klimaateffect bestaat, maar dat is beperkt. De kosten van reductie wegen niet op tegen de effecten. Het geld kan veel beter worden besteed aan bijvoorbeeld waterbeheer.
4 Voor de zorg voor het milieu wordt vaak het beeld gebruikt van de rentmeester. Een betere metafoor is misschien het beeld van de hovenier die zijn tuin behoedt en bewerkt. Een rentmeester beheert, incasseert opbrengsten, calculeert en laat vooral anderen voor zich werken. Een hovenier daarentegen werkt zelf, creëert, plant, richt in, oogst, verzorgt en vernieuwt, door oude gewassen te vervangen en nieuwe gewassen te planten, en brengt zo een stukje natuur 'in cultuur'.

Literatuur

Bolwijn, P.T., en Kumpe T. (1992). *Marktgericht Ondernemen: Management van continuïteit en vernieuwing*. Stichting Management Studies. Assen/Maastricht: Van Gorcum.
World Watch Institute (1995, 1996, 1998). *State of the World*. New York/London: Norton,.
Castells, M. (1996). *The Rise of the Network Society*. Oxford: Blackwell.
Dyson T. (1996). *Population and Food: Global trends and future prospects*. London/New York: Routledge.
Kaptein, M., Klamer, H, en Wieringa, A. (2003). *De Bedrijfscode*. Den Haag: Stichting NCW.
Küng, H. (1991). *Project Weltethos*. München/Zürich: Piper
Faith Popcorn (1996). *Clicking*. Londen: Harper Collins.
Rijksinstituut voor Volksgezondheid en Milieu (1997). *Nationale Milieuverkenning 1997-2020*. Alphen aan den Rijn: Samsom.
Sociaal Cultureel Planbureau (1998). *Kwartaalbericht 1998, nr 1*.
Sociaal Cultureel Planbureau (1998). *Sociaal en Cultureel Rapport: 25 jaar sociale verandering*. Den Haag: SCP.
Sociaal Cultureel Planbureau (1999). *Verspilde energie?* Den Haag: SCP.
Shell (2001). *Energy Needs, Choices and Possibilities*. Den Haag: Shell.
Sociaal-Economische Raad (1996): *Fundamentele Arbeidsnormen en Internationale Handel*. Den Haag.
Stichting NCW (2001). *Maatschappelijk Ondernemen: Een handreiking*. Den Haag.
Stichting NCW (2002). *Een (On)gezonde Afkeer van de Politiek?* Den Haag.
United Nation (2001). *World Population Prospects: The 2001 revision*. New York.

3
Over vertrouwen

Door Dominique Waterval

Vertrouwen is een ongrijpbaar maar belangrijk fenomeen in de samenleving. Zonder een bepaalde mate van vertrouwen is economisch verkeer niet mogelijk. Arrow stelt: "virtually every commercial transaction has within itself an element of trust" (Arrow, 1972: 48). Het uitlenen van een boek, het meenemen van een lifter, het vooruitbetalen van een factuur zijn allemaal voorbeelden van handelingen waarbij sprake is van een bepaalde mate van vertrouwen. Sommige transacties berusten op veel vertrouwen, zoals bijvoorbeeld het toevertrouwen van een hoeveelheid geld aan een vermogensbeheerder of het kopen van een huis, terwijl andere transacties zo routineus zijn, dat we veronderstellen dat het wel goed zal komen.

Vertrouwen verlaagt de transactiekosten in het economische verkeer. Mensen zijn volgens de *agency* theorie "opportunistische wezens die voortdurend gecontroleerd dienen te worden" (Creed en Miles, 1996: 18). Volgens deze benadering zouden er hoge contract- en toezichtkosten zijn, tenzij op grond van onderling vertrouwen de participanten aan een transactie "zich eerder 'bloot geven', ontvankelijker zijn voor de ideeën van anderen, de afhankelijksrelatie beter accepteren en minder de noodzaak voelen om een ander te controleren. Het resultaat is dat problemen makkelijker oplosbaar zijn en dat samenwerking plaatsvindt in een open en meer creatieve sfeer" (Ratsers, 1999: 4). In een situatie waar weinig vertrouwen bestaat, zullen mensen minder snel met informatie komen, de invloed van anderen afwijzen en zelf controle willen blijven uitoefenen.

Arrow vat de voordelen van vertrouwen als controlemechanisme samen in het volgende citaat: "Trust is an important lubricant of a social system. It is extremely efficient; it saves people a lot of trouble to have a fair degree of reliance on other people's word" (Arrow, 1972: 45).

Vertrouwen doet meer dan alleen transacties goedkoper maken. In vertrouwen op de leiding en in elkaar organiseren mensen zich en sluiten zich bij elkaar aan (Creed en Miles, 1996). Hierdoor zijn organisaties mogelijk. Samenwerking is onmogelijk zonder een bepaalde mate van vertrouwen. Het doorgaan of afketsen van een fusie is vaak het gevolg van het vertrouwen of gebrek aan vertrouwen tussen de onderhandelingspartners. Vertrouwen wordt bovendien steeds belangrijker in een economie met meer concurrentie, nieuwe technologieën en vergaande globalisering (Rasters, 1999: 5). In een steeds groeiende en concurrerende economie is het immers van levensbelang om snel en efficiënt te opereren.

De meeste aandacht van de economische literatuur gaat uit naar institutioneel vertrouwen en vertrouwen binnen en tussen ondernemingen. Daarbij wordt voorbij gegaan aan een meer fundamentele vertrouwensrelatie, namelijk het vertrouwen tussen mensen hetgeen ook een belangrijk economisch begrip is. In dit hoofdstuk wordt een kort overzicht gegeven van de economische, sociologische en psychologische literatuur over vertrouwen. Daarna wordt aangestipt hoe begrippen als risico, afhankelijkheid en samenwerking gerelateerd zijn aan vertrouwen.

Naast individuele deugden, zoals rechtvaardigheid, wijsheid of moed, mogen we ook van sociale deugden spreken, waartoe gehoorzaamheid of vertrouwen behoren. In contrast met gehoorzaamheid geeft vertrouwen een grotere mate van vrijheid en verantwoordelijkheid aan mensen, zodat ze meer dingen uit zichzelf gaan doen.

3.1 Wat is vertrouwen?

Het antwoord op de vraag wat vertrouwen is, wordt mede bepaald door de academische invalshoek waarmee iemand naar vertrouwen kijkt. Een econoom definieert vertrouwen anders dan een psycholoog of een socioloog. Binnen elke wetenschappelijke discipline bestaan er verschillende definities van vertrouwen (Nelson, 2001; Batson, 1996). Gambetta spreekt in zijn boek dan ook van "the elusive notion of trust"(Gambetta, 1988: 214). Porter schrijft "trust, tends to be somewhat like a combination of the weather and motherhood; it is widely talked about, and it is widely assumed to be good (for organisations). When it comes to specifying just what it means, in a organisational context, however, vagueness creeps in"(Rasters, 1999: 2).

Bovenstaande citaten illustreren dat vertrouwen een zeer moeilijk te definiëren begrip is. De complexiteit van het begrip leidt vaak tot verwarring en onduidelijkheid. Deze verwarring heeft een drietal oorzaken (Rasters, 1999).
- De eerste oorzaak is dat elke wetenschappelijk discipline vertrouwen vanuit een andere invalshoek belicht. Een psycholoog legt meer nadruk op de cognitieve processen, een socioloog daarentegen is meer geïnteresseerd in de invloed van de sociale omgeving op vertrouwen (Bhattacharya, 1998: 2). Een econoom kijkt meer naar de gevolgen voor transacties. Hierdoor interpreteren onderzoekers vertrouwen op verschillende manieren (Rasters, 1999: 4).
- Een tweede oorzaak voor de verwarring zijn de verschillende vormen van vertrouwen die bestaan. Veel wetenschappelijke publicaties maken gebruik van een andere onderverdeling van vertrouwen. Een vaak gebruikte inde

ling is afkomstig van Lewicki en Bunker die een onderscheid in een drietal fasen van vertrouwen tussen mensen maken: berekenend vertrouwen, vertrouwen gebaseerd op identificatie en vertrouwen gebaseerd op kennis (Lewicki en Bunker, 1996). De nadruk ligt bij deze indeling op de ontwikkeling van vertrouwen. Vertrouwen ontwikkelt zich in een relatie van een vorm van berekend vertrouwen naar uiteindelijk een vorm van vertrouwen gebaseerd op kennis.

- De derde oorzaak is dat de term vertrouwen verbonden is met allerlei begrippen zoals risico en samenwerking (James e.a., 1999). In de literatuur is het vaak niet duidelijk wat het verband of onderscheid is tussen deze begrippen en vertrouwen.

Vertrouwen wordt in veel definities omschreven als de bereidheid om risico's te nemen (Rousseau e.a., 1998). "Trust enlarges the willingness to take risk, and taking risk again, can be a sign that one commits to a deal. This commitment in turn enlarges the trust of the other party. This means that trust and risk follow each other in the development of a relationship and cannot be considered to be synonyms" (Rasters, 1999: 8). Risico en vertrouwen horen bij elkaar zonder een paar te vormen. Hiermee is echter nog niet alles gezegd.

Economische visie

In de economische theorie is er op het eerste gezicht weinig plaats voor vertrouwen. Binnen de economie bestaat er van oudsher een stroming die vertrouwen tussen mensen radicaal verwerpt. De economische literatuur is immers meestal gebaseerd op de veronderstelling dat mensen rationele zelfzuchtige wezens zijn of zoals Axelrod het formuleert: "We all know that people are not angels, and that they tend to look after themselves and their own first" (Axelrod, 1984: 3). De *agency* theorie beschouwt vertrouwen daarom als een vorm van irrationeel gedrag (Eisenhardt, 1989).

Volgens Kipnis willen mensen zoveel mogelijk situaties vermijden waarbij men iemand moet vertrouwen. Het vertrouwen van iemand is volgens Kipnis 'bothersome' (Kipnis, 1994). Vertrouwen levert een negatief gevoel op van boosheid, angst of schrik. De oorzaak van dit negatieve gevoel is dat mensen waarde hechten aan zelfstandigheid. Mensen geloven dat het "better is to control our world, than for our world to control us" (Kipnis, 1994: 40). Vertrouwen brengt een ongewenste onzekerheid met zich mee, immers andere mensen bepalen mede de uitkomst van een kwestie.

Vertrouwen tussen mensen krijgt voor het eerst aandacht in de economische literatuur met de opkomst van de speltheorie in de jaren zeventig (Axelrod, 1984: 44).Vooral het bekende *prisoners' dilemma*, waarover later meer, heeft de economische belangstelling voor het menselijk gedrag enorm gestimuleerd (Axelrod,

1984; Gibbons, 1992). In de speltheorie staan de strategische beslissingen van mensen centraal. De speltheorie verstaat onder vertrouwen het volgende: persoon A werkt samen met persoon B, wanneer vanuit een rationeel perspectief de beste handeling voor persoon B ook de beste handeling voor persoon A is. Persoon A verwacht dat persoon B ook zal samenwerken. De speltheorie betitelt dit samenwerkend gedrag van persoon A als 'vertrouwen' (Kramer en Tyler, 1996). De term vertrouwen is in deze situatie onjuist. In de beschreven situatie ontbreekt immers een bepaalde mate van kwetsbaarheid of afhankelijkheid (Bradach en Eccles, 1989). Zonder kwetsbaarheid of afhankelijkheid is het moeilijk van vertrouwen te spreken, want dan is "trust unnecessary because outcomes are inconsequential for the trustor"(Mishra, 1996: 265). Het gedrag van persoon A kan beter worden aangeduid als 'anticipated cooperation' (Burt en Knez, 1996: 70). Persoon A kan de handeling van persoon B vooraf met redelijke zekerheid voorspellen.

In de speltheorie is de afhankelijkheid en de kans op verlies te klein om te mogen spreken van vertrouwen. Een baas die zegt, "ik vertrouw erop dat je deze brief naar Amerika faxt, anders ben je ontslagen", geeft geen blijk van vertrouwen. Er is in deze situatie wel sprake van een afhankelijkheidsrelatie, maar de gevolgen voor de werknemer zijn te groot om het vertrouwen te misbruiken. De baas gaat ervan uit dat de werknemer de opdracht zal uitvoeren. Het risico voor de baas is te klein om te kunnen spreken van vertrouwen.

Samengevat volgt vertrouwen in de economische literatuur uit de structuur van contracten en beloningsvormen. Deze zijn op een zodanige manier opgesteld dat individuen zich op een specifieke manier zullen gedragen. Economen betitelen dit gedrag vervolgens als vertrouwen. Een reëel risico voor het breken van het vertrouwen en een afhankelijkheidsrelatie tussen partijen zijn geen vereisten voor vertrouwen. De laatste jaren ontwikkelen zich andere economische vormen van vertrouwen. In deze vormen is de kans op verlies veel groter.

Psychologische visie

In psychologische artikelen ligt de nadruk meer op de sociale en cognitieve processen die gepaard gaan met vertrouwen. De psycholoog Rousseau ziet vertrouwen als een *state of mind*: "In a sense trust is not a control mechanism but a substitute for control, reflecting a positive attitude about another's motives. Control comes into play when adequate trust is not present" (Rousseau e.a., 1998: 395). Volgens deze definitie is vertrouwen dus geen gedrag zoals samenwerken of een gemaakte keuze, zoals een beslissing die iemand eventueel neemt. De keuze om iemand te vertrouwen is een onbewust proces dat het resultaat is van ervaringen en de stemming van het moment.

Het volgende citaat vat de visie van psychologen op de juiste manier samen: "Trust is people's abstract positive expectations that they can count on partners to care for them and to be responsible for their needs now and in the future" (Berscheid en

Reis, 1998: 220). In deze definitie staat vertrouwen volledig los van de eigen interesses. Een persoon die zijn eigen interesses opzij zet en de wensen van zijn of haar partner ondersteunt, versterkt het vertrouwen. Vertrouwen vloeit voort uit een warm positief gevoel over mensen. In situaties waarin vertrouwen samenvalt met het eigenbelang, is volgens psychologen geen sprake van vertrouwen.

Economen zijn in dit soort gedrag niet geïnteresseerd, want zij beschouwen dit vertrouwen als een vorm van persoonlijk vertrouwen (Craswell, 1992; Luhman, 1985; Williamson, 1993). Persoonlijk vertrouwen treedt alleen op in situaties met een sterke emotioneel karakter, zoals tussen geliefden of vrienden. Deze relaties komen in het economische verkeer weinig voor. Dit soort vertrouwen behoort tot het domein van de persoonlijke relatie die in het dagelijks leven een marginale rol spelen. Het vertrouwen wordt door economen doorgaans buiten beschouwing gelaten.

Sociologische visie

Vertrouwen tussen mensen krijgt vooral veel aandacht in de sociologische literatuur. Sociologische modellen gaan, net als economische modellen, ervan uit dat vertrouwen een bewuste handeling is (Bradach en Eccles, 1989; Burt en Knez, 1996). Het grote verschil met de economische theorieën is dat voor sociologen ook andere motieven, behalve het eigenbelang, een rol kunnen spelen bij de afweging om iemand te vertrouwen. De sociale omgeving kan de verwachtingen en daarmee het beslissingsproces van een persoon bewust en onbewust sterk beïnvloeden.

Sheppard en Blair zien vertrouwen daarom als een essentieel en natuurlijk onderdeel van een menselijke relatie. Vertrouwen is "accepting the risks associated with the type and depth of the interdependence in a given relationship" (Blair en Sheppard, 1998: 1). Vertrouwen is afhankelijk van het soort en de diepte van een relatie. Het is met andere woorden de omgeving die het vertrouwen beïnvloedt.

De bereidheid om iemand te vertrouwen is gebaseerd op inschattingen van de kans dat deze persoon het vertrouwen zal belonen. Coleman definieert vertrouwen als een "incorporation of risk into the decision of whether or not to engage in the action" (Coleman, 1990: 92). In deze definitie is vertrouwen eveneens een afweging van risico.

De definitie van Coleman benadrukt echter nog een ander belangrijk element van vertrouwen namelijk: de bereidheid om zichzelf kwetsbaar op te stellen. Een persoon neemt bewust een risico op verlies door iemand te vertrouwen. Dit element is een belangrijke voorwaarden voor vertrouwen. Risico en afhankelijkheid scheppen een aantal voorwaarden aan de situaties en het gedrag, waarbij men kan spreken van vertrouwen.

In een werkbare definitie van vertrouwen komen de volgende elementen naar voren:

* De beslissing is een *rationele beslissing* want personen overdenken hun vertrouwensbeslissing. Een persoon handelt niet vanuit een gevoel of opwelling. Hij maakt een overweging tussen alle factoren die voor hem *en* voor de andere persoon een belangrijke rol spelen.
* Er moet sprake zijn van een *risico*. De persoonlijke belangen van beide partijen mogen niet met elkaar overeenkomen. Mensen maken een persoonlijke *afweging* van een risico. Vertrouwen is dus geen beslissing tussen twee uitersten, waarbij 0 geen vertrouwen is en 1 volledig vertrouwen. Vertrouwen kan elke vorm aannemen tussen 0 en 1, want mensen hebben een keuze over de samenwerkingsvorm.
* Een belangrijke voorwaarde voor vertrouwen is dat er sprake moet zijn van *onzekerheid*. De onzekerheid ontstaat, wanneer mensen niet weten of kunnen weten wat de actie van de tegenpartij is of zal zijn. Vertrouwen heeft dan betrekking op alle toekomstige handelingen die invloed kunnen zijn op het heden.
* Er moet sprake zijn van *afhankelijkheid*. De handeling van persoon B kan nadelig zijn voor A. De mogelijkheden van persoon B zijn afhankelijk van de handelingen van persoon A. Deze eis elimineert gevallen waarbij vertrouwen geen invloed heeft op de eigen besluiten.

Deze elementen zijn terug te vinden in de definitie van Luhmann (1985) of Dasgupta (1988). "Trust (or, symmetrically, distrust) is a particular level of the subjective probability with which an agent assesses that another agent or group of agents will perform a particular action, *before* he can monitor such action (or independently of his capacity ever to be able to monitor it) *and* in a context in which it affects his own action."[1]

Samengevat betekent vertrouwen "believing that when offered the chance, he or she is not likely to behave in a way that is damaging to us, and trust will typically be relevant when at least one party is free to disappoint the other, free enough to avoid a risky relationship and constrained enough to consider that relationship an attractive option" (Gambetta, 1998: 219).

3.2　Speltheorie en het Prisoners' dilemma

Mensen maken voortdurend een berekenende afweging tussen de persoonlijke voor- en nadelen. Een vertrouwensbeslissing is niets anders dan het resultaat van die afweging. Vertrouwen tussen mensen krijgt, zoals vermeld, pas aandacht met de opkomst van de speltheorie. Het meest bekende spel uit de speltheorie is het *prisoners' dilemma*.[2]

Het *prisoners' dilemma* is een voorbeeld van een sociaal dilemma. Sociale dilemma's zijn situaties waarin twee of meer partijen een keuze hebben tussen het eigenbelang en het collectieve belang. Deze keuze is een dilemma, want een besluit voor het eigenbelang vermindert het welzijn van het collectief. Een besluit voor het collectieve belang is nadelig voor het individuele belang (Pruitt, 1998). Sociale dilemma's liggen ten grondslag aan een groot aantal menselijke problemen, variërend van het helpen van collegae of wapenwedlopen tot de vervuiling van het ecosysteem. Het *prisoners' dilemma* is een simpele en abstracte weergave van enkele veel voorkomende en interessante situaties. Het dilemma stelt twee spelers in staat om gezamenlijk winsten te behalen door samen te werken, maar het biedt ook de mogelijkheid om een andere speler uit te buiten door te verraden. De strategische keuze die een deelnemer maakt, hangt af van het vertrouwen dat een persoon heeft in de andere speler. Wanneer persoon A denkt dat persoon B samenwerkt, zal persoon A verraad plegen. Verraden levert persoon A immers een hogere opbrengst op. Wanneer persoon A denkt dat persoon B verraad pleegt, is verraden wederom zijn beste keuze. De beslissing van persoon B, heeft geen invloed op de beslissing van persoon A, want persoon A kiest altijd voor verraad. Persoon A heeft in het *prisoners' dilemma* een dominante strategie.[3] De dominante strategie van persoon B is ook verraad, want voor hem geldt een identieke situatie. Twee zelfzuchtige spelers die het spel eenmaal spelen zullen volgens de speltheorie kiezen voor hun dominante strategie. Het kiezen van deze dominante strategie leidt in een statisch spel met volledige informatie tot een 'Nash-evenwicht' (Axelrod, 1984; Gibbons, 1992). In een Nash-evenwicht heeft geen speler de intentie om zijn gedrag te wijzigen, gegeven de beslissing van de andere speler. De speltheorie voorspelt dat het spelen van een Prisoners' dilemma eindigt in verraad door beide partijen en daarmee in een sociaal ongewenst resultaat. Een belangrijke voorwaarde voor deze uitkomst is dat spelers het spel eenmalig spelen, elkaar niet kennen en niet kunnen communiceren. Het dilemma van een gevangenenspel is dat de spelers slechter af zijn met deze uitkomst dan wanneer ze samenwerken. Samenwerken levert spelers een hogere gezamenlijke opbrengst op dan het Nash-evenwicht. Er is voor beide spelers dus een verbetering mogelijk. Het optimale punt voor beide spelers, noemt men een Pareto-optimaal punt (Gibbons, 1992). Rationeel egoïstisch ingestelde spelers zullen dit Pareto-optimale punt echter niet bereiken. Tenzij een speler kan *vertrouwen* dat de andere persoon ook samenwerkt.

Communicatie tussen de spelers in een *prisoners' dilemma* vergroot de kans op onderlinge samenwerking. Er is een zestal verklaringen voor dit effect (Pruitt, 1998).

- De eerste verklaring is dat discussie de spelers de mogelijkheid biedt om bepaalde samenwerkingsnormen op te stellen. Spelers kunnen bijvoorbeeld zeggen: "Vergeet niet dat het voor ons beide beter is wanneer we samenwerken."
- De tweede verklaring is dat communicatie een groep de mogelijkheid biedt om druk uit te oefenen op bepaalde leden om een bepaald gedrag te verkrijgen.
- De derde verklaring is dat communicatie groepsleden in staat stelt samenwerking te bevestigen.

- De vierde verklaring is dat communicatie een gevoel van groepsidentiteit stimuleert. Een gezamenlijk groepsgevoel vergroot het vertrouwen tussen de leden.
- De vijfde verklaring is dat communicatie de verwachting versterkt dat andere spelers zullen samenwerken.
- De zesde verklaring is dat communicatie het langtermijn denken stimuleert, omdat het mensen de kans geeft om kenbaar te maken wat ze zullen doen in verschillende situaties.

Er zijn onderzoekers die wijzen op het tegenovergestelde effect van communicatie op samenwerking. Personen kunnen communicatie namelijk ook gebruiken om een medespeler op het verkeerde been te zetten. Zonder geloofwaardige beloften blijft communicatie immers *cheap talk*. De rationeel egoïstische theorie gaat ervan uit dat communicatie zonder geloofwaardige dreigementen of reputatie uitsluitend *cheap talk* is. Empirische resultaten tonen echter aan dat communicatie wel degelijk een positief effect heeft op het niveau van samenwerking tussen spelers. Spelers overleggen blijkbaar over hun beste gezamenlijke strategie (Ostrom, 2000; Fehr en Gächter, 2000).

Samenwerking ligt ook voor de hand, indien spelers het spel meerdere malen spelen. De beslissingen in het heden worden immers beïnvloed door verwachtingen omtrent de toekomst. Axelrod formuleert deze invloed als volgt:

> "The fact that the players might meet again brings cooperation. This possibility means that the choices made today not only determine the outcome of this move, but can also influence the latter choices of the players. The future can therefore cast a shadow back upon the present and thereby affect the current strategic situation" (Axelrod, 1984: 12).

Een speler, die in de eerste periode een andere speler verraadt, zal in de daarop volgende perioden niet meer worden vertrouwd. Een speler heeft daarom een prikkel om ook in de eerste periode samen te werken. Verraad levert alleen in de eerste periode een hogere winst op, want samenwerking in de toekomst is niet meer mogelijk. Een speler maakt bij herhaaldelijke interactie een afweging tussen de korte termijn winst van verraden en de lange termijn winst van samenwerken. Een speler kiest voor samenwerken als de lange termijn winsten hoger zijn dan de korte termijn winsten. Er is nog een tweede manier waardoor herhaaldelijke interactie leidt tot samenwerking, want spelers leren de strategie van de tegenspeler. Spelers passen hun beslissingen hierdoor aan. Uit diverse onderzoeken is gebleken dat bij herhaalde spelen de *tit-for-tat* strategie de beste is (Axelrod, 1984; Gibbons, 1992) Deze strategie betekent dat spelers samenwerken in de eerste periode en daarna de keuze van de andere speler uit de vorige periode kopiëren. De collectieve opbrengst van deze strategie is voor beide spelers het hoogst. Bij voldoende herhaaldelijk contact, leert een speler automatisch de strategie van zijn medespeler. Mensen ontwikkelen in dit soort situaties een 'gevoel' voor gezamenlijke samenwerking (Ostrom, 2000; Fehr en Gächter, 2000; Pruitt, 1998). Deze vorm van samenwerking voldoet echter niet aan de definitie van vertrouwen.

Veel onderzoeken met sociale dilemma's wijzen uit dat een vergroting van de groep een daling van de samenwerking veroorzaakt (Kramer en Brewer, 1986; Pruitt, 1998). Hiervoor zijn verschillende verklaringen. De belangrijkste is dat individuen in een kleinere groep een sterkere prikkel hebben om hun eigen interesses te volgen, want effectieve controle is door de grootte van een groep veel moeilijker. Daarnaast zijn individuen in een grote groep veel anoniemer en kunnen zich daardoor makkelijker aan de sociale druk onttrekken (Gibbons, 1992).

3.3 Berekenend vertrouwen: twee stromingen

In de eerste paragraaf is een onderscheid gemaakt in een drietal vormen van vertrouwen. In de tweede paragraaf is geanalyseerd wat berekening bij besluitvorming zou kunnen inhouden. Deze paragraaf bespreekt een vorm van vertrouwen oftewel berekenend vertrouwen. De economie kijkt van oudsher uitsluitend naar economische situaties. De laatste decennia ontwikkelt de economie zich tot een bredere wetenschap. Een wetenschap die het gedrag van mensen ook in het dagelijks leven probeert te verklaren. Het onderwerp vertrouwen krijgt daarom meer aandacht van economen en behoort niet langer uitsluitend tot het domein van de speltheorie. De term vertrouwen heeft in de economische publicaties altijd een sterk berekenend karakter, vandaar de term 'berekenend vertrouwen'.

De visie van berekenend vertrouwen heeft veel aanhangers onder de economen zoals Burt en Knez (1996), Craswell, (1992), Dasgupta (1988) en Williamson (1993). Het merendeel van de economische theorieën is immers gebaseerd op de veronderstelling dat individuen rationele en egoïstische wezens zijn. Berekenend vertrouwen kan onder enig voorbehoud worden onderverdeeld in twee stromingen.
• Monetair berekenend vertrouwen.
• Sociaal berekenend vertrouwen.

De eerste stroming behandelt vertrouwen alleen in situaties waarbij geld of andere materiële zaken een rol spelen. De stroming beschouwt vertrouwen als een rationele, bewuste afweging tussen persoonlijke materiële kosten en opbrengsten (Kramer en Tyler, 1996). De belangrijkste vertegenwoordigers van deze stroming zijn Axelrod (1984), Coleman (1990) en Gibbon (1992).

De tweede stroming is een verbreding van het traditionele economische vakgebied. In deze stroming is vertrouwen eveneens een rationele berekening tussen de persoonlijke voor- en nadelen. De factoren die de hoogte van de voor- en nadelen bepalen zijn echter niet uitsluitend van materiële aard. Sociale normen, individuele eigenschappen, vooroordelen en groepsgevoelens beïnvloeden de uitkomst van de berekening. De voornaamste publicaties van deze stroming zijn afkomstig van Dasgupta (1988), Craswell (1993), Fehr e.a. (1997), Ostrom (2000) en Williamson (1993).

De grote overeenkomst tussen beide stromingen is het mechanisme dat mensen gebruiken voor het maken van hun beslissingen. Een andere overeenkomst is dat auteurs uit beide stromingen een onderscheid maken tussen berekenend vertrouwen en persoonlijk vertrouwen. Het persoonlijk vertrouwen is het vertrouwen tussen geliefden, vrienden en familieleden. Het vertrouwen in dit soort situaties is *niet* berekenend van aard. In alle overige situaties is er wel sprake van berekenend vertrouwen. Berekenend vertrouwen legt te sterk de nadruk op het rationeel vermogen van mensen. De theorie stelt dat bijna elke menselijke handeling vooraf zou worden gegaan door een rationeel proces. De capaciteit van mensen om problemen op een rationele manier op te lossen is echter beperkt. Met andere woorden: de rationele mogelijkheden van individuen zijn begrensd. Begrensde rationaliteit is: "a cognitive assumption, according to which economic agents are extendedly rational, but only limited to do so" (Williamson, 1992: 458). Een benadering die te zeer een berekenende vorm van vertrouwen veronderstelt, houdt geen rekening met deze begrenzing van rationeel gedrag. Rationele afwegingen kunnen betrekking hebben op in geld uit te drukken zaken. 'Kostenplaatjes' vereenvoudigen de keuze tijdelijk, maar elke beslisser komt in de loop van het keuzeproces voor allerlei niet in geld uit te drukken waarden te staan. Bijvoorbeeld sociale normen. Een sociale norm geeft een waardering aan al dan niet door verraad verkregen potentiële winsten of verliezen en aan vertrouwen dat wel of niet geschonden wordt. Bovendien worden beslissingen mede bepaald door onbewuste veelal automatische processen.

Aanvullingen vanuit sociologische en psychologische invalshoeken

Vertrouwen kan niet louter met een economische discipline maar moet ook met een psychologische en sociologische discipline benaderd worden. Het is vaak niet mogelijk een onderscheid te maken tussen een zuiver psychologische en een sociologische theorie, daarom worden hier beide disciplines vanuit één oogpunt bezien. Het voornaamste verschil met de economische literatuur is dat vertrouwen geen berekenende afweging is tussen de persoonlijke voor- en nadelen, maar een menselijke eigenschap die in bepaalde situaties onder bepaalde omstandigheden het gedrag van mensen beschrijft.

Een aantal van deze theorieën biedt een verklaring voor vertrouwen of het ontbreken ervan. Allereerst hebben mensen een aangeboren affiniteit met leden van dezelfde groep (Brewer en Rupert, 1998). Mensen zullen volgens de 'ingroep-outgroep' theorie daarom sneller vertrouwen hebben in personen die zij tot dezelfde groep rekenen. Individuele keuzen worden altijd sterk beïnvloed door de sociale omgeving. De sociale omgeving van mensen bestaat veelal uit groepen, want mensen hebben de universele neiging om zich in te delen in groepen. In het dagelijks leven zijn mensen lid van de sportclub, studievereniging, vakbonden enzovoort. Groepsvorming is noodzakelijk om te kunnen overleven. Daarnaast geeft het groepslidmaatschap een bepaalde mate van identiteit aan een persoon. Door deel uit te maken van een groep kunnen mensen zeggen: 'ik ben een Moslim' of 'ik ben een fan van Ajax'. Deze groepsvorming is niet altijd een bewust proces, in de meeste gevallen vindt groepsvorming in het onderbewuste plaats. De termen 'ingroep' en 'outgroep' verwijzen naar de sociale groep, waartoe een individu behoort. Ingroepen en outgroepen kunnen verschillen in grootte en typen. Voorbeelden van ingroepen zijn: familie, vrienden, geslacht, nationaliteit, maar ook studierichting of lidmaatschap van een sportvereniging. Groepslidmaatschap is meer dan alleen een cognitieve indeling voor mensen. Het heeft ook een emotionele betekenis.

Een tweede verklaring voor het ontstaan of ontbreken van vertrouwen is dat mensen snel vooroordelen en stereotype beelden vormen met betrekking tot het verwachte gedrag van andere mensen. Stereotype beelden handhaven de maatschappelijke status-quo en beschermen de bevoorrechte groep. Het stereotype beeld over de werkende vrouw zorgt bijvoorbeeld ervoor dat vrouwen op de arbeidsmarkt geen gelijke kansen krijgen als mannen. Het stereotype beeld helpt mannen hun dominante positie te waarborgen. Stereotype beelden *kunnen* berusten op een waarheid of kern van waarheid. Hierdoor verschaffen stereotype beelden soms waardevolle informatie. Dit bespaart mensen een hoop tijd en energie om zelf achter de waarheid te komen (Fiske, 1998). Mensen zijn geneigd om bijkomende informatie te interpreteren in overeenstemming met hun stereotype gedachten (Nelson, 2001). Naast stereotype beelden zijn er ook vooroordelen. Ze zijn gevoelsmatiger van aard dan stereotype beelden. Mensen geloven graag dat de leden van de ingroep betrouwbaar, samenwerkend, vredelievend en eerlijk zijn, terwijl de leden van de outgroep onbetrouwbaar, competitief, ruziezoekend en oneerlijk zijn. Vooroordelen zijn hardnekkig en consistent, zeker als het contact tussen groepsleden erg oppervlakkig is. Vooroordelen kunnen verminderen wanneer mensen uit verschillende groepen persoonlijk met elkaar in contact treden. In situaties waarbij de verschillende groepen geen contact hebben, ontwikkelen de groepsleden sterke vooroordelen en stereotype beelden.

Een derde verklaring voor vertrouwen is dat mensen een 'goed' gevoel krijgen wanneer ze rechtvaardig of betrouwbaar handelen. Het idee dat mensen een goed gevoel van vertrouwen krijgen komt terug in twee modellen: het *fixed fairness* en het *fairness equilibrium* model. De zogenaamde 'warm glow'-theorie is gebaseerd op het idee dat mensen een goed gevoel overhouden van goed gedrag. Deze theorie veronderstelt dus dat eerlijk, altruïstisch en samenwerkend gedrag naast het materialistische nut ook een psychologisch nut voortbrengt (Nelson, 2001; Kipnis,1994; Rabin, 1993). Naast het economische eigenbelang van samenwerken is er dus ook een psychologische prikkel om samen te werken of vertrouwen te hebben. Deze veronderstelling staat centraal in de beide hierboven genoemde modellen, die verschillen in hun verklaring over de *oorsprong* van psychologisch nut (Rabin, 1993). Het *fixed fairness* model verklaart het menselijk gedrag door verschillen in persoonlijkheid. Wanneer mensen eerlijk handelen dan doen zij dat, omdat oprechtheid in hun aard zit. De omgeving speelt hierbij geen rol. Sommige mensen hechten bijvoorbeeld veel waarde aan het welzijn van anderen. Verwachtingen over het gedrag van een andere persoon zijn in het *fixed fairness* model niet van belang. In het *fairness equilibrium* model is de hoogte van dit psychologische nut niet afhankelijk van de persoonlijkheid maar van de omgeving en de verwachtingen. Wanneer persoon A denkt dat B eerlijk ten opzichte van hem zal handelen, zal A waarschijnlijk ook dit doen, want als beide personen eerlijk handelen, ontvangen beide een extra psychologisch nut. Het misbruiken van de eerlijkheid levert persoon B een slecht gevoel op dat groter kan zijn dan de materialistische waarde van verraad. Wanneer persoon A echter denkt dat B oneerlijk zal handelen, zal A als reactie ook oneerlijk handelen. Het handelen van persoon A is afhankelijk van zijn verwachtingen over de persoon. Het *fixed fairness* model en het *fairness equilibrium* model zijn twee uitersten op een continuüm. In de werkelijkheid zal het menselijk gedrag afhangen van zowel persoonlijkheidskenmerken als de omgeving.

Een vierde verklaring voor vertrouwen zijn sociale normen. Het effect van sociale normen op vertrouwen heeft veel overeenkomsten met het psychologisch nut. Sociale normen kunnen een verklaring zijn voor het feit dat mensen een psychologisch nut krijgen van rechtvaardig handelen. Sociale normen kunnen op twee manieren invloed hebben. Op de eerste plaats beïnvloeden ze het beslissingsproces van mensen die vertrouwen. Mensen vertrouwen erop dat een sociale norm niet wordt geschonden. Op de tweede plaats beïnvloeden sociale normen het gedrag van mensen die vertrouwd worden. De politicologe Elinor Ostrom gaat uit van een samenleving die bestaat uit twee type individuen: normgebruikers en rationele egoïsten. Ostrom maakt een onderscheid in twee type normgebruikers: conditionele samenwerkers en 'willingness punishers'. Conditionele samenwerkers zijn geneigd om andere mensen te vertrouwen, omdat ze zelf ook betrouwbaar zijn. Conditionele samenwerkers blijven handelen volgens sociale normen zolang het vertrouwen niet wordt geschonden. Normgebruikers variëren in hun reactie wanneer het vertrouwen wordt geschonden. Sommige conditionele samenwerkers blijven standvastig samenwerken, andere vervallen in egoïstisch gedrag. Een 'willingness punishers' is bereid, mits hij de mogelijkheid heeft, om egoïstisch gedrag te straffen. 'Willingness punishers' straffen egoïsten ook al moeten ze daarvoor een persoonlijk verlies lijden. 'Willingness punishers' zijn woedend op personen die hun vertrouwen niet hebben gereciproceerd. Zij zijn bereid een persoonlijk offer te brengen om de andere persoon te laten boeten. 'Willingness punishers' hebben veel overeenkomsten met het mensbeeld van het fairness equilibrium model.

Een van de belangrijkste sociale normen is reciprociteit ofwel wederkerigheid. Reciprociteit vertelt mensen dat ze iemand die hen geholpen heeft ook moeten helpen en niet in de steek mogen laten. Het bestaan van reciprociteit als sociale norm binnen een samenleving bevordert het vertrouwen tussen mensen. Reciprociteit verschilt fundamenteel van altruïsme. Altruïsme is de levenshouding die het welzijn van de ander hoger acht dan het eigen welzijn. Altruïsme is onvoorwaardelijk en is onafhankelijk van het gedrag van de ander. Reciprociteit daarentegen is wel afhankelijk van het voorafgaande gedrag. De sociale norm reciprociteit heeft zowel een negatieve component als een positieve component. Negatieve reciprociteit is de neiging om mensen te straffen die oneerlijk handelen. Positieve reciprociteit is het belonen van mensen die positief handelen. Reciprocerende mensen reageren dus positief op een vriendelijke daad, maar reageren negatief om een negatieve daad. Hetzelfde mechanisme is ter sprake gekomen in het *fairness equilibrium* model, dat uitgaat van een psychologisch nut als drijfveer van het handelen. Reciprociteit als norm legt meer de nadruk op de sociale norm als drijfveer van het handelen.

3.4 Synthese

Vertrouwen is onder te verdelen in een drietal niveaus:
1 Vertrouwen in de 'grote' instituties van de maatschappij, zoals de regering of de rechterlijke macht.
2 Vertrouwen tussen en binnen ondernemingen.
3 Vertrouwen tussen mensen.

De eerste twee vertrouwensniveaus kenmerken zich doordat het gedrag van mensen geregeld is middels contracten en wettelijke verplichtingen. Mensen handelen niet zuiver vanuit hun eigen motieven. De handelwijze wordt door externe zaken in een bepaalde richting gestuurd. In de laatste vorm van vertrouwen, het vertrouwen tussen mensen is dit niet het geval. Mensen hebben de vrijheid om hun eigen beslissingen te nemen. Opmerkelijk genoeg krijgt deze vertrouwensvorm weinig aandacht in de economische literatuur.

Vertrouwen tussen mensen is maatschappelijk en economisch gezien erg belangrijk, want vertrouwen tussen mensen is de bouwsteen van de twee overige niveaus van vertrouwen. Vertrouwen tussen mensen zorgt voor een betere en efficiëntere samenwerking en maakt geldverslindende controle mechanismen overbodig. Daarnaast is vertrouwen cruciaal voor het slagen van onderhandelingen bij fusies en overnamen. Vertrouwen in maatschappelijke instituties en bedrijven is niet mogelijk zonder een bepaalde mate van vertrouwen tussen mensen.

De term vertrouwen behelst de waarschijnlijkheid dat een ander of een groep anderen zich zullen gaan gedragen als antwoord op een actie zonder dat de handelende persoon dat gedrag kan afdwingen. Essentiële elementen voor vertrouwen zijn risico en afhankelijkheid. De persoon die vertrouwd wordt, moet een materiële prikkel hebben om dit vertrouwen te schenden. Bovendien moet het eindresultaat van de speler die vertrouwt, afhankelijk zijn van de beslissing van de persoon die wordt vertrouwd. Helaas wordt het begrip vertrouwen in veel wetenschappelijke artikelen te pas en te onpas gebruikt.

Vertrouwen tussen mensen is bestudeerd vanuit een economische, psychologische en sociologische invalshoek. Verschillende theorieën uit deze wetenschappelijke disciplines proberen het ontstaan of juist het ontbreken van vertrouwen te verklaren. In psychologische publicaties ligt de nadruk bij vertrouwen op het gevoel. Vertrouwen wordt in de literatuur omschreven als een positief gevoel over de intenties en gedragingen van de andere persoon. Iemand verwacht dat een andere persoon zijn eigen interesses opzij schuift voor de belangen van de anderen. Het eventuele persoonlijk voordeel van vertrouwen speelt geen belangrijke rol. Het gedrag waaruit vertrouwen spreekt is vaak een impuls dat veroorzaakt wordt door een positief gevoel. In economische en sociologische publicaties is vertrouwen daarentegen meer een rationele keuze. Vertrouwen dat voortvloeit vanuit een gevoel rekenen zij tot het domein van de 'persoonlijke relatie'. Persoonlijke relaties zijn relaties tussen hele goede vrienden, geliefden of familieleden. In het economische verkeer en in de meeste sociale contacten komen dergelijke relaties zelden voor.

In de economische literatuur is vertrouwen een moeilijk begrip. De meeste economische theorieën zijn gebaseerd op de veronderstelling dat mensen rationele wezens zijn, die uitsluitend geïnteresseerd zijn in het eigenbelang. Het vertrouwen van iemand die een materiële prikkel heeft om het vertrouwen te schenden is vanuit deze zienswijze een onverstandige beslissing. Vertrouwen wordt onderverdeeld in berekend vertrouwen, vertrouwen gebaseerd op identificatie en vertrouwen gebaseerd op kennis.

Het eenmalig *prisoners' dilemma* geeft de theoretische basis van de economische theorie goed weer. De spelers in het eenmalig *prisoners' dilemma* hebben twee keuzemogelijkheden. Samenwerken betekent vertrouwen, omdat de andere persoon beter af is door niet samen te werken. Verraden is geen vertrouwen, want de speler kiest voor het eigenbelang. De speltheorie voorspelt dat beide spelers kiezen voor verraad. Deze 'verraad-verraad' uitkomst is maatschappelijk gezien echter geen optimaal resultaat. Samenwerking levert beide personen immers een hogere gezamenlijke opbrengst op. Samenwerking is volgens de speltheorie op twee manieren mogelijk, namelijk door middel van communicatie of herhaaldelijk contact. Herhaaldelijk contact zorgt ervoor dat de toekomstige winsten en verliezen van invloed zijn op de huidige beslissing. Verraden in het heden maakt samenwerking in de toekomst vaak erg moeilijk. Hierdoor lopen spelers lange termijn winsten van samenwerking mis. Lange termijn samenwerking kan daardoor meer opleveren dan korte termijn verraad. Samenwerking bij herhaalde spelen is echter geen vertrouwen. Dit gedrag kan beter betiteld worden als geanticipeerde samenwerking.

De meeste economen zien vertrouwen als berekenend vertrouwen. De berekenende theorie verklaart menselijk handelen door middel van een rationele afweging tussen de persoonlijke opbrengsten en kosten. Het resultaat van een dergelijk calculatieve afweging bepaalt de vertrouwensbeslissing. De zuiver monetaire stroming concentreert zich op die situaties waarbij geld een belangrijke rol speelt. De theorie identificeert geen factoren die van invloed zijn op de subjectieve inschatting.

Een sociaal monetair berekenende stroming integreert ook andere niet monetaire motieven in het besluitvormingsproces en maakt de berekenende theorie hierdoor breed toepasbaar op een groter spectrum van situaties uit het dagelijks leven. De berekenende theorie stelt echter hoge eisen aan het rationeel berekenend vermogen van mensen. De berekenende theorie verliest aan waarde wanneer rekening wordt gehouden met de begrenzing van het menselijk brein om situaties rationeel en berekend te overzien.

Het toevoegen en identificeren van relevante sociologische processen zorgt voor een betere verklaring voor het menselijk gedrag in situaties met vertrouwen. Vooroordelen, ingroep en outgroep dynamieken, het psychologische nut van rechtvaardig handelen zijn voorbeelden van sociale invloeden op vertrouwenbeslissing. Mensen krijgen een goed gevoel van een positieve rechtvaardige handeling. Dit goede gevoel levert mensen een persoonlijk psychologisch nut op. Het persoonlijke psychologische nut is daarnaast een verklaring voor het feit dat mensen het geplaatste vertrouwen niet schenden. De oorzaak van het psychologische nut ligt voor een deel bij de rol van de sociale normen. Sociale normen zijn bepaalde gedragsregels voor mensen. Het volgen van sociale normen levert een psychologisch nut op. Dit psychologische nut van vertrouwen kan opwegen tegen het materiële risico dat iemand het vertrouwen schendt. Het is echter niet zo dat elk sociaal gedrag een psychologisch nut oplevert. Soms volgen mensen een sociale norm met tegenzin, omdat het een gewoonte of routine is.

Concluderend is vertrouwen een uiterst belangrijk fenomeen, dat afhankelijk is van karakteristieke kenmerken, de ervaringen van personen in het verleden, de identiteit van de persoon die wordt vertrouwd en niet te vergeten de situatie waarin de persoon verkeert wanneer hij zijn beslissing neemt. Een zoektocht naar vertrouwen begint met een analyse van deze factoren die een beslissende rol spelen in vertrouwenssituaties.

Noten

1　Deze definitie wordt ook gebruikt door Dasgupta (1988) en Luhman (1985).
2　Puzzels met deze structuur zijn voor het eerst ontworpen en bediscussieerd door Merril Flood en Melvin Dresher in 1950, als onderdeel van de onderzoekingen van Rand Corporation met betrekking tot speltheorieën (die door Rand werden gedaan vanwege mogelijke toepassingen op nucleaire strategie). De benaming prisoners' dilemma en de versie met gevangenisstraffen als afbetalingen staan op naam van Albert Tucker, die Flood en Dresher's ideeën toegankelijk wilde maken voor een publiek van psychologen van de Stanford Universiteit. Hoewel Flood en Dresher hun ideeën zelf niet onmiddellijk publiceerden, trok de puzzel veel aandacht vanuit verschillende disciplines. In de jaren zestig en zeventig werden meer dan duizend artikelen over het dilemma gepubliceerd. In 1984 schetste Robert Axelrod het 'prisoners' dilemma' in de vorm waarin de meeste mensen het nu kennen.
3　Een dominante strategie overtreft alle andere strategieën in elke situatie.

Literatuur

Arrow, K.J. (1972). 'Gifts and exchange'. *Philosophy and Public Affairs*, 1: 343-362.

Axelrod, R.M. (1984). *The Evolution of Cooperation*. New York: Basic Books.

Batson, C.D. (1996). 'Altruism and prosocial behavior.' In: Fiske, S.T., Gilbert, D.T., en Lindzey, G. (red.) (1998). *The Handbook of Social Psychology*. Vol. 2. New York: McGraw Hill: 193-282.

Blair, H. (1998). 'The grammars of trust: a model and general implications.' *Academy of Management Review*, 23(3): 422-438.

Berscheid, E., en Reis, H.T. (1998). 'Attraction and close relationships'. In: Fiske, S.T., Gilbert, D.T., en Lindzey, G. (red.) (1998). *The Handbook of Social Psychology*. Vol. 2. New York: McGraw Hill: 193-282.

Bhattacharya, R. (1998). 'A formal model of trust based on outcomes'. *Academy of Management Review*, 23(3): 459-273.

Bradach, J.L., en Eccles, R.G. (1989). 'Price, authority, and trust: from ideal types to plural forms.' *Annual Review of Sociologies*, 15: 97-118.

Burt, R.S., en Knez, M. (1996). 'Trust and third-party gossip.' In: Kramer, R.M., en Tyler, T., (1996). *Trust in Organisations: Frontiers of theory and research*. Thousand Oaks: Sage: 68-90.

Coleman, J.S. (1990). *Foundations of Social Choice Theory*. Cambridge, MA: Harvard University Press.

Creed, W.E., en Miles, R.E. (1996). 'Trust in organizations: a conceptual framework linking organization forms, managerial philosophies, and the opportunity costs of controls.' In: Kramer, R.M., en Tyler, T. (1996). *Trust in Organisations: Frontiers of theory and research*. Thousand Oaks: Sage: 18-39.

Dasgupta, P. (1988). *Trust as a commodity*. In: Gambetta, D. (1988). *Trust: Making and breaking coorperative relations*. Oxford: Basil Blackwell: 49-73.

Eisenhardt, K.M. (1989). 'Agency theory: an assessment and review.' *Academy of Management Review*, 14: 57-74.

Fehr, E., en Gachter, S. (2000). 'Fairness and retaliation: the economics of reciprocity.' *Journal of Economic Perspectives*, 14: 159-181.

Fehr, E., Gachter, S, en Kirchsteiger, G. (1997). Reciprocity as a contract enforcement device: experimental evidence. *Econometrica, 65*: 833-860.

Fiske, S. T. (1998). 'Stereotyping, prejudice, and discrimination'. In: Fiske, S.T., Gilbert, D.T., en Lindzey, G. (red.) (1998). *The Handbook of Social Psychology*. Vol. 2. New York: McGraw Hill: 357-415.

Gambetta, D. (1988). 'Can we trust, trust' In: Gambetta, D. (1988). *Trust: Making and breaking coorperative relations*. Oxford: Basil Blackwell: 213-237.

Gibbons, R. (1992). *A Primer in Game Theory*. New York: Harvester Wheatsheaf.

James, R., Rowe, K., en Saad, M. (1999). 'Developing and sustaining effective partnerships through a high level of trust.' *Working Paper: Public and Private Partnerships: futhering development.*

Kipnis, D. (1994).' Trust and technology'. In Kramer, R.M., Tyler, T. (1996). *Trust in Organisations: Frontiers of theory and research.* Thousand Oaks: Sage: 39-50.

Kramer, R. M., Tyler, T. (1996). 'Whither trust'. In: Kramer, R.M., Tyler, T. (1996). *Trust in Organisations: Frontiers of theory and research.* Thousand Oaks: Sage: 1-16.

Lewicki, R.J., Bunker, B.B. (1996). 'Developing and maintaining trust in work relationships'. In: Kramer, R.M., en Tyler, T., (1996). *Trust in Organisations: Frontiers of theory and research.* Thousand Oaks: Sage: 114-139.

Luhman, N. (1985). 'Familiarity, confidence and trust: problems and alternatives.' In: Gambetta, D. (1988). *Trust: Making and breaking coorperative relations.* Oxford: Basil Blackwell: 94-109.

Mishra, A.K. (1996). 'Organizational responses to crisis: the centrality of trust.' In: Kramer, R.M., en Tyler, T., (1996). *Trust in Organisations: Frontiers of theory and Research.* Thousand Oaks: Sage: 261-288.

Nelson, W.R. (2001). *Do Unto Others: An experimental study of expectations and prospective reciprocation.* Download van internet: www.ei.cas.cz/pdf/ events/abstract/010301a_t.pdf.

Ostrom, E. (2000). 'Collective action and the evolution of social norms.' *Journal of Economic Perspectives,* 14: 137-158.

Pruitt, D.G. (1998). 'Social conflict.' In: Fiske, S.T., Gilbert, D.T., en Lindzey, G. (1998). *The Handbook of Social Psychology.* Vol 2. New York: McGraw Hill: 470-504.

Rabin, M. (1993). 'Incorporating fairness into game theory and economics.' *The American Economic Review,* 53(5): 1281-1302.

Rasters, G. (1999). *Controle: Voorwaarde voor vertrouwen.* Download van internet: http://home01.wxs.nl/~rasters/dutch1.htm.

Rousseau, D.M., Sitkin, S.B., Burt, R.S., en Camerer, C. (1998). 'Not so different after all: A crossdisipline view on trust.' *The Academy of Management Review,* 23(3): 393- 404.

Sitkin, S.B., en Stickel, D. (1996). 'The road to hell: the dynamics of distrust in an era of quality.' In: Kramer, R.M., Tyler, T. (1996). *Trust in Organisations: Frontiers of theory and research.* Thousand Oaks: Sage: 196-216.

Williamson, O. E. (1993). 'Calculativeness, trust, and economic organization.' *Journal of Law and Economics,* 36, 1: 453-486.

Deel II   De stakeholders

4
De werknemer en leidinggevende: op zoek naar vertrouwen in nieuwe arbeidsrelaties[1]

Door Jaap Paauwe en Bas Koene

Vertrouwen is een begrip dat in het dagelijkse taalgebruik veel wordt gehanteerd. Ook in het economisch handelen is het een belangrijk begrip. Wisselkoersen en de waarde van het geld zijn gebaseerd op vertrouwen. Zodra dat wegvalt is er sprake van chaos en ontreddering. De menselijke interactie staat of valt met de aanwezigheid van vertrouwen. Daar waar het gaat om veranderingsprocessen in bedrijven en instellingen is vertrouwen een essentiële conditie. Vertrouwen in elkaar, in elkaars' deskundigheid, in de systemen van aansturing en beheersing, en vertrouwen in degenen die leidinggeven.

4.1 Inleiding

De vanzelfsprekendheid van vertrouwen op de werkplek lijkt af te nemen. Onzekerheid en complexiteit in de omgeving van organisaties vragen om flexibiliteit. Organisaties reageren hierop op twee manieren. Ten eerste vraagt de externe dynamiek in de omgeving van organisaties binnen organisaties om een steeds grotere mate van zelfstandigheid van de medewerkers. Het 'denken' in organisaties gebeurt al lang niet meer alleen in directiekamers, maar is inmiddels het 'voorrecht' van iedere medewerker in de organisatie. Met zelfstandigheid (empowerment) komen echter in één beweging ook geïndividualiseerde verantwoordelijkheid en daarmee ook onzekerheid de directiekamer uit, de trap af en de organisatie in. Ten tweede hebben de voorspoed en dynamiek van het afgelopen decennium ook geleid tot een nieuwe wederkerigheid in de arbeidsrelatie, waarbij de formele verantwoordelijkheid van de organisatie voor de individuele werknemer lijkt te zijn afgenomen. Onder de noemer van employability heeft de individualisering van de arbeidsrelatie doorgezet. Critici waarschuwen voor een uitholling van de sociale component van de arbeidsrelatie die leidt tot een ontkoppeling van 'waarden' en 'werk' (bijvoorbeeld Ritzer (1995), Sennet (1998) en Herriot e.a. (1998)). Als gevolg van deze ontwikkelingen verandert de rol van de leidenggevenden in de organisatie. De groeiende behoefte om medewerkers meer vrijheid en verantwoordelijkheid te geven in de organisatie vraagt bijvoorbeeld om een inhoudelijke verandering van de rol van de manager van sturing naar coaching. Dit betekent nadrukkelijk niet een laissez-faire houding, maar een kwalitatieve verandering van de aandacht die een leidinggevende aan zijn medewerkers besteedt. Een overzicht van de veranderde houding is te vinden in tabel 4.1.

Tabel 4.1   Leiderschap: van directief naar coachend (Van den Berg en Koene, 1998)

Leiderschapsvaardigheden	Directief leiderschap	Coachend leiderschap
Planning	Initiator van het planningsproces.	Facilitator in het planningsproces.
Coördinatie en structurering van het werk	Coördineert en faciliteert middelen en taken. Bedenkt de oplossingen en deelt ze aan de medewerkers mee.	Afstemming door samenwerking en communicatie. Faciliteert en coördineert middelen en taken op verzoek van de medewerker.
Doelbepaling en visieontwikkeling	Communiceert (eenrichtingsverkeer) de organisatievisie en -doelen. Heeft weinig aandacht voor persoonlijke doelstellingen.	Communiceert (tweerichtingsverkeer) de organisatievisie en -doelen. Stimuleert persoonlijke doelstellingen.
Taak- en resultaatgerichtheid	Sterk taak- en resultaatgericht Korte termijn oriëntatie.	Doel- en mensgericht. Resultaat als input voor ontwikkelings-proces van de medewerker. Korte en lange termijn oriëntatie.
Participatie in besluitvorming	Schept klimaat van afhankelijkheid. Communiceren = opleggen.	Schept klimaat van wederzijds vertrouwen en autonomie. Communiceren = overleggen.
Motivatie	Richt zich op de extrinsieke motivatie.	Richt zich op de intrinsieke motivatie.
Empowerment	Delegeert taken, bevoegd-heden en verantwoordelijk-heden naar medewerker toe.	Medewerker vraagt om taken. bevoegdheden en verantwoorde-lijkheden en overtuigt de coach/ manager van zijn vermogen om het gevraagde op zich te nemen. Richt zich op de autonomie en eigen verantwoordelijkheid.
Conflict- management	Lost conflicten autoritair op.	Faciliteert in het oplossen van het conflict. Richt zich op samenwerking en vertrouwensrelaties.

Naast deze verandering in leiderschapsstijl, vraagt de nieuwe situatie de manager ook om aandacht te besteden aan de sociale component in de arbeidsrelatie. De ontkoppeling van 'waarden' en 'werk' nopen tot expliciete aandacht voor de sociaal-maatschappelijke betekenis van de onderneming. Een goede leider is al lang niet meer de macho mannetjesputter die met een groot ego de zaak wel even rechttrekt. Moderne inzichten benadrukken het belang van de stewardship rol van de succesvolle manager (Senge, 1990), 'servant leadership for the 21st century' (Spears en Lawrence, 2002) waarin de manager nadrukkelijk verantwoordelijkheid neemt voor de maatschappelijke betekenis van zijn organisatie. De stewardship rol van het management, waarin het management rekenschap geeft van haar verantwoordelijkheid voor zowel sociaal kapitaal als aandelenkapitaal van beleggers dat hen ter beschikking staat, komt verderop in dit boek aan bod.

De tweede belangrijke sociale component in de arbeidsrelatie betreft het vertrouwen in, maar ook binnen de organisatie. Daar waar verandering en onzekerheid aan de orde van de dag zijn en mensen werkzaam zijn in arbeidsrelaties met een steeds kortere tijdshorizon is vertrouwen uitermate belangrijk. Bovendien is het zaak om het concept vertrouwen goed tegen het licht te houden. Wat is nu vertrouwen in de werksituatie nog wanneer het niet meer vanzelfsprekend gaat over lange termijn baanzekerheid? Binnen het vakgebied van de organisatiekunde bestaat er op de laatste tijd een brede belangstelling voor het begrip, getuige onder meer een themanummer over vertrouwen van de Academy of Management Review in 1998. Het belang van het vertrouwen in de onderneming is daarmee niet langer uitsluitend een kwestie van normen, waarden en idealen, maar ook van organisatiekundige rationaliteit. In deze bijdrage wordt de betekenis van vertrouwen binnen een organisatie voor leiderschap in een veranderende werksituatie besproken. Achtereenvolgens wordt er aandacht besteed aan de ideeën van organisatieonderzoekers over het belang van vertrouwen binnen een organisatie, de concrete inhoud van het begrip in een organisationele context, en de invloed van twee maatschappelijke ontwikkelingen op vertrouwen binnen de organisatie, te weten de groeiende dynamisering van productieorganisaties en de veranderingen in de arbeidsrelatie van het individu met de onderneming. Vervolgens wordt aandacht besteed aan de rol van leidinggevenden in het bewerkstelligen van vertrouwen en de afstemming met organisatiecultuur, -structuur en ondersteunende systemen. Dit hoofdstuk sluit af met een inzichtelijk model voor het bewerkstelligen van vertrouwen in organisaties, waarin de rol van de leidinggevende in zijn of haar relatie tot de werknemer centraal staat.

4.2 Het belang van vertrouwen binnen organisaties

Vertrouwen binnen de organisatie is een kritieke succesfactor voor het omgaan met de spanning tussen het volgen van regels en procedures en de keuze voor vernieuwing, verandering en experimenteren. Eigen initiatief is dan belangrijk, eigen initiatief gericht op het bereiken van organisatiedoelstellingen. Medewerkers moeten het formele organisatiesysteem leren gebruiken. Het systeem biedt hulpmiddelen, maar steeds dienen medewerkers hun eigen beoordelingsvermogen in te zetten om de werksituatie goed in te schatten. Ze kunnen zo de regels gebruiken als richtlijnen die behulpzaam zijn bij de eigen taakuitvoering, in plaats van als bureaucratische structuren waarachter ze zichzelf kunnen verschuilen. Deze actieve interactie tussen formele regels en menselijk beoordelingsvermogen vereist echter vertrouwen in de werksituatie. Belangrijk is dat alle medewerkers regels en procedures zien als hulpmiddelen om het werk beter te doen; in staat zijn om (beargumenteerd) van regels en procedures af te wijken; en leerervaringen open en eerlijk in de organisatie kunnen bespreken.

In de grondhouding van de medewerkers zijn hierbij twee zaken van belang: de betrokkenheid van de individuele werknemer bij de onderneming en de mate waarin de individuele medewerker in staat is om zich actief met de problematiek in de organisatie bezig te houden.
Het punt van de betrokkenheid van de medewerker staat centraal in de 'organizational citizenship' literatuur. Organizational citizenship is de mate waarin een medewerker verantwoordelijkheid neemt voor het succes van de gehele organisatie, zonder dat dit hem of haar direct iets oplevert (Organ, 1988). Het is vergelijkbaar met 'goed burgermanschap' in een lokale gemeenschap. Goed burgermanschap geeft aan dat mensen het belang van het geheel soms laten prevaleren boven hun korte termijn eigenbelang. Steeds meer zoeken ondernemingen naar manieren om deze manier van zelfsturing, waarvan het belang pijnlijk duidelijk wordt in het geval van stiptheidsacties, binnen de organisatie te versterken. Onderzoek geeft aan dat integriteit en vertrouwen twee belangrijke voorwaarden zijn voor organizational citizenship gedrag. Schneider e.a. (1994), bijvoorbeeld, noemen de volgende voorwaarden voor citizenship gedrag: percepties van integriteit (eerlijkheid) en vertrouwen; normen van behulpzaamheid en samenwerking; en evenwichtige beloningssystemen gebaseerd op brede bijdragen. Zij geven aan dat het verdienen van het vertrouwen van medewerkers essentieel is voor 'employee commitment'. Een atmosfeer van wederkerigheid en samenwerking bewerkstelligt volgens Schneider e.a. (1994) een cultuur waarbinnen medewerkers uit zichzelf meer doen dan er van hun wordt verwacht.

Het stimuleren van actieve betrokkenheid van medewerkers in de organisatie is een ander aandachtspunt van het management van organisaties. Volgens Kahn (1992) gaat het hierbij om 'psychological presence' in de werksituatie. Het onderliggende beeld van motivatie is de waterkraan: draai de kraan open en het water loopt er vanzelf uit. Wanneer mensen voldoende ruimte en veiligheid vinden in hun werksituatie, argumenteert Kahn, dan zullen zij zich volledig inzetten voor het bereiken van hun werkdoelen, op dezelfde manier als zij hun eigenheid en creativiteit inzetten in een hobby. Kahn ontwikkelde op basis van veldonderzoek een model, gebaseerd op het Job Characteristics model van Hackman en Oldham, dat laat zien dat vertrouwen een belangrijke voorwaarde is voor het bereiken van 'psychological presence' in de werksituatie.

Wanneer medewerkers zowel gecommitteerd zijn aan de organisatie, als het gevoel hebben dat de organisatie hun persoonlijke inzet om de best mogelijke prestatie te leveren waardeert, resulteren werksituaties waarin de bijdrage van de individuele werknemers gemaximaliseerd wordt. Inzet wordt gekoppeld aan de vrijheid om de eigen creativiteit in te zetten voor het bereiken van optimale prestaties. Bovendien hoeft de formele organisatie niet ontlopen te worden om deze houding te bereiken. De individuele bijdrage kan ondersteund worden door alle succesvolle oplossingen van de organisatie, zoals die in het verleden zijn vastgelegd in systemen en procedures (leerervaringen), met als resultaat een voortdurend werken aan innovativiteit en klantgerichtheid.[2]

4.3   Vertrouwen in een organisationele context: een begrip met verschillende facetten

Zowel voor citizenship gedrag als voor actieve (innovatieve) betrokkenheid bij de organisatie is vertrouwen binnen de organisatie dus een belangrijk gegeven. Vertrouwen is echter een breed begrip. Aandacht voor de concrete betekenis van het begrip vertrouwen in een organisationele context lijkt daarom nuttig. Vertrouwen kan bijvoorbeeld onderverdeeld worden naar het aspect van de relatie tussen mensen waarop het betrekking heeft. In Amerikaans onderzoek (McAllister, 1995) wordt wel het onderscheid tussen 'affect-based' en 'cognition-based trust' gehanteerd. 'Affect-based trust' is vooral gericht op de persoonlijke, emotionele vertrouwensband met een collega, terwijl 'cognition-based trust' veeleer het vertrouwen in de werkprestaties van een collega weergeeft. Tabel 4.2 geeft voorbeelden van vragen waarmee beide vormen van trust worden gemeten.

Tabel 4.2   Aspecten van vertrouwen (McAllister, 1995)

Affect-based trust (affectief vertrouwen):
We have a sharing relationship. We can both freely share our ideas, feelings and hopes.
I can talk freely to this individual about difficulties I am having at work and I know that (s)he will want to listen.
We would both feel a sense of loss if one of us was transferred and we could no longer work together.
Cognition-based trust (taakgericht vertrouwen):
This person approaches his/her job with professionalism and dedication.
Given this person's track record, I see no reason to doubt his/her competence and preparation for the job.
I can rely on this person not to make my job more difficult by careless work.

Voor een praktische benadering kan het begrip vertrouwen in de werksituatie nog verder uiteen gerafeld worden. Tabel 4.3 laat zien dat vertrouwen naast de onderverdeling affectief/taakgericht in organisaties nog meer verschillende aangrijpingspunten kent. Vertrouwen in de organisatie als systeem en vertrouwen van de organisatiegenoten in elkaar. Het vertrouwen in elkaar is weer onder te verdelen in vertrouwen 'top-down' en 'bottom-up' in de management hiërarchie en tussen collega's in de organisatie. In alle gevallen kent het vertrouwen een affectieve en een taakgerichte component. Alleen het onderwerp van vertrouwen wordt steeds anders ingevuld.

Tabel 4.3   Aspecten van vertrouwen nader beschouwd

Vertrouwen in:	Affectief vertrouwen	Taakgericht vertrouwen
De kwaliteit van de formele organisatie	De kwaliteit van formele beoordelings- en beloningssystemen.	De kwaliteit van systemen en procedures (technisch systeem).
Management	Integriteit en oprechtheid, empathisch vermogen.	Beoordelingsvermogen en visie, expertise.
Ondergeschikten	Commitment medewerkers.	Competenties medewerkers.
Elkaar, andere organisatiegenoten	Integriteit en oprechtheid, relationele betrouwbaarheid.	Elkaars kwaliteiten en een gedeeld begrip van de werksituatie.

Vertrouwen in de kwaliteit van de formele organisatie is van belang omdat medewerkers anders op cruciale momenten om de formele organisatie heen zullen werken. De formele organisatie zal dan genegeerd worden wanneer mensen hun eigen beoordelingsvermogen gaan gebruiken. Uiteindelijk wordt dan alle organisatiekennis die vastgelegd is in de formele organisatie ontoegankelijk op de momenten waarop het werkelijk telt. De formele organisatie komt los te staan van de dagelijkse praktijk. Zo ontstaan bureaucratieën oude stijl, die zich kenmerken door een sterk accent op functiescheiding, strikte scheiding van afdelingen en diensten en formele interpretaties van procedures.

Vertrouwen van de organisatiegenoten in elkaar is van belang voor samenwerking. Gebruik maken van het eigen beoordelingsvermogen betekent gebruik maken van een 'tacit' beheersings- en control systeem. De gemaakte keuzes met dit systeem zijn moeilijker te communiceren dan keuzes vanuit een expliciet formeel systeem en vragen dus meer bereidheid tot onderlinge communicatie en onderling begrip.

De baas moet zijn of haar medewerkers voldoende vertrouwen om hen de ruimte te kunnen (durven) geven om te experimenteren en te leren. De medewerker moet zijn superieuren vertrouwen, dwz er vanuit kunnen gaan dat zijn gedrag niet alleen volgens formele criteria beoordeeld zal worden, maar dat de superieur zijn of haar eigen, goed ontwikkelde beoordelingsvermogen zal gebruiken om de acties van de medewerker te beoordelen. Volgens Pagonis (1992) moet een leider dan ook twee essentiële en gerelateerde eigenschappen bezitten: expertise en empathie. Collega's, ten slotte, moeten elkaar kunnen vertrouwen. Vertrouwen in elkaars oprechtheid, op elkaars kwaliteiten en op een gedeeld begrip van de werksituatie om kwalitatief goede onderlinge communicatie en afstemming mogelijk te maken.

4.4 Dynamisering van de productieorganisatie en veranderingen in de arbeidsrelatie

De erkenning van vertrouwen in de werksituatie is van groot belang, temeer daar er trends zijn waardoor de vanzelfsprekendheid van vertrouwen in de werksituatie afneemt. Ter verduidelijking wordt in het navolgende het effect van twee trends in organisaties, te weten de dynamisering van productieorganisaties en de individualisering van de arbeidsrelatie, op het vertrouwen binnen de onderneming besproken.

Ten eerste lijkt de groeiende complexiteit en ontwikkeling van de vraag naar producten en diensten te leiden tot een sterk veranderlijke werkinhoud voor individuele werknemers. Steeds minder zijn werknemers in staat om in twee zinnen uit te leggen wat hun werk inhoudt. De flexibele organisatie vraagt om brede inzetbaarheid van medewerkers en betekent voor individuele medewerkers een algemenere taakomschrijving, minder concrete taakopdrachten in de functieomschrijving en algemenere takenpakketten waarbij de concrete taakinhoud regelmatig geherdefinieerd wordt in de context van specifieke organisatiedoelstellingen en projecten.

Voor de individuele medewerker betekent dit een kwalitatieve verandering van de inhoud van zijn werk. Minder routine, meer leren, meer keuzes en meer experimenten. Ceteris paribus is het gevolg van een dergelijke ontwikkeling minder zekerheid over de uitkomsten van het werk, steeds opnieuw zal de medewerker moeten uitvinden hoe zijn inspanningen zich verhouden tot de bereikte resultaten. Bovendien zal de medewerker voor nieuwe activiteiten (of voor 'oude activiteiten' in een veranderde context) steeds weer moeten inschatten wat de waarde van de uitgevoerde activiteiten zal zijn voor de organisatie (dat wil zeggen in de ogen van de baas). Ten slotte zal de medewerker door de constante veranderingen steeds opnieuw expliciet moeten afwegen wat hem in een nieuw project motiveert (zowel in termen van beloning als tevredenheid met het werk) en zal hij steeds opnieuw het werk een plaats moeten geven in zijn leven (zeker wanneer de veranderingen in taakopdracht ook andere werklocaties en werkuren met zich meebrengen).

Ten tweede leidt de interne flexibilisering van organisaties tot veranderingen in de arbeidsrelatie van individuen met de organisatie. Door het werken in projectstructuren of door een actief beleid van functieroulatie over verschillende werkplekken (bijvoorbeeld verschillende vestigingen) kunnen de werkrelaties tussen individuele werknemers korter en oppervlakkiger worden.
Samenwerkingsrelaties binnen de organisatie krijgen meer het karakter van contracten in een markt (met voor beide partijen beperkte wederzijdse verantwoordelijkheden). Ondernemingsrisico wordt zo gepersonaliseerd in plaats van gedeeld door de organisatiegenoten. Individuen sluiten een lange termijn contract met de organisatie, maar lijken zich binnen de grenzen van dat contract in korte termijnrelaties met andere medewerkers (projecten, tijdelijke posities) meer in te dekken (lees: opportunistischer op te stellen). Dit resulteert in minder sterke sociale banden binnen de organisatie en daarmee, naar onze verwachting, een afname van organizational citizenship behavior. Daarnaast bestaat er ook het risico van een afnemende sociale betrokkenheid van individuen bij de organisatie. Immers, het lange termijn contract met de organisatie wordt steeds abstracter en algemener - en daarmee inwisselbaar voor een contract bij een andere organisatie. Bovendien worden organisaties operationeel steeds meer ingericht op samenwerking tussen voor elkaar relatief onbekende collega's. Hiermee wordt het belang van organisatiespecifieke sociale investeringen steeds minder belangrijk. Tabel 4.4 vat de effecten van de dynamisering van het werkproces en de veranderingen in de arbeidsrelatie op vertrouwen binnen de organisatie samen.

4.5 Bouwen aan vertrouwen in de onderneming

In de voorgaande paragrafen is getoond dat vertrouwen van groot belang is voor de opstelling in de werksituatie. Het gaat dan met name om betrokkenheid bij de organisatie (organisational citizenship behavior) en psychologische beschikbaarheid in de werksituatie (psychological presence at work). Bovendien is gepoogd om te verduidelijken waarom de ontwikkeling van vertrouwen in de werksituatie minder vanzelfsprekend is dan voorheen. Beide zaken maken duidelijk dat expliciete aandacht van leidinggevenden voor het onderwerp vertrouwen nodig is. Om hieraan tegemoet te komen zal het vervolg van dit hoofdstuk, als handreiking naar de manager, samenvatten wat er bekend is over de manier waarop leidinggevenden kunnen bouwen aan vertrouwen in de organisatie. Centraal staat de rol van de manager als leider van een organisatie of een unit van een organisatie. Recent onderzoek laat zien hoe een manager in zijn eigen functioneren aandacht kan besteden aan vertrouwen binnen de organisatie. Vervolgens zullen drie andere elementen van organisaties besproken worden die op langere termijn door de manager beïnvloed kunnen worden, maar die op de korte termijn het vertrouwen binnen een organisatie beïnvloeden door middel van een eigen dynamiek. Het gaat hierbij om organisatiestructuur en

-systemen, cultuur (interactie- en groepsprocessen) en individuele kenmerken van organisatiegenoten.

Tabel 4.4   Ontwikkelingen die leiden tot afbreuk van vertrouwen binnen de organisatie

Vertrouwen in:	Affectief	Taakgericht
De kwaliteit van de formele organisatie	Minder stabiele beoordelingscriteria, belang van beoordelings- criteria afhankelijk van de situatie.	Minder concrete omschrijving van taakopdrachten in de functieomschrijving, meer dynamiek in taakinterdependentie.
Leidinggevenden	Minder tijd voor kennismaking, afstemming verwachtingen en ontwikkelen van individueel passende beoordelingscriteria.	Kennis en expertise van de manager algemener, minder gespecialiseerd.
Ondergeschikten	Minder tijd voor kennismaking, afstemming verwachtingen en ontwikkelen van persoonlijke relatie die appèl doet op individuele betrokkenheid.	Oppervlakkiger kennis van unieke individuele kwaliteiten en tekortkomingen.
Elkaar, andere organisatiegenoten	Individualisering, verzakelijking relaties op het werk.	Oppervlakkiger kennis van elkaars unieke kwaliteiten en een door de organisatie gevormd (kunstmatig) gedeeld begrip van de werksituatie.

De rol van de manager

Whitener e.a. (1998) onderzochten de rol van de manager als initiator van ver- trouwen in de organisatie. Zij benoemen vijf gedragsaspecten waardoor een manager betrouwbaar overkomt bij zijn ondergeschikten (zie tabel 4.5).

Tabel 4.5   Wat wekt vertrouwen bij ondergeschikten?

Consistent gedrag door de tijd heen en in verschillende situaties.
Integriteit, overeenstemming van woorden en daden.
Delen en delegeren van control / beslissingsbevoegdheid.
Communicatie (accuraat, uitleg, open).
Betrokkenheid bij het welzijn van anderen.

Consistentie in gedrag in de tijd en tussen verschillende situaties helpt de ondergeschikten te voorspellen hoe een manager zal reageren. Gedragsmatige integriteit slaat op de consistentie tussen woorden en daden. Het laat zien hoe de
manager denkt over integriteit, eerlijkheid en moraliteit. Delen en delegeren van
control heeft twee effecten. Ten eerste geeft het de ondergeschikte meer invloed
op beslissingen die hem raken. Ten tweede is het ook een blijk van vertrouwen
en respect naar de ondergeschikte toe. Communicatieonderzoek laat zien dat er
drie aspecten van communicatie zijn die vertrouwen van de ondergeschikte in
een manager versterken: accuratesse van informatie, uitleg bij beslissingen en
openheid. Betrokkenheid bij het welzijn van anderen, ten slotte, is de vijfde categorie gedragingen die leiden tot vertrouwen bij de ondergeschikten. Het gaat er
hierbij volgens Whitener e.a. om dat de manager sociaal-emotioneel leiderschap
laat zien en sensitief is voor de behoeften en interessen van zijn werknemers, dat
hij de belangen van zijn medewerkers verdedigt en geen misbruik maakt van
zijn machtspositie ten opzichte van zijn medewerkers.

Het belang van organisatiestructuur en systemen

De formele organisatie, structuren en systemen, beïnvloeden de manier waarop
een medewerker zijn werksituatie analyseert en interpreteert. Volgens Schein
(1983) legt het management de cultuur onder meer vast in formele missie state-
ments, personeelsregelingen voor werving, selectie en socialisatie; een expliciet
belonings- en status systeem, promotiecriteria; het management control systeem
(informatiesystemen, control systemen en systemen voor besluitvorming – wat
gemeten wordt krijgt de aandacht); formele structuur (taakomschrijvingen, ver-
antwoordelijkheidsstructuur, centralisatie en decentralisatie) en het ontwerp
van fysieke werkomgeving en gebouwen. Kahn (1992) beschrijft hoe taken, rollen en interactieverbanden van invloed zijn op de gepercipieerde veiligheid in
de organisatie en daarmee de 'psychologische aanwezigheid' van het individu
in de werksituatie.

Vanuit de theorie kan een aantal conclusies getrokken worden over de invloed
van structuren en systemen op vertrouwen binnen de organisatie. Wanneer de
vijf eisen van vertrouwenwekkend gedrag van managers langs de belangrijkste
expliciete formele structuren en systemen worden gelegd ontstaat het overzicht
dat wordt gepresenteerd in tabel 4.6. De tabel benadrukt het belang van systemen en procedures die (1) door de tijd en in verschillende situaties steeds passend en richtinggevend blijven, (2) congruent zijn met missie en doelstellingen,
(3) ruimte laten voor eigen initiatief in de werkuitvoering, (4) helder en duidelijk zijn en openheid bevorderen, en, ten slotte, (5) inzet en bijdrage van het individu zichtbaar maken en waarderen.

Tabel 4.6 Elementen van formele organisatie en vertrouwen binnen de organisatie

	Consistentie (over tijd en situaties)	Integriteit (woorden en daden)	Delen en delegeren	Communicatie	Betrokkenheid
Formele missie statements	Stabiel, compleet en richtinggevend (onder alle omstandigheden)	Geen tegenstrijdigheden met dagelijkse praktijk	Ruimte voor interpretatie en individuele zingeving	Helder en duidelijk	Waardering voor bijdrage van het individu
Werving en selectie, promotiecriteria; belonings- en statussysteem	Voorspelbare uitkomsten (procedural justice)	Passend bij missie en doelstellingen (procedural justice)	Afrekenen op verantwoordelijk- heid en prestatie	Duidelijke criteria	Aandacht voor oorzaak/gevolg, intentie van gedrag
Informatie- systemen, control systemen en systemen voor besluitvorming	Correcte informatie (onder alle omstandigheden)	Juiste indicatoren	Feedback, meer dan beoordeling	Toegankelijkheid en openheid	Informatie over oorzaak en gevolg
Taak- omschrijvingen, verantwoordelijk- heidsstructuur, centralisatie	Compleet en richtinggevend onder alle omstandigheden	Uitvoerbare taken	Ondersteunend, meer dan voorschrijvend, ruimte voor eigen initiatief	Duidelijke verdeling taken en verant- woordelijkheden	Ruimte voor individuele creativiteit en ontplooiing
Ontwerp van fysieke werk- omgeving en gebouwen	Functionaliteit	Functionaliteit	Ruimte voor zelfstandige werkuitvoering	Bevordert overleg en communicatie	Beschermt individu, geeft beschutting

Interactie en groepsprocessen

Naast de directe invloed van leiders en formele organisatiesystemen en -struc-
turen is er nog een tweetal andere belangrijke invloeden te noemen, te weten de
interactie- en groepsprocessen tussen organisatiegenoten en de individuele kenmerken van de leden van de organisatie. Interactie- en groepsprocessen kunnen
een sterke invloed hebben op de beleving van de werksituatie door het individu.
Beroemde voorbeelden zijn het 'groupthink' proces waarbij de groepsleden door
karikaturisering van de externe omgeving komen tot vreemde beslissingen waar
geen van de groepsleden individueel achter kunnen staan (Whyte, 1989; Janis,
1982). Ook blijken groepskarakteristieken zoals heterogeniteit van de groep van
invloed te zijn op de mate van sociale integratie en het verloop in een organisatie

(O'Reilly e.a., 1989). Onderzoek laat verder zien dat organisatiecultuur als groepskenmerk bepalend is voor de manier waarop medewerkers tegen nieuwe ontwikkelingen in de organisatie aankijken. Marchington e.a. (1994) concludeerden bijvoorbeeld in een onderzoek naar de invloed van participatie op organisatiecultuur dat de huidige organisatiecultuur evenzeer de houding van medewerkers tegenover 'employee involvement' in de organisatie beïnvloedde. Inventariserend welke elementen van cultuur vertrouwen in de organisatie kunnen stimuleren kwamen Whitener e.a. (1998) op basis van een overzicht van taakgerelateerde cultuurelementen (Rousseau, 1990) tot de volgende opsomming: involverend, erbij betrekkend (inclusiveness), accepteren van risico's, open communicatie, waarderen van mensen en zorg voor elkaar. Deze elementen van cultuur hebben te maken met uitgangspunten van samenwerking in organisaties.

Tabel 4.7   Vertrouwen versterkende elementen van interactie en samenwerking

Involverend, erbij betrekkend (inclusiveness).
Accepteren van risico's.
Open communicatie.
Waarderen van mensen.
Zorg voor elkaar.

Individuele kenmerken van organisatiegenoten

Ten slotte zullen ook de individuele kenmerken en omstandigheden van de leden van de organisatie van invloed zijn op het ontstaan van vertrouwen in de organisatie. Tsui e.a. (1992) laten zien dat grotere demografische verschillen tussen de leden van een werkgroep een negatieve invloed hebben op de psychologische betrokkenheid van de individuen bij de groep. Het al eerder genoemde model van Kahn (1992) laat een aantal variabelen zien dat bepaalt in hoeverre een individu in staat is om tot een eigen bijdrage aan het werk in de organisatie te komen. Individuen kunnen worden afgeleid van hun werk door zaken in de privé-sfeer en door verschillen in persoonlijkheid (zelfbeeld, zelfverzekerdheid, durf en volwassenheid.)

Een belangrijk element in de relatie van de individuele werknemer met de organisatie is de manier waarop de organisatie de werknemer aan zich gebonden (transactioneel contract) heeft en hoe de werknemer deze verbintenis beleeft (psychologisch contract). Zoals al eerder vermeld verdwijnt in de huidige – steeds verder 'flexibiliserende' – arbeidsrelatie het vertrouwen gebaseerd op een bijna per definitie lange termijn verbintenis. Zowel werkgever als werknemer zullen daarom veel nauwkeuriger moeten vastleggen wat ze met elkaar afspreken om zo ook in tijdelijke contracten medewerkers te kunnen motiveren.

Vanuit de tweedeling in functioneel en affectief vertrouwen (zie tabel 4.3) kan het volgende overzicht (tabel 4.8) gemaakt worden van individuele karakteristieken die van invloed zijn op zowel functioneel als affectief vertrouwen in de organisatie. Persoonlijkheidskarakteristieken die affectief vertrouwen beïnvloeden hebben te maken met menselijk beoordelingsvermogen en persoonlijke integriteit. Karakteristieken die taakgericht vertrouwen beïnvloeden hebben te maken met taakgerichte kwaliteiten en beschikbaarheid voor het uitvoeren van het werk.

Tabel 4.8   Voorbeelden van betekenis individuele karakteristieken voor vertrouwen

Invloed op affectief vertrouwen	Invloed op taakgericht vertrouwen
1. Verantwoordelijkheidgevoel.	1. Individueel ondernemerschap.
2. Integriteit.	2. Kennis en vaardigheden.
3. Gedeeld referentiekader (normen, waarden).	3. Professionaliteit.
4. Volwassenheid (maturity).	4. Beschikbaarheid (tijd, energie, aandacht).

4.6   Een integratief model voor het bouwen aan vertrouwen in organisaties

Schematisch kunnen de voorgaande elementen, die gericht zijn op het bewerkstelligen van vertrouwen in de werksituatie als volgt in beeld worden gebracht (zie figuur 4.9).

Afgezien van een schematische inventarisatie van de onderscheiden elementen in het proces van vertrouwen opbouwen, is het raamwerk vooral van belang omdat het de beïnvloeding over en weer laat zien en de onderlinge samenhang. Daarbij is wel een waarschuwing op z'n plaats. Het voorgaande betoog ademt een sfeer uit van een positiefhumanistisch mensbeeld. We moeten echter bedenken, dat zodra vertrouwen als organisatiekundige rationaliteit benadrukt wordt het evenzeer een object van manipulatie kan worden, met alle gevolgen vandien voor de verhouding tussen leiders en ondergeschikten en collega's onderling. Vandaar ook onze nadruk op de belangrijke rol van persoonlijk leiderschap in het veranderingsproces met kenmerken als integriteit, consistentie en betrokkenheid bij het welzijn van anderen (zie verder Whitener e.a., 1998).

Een tweede waarschuwing betreft de samenhang tussen enerzijds het gedrag van de manager en anderzijds ondersteunende systemen en structuren. Positief gesteld zou het zo moeten zijn dat bijvoorbeeld de wijze waarop de beoordelings- en beloningssystemen gebruikt worden het vertrouwenwekkende gedrag van de manager ondersteunt. Maar het kan natuurlijk ook zo zijn dat juist het dagelijks gebruik in schrille tegenspraak is met hetgeen de leider voorstaat. Dan

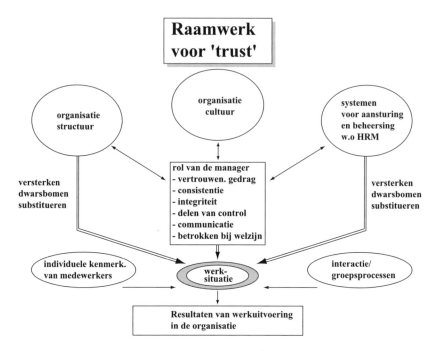

Figuur 4.9   Raamwerk voor het bouwen aan vertrouwen (zie ook Koene en Paauwe, 1999)

zullen systemen het vertrouwenwekkende gedrag dwarsbomen et cetera. Het omgekeerde kan ook, namelijk dat het gedrag van de leider niet vertrouwenwekkend is, maar dat ondergeschikten met hun systemen (bijvoorbeeld toepassing van salarisschalen) en de wijze van uitvoering ervan juist wel zorgdragen voor een perceptie van rechtvaardigheid en daarmee bijdragen aan vertrouwen. Die systemen werken dan als het ware substituerend en compenserend (Howell e.a., 1990). In hun onderlinge samenhang leiden de onderscheiden elementen van leiderschap, systemen, cultuur en structuur tot een werksituatie met een bepaalde mate van vertrouwen (en dus soms ook wantrouwen), die al dan niet motiverend is en daarmee medebepalend is voor het presteren van de desbetreffende afdeling of eenheid.

4.7   Ter afsluiting

In het voorgaande hebben we ons sterk gericht op de rol van vertrouwen in veranderende werksituaties en de rol van leidinggevenden daarbij. In feite een meer internorganisatorisch perspectief. Het moge duidelijk zijn dat het begrip vertrouwen ('trust' in de Angelsaksische literatuur) als organisatiekundig concept inmiddels ingang gevonden heeft op tal van terreinen. Zo besteden Child en Faulkner (1998) uitgebreid aandacht aan 'trust' op het gebied van strategische

allianties, Blois (1999) biedt een uitstekend overzicht van trust vanuit een marketing perspectief, Herriot e.a. (1998) betrekken trust op de employment relationship, terwijl Nooteboom (2002) 'trust' vooral benaderd vanuit de interorga-
nisationele optiek Daar waar in de jaren tachtig de transactiekosten- en
agencybenadering furore maakten (in feite uitgaand van een negatief mensbeeld) zien we aan het begin van dit nieuwe millennium temidden van de chaos-
en complexiteitsbenaderingen een meer positief gerichte onderstroom ontstaan
als mogelijke bijdrage aan de sturing en zelfsturing van organisaties.

Noten

1   Dit hoofdstuk is deels gebaseerd op: Koene, B.A.S. en Paauwe, J. (1999). 'Vertrouwen in
    situatie van verandering.' *Management & Organisatie, 53*, 5.
2   Nevis e.a. (1995) noemen dit verband de volgende zaken: een experimentele mindset, een
    klimaat van openheid, permanente educatie, operationele verscheidenheid, ruimte voor
    nieuwe ideeën op meerdere plaatsen in de organisatie, betrokken leiderschap en een sys-
    teemperspectief waarbij medewerkers de samenhang zien tussen de delen en het geheel.

Literatuur

Academy of Management Review (1998). 'Special topic on trust in and between organization'.
  Academy of Management Review, 23, 3.
Berg, M., van den, (1998). *Coachend leiderschap.* Afstudeersscriptie. Rotterdam: Vakgroep Orga-
  nisatie, Economische Faculteit, Erasmus Universiteit Rotterdam.
Bertels, R.M.J., en Mastenbroek, W.F.G. (1994). *Met Man en Macht: Aanpak en instrumenten van
  continue resultaatverbetering.* Heemstede: Holland Business Publications.
Blois, K. (1999). 'Trust in business to business relationships: an evaluation of its
  Status.' *Journal of Management Studies, 36*, 2: 197-215.
Child, J., en Faulkner, D. (1998). *Strategies of Cooperation, Managing Alliances, Networks and Joint
  ventures.* Oxford: Oxford University Press.
Ham, J.C. van, Paauwe, J., en Williams, A.R.T. (2000). 'De personeelsfunctie gebracht bij de tijd.'
  Personeelsbeleid, 20, 9: 288-295.
Handy, C.B. (1995). 'Trust and the virtual organization.' *Harvard Business Review*, mei-juni: 40-
  50.
Herriot, P., Hirsch, W., en Reilly, P. (1998). *Trust and Transition: Managing today's employment
  relationship.* New York: Wiley.
Howell, J.P., Bowen, D.E., Dorfman, P.W., Kerr, S., en Podsakoff, P.M. (1990). 'Substitutes for
  leadership: effective alternatives for ineffective leadership.' *Organizational Dynamics, 19*, 1:
  21-38.
Janis, I.L., (1983). 'Groupthink.' In: Hackman, J.R. *Perspectives on Behavior in Organizations.*
  NewYork: McGraw-Hill: 378-384.
Kahn, W.H. (1992). 'To be fully there: psychological presence at work.' *Human Relations, 45*, 4:
  321-349.
Keller, T., en Dansereau, F. (1995). 'Leadership and empowerment: a social exchange perspec-
  tive.' *Human Relations, 48*, 2: 127-146.
Marchington, M., Wilkinson, A., Ackers, P., en Goodman, J. (1994). 'Understanding the mea-
  ning of participation: views from the workplace.'*Human Relations, 47*, 8: 867- 894.
McAllister, D.J. (1995). 'Affect- and cognition-based trust as foundations for interpersonal
  cooperation in organizations.' *Academy of Management Journal, 38*, 1: 24- 59.
Nooteboom, N. (2002), *Vertrouwen: Vormen, grondslagen, gebruik en gebreken van vertrouwen.*
  Schoonhoven: Academic Service.

O'Reilly, C.A., Caldwell, D.F., en Barnett, W.P. (1989). 'Work group demography, social integration and turnover.' *Administrative Science Quarterly*, 34, 1: 21-37.

Organ, D.W. (1998). *Organizational Citizenship Behavior: The good soldier syndrome*. Lexington, MA: Lexington Books.

Pagonis, W.G. (1992). 'The work of the leader.' *Harvard Business Review*, 70, 6: 118-126.

Pedler, M., Burgoyne, J., en Boydell, T. (1991). *The Learning Company: a strategy for sustainable development*. London: McGraw-Hill.

Renn, R.W., en Vandenberg, R.J. (1995). 'The critical psychological states: an underrepresented component in job characteristics model research.' *Journal of Management*, 21, 2: 279-303.

Ritzer, G. (1996). *The McDonaldization of Society: An investigation into the changing character of contemporary social life*. Thousand Oaks: Pine Forge Press.

Rousseau, D.M. (1990). 'Assessing organizational culture: the case for multiple methods.' In: Schneider, B. (red.), *Organizational Climate and Culture*. San Francisco: Jossey-Bass: 153-192.

Schein, E.H. (1983). 'The role of the founder in creating organizational culture.' *Organizational Dynamics*, 12, 1: 13-28.

Schneider, B. (1994). 'Creating the climate and culture of success.' *Organizational Dynamics*, 23, 1: 17-29.

Senge, 1990, 'The leader's new work: building learning organizations.' *Sloan Management Review*, 32. 1: 7-24.

Sennett, R. (1998). *The Corrosion of Character: The personal consequences of work in the new capitalism*. New York: Norton.

Spears, L.C., en Lawrence, M. (red.) (2002). *Focus on Leadership: Servant-leadership for the 21st century*. New York: Wiley.

Tsui, A.S., Egan, T.D., en O'Reilly III, C.A. (1992). 'Being different: relational demography and organizational attachment.' *Administrative Science Quarterly*, 37, 4: 549-579.

Volberda, H.W. (1998). *Building the Flexible Firm: How to remain competitive*. Oxford: Oxford University Press.

Whitener, E.M., Brodt, S.E., Korsgaard, M.A., en Werner, J.M. (1998). 'Managers as initiators of trust: an exchange relationship framework for understanding managerial trustworthy behavior.' *Academy of Management Review*, 23, 3: 513-530.

Whyte, G. (1989). 'Groupthink reconsidered.' *Academy of Management Review*, 14, 1: 40-56.

5

De werknemer: het individuele arbeidsrecht

Door Cees Loonstra

Het thema 'vertrouwen in de onderneming' vereist – toegespitst op het individuele arbeidsrecht – een nadere verduidelijking. Twee vragen dienen in dit verband te worden gesteld en beantwoord: 1) wat is arbeidsrechtelijk gezien een onderneming? en 2) onder welke voorwaarden kan worden gezegd dat een werknemer vertrouwen heeft in een onderneming?

Het begrip 'onderneming' komt in het arbeidsrecht met name voor op het terrein van het medezeggenschapsrecht. Dit deel van het arbeidsrecht heeft echter betrekking op de *collectieve* betrekkingen tussen werkgevers en werknemers in de onderneming, niet op de individuele relatie tussen werkgever en werknemer, die in dit hoofdstuk centraal staat. Zo omschrijft de Wet op de Ondernemingsraden (WOR) een 'onderneming' als een in de maatschappij als zelfstandige eenheid optredend organisatorisch verband waarin krachtens arbeidsovereenkomst of publiekrechtelijk aanstelling arbeid wordt verricht (artikel 2 lid 1 WOR). Het SER-besluit fusiegedragsregels hanteert in artikel 14 lid 1 een in hoofdlijnen gelijkluidende definitie. Beide omschrijvingen wijken af van het begrip 'onderneming' zoals men dit in het ondernemingsrecht aantreft. Daar wordt met 'onderneming' primair de ondernemings*vorm* bedoeld, waarin een bedrijf juridisch wordt geëxploiteerd. Voorbeelden zijn de eenmanszaak, de vennootschap onder firma (V.O.F.) en de besloten of de naamloze vennootschap (B.V. en N.V.). De omschrijvingen in de WOR en SER-fusiegedragsregels sluiten daarentegen niet aan op de juridische maar op de arbeidsorganisatorische werkelijkheid en omvatten bijvoorbeeld ook een filiaal, een vestiging of een onderdeel van een bedrijf. Op zichzelf zijn dit juridisch onzelfstandige entiteiten. Naarmate een bedrijf groter is, zullen de arbeidsorganisatorische en de juridische werkelijkheid verder uit elkaar liggen. In deze bijdrage nu wordt ervanuitgegaan uit, dat 'vertrouwen in de onderneming' betekent: vertrouwen van de individuele werknemer in de arbeidsorganisatie waarin hij zijn werk verricht. Dit sluit weer aan bij de betekenis van 'onderneming' in artikel 7:662 e.v. BW (overgang van onderneming), de enige plaats in de wettelijke regeling van de individuele arbeidsovereenkomst waar de term 'onderneming' genoemd en (tot op zekere hoogte) gedefinieerd wordt.[1] Voor het overige wordt in het individuele arbeidsrecht uitsluitend gesproken van 'werkgever' en 'werknemer', dat wil

zeggen: zij die partij zijn bij de arbeidsovereenkomst. In de praktijk treedt doorgaans de V.O.F. of de B.V. (of welke andere ondernemingsvorm is gekozen) op
als werkgever. Een werknemer krijgt echter door middel van zijn leidinggevende met deze (juridische) werkgever te maken. Het begrip 'werkgever' wordt
daarom hier gebruikt in de betekenis van 'degene aan wie een werknemer in de
arbeidsorganisatie verantwoording verschuldigd is', aan wie hij dus 'hiërar-
chisch ondergeschikt is'.

Wanneer kan nu gezegd worden dat een werknemer vertrouwen heeft in de
arbeidsorganisatie waarin hij werkt en in de persoon aan wie hij in deze organisatie verantwoording verschuldigd is? Ten minste twee begrippen spelen daarbij een belangrijke rol: *waardigheid* en *zekerheid*. Met andere woorden: een werknemer heeft vertrouwen in de organisatie waarbinnen hij werkt, indien hij zich
in de werksfeer (in 'zijn onderneming') gerespecteerd voelt, als mens serieus
wordt genomen en indien hij (een voldoende mate van) zekerheid heeft over zijn
plaats in de organisatie en de arbeidsvoorwaarden op grond waarvan hij zijn
arbeid verricht. In hoeverre nu houdt het individuele arbeidsrecht in toereikende mate rekening met deze behoeften van werknemers en in hoeverre dient in
dit rechtsgebied daarmee rekening te worden gehouden? In hoeverre genereert
het arbeidsrecht, anders gezegd, de (noodzakelijke) (rand)voorwaarden voor
een op vertrouwen gebaseerde loyaliteit van de werknemer jegens de onderneming waarin hij werkt? Deze vragen zullen in dit hoofdstuk op hoofdlijnen van
een antwoord worden voorzien.

5.1 Waardigheid

Het individuele arbeidsrecht staat tot op de dag van vandaag op gespannen voet
met de waardigheid van de werknemer. Dat blijkt reeds uit de opkomst van dit
rechtsgebied sedert de tijd dat de gevolgen van de Industriële Revolutie in
Nederland merkbaar werden, zo omstreeks 1870. Algemeen mag als bekend
worden verondersteld, welke mensonterende omstandigheden zich in de fabrieken en fabriekjes hebben afgespeeld. Werkdagen van twaalf tot zestien uur in
smerige, tochtige, gevaarlijke fabrieken waarin kinderen vanaf ongeveer zes jaar
te werk werden gesteld. Deze abominabel slechte toestanden konden zich voordoen vanwege het feit dat de werknemer van de maatschappelijk-economische
ontwikkelingen met betrekking tot zijn inkomen volkomen van zijn patroon
afhankelijk was geworden. Hij diende zich daardoor in alles naar de wensen van
zijn 'baas' te schikken, omdat hij en zijn gezinsleden anders brodeloos zouden
worden. Stapsgewijs heeft de wetgever daarin verandering gebracht. In 1889 is
bijvoorbeeld de op publiekrechtelijke leest geschoeide Arbeidswet tot stand
gekomen, die beschermende bepalingen bevatte jegens kinderen, jeugdige personen tot zestien jaar en vrouwen. Een ander voorbeeld betreft de invoering van
de Veiligheidswet 1895. Bij de Wet op de Arbeidsovereenkomst van 13 juli 1907
is de contractsvrijheid van de werkgever aan banden gelegd. Sindsdien is de
arbeidsrechtelijke (civielrechtelijke) ongelijkheid tussen werkgever en werkne-

mer in niet onbelangrijke mate gecompenseerd. Door middel van dwingend-rechtelijke bepalingen werden in de praktijk door de werkgever afgedwongen afspraken/bedingen ofwel niet meer toegestaan ofwel enkel onder bepaalde voorwaarden of omstandigheden. Daarnaast werden in de wet beschermende maatregelen neergelegd rondom bijvoorbeeld de loonbetaling en het einde van de dienstbetrekking (ontslagrecht). Deze Wet op de Arbeidsovereenkomst is tot op de dag van vandaag op onderdelen gewijzigd en aangevuld, zo ook ten gevol-ge van de Wet Flexibiliteit en zekerheid, die op 1 januari 1999 in werking is getre-den. In dit verband is niet onbelangrijk op te merken dat de wetgever tot op heden altijd als reactie op in de praktijk gegroeide misstanden, dus *achteraf* gezien, regelend is opgetreden. De werkgever is nu eenmaal de meest machtige partij in een arbeidsrelatie. Vanuit die positie zal hij trachten zijn doelstellingen zo optimaal mogelijk te realiseren, binnen de door de wetgever en rechter getrok-ken grenzen. Zijn welgemeende eigen belang zet hem daartoe (alleszins begrij-pelijk en legitiem) toe. Dit gegeven werkt echter in de hand dat een werknemer zich 'gebruikt' kan voelen en dus in zijn waardigheid aangetast. Als dit in toe-reikende mate een voldoende maatschappelijke inbedding heeft gekregen (en dus een sociaal-politieke kwestie wordt), is de kans groot dat de wetgever daar-op reageert met nieuwe regelgeving. De verbetering van de rechtspositie van de flexwerker ten gevolge van de Wet Flexibiliteit en zekerheid is daarvan een voor-beeld. Het behoud van of verhoging van de waardigheid van de werknemer is derhalve in feite een steeds terugkerend thema, dat altijd weer bevochten moet worden. Arbeidsrechtelijke wetgeving is vanuit deze optiek nooit 'af' en consti-tueert hooguit een tijdelijk, voortdurend in dynamische staat verkerend even-wicht. Dit evenwicht is immers het resultaat van een confrontatie tussen op een specifiek tijdstip bestaande sociaal-politieke krachtenvelden en is per definitie wankel.[2] Dat blijkt tevens bij uitstek uit een ander, aan de bron van het arbeids-recht liggend verschijnsel, namelijk de *aard* van de arbeidsverhouding. Juridisch gezien werken mensen doorgaans in een onderneming op basis van twee moge-lijke overeenkomsten: een arbeidsovereenkomst of een overeenkomst van opdracht. In de meeste gevallen wordt arbeid op basis van een arbeidsovereen-komst verricht. Een omschrijving van deze overeenkomst wordt gegeven in arti-kel 610, eerste lid, van boek 7 Burgerlijk Wetboek (BW). Deze omschrijving luidt: "Een arbeidsovereenkomst is de overeenkomst waarbij de ene partij, de werkne-mer, zich verbindt in dienst van de andere partij, de werkgever, tegen loon gedu-rende zekere tijd arbeid te verrichten."

Relevant in dit verband zijn de woorden 'in dienst van'. Met deze woorden wordt, aldus de Hoge Raad in een reeks van arresten, gedoeld op de aanwezig-heid van een *gezagsverhouding*. Wanneer is een gezagsverhouding tussen twee partijen aanwezig? In de civiele rechtspraak zijn twee benaderingen aan te tref-fen.[3] In de ene wordt gezagsverhouding omschreven als de bevoegdheid van de werkgever om tijdens het werk eenzijdig instructies aan de werknemer te geven. Deze benadering sluit aan bij het bepaalde in artikel 660 van boek 7 BW waarin staat dat de werknemer verplicht is zich te houden aan de voorschriften omtrent het verrichten van de arbeid, alsmede aan die welke strekken ter bevordering van de goede orde in de onderneming van de werkgever. Men spreekt in dit verband ook wel van een materieel gezagsbegrip. Vanuit de tweede benadering wordt een arbeidsorganisatorische invulling aan het begrip gezagsverhouding gegeven. Niet zozeer de mogelijkheid om eenzijdige instructies te geven is doorslaggevend, maar veel eerder wordt beoordeeld of de wijze waarop de betrokken werker in de arbeidsorganisatie participeert (gelet op bijvoorbeeld werktijden, vakantiedagen, wijze van beloning) nauw aansluit op de wijze waarop het overige personeel functioneert. Het gaat bij deze benadering om de manier waarop de arbeidsverhouding in de organisatie is ingebed. Men spreekt in dit verband van een formeel gezagsbegrip. Kijken we met betrekking tot dit onderwerp naar de rechtspraak van de Hoge Raad, dan moet worden geconstateerd dat het materiële gezagsbegrip (nog steeds) het meest voorkomende is.[4] Daarmee wordt aangegeven dat ons hoogste natio nale rechtscollege de mogelijkheid tot het geven van eenzijdige instructies tijdens de werkzaamheden een belangrijk onderdeel acht van het verrichten van werk op basis van een arbeidsovereenkomst. Zo bezien impliceert strikt genomen het werken op basis van een gezagsverhouding de mogelijkheid, standpunten/inzichten van de werknemer te negeren ten faveure van de mening van de (representant van de) werkgever. Dat weer sluit de mogelijkheid van aantasting van de waardigheid van de werknemer niet uit. Let wel: het werken op basis van een arbeidsovereenkomst impliceert geenszins het aantasten van de waardigheid van de werknemer. Wel dient onder ogen te worden gezien dat de mogelijkheid daartoe, niet door het individuele arbeidsrecht wordt uitgesloten. Eveneens kan uit het voorafgaande niet in algemene zin de conclusie worden getrokken, dat (juridische) gezagsuitoefening afkeurenswaardig zou zijn, omdat die de waardigheid van de werknemer aantast. Of dit het geval is dient te worden vastgesteld aan de hand van de wijze waarop in concreto aan deze gezagsverhouding invulling wordt gegeven. Maar opnieuw: het individuele arbeidsrecht sluit niet uit dat gezag wordt uitgeoefend op een juridisch gelegitimeerde wijze, die de waardigheid van de werknemer aantast, waardoor diens vertrouwen in de onderneming minder wordt of zelfs geheel kan verdwijnen.

Deze conclusie is eveneens van toepassing op degenen die in de onderneming werkzaam zijn op basis van een overeenkomst van opdracht. Deze overeenkomst wordt gedefinieerd in artikel 400 van boek 7 BW. Hoewel dit niet uit dit wetsartikel zelf blijkt, kan uit artikel 402 worden opgemaakt dat ook de opdrachtnemer aan het (juridische) gezag van de opdrachtgever onderworpen kan zijn. De hiervoor geplaatste kanttekeningen bij het waardigheidsaspect van de werker die arbeid verricht op basis van een arbeidsovereenkomst, gelden daarmee in gelijke mate voor de opdrachtnemer.

5.2 Zekerheid

Mensen hechten aan zekerheid. Zekerheid verschaft houvast en geeft een gevoel van veiligheid voor het heden en de toekomst. Zekerheid genereert vertrouwen, ook op het terrein van de arbeid. De werknemer die zich gewaardeerd voelt en die op deze basis een vaste, zekere positie in de onderneming heeft, 'gaat' voor die onderneming, heeft daarin vertrouwen. In welke mate nu speelt de factor 'zekerheid' een rol op het terrein van het individuele arbeidsrecht? Die vraag zal kort worden beantwoorden aan de hand van een drietal thema's die wezenlijk zijn voor werknemers, te weten 1) de bescherming die het ontslagrecht aan werknemers biedt, 2) de inhoud van de functie van de werknemer ('de overeengekomen arbeid') en 3) de beloning die werknemer ontvangt als tegenprestatie van de door hem verrichte arbeid.

Flexwet en ontslagrecht

De Nederlandse werknemer geniet sedert ruim een halve eeuw, in vergelijking met zijn Europese collega, een hoge mate van ontslagbescherming. Dat heeft te maken met het feit dat wij in Nederland vanaf 1945 een zogenoemd preventief ontslagstelsel kennen. Een werkgever die tot opzegging van een arbeidsovereenkomst voor onbepaalde tijd met een werknemer wil overgaan, heeft daarvoor ex artikel 6 lid 12 Buitengewoon Besluit Arbeidsverhoudingen (BBA) eerst toestemming nodig van de Centrale Organisatie voor Werk en Inkomen (CWI). Een op basis van dit verzoek verstrekte vergunning wordt alleen dan afgegeven, indien de werkgever voor dit door hem gewenste ontslag een redelijke grondslag kan noemen. Voorbeelden daarvan zijn financieel-economische omstandigheden, disfunctioneren van de werknemer of een verstoorde arbeidsrelatie. Pas als de ontslagvergunning is ontvangen, kan de werkgever tot opzegging van de arbeidsovereenkomst overgaan met inachtneming van de toepasselijke opzegtermijn. Een arbeidsovereenkomst kan ook tegen de wil van de werknemer ten einde komen door een uitspraak van de kantonrechter ex artikel 7:685 BW (ontbinding van de arbeidsovereenkomst wegens gewichtige redenen), maar ook dan zal de werkgever dit verzoek op een redelijke grond moeten baseren, wil hij het gehonoreerd zien. De werknemer heeft dus een betrekkelijk grote mate van zekerheid dat hij zonder een aannemelijke reden niet op straat komt te staan. Dat geldt overigens niet wanneer een werknemer arbeid verricht op basis van een arbeidsovereenkomst voor bepaalde tijd (een tijdelijk contract). Als dat het geval is, eindigt de arbeidsovereenkomst van rechtswege (dus automatisch) met het verstrijken van de overeengekomen tijd (artikel 667 boek 7 BW), ook ingeval de werknemer zijn werk voortreffelijk heeft verricht. Natuurlijk kan hem daarna bij goed functioneren een nieuw tijdelijk contract of zelfs een vast dienstverband worden aangeboden, maar dit gegeven doet aan het eerder genoemde gevolg op zichzelf geen afbreuk.

Gedurende reeds een reeks van jaren hebben werkgevers in Nederland zich (heftig) verzet tegen de verstarrende werking die het ontslagrecht huns inziens uitoefent op de mogelijkheid tot flexibel reageren op relevante economische ontwikkelingen. De internationalisering en mondialisering van de concurrentieverhoudingen maken het voeren van een flexibel personeelsbeleid in hun ogen absoluut noodzakelijk. Daarom zou, aldus wordt van werkgeverszijde verdedigd, het preventief ontslagstelsel moeten worden getransformeerd in een repressief ontslagstelsel, waarbij de arbeidsovereenkomst met een werknemer zonder voorafgaande (ambtelijke) redelijkheidstoets, door een werkgever kan worden opgezegd (uiteraard wel met inachtneming van de toepasselijke opzegtermijn). Zou dit ontslag daaropvolgend (dus achteraf) als onredelijk moeten worden aangemerkt, dan zou de rechter de ontslagen werknemer een schadevergoeding moeten kunnen toekennen.

Tot op heden heeft de wetgever de preventieve ontslagtoets ex artikel 6 BBA (in 1945 als noodrecht ingevoerd) evenwel in stand gehouden, althans met betrekking tot de werkgever die tot opzegging wenst over te gaan. De met ingang van 1 januari 1999 in werking getreden Wet Flexibiliteit en zekerheid[5] is juist (met uitdrukkelijke instemming van de sociale partners in de Stichting van de Arbeid) expliciet gebaseerd op behoud van dit voor Europa (en de rest van de wereld) unieke stelsel.[6] Dit gegeven vormt echter absoluut geen garantie (conform het gestelde in de vorige paragraaf) dat de preventieve ontslagtoets anno 2003 nog een lang leven beschoren zal zijn. Tijdens de behandeling van het wetsontwerp dat tot de Flexwet heeft geleid, heeft de Eerste Kamer bij de minister van Sociale Zaken en Werkgelegenheid Melkert kunnen afdwingen,[7] dat een commissie zou worden ingesteld die de toekomst van ons ontslagrecht opnieuw zou gaan onderzoeken. Deze in 1999 ingestelde commissie (Adviescommissie Duaal Ontslagstelsel, onder voorzitterschap van de emeritushoogleraar M.G. Rood) heeft haar rapport (Afscheid van het duale ontslagrecht, Den Haag 2000) eind 2000 uitgebracht. Daarin stelt de commissie voor, artikel 6 BBA af te schaffen. Uiteraard is daarmee niet gezegd dat de wetgever dit advies zal overnemen, zeker niet nu in de arbeidsrechtelijke literatuur forse kritiek op het ADO-rapport is uitgeoefend,[8] maar het sociaal-politiek klimaat neigt toch wel steeds meer tot de opvatting dat Nederland niet uit de pas van de andere (Europese) landen moet gaan lopen. Handelen overeenkomstig deze opvatting betekent een verminderde zekerheid van de werknemer wat betreft het behoud van zijn arbeidsplaats en derhalve ook een vermindering van zijn vertrouwen in de onderneming waarin hij werkt. De zekerheid wordt hier opgeofferd aan de flexibiliteit, een keuze waarover men zeker de nodige twijfel kan hebben.

Overigens heeft de Flexwet ook in andere opzichten keuzes gemaakt in de (spannings)relatie tussen zekerheid en flexibiliteit. Dat betreft in de eerste plaats de rechtspositie van de zieke werknemer,[9] of juridisch correcter geformuleerd: de wegens ziekte arbeidsongeschikte werknemer. Een zieke werknemer is bij uitstek kwetsbaar omdat hij niet in staat is op beslissingen van de werkgever te

reageren zoals een gezonde werknemer dat kan. De wetgever heeft dit onderkend door bijvoorbeeld een opzegverbod in de wet neer te leggen gedurende de
eerste twee jaren van ziekte (thans artikel 670 lid 1 boek 7 BW). Ten gevolge van
het systeem van het Nederlandse ontslagrecht is het ondanks dit opzegverbod
toch mogelijk dat de arbeidsovereenkomst met een zieke werknemer ten einde
komt, namelijk door een beslissing van de (kanton)rechter dat de arbeidsovereenkomst wegens gewichtige reden zal worden ontbonden (artikel 685 boek 7
BW). Het opzegverbod is namelijk gericht tot de werkgever, niet tot de rechter.
In de praktijk heeft dit ertoe geleid dat de rechter aan het opzegverbod toch een
zekere reflex-werking heeft toegekend, door alleen tot ontbinding over te gaan
wanneer instandhouding van de arbeidsovereenkomst echt onmogelijk is. De
Flexwet heeft in de uitwerking van dit systeem enkele niet onbelangrijke wijzigingen aangebracht. Werkgevers signaleerden reeds lang een probleem. Dat
bestond daaruit, dat het opzegverbod eerst begon te werken op het moment dat
de werkgever daadwerkelijk de arbeidsovereenkomst opzegde, met inachtneming van de opzegtermijn. Daartoe kon hij echter niet rechtsgeldig overgaan
zolang hij niet beschikte over een ontslagvergunning van de CWI ex artikel 6
BBA. In de praktijk meldde de betreffende werknemer zich vaak ziek, meestal
wegens overspannenheid/instorting, zodra hij vernam dat hij voor ontslag in
aanmerking kwam. Of deze vormen van ziekte nu wel of niet terecht werden
aangevoerd, de werkgever zag zijn voornemens gedwarsboomd en kon ten
gevolge van de ziekmelding niet tot opzegging overgaan. Deze gang van zaken
stuitte veel werkgevers tegen de borst. Zij wensten correctie, zodat ziekte een
ontslagvoornemen niet op de voornoemde wijze kon frustreren. De Flexwet
heeft deze praktijk een halt toegeroepen in die zin, dat het opzegverbod tijdens
ziekte niet geldt als de werknemer ziek wordt na de dag waarop de ontslagvergunning door de CWI is ontvangen (zie de tweede uitzondering, geformuleerd
in artikel 670 lid 1 boek 7 BW). Niet verbazingwekkend is dat een werkgever
vanaf 1 januari 1999 ten gevolge van deze maatregel er eerst voor zorgt dat het
betreffende verzoek bij de CWI is ingediend en ontvangen, alvorens hij het slechte nieuws van het ontslag aan de betreffende werknemer meedeelt. Bedrijfset-
hisch niet fraai, maar juridisch gezien begrijpelijk. Deze slechtere rechtspositie
van de zieke werknemer werkt een flexibeler personeelsbeleid door de werkgever in de hand, maar leidt tot onzekerheid bij de werknemer en tot een afname
van diens vertrouwen in de onderneming. Van de andere kant is de bescherming
van de zieke werknemer sedert 1 januari 1999 toegenomen in de situatie dat de
werkgever tracht via een ontbindingsverzoek bij de kantonrechter, de arbeidsovereenkomst te laten eindigen. Artikel 685 boek 7 BW bevat thans namelijk uitdrukkelijk de bepaling dat de kantonrechter zich ervan moet vergewissen of er
een opzegverbod jegens de werknemer van kracht is (de gangbare praktijk is
daarmee gecodificeerd), terwijl er bovendien tot 1 april 2002 (inwerkingtreding
Wet Verbetering Poortwachter) een door het Lisv getoetst reïntegratieplan aan
de kantonrechter diende worden overgelegd, op straffe van niet-ontvankelijk-
heid.[10] Toetscriterium was de dag waarop het verzoekschrift door de griffie van
het kantongerecht is ontvangen. Ook deze regel leidde er in de praktijk toe dat

eerst een ontbindingsverzoek bij de griffie werd ingediend, terwijl de betreffende werknemer pas daarna van deze handeling op de hoogte wordt gebracht.

De Flexwet heeft een toenemende onzekerheid voor de tijdelijke arbeidskracht gebracht. Onder de oude wetgeving luidde de regel dat opzegging en dus ook een ontslagvergunning vereist was in de situatie dat een arbeidsovereenkomst voor bepaalde tijd voor een nieuwe periode werd voortgezet. Onder het regime van de Flexwet eindigt een arbeidsovereenkomst voor bepaalde tijd nog steeds van rechtswege (en dus automatisch) ingeval deze tweemaal is verlengd. Wel mogen de termijnen gezamenlijk niet meer bedragen van 36 maanden. Deze regel houdt in dat een werkgever een tijdelijk contract voor de periode van een jaar tweemaal kan verlengen met een totaalperiode van 24 maanden (artikel 668a boek 7 BW). De laatste arbeidsovereenkomst voor bepaalde tijd eindigt zonder opzegtermijn, zonder ontslagvergunning. De werknemer die tijdelijk aan een onderneming is verbonden, is daarmee veel meer dan vroeger onderwerp geworden van een op concurrentiestrijd gebaseerd personeelsbeleid.

De afroepcontractant heeft daarentegen met de Flexwet meer zekerheid gekregen. Dat kan in de eerste plaats worden opgemaakt uit de invoering van twee rechtsvermoedens. Een oproepkracht die gedurende drie opeenvolgende maanden wekelijks of ten minste 20 uren per maand arbeid verricht, wordt vermoed deze arbeid op basis van een arbeidsovereenkomst te hebben verricht. Deze regel heeft tot gevolg dat de beschermende regels van de arbeidsovereenkomst daarmee in beginsel ook op de afroepkracht, die aan de genoemde voorwaarden voldoet, van toepassing zijn (artikel 610a boek 7 BW). Tevens is een rechtsvermoeden betreffende de omvang geïntroduceerd. De werknemer die ten minste drie maanden heeft gewerkt, wordt vermoed in de vierde maand recht te hebben op het gemiddelde van het aantal uren dat in de drie voorafgaande maanden is gewerkt. Langs deze weg wordt de oproepkracht de zekerheid van een bepaald minimum aantal uren gegarandeerd (artikel 610b boek 7 BW). De Flexwet heeft voorts, onder enkele in de wet genoemde voorwaarden, oproepkrachten die voor een zeer korte tijd worden opgeroepen, de garantie gegeven dat zij voor ten minste drie uren worden betaald, ook als zij gedurende een minder aantal uren zijn opgeroepen. De koffieserveerster in een verzorgingstehuis bijvoorbeeld, waarvan de arbeidsomvang niet is vastgelegd, die wordt opgeroepen om op een maandagavond gedurende twee uren koffie rond te delen, heeft recht op drie uren loon (artikel 628a boek 7 BW). In de laatste plaats heeft de uitzendkracht onder de Flexwet een betere, want meer zekere, rechtspositie gekregen. Nadat lange tijd onduidelijk is geweest hoe de relatie tussen een uitzendkracht en het uitzendbureau geduid moet worden op het moment dat de eerste bij de inlener aan de slag gaat, is thans uitdrukkelijk in de wet opgenomen (artikel 690 boek 7 BW) dat dit op basis van een arbeidsovereenkomst plaats vindt. Wel worden daaropvolgend enkele uitzonderingen geformuleerd met betrekking tot de toepasselijke wetsartikelen die op de arbeidsovereenkomst van toepassing zijn.

De overeengekomen functie

In het recht geldt in algemene zin de regel, dat een persoon zich heeft te houden aan datgene waartoe hij zich contractueel heeft verbonden. Een verplichting tot nakoming van meer dan waartoe de verbintenis zich strekt, bestaat niet, evenmin als een verplichting om iets anders te doen dan waartoe men zich gecommitteerd heeft. Alleen in uiterste omstandigheden, namelijk wanneer op grond van de redelijkheid en billijkheid exacte nakoming van wat overeengekomen is als onaanvaardbaar moet worden aangemerkt, kan van dit uitgangspunt worden afgeweken. Voor een werknemer die op basis van een bepaalde functie wordt aangenomen, is het van groot belang dat hij niet 'zomaar', zonder zijn uitdrukkelijke instemming, met ander werk kan worden belast. Zou dit anders zijn, dan wordt zijn vertrouwen in de onderneming danig op de proef gesteld. Ook voor het individuele arbeidsrecht lijkt derhalve de regel 'contract = contract' opgeld te moeten doen, tenzij dat in redelijkheid niet van de werkgever kan worden gevergd. Een werknemer heeft er dus in beginsel recht op alleen op basis van de gemaakte afspraken tewerk te worden gesteld. Toch blijkt deze benadering krachtens een tweetal recente arresten van de Hoge Raad (te weten Van der Lely/Taxi Hofman en Midnet Tax BV[11]) niet altijd de juiste te zijn. Ter verduidelijking en verheldering van deze kwestie wordt in de arbeidsrechtelijke literatuur het onderscheid gemaakt tussen de contractuele theorie en de institutionele theorie.[12] De contractuele theorie is gebaseerd op de hiervoor vermelde opvatting, dat partijen gebonden zijn aan uitsluitend datgene waartoe zij zich hebben verbonden. Alleen de redelijkheid en billijkheid kunnen daarop in evidente gevallen een uitzondering vormen. Bij de institutionele benadering wordt aan de inhoud van de arbeidsovereenkomst uiteraard wel juridische waarde toegekend, maar wordt tegelijk benadrukt dat een werknemer bij indiensttreding deel uitmaakt van een arbeidsorganisatie. Deze arbeidsorganisatie is een geheel van op elkaar afstemde functies, op basis waarvan een gemeenschappelijk product wordt vervaardigd. Het geheel is meer dan de som van de delen. Iedere werknemer heeft weliswaar een afzonderlijke rechtsrelatie met zijn werkgever (op basis van de gesloten arbeidsovereenkomst), juridisch gezien mag echter tevens het gemeenschappelijke, het institutionele aspect niet uit het oog worden verloren. Het gevolg daarvan is dat onder bepaalde omstandigheden van een werknemer meer kan worden verlangd en gevergd dan datgene waartoe hij zich individueel heeft gecommitteerd. Dat deze benadering consequenties kan hebben voor de uit te oefenen werkzaamheden op grond van de afgesproken functie, is gebleken uit Van der Lely/Taxi Hofman. De feiten van de casus waren als volgt. Van der Lely werkte voltijds als taxichauffeur bij het bedrijf van Hofman. Ten gevolge van een ernstige ziekte van Van der Lely's vrouw en haar overlijden, raakt Van der Lely overspannen en daarmee arbeidsongeschikt. Die overspannenheid is het gevolg van het feit dat Van der Lely zijn vrouw tijdens haar ziekte veelvuldig naar het ziekenhuis heeft gereden, terwijl hij na het overlijden van zijn vrouw opnieuw veelvuldig wordt geconfronteerd met ritten naar het betreffende ziekenhuis. Als Van der Lely na een aantal maan-

den weer arbeidsgeschikt is, besluit hij, met instemming van Hofman, in deel-
tijd te gaan werken: voor negentien uur als administrateur en voor zes uur als
centralist. Dat gaat een periode goed, maar na verloop van tijd wordt Van der
Lely opnieuw ziek. De administratie wordt vanaf dat moment door de dochter
van Hofman gedaan. Als Van der Lely weer hersteld is verklaard, wordt hem
door Hofman meegedeeld dat zijn dochter als administratief medewerkster het
werk blijft verrichten en dat er voor hem (Van der Lely) op dat vlak geen arbeid
meer voor handen is. Wel wordt hem verteld dat hij weer als chauffeur voor 25
uur op de zogenoemde teletaxi aan de slag moet. Dat weigert Van der Lely. Hij
wenst het overeengekomen werk (administratief werk en op de centrale) te verrichten en geen ander werk. De vraag die de Hoge Raad wordt voorgelegd luidt,
of Van der Lely als goed werknemer (ex artikel 611 boek 7 BW) verplicht is de
functie van chauffeur te aanvaarden. De Hoge Raad overweegt dat een werknemer op redelijke voorstellen van de werkgever, verband houdende met gewijzigde omstandigheden op het werk, in het algemeen positief behoort in te gaan.
De werknemer mag dergelijke voorstellen alleen afwijzen wanneer aanvaarding
ervan redelijkerwijs niet van hem kan worden gevergd. Dat is niet anders indien
het, zoals in casu, gaat om gewijzigde omstandigheden die in de risicosfeer van
de werkgever liggen. De bescherming van arbeidsongeschikte werknemers in
het arbeidsrecht kan op zichzelf dan ook – aldus de Hoge Raad – niet rechtvaardigen dat een werknemer een redelijk voorstel van zijn werkgever van de
hand wijst. Deze opvatting is in het Midnet Tax BV-arrest nog eens herhaald, nu
met betrekking tot een ontslagzaak, waarbij de werknemer vond dat hij een te
geringe vergoeding van de werkgever had meegekregen. Hij vorderde ruim
NLG 150.000 meer en stelde daartoe een rechtsvordering in gegrond op kennelijk onredelijk ontslag (artikel 7: 681 BW).

Volgens Van der Heijden (1999) heeft de Hoge Raad zich met voorgaande overweging een 'fervent en rigoureus aanhanger' betoond van de institutionele theorie over de arbeidsverhouding. Anderen, zoals Heerma van Voss (1999), zijn
voorzichtiger en wijzen op het bijzondere feitencomplex van Taxi Hofman; de
door de Hoge Raad geformuleerde regel zou vanuit deze optiek enkel van toepassing zijn ingeval het arbeidsongeschiktheid wegens ziekte betreft.[13] Weer
anderen, zoals Zondag (2002), wijzen op artikel 611 boek 7 BW (het goed werk-
gever- en goed werknemerschap) van waaruit de Hoge Raad zijn overwegingen
heeft neergeschreven en zetten dit wetsartikel af tegen artikel 258 van boek 6 BW
waarin het onderwerp 'wijziging van de inhoud van de overeenkomst ten gevolge van onvoorziene omstandigheden' geregeld is. Op grond van een inhoudelijke vergelijking van de twee wetsartikelen wordt vervolgens geconcludeerd
dat de wijzigingen gegrond op artikel 611 boek 7 uitsluitend betrekking kunnen
hebben op minder verstrekkende veranderingen.

Hoe dan ook, het standpunt van de Hoge Raad in Van der Lely/Taxi Hofman
en Midnet Tax BV betekent ten minste dat van een werknemer juridisch gezien
onder omstandigheden kan worden verlangd en gevergd dat hij andere werk-

zaamheden verricht dan die, welke betrekking hebben op de overeengekomen arbeid. De lijn zou daarbij kunnen worden doorgetrokken. Zo brengt het goed werknemerschap vermoedelijk eveneens mee, dat van de werknemer onder omstandigheden kan worden gevergd dat hij zijn arbeid op een andere dan de normale werkplek zal moeten verrichten. Daarbij kan niet alleen worden gedacht aan bijvoorbeeld een andere afdeling in de onderneming, maar eveneens aan detachering naar een filiaal in een andere stad. Niet uitgesloten is tevens dat met een beroep op de twee arresten wijziging in de afgesproken werktijden kan worden afgedwongen. Dergelijke beslissingen kunnen vanzelfsprekend heel ingrijpend zijn voor de betrokken werknemers. Niettemin moet de huidige werknemer, die doorgaans wordt getypeerd als mondig en goed opgeleid,[14] in arbeidsrechtelijk opzicht een mate van flexibiliteit opbrengen die verder gaat dan men wel heeft verondersteld. Dat die verlangde flexibiliteit lang niet altijd met evenveel verve kan/zal worden opgebracht, waardoor onrust in de onderneming ontstaat, zou als een realistische inschatting beschouwd kunnen worden. En dat daarmee het vertrouwen in de onderneming in evenredige mate afneemt, op gelijke wijze.

De arbeidsvoorwaarden

De ontwikkelingen betreffende de vorming van (collectieve) arbeidsvoorwaarden zijn de afgelopen decennia in een stroomversnelling geraakt. De meeste collectieve arbeidsovereenkomsten (CAO's) kenden vroeger uniforme, op bedrijfstakniveau afgesproken arbeidsvoorwaarden, die weinig tot geen speelruimte boden voor werknemers, hun eigen specifieke arbeidsvoorwaardelijke wensen te realiseren. Op ondernemingsniveau werd niet meer gedaan dan het individueel concretiseren van hetgeen op hoger niveau (bedrijfstakniveau) door CAO-partijen was vastgesteld. Op dit punt is inmiddels veel veranderd. In de eerste plaats is het aantal bedrijfstak-CAO's afgenomen en het aantal ondernemings-CAO's juist toegenomen. Daarmee zijn vorm en inhoud van de arbeidsvoorwaarden beter binnen het bereik van de in die onderneming werkzame werknemer gekomen. De bedrijfstak-CAO's zijn bovendien (in de tweede plaats) veelal uitgegroeid tot raam-CAO's, op grond waarvan op ondernemingsniveau binnen de in de CAO aangegeven grenzen, nadere afspraken, bijvoorbeeld met de Ondernemingsraad, kunnen worden gemaakt.[15] In de toespitsing op de individuele onderneming, kan met specifieke wensen van het daarin werkzame personeel rekening worden gehouden. De meest recente ontwikkelingen geven bijvoorbeeld het zogenoemde 'cafetariamodel' te zien. Op grond van dit model kunnen de betreffende werknemers individueel kiezen voor welke arbeidsvoorwaarden zij 'gaan' en meer in het bijzonder voor welke specifieke combinatie van arbeidsvoorwaarden. De werknemer 'koopt' bij zijn werkgever wat hij het meest aangenaam vindt en wat het beste aansluiting vindt bij zijn leefsituatie. Een dergelijk cafetariastelsel is bijvoorbeeld opgenomen in de in mei 2000 afgesloten CAO voor de verpleeg- en verzorgingstehuizen. De onder deze CAO vallende werknemers kunnen vakantiedagen kopen of verkopen, toeslagen gebruiken voor de betaling van kinderopvang en tijd opsparen om langer achtereen vrij te zijn. Op deze wijze kunnen werknemers de keuzes maken die zij wenselijk achten voor de optimalisering van hun levensverwachtingen en 'life chances'.[16] Daaronder kan bijvoorbeeld de wijze van onderlinge afstemming worden geschaard van zorgtaken in de thuissituatie en betaalde arbeid. De wetgever speelt na verloop van tijd op deze ontwikkelingen in en geeft er wettelijk vorm aan. De Arbeidstijdenwet (ATW) 1995 is bijvoorbeeld mede in het leven geroepen teneinde zorg- en arbeidstaken van de werknemer beter mogelijk op elkaar te kunnen afstemmen. De met ingang van 1 juli 2000 van kracht zijnde Wet Aanpassing Arbeidsduur (WAA) heeft eveneens onder meer ten doel de combinatie van arbeid en zorg voor de werknemer te optimaliseren, rekening houdend met hetgeen arbeidsorganisatorisch redelijkerwijs van de werkgever kan worden gevergd. De Wet Arbeid en Zorg (WAZ), met ingang van 1 december 2001 in werking getreden en waarvan de WAA onderdeel uitmaakt, verschaft de werknemer vormen van verlof zoals kortdurend zorgverlof, palliatief verlof en adoptieverlof, die de mogelijkheid om werk en privé meer vanzelfsprekend met elkaar te verenigen, verdergaand optimaliseren. Al deze ontwikkelingen oefenen een verhogend effect op het vertrouwen van de werknemer in zijn onderneming. Naarmate immers met wensen van werknemers binnen de onderneming rekening wordt gehouden en die onderneming op bevredigende wijze in hun totale leven wordt geïntegreerd, neemt het vertrouwen in die onderneming toe. Een zelfde effect gaat uit van allerlei bedrijfsgebonden beloningen als het toekennen van optieregelingen of de geboden mogelijkheid om aandelen van het bedrijf te kopen. Zeker in een situatie van hoogconjunctuur verhogen dergelijke beloningsvormen de band met en tevens het vertrouwen in de onderneming.

Niettegenstaande deze ontwikkelingen zijn er echter tegelijkertijd tegengestelde ontwikkelingen te bespeuren, die het gevoel van zekerheid van de werknemer in de onderneming waarin hij zijn arbeid verricht, kunnen aantasten. In dit verband kan gewezen worden op het verschijnsel van de prestatiebeloning. In het voorjaar van 2000 zijn we getuige geweest van de (uiteindelijk geslaagde) poging van het Philipsconcern, de prestatiebeloning in de nieuwe CAO op te nemen. Het aanvankelijke verzet daartegen van (de meerderheid van) de vakbonden is vanuit hun perspectief gezien begrijpelijk. Een al lang verworven, op solidariteit gebaseerd, recht op vaste gelijke verhogingen van vastliggende salarissen zou met de invoering van de prestatiebeloning worden aangetast. De trend naar differentiatie van de beloning bij gelijkgewaardeerde functies is niettegenstaande de breuk met het verleden, een duidelijk waarneembare. Dergelijke maatregelen, begrijpelijk voor een samenleving als de onze, waarin de individualiteit het steeds meer wint van de solidariteit, kunnen de waardigheid en zekerheid van werknemers aantasten, en zullen in het verlengde daarvan onmiskenbaar een neerwaartse werking uitoefenen op het vertrouwen dat deze werknemers in hun onderneming hebben.

5.3 Waardering

Recente ontwikkelingen binnen het individuele arbeidsrecht gerelateerd aan het thema 'vertrouwen in de onderneming' laten – zo blijkt uit het voorafgaande – een wisselend beeld zien. Toegespitst op het onderwerp 'waardigheid' hebben we geconstateerd dat deze inzake de arbeidsovereenkomst – de juridische basis voor het werken in een onderneming – onder spanning kan komen te staan. De werkgever is immers gerechtigd de werknemer – zo nodig tegen diens wil in – eenzijdig instructies te verlenen betreffende de te verrichten werkzaamheden. Geconcretiseerd naar het onderwerp 'zekerheid' blijken zich allerlei ontwikkelingen voor te doen die ofwel een zekerheidsverhogend ofwel een zekerheidsafnemend karakter met zich (kunnen) brengen. Dit blijkt deels afhankelijk te zijn van de aard van de rechtsverhouding (vast contract, tijdelijk contract) en van een bepaalde toestand (zieke werknemer, wijziging van functie).

Wat nu van deze ontwikkelingen te denken? Voordat daarop wordt ingegaan is het wenselijk vooraf op te merken, dat het individuele *arbeids*recht geen individuele *arbeiders*recht is. In het Burgerlijk Wetboek staan met betrekking tot de arbeidsovereenkomst weliswaar specifiek arbeidersbeschermende bepalingen, maar deze zijn in de wet opgenomen ter correctie, ter compensatie van de economisch sterkere en daardoor in beginsel juridisch machtigere werkgever. De beschermende bepalingen in het Burgerlijk Wetboek bestaan bij de gratie van het zoeken naar een evenwichtig stelsel waarbinnen de rechten en plichten van werkgevers en werknemers op correcte wijze op elkaar zijn afgestemd. Dat houdt in dat inbreuken op een juridisch systeem waarbinnen optimale bescherming van de waardigheid en zekerheid van de werknemer gegarandeerd is, onvermijdelijk zijn. Ook de belangen van de werkgever zijn in het geding. De vraag is dan ook veeleer of er een goede balans is gevonden met betrekking tot de gerechtvaardigde belangen en verlangens van beide partijen. In niet-juridische bewoordingen: doelstelling van het individuele arbeidsrecht is te waarborgen dat zowel de werkgever als de werknemer als persoon zoveel mogelijk tot hun recht kunnen komen, op grond waarvan zij ook (inherent daaraan verbonden) verantwoordelijk kunnen worden gesteld voor de door hen in de werksituatie verrichte (rechts)handelingen. Geformuleerd jegens de werknemer: hij heeft recht op ten minste zoveel 'waardigheid' en 'zekerheid' dat men hem als persoon, als verantwoordelijk individu, in de onderneming ziet staan. Uiteraard een ieder naar hetgeen hij intellectueel kan dragen en nodig heeft. Dat schept, vanuit het perspectief van de werknemer, vertrouwen in de onderneming. Uiteraard is het niet eenvoudig vanuit dit vertrekpunt tot een waardering van de huidige ontwikkelingen binnen het individuele arbeidsrecht te komen en dat zeker niet op grond van de betrekkelijk korte beschrijving van (slechts) enkele onderwerpen. Desalniettemin leiden ze naar mijn oordeel tot de volgende inzichten.

In de eerste plaats: de juridische invulling van de gezagsverhouding, als component van de arbeidsovereenkomst, verschaft de werkgever de mogelijkheid, zijn werknemers van hun waardigheid te ontdoen of deze ten minste aan te tasten. Van de andere kant: gezagsuitoefening is onmisbaar, wil een arbeidsorganisatie in ons maatschappelijk-economisch bestel vorm en inhoud kunnen worden geven. Waar het derhalve om gaat is, hoe juridisch gezien aan gezagsuitoefening invulling dient te worden gegeven, zodanig dat desondanks de werknemer in kwestie als persoon recht wordt gedaan. Naar mijn oordeel dient dit op tweeërlei wijze te gebeuren. Ten eerste door niet zozeer het materiële maar veeleer het formele gezagsbegrip als toetssteen te hanteren met betrekking tot de vraag of er juridisch van een gezagsverhouding kan worden gesproken. Ten tweede door vooral doelgerichte opdrachten centraal te stellen. De werkgever dient niet primair aan te geven welke specifieke handelingen/ taken de ondergeschikte dient te verrichten, maar vooral welke de betreffende eindtermen zijn. Op basis daarvan stelt de werknemer zelf de wijze van handelen vast die naar zijn oordeel zal leiden tot de realisering van de geformuleerde eindtermen. Op deze manier kan in optima forma worden gerealiseerd dat de betrokken werknemer zich verantwoordelijk voelt voor het resultaat en weg waarlangs dit resultaat wordt bereikt.[17] Op collectief niveau zou daarbij het werkoverleg een belangrijke rol kunnen vervullen. Zou het materiële gezagsbegrip een dergelijke juridische inhoud krijgen, dan zou er naar mijn oordeel geen reden zijn, het formele gezagsbegrip als doorslaggevend te oordelen voor de vraag of voldaan is aan de eis van gezagsuitoefening.

Toenemende zekerheid (wezenlijk voor de werknemer) kan niet gepaard gaan met een verhoogde mate van flexibiliteit (van belang voor de werkgever). Wat aan het ene aspect wordt toegevoegd, gaat ten koste van het andere. Dit gegeven dwingt tot (sociaal-politieke) keuzes. In de Flexwet is wat betreft dit spanningsveld gekozen voor een grotere zekerheid ten behoeve van de oproepkracht (inclusief de uitzendkracht) ten koste van een afnemende zekerheid voor de werknemer die op tijdelijke basis in de onderneming arbeid verricht, althans in de situatie dat het tijdelijke arbeidscontract verlengd wordt. Gegeven de terechte noodzaak tot het voeren van een flexibel personeelsbeleid om internationaal het hoofd te bieden aan de concurrentie, kan deze keuze worden gebillijkt. De tijdelijke arbeidskracht telt arbeidsrechtelijk beschouwd als volwaardige arbeidskracht in de onderneming mee,[18] de oproepkracht daarentegen niet. De rechtsvermoedens en de minimum urenaanspraak brengen daar terecht een correctie op. Aantasting van de rechtspositie van de kwetsbare groep van zieke werknemers, is in het kader van het thema 'vertrouwen in de onderneming' een precaire aangelegenheid. Hoewel arbeidsongeschiktheid wegens ziekte altijd nog gedurende een periode van twee jaar bescherming tegen een gewenste opzegging door de werkgever oplevert, weet de werknemer dat ziekte (ineenstorting) na de onheilsboodschap inzake het ontslag, de ontslagprocedure bij de CWI niet blokkeert. Mede ten gevolge van deze maatregel is het aantal aangevraagde ontslagvergunningen gedurende de afgelopen jaren (in tegenstelling tot de jaren daaraan voorafgaand) weer hoger dan, of gelijk aan, het aantal ontbindingsverzoeken. Zou in de toekomst de preventieve ontslagtoets worden afgeschaft en zou er niet enig moment voorafgaande aan het ontslag een op de redelijkheid gebaseerde toets plaatsvinden, dan wordt het interne geïnstitutionaliseerde arbeidsrechtelijke systeem, zoals altijd gebaseerd op een betrekkelijk wankel evenwicht, in niet geringe mate ten nadele van de werknemer aangetast. Men realisere zich daarbij dat het met betrekking tot deze onderwerpen, anders dan ten aanzien van het gezagsbegrip, niet gaat om de begrippen 'waardigheid' en 'zekerheid' die in wisselwerking met het begrip 'verantwoordelijkheid' nadere invulling krijgen. Het betreft hier veeleer de voorwaarden, op grond waarvan de werknemer als verantwoordelijk persoon in de onderneming gestalte kan krijgen. De wetgever dient zich dit grondig te beseffen bij mogelijk toekomstige wijzigingen van ons ontslagrecht.

Een eveneens niet eenduidige ontwikkeling is te ontwaren ten aanzien van de totstandkoming van (collectieve) arbeidsvoorwaarden. De tendens betreffende de decentralisatie van toepasselijke arbeidsvoorwaarden (niet alleen op ondernemingsniveau, maar binnen de onderneming zelfs op individueel niveau) lijkt in het kader van het onderhavige thema een positief te waarderen verschijnsel, ten minste op de korte(re) termijn.[19] De prestatiebeloning kan, evenals alternatieve beloningsvormen als de optieregeling, het vertrouwen in de onderneming verhogen, al naar gelang het financiële resultaat zich positief voor de betreffende werknemer ontwikkelt. Een neerwaarts effect op de vertrouwensgraad in de onderneming doet zich echter voor wanneer het in financieel opzicht niet goed met de onderneming gaat. Deze waardering van dit soort keuzes qua beloningsvorm, die de werknemer met de voortgang van de huidige maatschappelijke ontwikkelingen steeds vaker zullen worden aangereikt, moeten naar mijn idee ook vanuit het verantwoordelijkheidsdenken worden benaderd. Binnen bepaalde door de wetgever aangegeven grenzen, zijn werknemers vrij te kiezen voor de beloningswijze die zij prefereren. De gevolgen zullen zij als verantwoordelijke werknemers onder ogen moeten zien. Aldus zien wij dat 'vertrouwen in de onderneming' vanuit het individuele arbeidsrecht beschouwd, niet alleen maar ontstaat ten gevolge van daden verricht door de wetgever of de werkgever. Het gaat hier veel eerder om een (dynamische) wisselwerking tussen wetgever/werkgever enerzijds en de werknemer anderzijds. Deze laatste heeft als verantwoordelijk persoon in de onderneming, binnen bepaalde kaders, zijn eigen keuzes te maken en bepaalt daarmee voor een deel zelf de mate van vertrouwen die hij in zijn onderneming heeft en die hij bij anderen in de onderneming geniet. Dat blijkt misschien nog wel het meest uit het beschreven onderwerp 'wijziging van functie'. Natuurlijk geldt als uitgangspunt dat een werknemer zijn werk verricht op grond van hetgeen tussen hem en zijn werkgever is overeengekomen. De contractuele theorie mag naar mijn idee nog steeds startpunt van denken zijn. Niettemin zijn er uitzonderingen te formuleren op grond waarvan een redelijk denkend (en dus ook verantwoordelijk) werknemer, zijn ogen en oren tijdens het werk openhoudend, begrijpt dat de omstandigheden zich hebben gewijzigd en dat aanpassing van op enigerlei tijdstip gemaakte

afspraken in de rede ligt en min of meer vanzelfsprekend is. De zich verantwoordelijk voelende werknemer reageert dan op een redelijk verzoek van zijn
werkgever. Waardigheid? Zekerheid? Jazeker, maar de opdracht voor de werkgever om deze gevoelens zijn werknemers aan te reiken stopt daar, waar de verantwoordelijk handelende en denkende werknemer zijn eigen (juridische) grenzen zelfstandig dient te verleggen.

Noten

1   Zie daarvoor het bekende boek van Brugmans (1925). Zie tevens (met enquêtes en daarop
     gegeven antwoorden) Welckers (1978).
2   Daarbij moet acht worden geslagen op het mogelijke verschijnsel dat de werkgever zoda-
     nig wordt overvraagd dat de ongelijkheidscompensatie zich tegen de werknemer keert. Zie
     daarvoor met betrekking tot de invoering van de Wublz (Wet uitbreiding loondoorbe-
     talingsverplichting bij ziekte) Hoogendijk (1999).
3   Zie daarvoor Jansen en Loonstra (1997).
4   Zie Jansen en Loonstra (1998). Nadien nog het Edelenbos-arrest (Hoge Raad 8 mei 1998,
     JAR 1998, 168 en NJ 2000, 81).
5   Zie voor een goed overzicht Verhulp (1999).
6   De werknemer heeft sedert 1 januari 1999 geen voorafgaande toestemming van de RDA
     nodig om tot opzegging van de arbeidsovereenkomst over te gaan.
7   Brief van 8 mei 1998, 25 263, 1997-1998, nr. 132f.
8   Vgl. Fase (2000), Loonstra (2000), Van Slooten (2001) en Kuip en Verhulp (2001).
9   Zie daarvoor in het algemeen Hoogendijk (1999) en de bespreking van de daarin gedane
     voorstellen in Riphagen (2000).
10   De Wet Verbetering Poortwachter bracht ons het reïntegratieverslag dat uiterlijk na 8,5
     maand na de eerste dag van arbeidsongeschiktheid aan het UWV moet worden overgelegd
     in het kader van de WAO-claimbeoordeling. Het reïntegratieplan is tegelijk uit de wet ver-
     dwenen. Het Lisv (en de vijf uvi's) is met ingang van 1 januari 2002 in het UWV opgegaan.
11   Respectievelijk Hoge Raad 26 juni 1998, JAR 1998, 199 en Hoge Raad 28 april 2000, nr.
     C98/251HR, JOL 2000, 260.
12   Bijvoorbeeld Heerma van Voss (1999: 128 e.v.).
13   Dit standpunt kan na Midnet Tax BV niet meer worden gehuldigd, nu het Van der Lely-cri-
     terium in dit arrest ook van toepassing werd verklaard in een ontslagzaak waarin arbeids-
     ongeschiktheid geen rol speelde. Overigens formuleerde Heerma van Voss zijn standpunt
     op een eerder tijdstip dan 28 april 2000. Zowel in Van der Lely als in Midnet is opvallend
     dat de functies die werden aangeboden, functies betroffen die de betrokken werknemers
     in het verleden bij diezelfde werkgever (of diens rechtsvoorganger) hadden uitgeoefend.
     Of dit gegeven een rol speelt in het kader van de overwegingen van de Hoge Raad, is ondui-
     delijk.
14   Hoewel dit type slechts een (klein) deel van de gehele werkzame bevolking omvat.
15   Zie Van der Heijden (2002: 1881).
16   Een van de thema's waarop Ralf Dahrendorf zich heeft geconcentreerd. Zie over hem Loon-
     stra en Dahrendorf (1990: 125 e.v.).
17   Zie daarvoor Loonstra (1990) hoofdstuk 1.
18   Hoewel bijvoorbeeld lang niet alle arbeidsvoorwaarden uit de CAO op hem van toepas-
     sing behoeven te zijn verklaard.
19   Of dat ook voor de (wat) langere termijn geldt, is nog de vraag. Werknemers kunnen er op
     dit moment voor kiezen, af te zien van (toekomstige) pensioenaanspraken. Later kan die
     keuze worden betreurd.

Literatuur

Brugmans, I.J. (1925). *De Toestand der Arbeidende Klasse in Nederland in de 19e Eeuw*. Utrecht-Antwerpen: Aula.

Fase, W.J.P.M. (2000). 'Afscheid van het huidige ontslagrecht?' *SMA*: 487-492.

Heerma van Voss, J.J. (1999). *Goed Werkgeverschap als Bron van Vernieuwing van het Arbeidsrecht*. Deventer Kluwer.

Heijden, P.F. van der (2002). *Massa-individualisering*. NJB.

Heijden, P.F. van der (1999). 'De wederkerige arbeidsbetrekking.' In: Heijden, P.F. van der (red.). *Naar een Nieuwe Rechtsorde van de Arbeid?* Sdu: Den Haag: 43-55.

Hoogendijk, B. (1999). *De Loondoorbetalingsverplichting Gedurende het Eerste Ziektejaar. Dissertatie Rotterdam*. Rotterdam: Gouda Quint.

Jansen, C.J.H., Loonstra, CJ. (1997). *Functies onder Spanning. Een nieuwe oriëntatie op de gezagsverhouding in de arbeidsovereenkomst*. Deventer: Kluwer.

Jansen, C.J.H., Loonstra, CJ. (1998). 'Erosie in de gezagsverhouding: de koers van de Hoge Raad.'*Nederlands Juristenblad*, 18: 817.

Kuip S.W., en Verhulp, E. (2001). 'Ontslagrecht met hoorplicht: preventieve toets ongehoord ontslag aangezegd?' *SMA*: 415-433.

Loonstra, C.J. (1990). *Gezag, Medezeggenschap en Collectieve Actie*. Groningen: Wolters- Noordhoff.

Loonstra, C.J., en Dahrendorf, R. In: Cliteur, P.B., en List, G.A. van der (1990). *Filosofen van het Hedendaags Liberalisme*. Kampen: Kok Agora.

Loonstra, C.J. (2000). 'Afscheid van het duale ontslagrecht?' *SR*: 355-357.

Riphagen, J. (2000). 'Knelpunten in de rechtspositie van de werknemer gedurende het eerste ziektejaar: een verkenning naar oude en nieuwe paradigma.' In: Loonstra, C.J. (red.). *De Onderneming en het Arbeidsrecht in de 21e Eeuw*. Den Haag: Boom Juridische uitgevers.

Slooten, J.M. van (2001). 'Much ado about ADO?' *NJB*: 931-937.

Verhulp, E. (1999). *Flexibiliteit en Zekerheid*. 's-Gravenhage: Sdu.

Welckers, J.M. (1978). *Heren en Arbeiders in de Vroege Nederlandse Arbeidersbeweging 1870-1914*. Amsterdam: Van Gennep.

Zondag, W.A. (2002a). 'Wijziging van arbeidsvoorwaarden.' *Sociaal Recht*: 46.

Zondag, W.A. (2002b). 'Institutioneel Arbeidsrecht?' *RM Themis*: 3-16.

6

De consument: op zoek naar betrouwbare informatie

Door Martijn Beversluis

Nederlandse consumenten hebben in toenemende mate belangstelling voor voedselveiligheid en milieuvriendelijke producten. In het verlengde hiervan toont men steeds meer aandacht voor de maatschappelijke opstelling van retailers en fabrikanten Wat betekent dit voor het vertrouwen van de consument in de onderneming? En wat is het verband tussen 'vertrouwen' en productevaluatie? In dit hoofdstuk zal achtereenvolgens aandacht worden besteed aan de zorgen van de Nederlandse consument, de informatiebronnen die hij gebruikt, de barrières bij het koopgedrag, en de relatie tussen de reputatie van de onderneming en de productevaluatie. In hoeverre beïnvloedt de berichtgeving in de media het koopgedrag van de consument? De mate waarin dit gebeurt, is onder andere afhankelijk van het financiële draagvlak van de consument. Niet iedereen kan het zich bijvoorbeeld permitteren om (duurdere) natuurstroom te gebruiken, terwijl dit wel beter is voor het milieu. Dit lijkt paradoxaal, maar is het niet als we het marktmechanisme vanuit drie dimensies analyseren. Hieronder wordt daarom eerst het voorbeeld van duurzame energie uitgewerkt.

Duurzame energie als voorbeeld

Zonne-, water- en windenergie zijn duurder dan conventionele energie omdat de kostprijs van opwekking hoger ligt. Zo vormen de onderzoeks- en ontwikkelingskosten van de nieuwe generatie zonnepanelen en windmolens een substantieel deel van de kostprijs. Als we deze kosten zetten tegenover de kosten van de ontwikkeling en exploitatie van een omvangrijk gasveld zoals bij Slochteren, dan is wel duidelijk dat duurzame energie in Nederland anno 2003 nog volstrekt niet concurrerend kan zijn.

Als duurzame energie daarentegen een superieure kwaliteit zou hebben ten opzichte van conventionele energie dan zou de consument wellicht wel bereid zijn meer te betalen. Dit is echter niet het geval. In tegendeel, als er al een kwaliteitsverschil zou zijn, dan lijkt deze in de meeste gevallen in het nadeel van de alternatieve bronnen uit te vallen. Waar komt namelijk de energie vandaan als het windstil is of de zon zich niet laat zien?

De redenering dat de prijs van duurzame energie te hoog is, moet in feite ook worden omgedraaid. Is conventionele energie niet te goedkoop? Zo worden de kosten van nadelige milieueffecten die bijvoorbeeld samenhangen met de verbranding van kolen of gas niet of onvolledig verwerkt in de prijs. Hieraan liggen praktische redenen ten grondslag. Zo is het onmogelijk om de kosten van schone lucht te berekenen zolang het vraag- en aanbodmechanisme in dit kader niet hanteerbaar is.

Dit probleem kan deels ondervangen worden door emissiequota af te spreken. Door op wereldniveau een plafond af te spreken voor de uitstoot van CO_2, en ieder land een maximum aantal rechten te geven die onderling verhandeld mogen worden, ontstaat er in feite een markt in emissierechten. Ondernemingen kunnen vervolgens rechten kopen van individuele landen of van elkaar. De kosten hiervan worden vervolgens doorberekend in de energieprijs. Dit zal ertoe leiden dat de gebruiker wordt geconfronteerd met een hogere prijs die ook de negatieve externe effecten zoals milieuverontreiniging absorbeert. Economische groei zal in dit kader leiden tot een hogere energieprijs, tenzij de stijging van de vraag naar energie kan worden gecompenseerd door efficiënter c.q. schonere productiemethoden. Op die manier is er een prikkel voor energieproducenten om te investeren in duurzame energie en voor energieverbruikers om efficiënter om te gaan met energie of over te stappen op natuurstroom.

Zolang er wereldwijd nog geen consensus is bereikt over de voorwaarden van een markt in emissierechten en de externe kosten daarom nog niet worden doorbelast aan de klant, is het voor de consument vanuit economisch oogpunt niet rationeel om natuurstroom af te nemen. De overheid kan een helpende hand bieden door fiscale maatregelen te nemen die het aantrekkelijk maken om natuurstroom af te nemen. Een andere mogelijkheid is om conventionele energie te belasten met bijvoorbeeld Eco-tax.

6.1 Consumentenzorgen

In feite geldt het geschetste voorbeeld ook voor andere sectoren. Zo zijn de producten uit de intensieve landbouw significant goedkoper dan biologische producten, met name door schaalvoordelen. Toch speelt ook hier een rol dat niet alle externe kosten (onder andere milieubelasting) worden doorbelast in de prijs. Toch is er ook een belangrijk verschil. Waar de kwaliteit van het eindproduct ten aanzien van stroom identiek is, proeven sommige consumenten wel verschil tussen een biologische aardappel en een intensief geteelde pieper. De vraag is of de betere smaak de enige reden is voor de consument om voor 'biologisch' te kiezen. Zijn er misschien andere redenen waarom consumenten besluiten om natuurstroom af te nemen, biologische producten te kopen, Shell Pura te tanken of Max Havelaar koffie te drinken?

Waarom kiest de consument nu voor duurzame producten, terwijl de kwaliteit niet significant afwijkt van conventionele producten en de prijs hoger is? Hiervoor is een aantal redenen te noemen. Bij de keuze voor biologische producten betaalt men in wezen een premie voor het gevoel van veiligheid en gezondheid dat dit soort producten geeft. Een andere reden kan van ethische aard zijn. Men heeft het gevoel dat de aanschaf van bijvoorbeeld Max Havelaar producten tot een rechtvaardiger welvaartsverdeling leidt. In de derde plaats kunnen voor de consument de zorgen om het milieu op lange termijn zwaarder wegen dan zijn persoonlijke economische belangen op korte termijn.

Uit onderzoek van KPMG komt naar voren dat consumenten zich met name zorgen maken over slechte arbeidsomstandigheden, dat wil zeggen slecht betaald, ongezond en gevaarlijk werk waarbij de inzet van kinderen niet wordt geschuwd; dierenleed bij de productie; vervuiling of uitputting van het milieu; en handel met een land dat de mensenrechten met voeten treedt (zie tabel 6.1).

Tabel 6.1 Consumentenattitude ten aanzien van zes maatschappelijke zorgen (Bron: KPMG Ethics & Integrity, 2000)

CONSUMENTENZORG	Heel belangrijk	Belangrijk	Onbelangrijk
Vervuiling of uitputting van het milieu	41%	53%	6%
Productie met gevaren voor de gezondheid van werknemers en kinderarbeid	48%	45%	7%
Slechte arbeidsomstandigheden voor de werknemers en kinderarbeid	56%	38%	6%
Dierenleed bij de productie	48%	42%	10%
Productie in strijd met de eigen godsdienstige principes	7%	24%	69%
Handel met een land dat de mensenrechten met voeten treedt	27%	51%	22%

Dat mensen deze zorgen hebben, betekent overigens niet automatisch dat ze de intentie hebben hun koopgedrag aan te passen. Ongeveer de helft van de consumenten blijkt rekening te houden bij de aankoop van producten. Of deze intentie ook daadwerkelijk wordt omgezet in maatschappelijk verantwoord koopgedrag is met name afhankelijk van factoren zoals prijs, kwaliteit, vertrouwen, informatievoorziening en beschikbaarheid.

6.2 Informatiebronnen

De beschikbaarheid van betrouwbare informatie is onontbeerlijk voor consumenten om hun intentie om te zetten in koopgedrag. De bronnen hiervoor zijn divers, maar niet allemaal even hanteerbaar. De belangrijkste referentie is ongetwijfeld het keurmerk, waarvan in Nederland Max Havelaar, Milieukeur en EKO-keurmerk de bekendste varianten zijn. Bij keurmerken kan onderscheid gemaakt worden naar de aard (milieu- of sociaal gerelateerd), de oriëntatie (product of proces georiënteerd) en de initiatiefnemer (particulier of overheidsinitiatief).

Keurmerken

Het verschijnsel keurmerk is waarschijnlijk terug te voeren op het gebruik van zegels in de oudheid (www.keurmerk.nl). Het 'Spectrum Opzoekboek Symbolen' meldt hierover dat in de Grieks-Romeinse tijd zegelringen en later lakstempels werden gebruikt om de authenticiteit van geschriften te waarmerken. Daardoor werden zegels tot teken van rechtmatigheid en persoonlijkheid. Zo wordt in de bijbel (Jesaja 8:16) gezegd: "Bind de getuigenis toe, verzegel de wet onder mijn leerlingen". Zeer bekend is het 'boek met zeven zegelen' in de Openbaring van Johannes, waarbij het Lam die zegels verbreekt. De symbolische betekenis klinkt ook door in zegswijzen als "zijn zegel op iets drukken", "onder het zegel van geheimhouding" en "het is bezegeld" (een voldongen zaak). Tegenwoordig associëren we keurmerken met labels die op producten zijn geplakt en neutrale informatie geven over de totstandkoming van het product (milieuvriendelijk en/of ethisch).

Het Max Havelaar keurmerk is in Nederland het bekendste sociale keurmerk. Dit keurmerk komt op voor de belangen van de kleine boeren in ontwikkelingslanden. Producten die dit keurmerk dragen zijn ingekocht tegen een rechtvaardige prijs en onder voorwaarden die rechtvaardig zijn voor de boeren in ontwikkelingslanden. De keurmerkcriteria zijn een rechtstreekse inkoop, een gegarandeerde minimumprijs, toeslag op de wereldmarktprijs, voorfinanciering, en contracten voor langere termijn. Het keurmerk mag alleen worden verleend door de particulieren opgerichte Stichting Max Havelaar. De Stichting voert zelf de controle op de naleving van de criteria uit.

Het EKO-keurmerk is een voorbeeld van een bekend Europees milieukeurmerk. Het keurmerk is door de overheid geïnitieerd. Een product mag in de EU het EKO-keurmerk dragen indien aan strenge wettelijke milieunormen is voldaan. Zo is het gebruik van bepaalde chemische bestrijdingsmiddelen en kunstmest verboden, moet de natuurlijke kringloop zoveel mogelijk in stand worden gehouden, moet het bouwland gezond en vruchtbaar worden gehouden met biologische compost, moeten de dieren een goede verzorging krijgen, mag er geen gebruik worden gemaakt van gentechnologie en mogen producten niet doorstraald zijn. Het keurmerk kan voor allerlei producten gelden, van aardappelen tot zuivel en van textiel tot bloemen en planten. Het wordt gecontroleerd door de speciaal daartoe door het Ministerie van Landbouw en de Europese Commissie erkende organisatie Skal. Controleurs bezoeken de aangesloten bedrijven minimaal twee keer per jaar.

Criteria voor milieukeurmerken hebben de neiging gebaseerd te zijn op productieprocessen en omstandigheden in de westerse wereld. Criteria voor sociale keurmerken zijn met name gericht op productieomstandigheden in ontwikkelingslanden. Echter, in beide gevallen worden de criteria in de meeste gevallen door westerse landen vastgesteld, zonder veel betrokkenheid van het ontwikkelingsland. In het verlengde hiervan heeft de Coalition for Truth in Environmental Marketing (CTEMI), een coalitie van Amerikaanse productschappen, kritiek op milieukeurmerken die door de EU zijn ontwikkeld. De CTEMI is fel tegenstander van bijvoorbeeld het EKO-keurmerk, omdat dergelijke keurmerken volgens hen de innovatie remmen. De keurmerkcriteria worden de facto marktstandaarden die de motivatie van producenten om productinnovaties door te voeren negatief beïnvloedt. Hier kan tegen in gebracht worden dat de criteria kunnen worden aangepast zodra de ontwikkelingen in de markt hiertoe nopen.

Een tweede punt van kritiek is dat Europese keurmerkinitiatieven zorgen voor handelsbarrières. De Verenigde Staten en ontwikkelingslanden hebben hier met name klachten over. Men is van mening dat milieuzorgen niet gelieerd moeten worden aan de internationale handel, omdat de goedkope (en volgens westerse maatstaven veelal onethische en milieuonvriendelijke) wijze van produceren voor deze landen het enige concurrentievoordeel is. Ontwikkelingslanden zijn bang dat keurmerken zullen leiden tot proces- en producteisen van de OECD waarbij geen rekening wordt gehouden met de belangen van en de productie- en milieurealiteit in Derde Wereldlanden.

Om succes te garanderen moeten keurmerken zowel door consumenten als producenten gesteund worden. Om waarde te creëren voor producenten moet een keurmerk aan de ene kant specifiek, dynamisch en exclusief zijn, terwijl het aan de andere kant niet te exclusief mag zijn. De producten die het keurmerk kunnen aanvragen moeten tot een specifieke productcategorie behoren. Exclusiviteit heeft betrekking op de producten die in aanmerking komen om het keurmerk te dragen. Keurmerkorganisaties moeten er naar streven zodanige criteria te ontwikkelen dat tussen de vijf en dertig procent van de producenten die actief zijn in het specifieke segment in staat is het keurmerk te verwerven. Keurmerkcriteria moeten dynamisch zijn opdat directe concurrenten niet in staat zijn de prestaties van de keurmerkdragende producten te evenaren of te verbeteren, waardoor de exclusiviteit en toegevoegde waarde voor de producent verdwijnt.

Producenten kunnen een keurmerk gebruiken om productdifferentiatie te reali-seren. Om aantrekkelijk te zijn voor de consument is nichemarketing echter vaak niet voldoende; het product moet ook aantrekkelijk geprijsd zijn en een signifi-cante marktomvang hebben wil men de kosten die gemoeid zijn met het ver-werven van het keurmerk kunnen goedmaken. Dat betekent dat het keurmerk niet te exclusief mag zijn. Met andere woorden, het betreffende product mag qua prijs niet te veel afwijken van niet gelabelde producten in dezelfde categorie.

Consumentenorganisaties balanceren tussen hun traditionele steun voor meer vrijhandel en het belang van duurzaam consumeren. De steun voor meer vrij-handel is gebaseerd op de economische voordelen van concurrentie, zoals een lagere prijs, betere kwaliteit en een grotere keuzevrijheid voor consumenten. Aan de andere kant onderschrijven consumentenorganisaties ook de voordelen van keurmerken. In theorie zorgen ze er namelijk voor dat consumenten op relatief eenvoudige wijze producten onderling kunnen vergelijken. Daarnaast leveren ze een bijdrage aan de realisatie van sociale en milieudoelstellingen op lokaal, lan-delijk en regionaal niveau. In de derde plaats worden keurmerken (in het alge-meen) door onafhankelijke partijen toegekend, wat hun geloofwaardigheid ten goede komt. Ten slotte komen zij in grote mate overeen met het Vergelijkend Waren Onderzoek (VWO) dat consumentenorganisaties traditioneel uitvoeren.

Hoewel keurmerken een belangrijk instrument kunnen zijn voor de promotie van duurzaam consumeren, brengt de wildgroei van enerzijds keurmerken en anderzijds subjectieve milieu- en gezondheidsclaims van bedrijven zelf (in de vorm van etikettering) veel consumenten in de war. Keurmerken vergemakke-lijken op die manier niet het keuzeproces van de consument.

Etiket

Het etiket wordt dikwijls ten onrechte als keurmerk beschouwd. Zo is het label 'biologisch' dat op sommige producten van Albert Heijn staat een merknaam in plaats van een keurmerk. De Inspectie Gezondheidsbescherming, de Reclame-codecommissie en de Keuringsdienst van Waren zien erop toe dat de claims waarheidsgetrouw zijn. Sterke punten van het etiket zijn de actualiteit van de informatie en het feit dat de informatie bij de aankoop beschikbaar is, in tegen-stelling tot bijvoorbeeld VWO.

Een nadeel van etikettering is dat de informatie nogal vaag is, waardoor de klant niet altijd goed in staat is te beoordelen hoe producten scoren ten opzichte van elkaar. Termen als 'eerlijke voeding' en 'verbetert de darmflora' kunnen wat dat betreft op meerdere manieren worden uitgelegd zolang ze niet gekoppeld zijn aan harde meetcriteria. Dit sluit aan bij de belangrijkste kritiek van consumen-tenorganisaties op etiketten. Zij stellen dat de transparantie van de claims vaak niet optimaal is en onderlinge productvergelijking hierdoor lastig is voor de consument.

Reputatie

Het vertrouwen in de onderneming wordt bepaald door verschillende factoren. In de eerste plaats bepaalt de gepercipieerde kwaliteit van de producten of dienst en het vertrouwen van de consument. In de tweede plaats is het vertrouwen gebaseerd op berichtgeving in de media en mond-tot-mond reclame.

Een tevreden klant kan afzien van een herhalingskoop als het beeld dat hij heeft van de onderneming c.q. het merk door de werkelijkheid is ingehaald. De boycot is wat dat betreft de meest voor de handliggende methode om zijn ongenoegen te laten blijken. Zo stapten veel Nederlandse wijnliefhebbers af van het nuttigen van Franse wijnen ten tijde van de atoomproeven op Mururoa. In 1995 verloor Frankrijk zelfs zijn marktleiderschap. Over het algemeen is het aantal reële successen van consumentenboycots echter op een hand te tellen. De schade die actievoerders bedrijven aandoen, hebben over het algemeen een niet noemenswaardig effect op het bedrijfsresultaat. Daar staat tegenover dat de maatregelen van de leidinggevenden dikwijls verstrekkend zijn om reputatieschade te voorkomen.

En dat is niet verwonderlijk. De toenemende concurrentie zorgt ervoor dat er een continu proces gaande is waarin ondernemingen elkaar de loef proberen af te steken omwille van de gunst van de consument. De druk om aandeelhouderswaarde te creëren, maakt dat ondernemingen bereid zijn bijna alles uit de kast te halen om de concurrentie voor te zijn of te blijven op productaspecten als innovatievermogen, kwaliteit, prijs en design. De slag om de consument heeft er door de jaren heen voor gezorgd dat producten steeds meer en sneller op elkaar gaan lijken. Om zich toch te kunnen onderscheiden zijn steeds meer ondernemingen zich gaan richten op aspecten die het niveau van het eindproduct ontstijgen, maar die de consument bewust of onbewust wel meeneemt in zijn koopbeslissing. Dit zijn facetten die verband houden met de reputatie van de onderneming, dat wil zeggen het geheel van overtuigingen, ideeën en indrukken dat de consument heeft van de onderneming.

De reputatie van de onderneming is een functie van de producten die zij voortbrengt en wordt daarnaast bepaald door het beeld dat consumenten hebben van de concurrentie. De ondernemingsreputatie is een belangrijke graadmeter voor de capaciteit van de onderneming om nieuwe klanten aan te trekken en bestaande te houden. Een positieve reputatie kan worden beschouwd als de hoeksteen voor de creatie van een concurrentievoordeel, terwijl het omgekeerde ook het geval is. In hoeverre is de reputatie van een onderneming nu een betrouwbare informatiebron voor consumenten?

Het commerciële belang van een integer imago staat voor communicatiedeskundigen en de meeste leidinggevenden buiten kijf. Niet voor niets worden jaarlijks wereldwijd miljarden euro's gespendeerd aan reclamecampagnes, filantropie, cause-related marketing en imago-onderzoek. In wezen hoeven dit soort *branding*-investeringen helemaal geen relatie te hebben met de prioriteit die ondernemingen geven aan sociale en milieu-issues c.q. consumentenzorgen. Aan de andere kant lopen vooral multinationale ondernemingen een groot risico om reputatieschade op te lopen als zij hun claims niet waar kunnen maken of zich anderszins onethisch manifesteren.

Een nadeel van een te grote focus op de communicatie van maatschappelijke verantwoordelijkheid door de onderneming kan ertoe leiden dat consumenten argwaan ontwikkelen over de oprechtheid van de initiatieven. Consumenten kunnen zich daarnaast afvragen wie nu eigenlijk de kosten van maatschappelijke activiteiten betaalt; de aandeelhouder of de consument? Daarnaast staat niet vast dat een onderneming die haar naam of geld verbindt aan een goede zaak, ook daadwerkelijk een maatschappelijk verantwoorde onderneming is. Wie garandeert immers dat een onderneming die de plaatselijke fanfare sponsort, zich ook houdt aan de milieuwet?

Uit onderzoek van Theo Schuyt, hoogleraar filantropie aan de Vrije Universiteit, komt naar voren dat 41% van de ondernemingen commerciële doelen als belangrijkste reden heeft voor sponsoring. In de praktijk blijkt overigens dat organisaties hun maatschappelijke inspanningen juist beter kunnen verkopen aan de consument als die het eigenbelang van de onderneming herkent. Dit geeft de consument het vertrouwen dat de inspanning van de onderneming voor het goede doel niet een eendagsvlieg is maar een verbond voor langere termijn. Het inzichtelijk maken van de motivatie om te sponsoren levert aldus de meeste goodwill op van de consument. Uit het onderzoek van Schuyt komt overigens ook naar voren dat de Nederlandse consument, in tegenstelling tot de Amerikaanse, liever niet heeft dat de onderneming haar maatschappelijke reputatie te veel commercieel uitbaat.

Vergelijkend Warenonderzoek (VWO)

Evenals bij etiketten is het grootste nadeel van de ondernemingsreputatie als informatiebron de betrouwbaarheid. Een vierde informatiebron die consumenten kunnen gebruiken is VWO. In de Verenigde Staten staat dit instrument bekend als de 'Corporate Report Card' en in Duitsland als de 'Unternehmenstest'. De 'Corporate Report Card' is ontwikkeld door de in 1969 opgerichte non-profit organisatie Council on Economic Priorities (CEP) om met name investeerders informatie te verstrekken over het sociale en milieubeleid van de grootste Amerikaanse ondernemingen. Hoewel de 'Corporate Report Card' ook gebruikt kan worden door consumenten, heeft de CEP speciaal voor deze groep de gids 'Shopping for a Better World' ontwikkeld die via symbolen de score aangeeft hoe bedrijven scoren op het terrein van milieubeleid, gelijke kansen voor vrouwen, gehandicapten en etnische minderheden, liefdadigheid, betrokkenheid bij de omgeving, 'family benefits', arbeidsomstandigheden en informatietransparantie.

De Duitse 'Unternehmenstest' is ontwikkeld door het Institut für Markt-Umwelt-Gesellschaft (IMUG) en is evenals de 'Corporate Report Card' een diagnostische toets die overeenkomsten toont met VWO zoals dat bijvoorbeeld door de Consumentenbond wordt uitgevoerd. Alleen zijn het nu niet product-aspecten zoals prijs, kwaliteit en design die vergeleken worden, maar sociale en milieuprestaties op ondernemingsniveau.

Een van de redenen voor het Duitse initiatief was dat er vanuit de aanbodkant van de markt nauwelijks prikkels waren om sociale en milieuprestaties van ondernemingen in kaart te brengen; consumenten bleken niet bereid te zijn te betalen voor dergelijke informatie. Om ervoor te zorgen dat consumenten zich bewust zouden worden van de mogelijkheid van maatschappelijk verantwoord consumeren op bedrijfsniveau (op productniveau bestonden er immers al keur-merken) moesten ondernemingen onderworpen worden aan een onafhankelijk en transparant onderzoek. Consumenten zouden eerder geneigd zijn om maat-schappelijke prestaties van de onderneming in hun productevaluatie mee te nemen, indien deze informatie gratis en transparant voorhanden zou zijn.

De doelstelling van het project was het verzamelen en verwerken van informa-tie over het feitelijk gedrag van ondernemingen op belangrijke maatschappelij-ke terreinen. De resultaten werden aan de hand van sociale en milieucriteria gewogen en de uitkomsten werden vervolgens in begrijpbare vorm gecommu-niceerd naar de consument. De projectleider hechtte er toentertijd veel waarde aan dat het project niet gezien werd als een 'anti-business-project' door de ondernemingen. Het ging om een kritische dialoog met als doel het leveren van aanvullende en betrouwbare informatie voor consumenten over het milieu- en sociale profiel van ondernemingen. In samenwerking met brancheorganisaties verricht het IMUG tegenwoordig ook op productniveau vergelijkend onder-zoek.

Het IMUG hanteert concreet gedefinieerde onderzoekscriteria die aan de vol-gende eisen moeten voldoen: ze moeten objectief meetbaar zijn; ze moeten plau-sibel zijn, dat wil zeggen dat ze betrekking moeten hebben op het onderzoeks-terrein; de criteria moeten praktisch zijn, de gegevens moeten voorhanden zijn en de antwoorden moeten gecontroleerd kunnen worden; de criteria moeten differentieerbaar zijn, zodat ondernemingen ook op kwalitatief vlak met elkaar kunnen worden vergeleken; en de criteria moeten acceptabel, ze moeten open-baar gemaakt kunnen worden.

Bij het meten van de prestaties wordt geen gebruik gemaakt van standpunten, meningen of beweegredenen van uitvoerenden of managers. Zo wordt bewust buiten beschouwing gehouden op welke gronden – moralistische, marketing-strategische, et cetera – ondernemingen handelen zoals ze gewoon zijn te doen. Dergelijke antwoorden kunnen namelijk nauwelijks geverifieerd worden.

Op de volgende zes terreinen wordt door het IMUG een score toegekend:
- Informatieopenheid.
- Consumentenbelangen.
- Werknemersbelangen.
- Vrouwenemancipatie.
- Gehandicaptenzorg.
- Milieubetrokkenheid.

De score is afhankelijk van de prestaties van de onderneming op ongeveer acht criteria per categorie. Niet alle criteria hebben hetzelfde gewicht. Uiteindelijk krijgt de onderneming op alle zes de onderzoeksterreinen een waarde toegekend die iets zegt over de mate waarin op een specifiek moment invulling wordt gegeven aan de criteria. De schaalverdeling loopt van 'ontoereikend' tot 'omvangrijk'. Daarnaast kan er een vraagteken geplaatst worden als er niet voldoende informatie is om een oordeel te kunnen vellen.

Er is bewust gekozen om geen totaaloordeel te vellen over de maatschappelijke verantwoordelijkheid van de onderneming. In dat geval zou namelijk de onderzoeker op de stoel van de consument gaan zitten. Er zou dan geen rekening gehouden worden met individuele preferentieverschillen tussen consumenten. Daarnaast zou het methodisch niet juist zijn om onafhankelijke waarderingen in een totaaloordeel samen te vatten.

In Nederland heeft de Alternatieve Konsumentenbond (AKB) in navolging van de Corporate Report Card en de Unternehmenstest een diagnostisch instrument ontwikkeld dat consumenten kan helpen om ethisch boodschappen te doen. In vergelijking met de Amerikaanse en Duitse variant zijn de categorieën dierenwelzijn, gentechnologie en eerlijke internationale handel toegevoegd.

Als we de drie instrumenten nu met elkaar vergelijken, valt op dat in de Verenigde Staten 'liefdadigheid' en *family benefits* issues zijn die in de Duitse en Nederlandse variant niet zo expliciet terug zijn te vinden. De AKB noemt additioneel dierenwelzijn, gentechnologie en eerlijke internationale handel. Dit is in lijn met de recente onderzoeksresultaten waaruit blijkt dat een relatief groot deel van de Nederlandse consumenten zich zorgen maakt om onder andere dierenleed bij productie en kinderarbeid. Aangezien 'family benefits' zoals kinderopvang, ziektekostenverzekeringen voor het gezin en arbeidsongeschiktheidsverzekeringen in Nederland ofwel door de overheid zijn geregeld (hoewel de trend is dat meer voorzieningen geprivatiseerd worden), ofwel tot de standaard secundaire arbeidsvoorwaarden behoren is het niet vreemd dat deze criteria ontbreken in de Nederlandse variant.

Het voordeel van VWO is dat beoordelingscriteria vrij eenvoudig zijn toe te voegen of te schrappen als de actualiteit hierom vraagt. Zo zijn 'gentechnologie' en 'investeringen in nieuwe bondsstaten' criteria die vijftien jaar geleden niet voor mogelijk werden gehouden. Aan de andere kant is de kans groot dat een aantal issues waarover consumenten zich tegenwoordig zorgen maken over tien jaar niet meer relevant zullen zijn. Een ander voordeel van VWO is dat ze multifunctioneel zijn. Niet alleen voor consumenten bevatten ze bruikbare informatie, maar ook voor bijvoorbeeld investeerders en leveranciers. In de derde plaats is VWO betrouwbaar; de gegevens worden namelijk verzameld en verwerkt door onafhankelijke non-profit organisaties. Ten slotte pleit voor VWO dat het – in tegenstelling tot keurmerken en etiketten – een integraal beeld geeft van de ondernemingsprestaties op het vlak van informatietransparantie, milieu en sociaal beleid.

Er is echter ook een aantal nadelen te noemen. In de eerste plaats kan het voor ondernemingen bijzonder moeilijk zijn om alle gevraagde informatie te leveren. In de tweede plaats hebben ondernemingen door de relatief kleine naamsbekendheid en impact van VWO weinig prikkels om mee te werken aan onderzoek op dit terrein. Verder is er een praktisch probleem. De resultaten van het onderzoek bevatten een relatief omvangrijke documentatie in vergelijking met bijvoorbeeld keurmerken. Het valt te betwijfelen of consumenten – die steeds kritischer met hun tijd omgaan – bereid zijn deze informatie door te nemen. Ten slotte veroudert de informatie snel. Het vergt veel inspanningen van de onderzoekers en bedrijven om de informatie actueel te houden.

Evaluatie

We hebben hiervoor de sterke en zwakke punten van vier potentiële bronnen besproken, te weten het keurmerk, het etiket, de reputatie en het VWO. In tabel 6.2 zijn de resultaten te vinden van een onderlinge vergelijking op een aantal relevante aspecten.

Tabel 6.2   Sterke en zwakke punten productinformatiebronnen

	Keurmerk	Etiket	Reputatie	VWO
Onafhankelijkheid	+	-/0	-	+
Betrouwbaarheid	+	0	-	+/0
Informatiescope	-	-	0	+
Vergelijkbaarheid	-	-	-	+
Actualiteit	0	+	+	-
Interpretatie	+	-	-	-
Gebruiksvriendelijkheid	+	+	n.v.t.	-
Bij aankoop beschikbaar	+	+	+	-
Bekendheid	0	+	+	-
Kosten informatiebron	+	+	+	-

Op grond van tabel 6.2 kunnen we concluderen dat het vergelijkend waren onderzoek eigenlijk afvalt als serieus te hanteren instrument. Met name op het terrein van gebruiksvriendelijkheid, beschikbaarheid bij de aanschaf en kosten scoort het duidelijk minder goed dan de drie andere instrumenten. Hoewel het qua informatiescope door de meerdere dimensies die het bestrijkt het beste scoort van de vier. De betrouwbaarheid is afhankelijk van de kwaliteit van het onderzoek, waarbij de aantekening moet worden gemaakt dat ondernemingen over het algemeen terughoudend zijn om informatie te verstrekken c.q. vragenlijsten in te vullen. De uitkomst van onafhankelijk onderzoek kan hierdoor soms in twijfel getrokken worden.

Een duidelijk nadeel van het etiket en de ondernemingsreputatie is de onafhankelijkheid van de verstrekte informatie. Het beeld dat de consument van een onderneming heeft wordt beïnvloed door diverse zenders van mond-tot-mond reclame tot reclamespotjes. Dikwijls spreken deze kanalen elkaar tegen. Daarnaast kunnen consumenten berichten met dezelfde inhoud en van dezelfde zender totaal verschillend interpreteren. Bij het etiket speelt dit laatste veel minder, wel is vaak onduidelijk wat met een claim als 'eerlijke voeding' wordt bedoeld. Desalniettemin is wettelijk bepaald dat de informatie op het etiket waarheidsgetrouw moet zijn. De geringe scope en het ontbreken van een marktoverzicht zijn nadelen van het etiket als MVO-informatieverschaffer.

Dan blijft over het keurmerk. Dit instrument komt, ondanks zijn beperkingen ten aanzien van de scope en het marktoverzicht, als beste uit de bus. Met name op het vlak van betrouwbaarheid en onafhankelijkheid scoort het goed. Daarnaast zijn er nauwelijks interpretatiefouten mogelijk, is het keurmerk gebruiksvriendelijk en is de informatie gratis beschikbaar (de consument betaalt natuurlijk wel een bonus bij de aanschaf). Het keurmerk kan aldus beschouwd worden als de bron bij uitstek die het vertrouwen van de consument in de onderneming respectievelijk het product kan vergroten.

6.3   Conclusie

In de eerste paragraaf van dit hoofdstuk werd de vraag gesteld wat de snel toenemende belangstelling van de Nederlandse consument voor voedselveiligheid, milieuvriendelijke producten en maatschappelijk verantwoord ondernemen betekent voor het vertrouwen van de consument in de onderneming. We kunnen stellen dat deze belangstelling zich momenteel aan het vertalen is in een grotere behoefte aan informatie over de prestaties van bedrijven op milieu- en sociaal terrein. Deze vraag is echter nog niet substantieel genoeg om bedrijven ertoe te bewegen om op eigen initiatief meer en kwalitatief betere informatie te verstrekken.

Het bedrijfsleven zelf staat niet te trappelen om te rapporteren over hun duurzaamheidprestaties, laat staan dat hun huidige informatiesystemen dit soort informatie kunnen verstrekken. Wat dat betreft is het de verwachting dat bedrijven hun beleid niet zullen bijstellen zolang het vanuit commercieel oogpunt niet aantrekkelijk is om te investeren in systemen die op product- en bedrijfsniveau uniforme informatie kunnen geven over sociale en milieueffecten van productieprocessen. Ook het ontbreken van een wettelijke rapportageplicht draagt bij aan de passieve houding van het bedrijfsleven op dit terrein.

Het bedrijfsleven waarschuwt dat te hoge eisen van belangenorganisaties c.q. consumenten ondernemingen zal afschrikken om mee te werken aan het verstrekken van informatie. Men geeft wat dat betreft de voorkeur aan een stakeholderdialoog. De dialoog lijkt niet het aangewezen instrument om gedetailleerde productinformatie boven water te krijgen. Daarentegen kan het wel koudwatervrees weghalen bij bedrijven om mee te werken aan vragenlijsten over maatschappelijk ondernemen en daarmee de informatietransparantie en onderlinge vergelijkbaarheid van bedrijven verbeteren.

Belangstelling van consumenten voor maatschappelijk ondernemen gaat gepaard met een behoefte aan informatie over de prestaties van bedrijven en producten op dit gebied. Het verzamelen en verwerken van relevante informatie kost bedrijven veel geld. Deze uitgaven moeten op een of andere manier worden afgewenteld. Zolang niet alle bedrijven in dezelfde mate bereid zijn hun prijzen te verhogen door de schade die het productieproces op de lange termijn veroorzaakt te internaliseren, adequate (internationale) wettelijke kaders ontbreken en de meeste consumenten geen rekening houden met de lange termijn effecten van hun consumptiepatroon zullen sociale misstanden en milieuschade inherent blijven aan productie en consumptie.

De consument lijkt wat dat betreft verstrikt te zitten in een dilemma. Hij wil wel een bijdrage leveren aan een rechtvaardigere wereld en een beter milieu voor toekomstige generaties, maar is niet bereid of in staat om hiernaar te handelen. Hij lijkt niet geconfronteerd te willen worden met de lange termijn effecten van zijn huidige consumptiepatroon en wentelt de schade waarmee dit gepaard gaat graag af op de producent. Daarnaast is de consument ook niet wars van struisvogelpolitiek als hij stelt dat zijn vertrouwen in het bedrijfsleven van een dusdanig hoog niveau is dat hij geen behoefte heeft aan milieueffectrapportages en sociale jaarverslagen.

Door de explosief toegenomen informatievoorziening van de laatste tien jaar kan de consument zich echter steeds minder beroepen op onwetendheid en lijken ondernemingen meer dan voorheen op hun hoede te zijn voor reputatieschade. Ondernemingen willen dat consumenten een duurzaam vertrouwen hebben in hun activiteiten en in feite wil de consument hetzelfde: met een gerust hart kunnen shoppen bij de vertrouwde buurtsuper om de hoek zonder een opspelend geweten.

Het onafhankelijke keurmerk is wat dat betreft het ideale instrument voor de consument om zonder veel risico en tijdsverlies en met een gerust hart inkopen te doen. Producent en distributeur zijn niet langer relevant. Het keurmerk is verworden tot een substituut voor het vertrouwen van de consument in de onderneming.

Literatuur

KPMG Ethics & Integrity Consulting, (2000). *Consumenten Zorgen in Nederland: Maatschappelijk verantwoord consumeren*. Amstelveen: KPMG.

7
Het milieu: de eco-efficiëntiemethode

Door Jacqueline Cramer

De bereidheid om meer aandacht te schenken aan milieu is de laatste twee decennia zowel nationaal als internationaal aanzienlijk toegenomen. Veel bedrijven hebben maatregelen genomen om de milieueffecten van hun bedrijfs-activiteiten te monitoren, beheersen en/of te verminderen. Ook consumenten hebben hun steentje bijgedragen aan de verbetering van het milieu, bijvoorbeeld door de gescheiden inzameling van hun huishoudelijk afval en milieubewuster inkoopgedrag. Al deze initiatieven van producenten en consumenten hebben reeds geleid tot een aanzienlijke verlaging van de milieubelasting.

Ondanks de voortgang die op milieugebied is geboekt staat het bedrijfsleven in het kader van maatschappelijk verantwoord ondernemen nog voor een aantal grote uitdagingen. Te verwachten is namelijk dat de milieuverbeteringen die tot nu toe zijn gerealiseerd op termijn waarschijnlijk niet voldoende zullen zijn. Wanneer de wereldbevolking in de loop van de 21ste eeuw volgens verwach-ting blijft groeien, en daarbij de welvaart per persoon stijgt, zullen de behaalde milieuresultaten weer teniet worden gedaan. Ontkoppeling van milieudruk en economische groei wordt daarom noodzakelijk geacht. Dit laatste kan gereali-seerd worden via verschillende wegen. Afremming van de groei van de wereld-bevolking alsook die van de consumptie per persoon is in principe de meest effectieve oplossing, maar in de praktijk waarschijnlijk onhaalbaar. Daarom lijkt de praktisch meest haalbare oplossing om aanzienlijk efficiënter om te gaan met het gebruik van grondstoffen en energie in productketens (Schmidheiny, 1992). Terwijl onze economie verder groeit, moet de milieudruk omlaag. Wanneer dat lukt, combineren we het beste van twee werelden: aan de ene kant groei, meer werkgelegenheid, stijgende inkomens; aan de andere kant een vermindering van de milieuvervuiling, een betere gezondheid en meer natuur. Dit streven wordt in navolging van de World Business Council for Sustainable Develop-ment (1995) ook wel het verhogen van de 'eco-efficiëntie' genoemd. Deze groep van vooraanstaande bedrijven omschrijft dit begrip als "het produceren van goed concurrerende producten en diensten die (1) de menselijke behoeften bevredigen en de kwaliteit van het leven bevorderen en (2) gelijktijdig leiden tot een gestage afname van de milieubelasting en grondstoffenintensiteit per productketen tot een niveau dat tenminste overeenkomt met de geschatte draagkracht van de aarde"(WBCSD, 1995).

Deskundigen schatten in dat we de komende vijftig jaar de eco-efficiëntie met ongeveer een factor tien moeten verhogen om het juiste evenwicht te realiseren tussen productie- en bevolkingsgroei aan de ene kant en de draagkracht van het milieu aan de andere kant (Weterings en Opschoor; 1992). Dit komt neer op het tien maal zo zuinig omgaan met onze grondstoffen en energie in de komende vijftig jaar. Als eerste stap in deze richting zou het streven erop gericht moeten zijn om de komende vijftien a twintig jaar in productketens een eco-efficiëntieverhoging met een factor vier te bereiken (Von Weizsäcke e.a., 1995; Fussier, 1996).

Zo'n aanzienlijke eco-efficiëntie verhoging kan niet louter tot stand gebracht worden door gestage aanpassing van bestaande wijzen van denken en handelen. Het vergt ook sprongsgewijze innovaties in productketens, die zowel in technisch als in sociaal-economisch opzicht nieuwe oplossingen bieden. Milieumanagement verschuift hierdoor van een *operationele* taak die wordt uitgevoerd op productielocaties ('bedrijfsinterne milieuzorg') naar een *strategische* taak die in handen ligt van het management van bedrijven of bedrijfsonderdelen ('milieugerichte innovaties in productketens') (Cramer, 1999).

Is het voor het bedrijfsleven wel mogelijk om zulke aanzienlijke milieuverbeteringen door te voeren en hiermee tegelijkertijd economische voordelen te behalen? Onder welke voorwaarden zijn bedrijven bereid om zich deze inspanningen te getroosten? Op basis van de ervaringen tot nu toe met de eco- efficiëntie-aanpak wordt in dit hoofdstuk een aanzet gegeven tot beantwoording van deze vragen. Allereerst wordt ingegaan op de achtergronden van de eco-efficiëntie benadering.

7.1 Achtergronden van de eco-efficiëntie benadering

De eco-efficiëntie benadering is een nieuwe loot aan de stam van het milieubeleid binnen bedrijven. Het is een logisch vervolg op de ervaringen die bedrijven in de jaren zeventig en tachtig hebben opgebouwd met milieumanagement. Tot nu toe richtte het milieumanagement binnen bedrijven zich vooral op stapsgewijze verbeteringen van bestaande procesvoering, producten en diensten. Er werd in de eerste plaats gezocht naar mogelijkheden om de milieuprestatie te vergroten zonder ingrijpende veranderingen in bestaande producten, processen en sociale structuren. De eco-efficiëntie aanpak stelt ambitieuzere doelen en streeft naar verdergaande vernieuwing.

Toepassing van schoonmaak technologie vanaf 1970

De eerste aanzetten tot een systematisch milieubeleid binnen bedrijven stammen uit de begin jaren zeventig. Toentertijd lag de nadruk op het toepassen van 'end of pipe' technieken die aan het eind van het productieproces werden geplaatst. Daarmee werd de diffuse verspreiding van verontreiniging vermeden (en opgevangen in filters of vetvangers) maar de oorzaak van de verontreiniging niet weggenomen. In veel gevallen leidde het tot een verplaatsing van het milieuprobleem van bijvoorbeeld het compartiment water naar dat van bodem of lucht. Bovendien kostte de plaatsing van deze schoonmaaktechnologie de bedrijven alleen maar geld, terwijl er nauwelijks financiële baten tegenover stonden.

Dat bedrijven toch hun toevlucht zochten tot deze technologie, heeft vooral te maken met het toenmalige milieubeleid. Vanaf begin jaren zeventig begon de Nederlandse overheid met het invoeren van milieuwetgeving. Deze wetgeving en daaraan gekoppelde vergunningverlening was korte termijn gericht. Bedrijven werden verplicht om binnen enkele jaren de uitstoot van verontreinigende stoffen tot een vastgesteld niveau terug te dringen door toepassing van specifieke technische standaarden. Om deze standaarden binnen de gestelde termijn te halen konden bedrijven vaak weinig anders doen dan het plaatsen van 'end-of-pipe' technieken en het aanbieden van de verzamelde afvalstromen voor verwerking. In andere landen werd voor een vergelijkbare aanpak gekozen.

Zelfregulering en meer nadruk op preventie vanaf 1985

Rond midden jaren tachtig trad er een kentering op in het milieumanagement van bedrijven. Gebleken was dat het achteraf opruimen van de milieuverontreiniging geen garantie bood voor een schoon milieu. Wet- en regelgeving op milieugebied leidde bij bedrijven tot defensief gedrag. Bedrijven deden wat hen gevraagd werd, maar kwamen onvoldoende met eigen initiatieven. Omgekeerd wilden bedrijven af van de in hun ogen veel te gedetailleerde regelgeving. Hun houding tegenover de overheid was: geef ons nu maar duidelijke milieurichtlijnen voor de korte en langere termijn, dan regelen we verder onze zaakjes zelf wel. De onvrede van beide kanten leidde tot een nieuwe benadering die bedrijven veel meer eigen verantwoordelijkheid gaf in de aanpak van hun milieuproblemen. Dit werd ook wel 'zelfregulering' genoemd. Een voorbeeld hiervan is de invoering van bedrijfsinterne milieuzorg.

Tegelijkertijd met deze verschuiving van aandacht naar 'zelfregulering' gingen bedrijven steeds meer op zoek naar manieren om de milieuverontreiniging te voorkomen in plaats van achteraf op te ruimen. Preventie van afval en emissies kreeg een centralere plaats in het milieubeleid van ondernemingen. Zij werden hiertoe aangespoord door druk van buitenaf. Naast de overheid gingen ook andere groeperingen (zoals milieu- en consumentenorganisaties, banken en verzekeringsmaatschappijen) bedrijven steeds directer aanspreken op hun gedrag op milieugebied. Schoner produceren en meer milieuverantwoorde producten op de markt brengen stond daarbij voorop.

Ervaringen met preventie van afval en emissie in bedrijven leerden al snel dat met een preventieve aanpak van de milieuproblemen succes geboekt kon worden. Door zuiniger om te gaan met grondstoffen en energie en het gebruik van milieubelastende stoffen te vermijden, kon een aanzienlijke milieuwinst op de productielocaties worden geboekt. Stapsgewijze optimalisering van productieprocessen door preventiemaatregelen hoefde bovendien geen kostenpost te zijn; het bleek zelfs lonend. De investeringen die hiervoor gedaan moesten worden, bleken zich namelijk vaak snel terug te verdienen. 'Pollution prevention pays', een uit de Verenigde Staten overgewaaide slogan, begon eind jaren tachtig ook in Nederland aan te slaan. Deze ontwikkeling betekende een ommekeer in het denken over milieu. Terwijl voorheen milieu alleen maar werd geassocieerd met extra kosten, opende zich nu de mogelijkheid om met milieumaatregelen geld te besparen. Milieu en economie hoefden geen vijanden te zijn, maar konden hand in hand gaan.

Toenemende aandacht voor ketenbeheer vanaf 1990

Tot eind jaren tachtig beperkte het milieumanagement van bedrijven zich vooral tot de eigen fabriek. Bedrijfsinterne milieuzorg vormde de hoeksteen van het bedrijfsgerichte milieubeleid. Bedrijven stelden zelf binnen gegeven overheidskaders actieplannen voor de korte en langere termijn op hoe zij de milieuprestatie van hun productieprocessen wilden gaan verbeteren. In overleg met de vergunningverlener werden dan afspraken gemaakt. Aandacht was er nauwelijks voor wat er zich afspeelde buiten de fabriekspoorten – in de productketen.

Dit veranderde mede onder invloed van de verbreding van het begrip 'milieu' naar 'duurzame ontwikkeling'. Een initiërende rol hierbij heeft gespeeld het rapport 'Our Common Future' van de World Commission on Environment and Development (WCED) (de 'Brundtland' Commissie). In dit rapport wordt duurzame ontwikkeling gedefinieerd als een "proces van verandering waarin het gebruik van hulpbronnen, de richting van investeringen, de oriëntatie van technologische ontwikkeling en institutionele verandering alle met elkaar in harmonie zijn en (alle) zowel de huidige als de toekomstige mogelijkheid vergroten om aan menselijke behoeften en wensen tegemoet te komen" (WCED, 1987).

De verontrusting over de toestand van het milieu en het gebruik van hulpbronnen, die uit 'Our Common Future' sprak, brachten wereldwijd de gemoederen in beroering. Na het rapport aan de Club van Rome 'De Grenzen aan de Groei' uit begin jaren zeventig (Meadows, 1972) deed dit rapport een hernieuwd appèl op de maatschappij om verstandig om te gaan met energie en grondstoffen. Het gevolg hiervan was dat de Nederlandse overheid het streven naar duurzame ontwikkeling als leidraad ging nemen voor het milieubeleid. In het eerste Nationaal Milieubeleidsplan (1989) werd 'duurzame ontwikkeling' geoperationaliseerd in termen van: energie-extensivering; sluiten van stofkringlopen en kwaliteitsbevordering van productieprocessen en producten. Een sleutelbegrip werd het streven naar integraal ketenbeheer: het integraal beheer van een productketen van wieg tot graf. Ook in andere landen heeft een soortgelijke verschuiving plaatsgevonden in het milieubeleid.

De toenemende maatschappelijke aandacht voor integraal ketenbeheer had ook zijn weerslag op het milieumanagement van bedrijven. Bedrijven die hiermee aan de slag gingen, moesten in hun afwegingen ook de milieueffecten in de rest van hun productketen betrekken, bij toeleveranciers, afnemers, de afvalfase, et cetera. Alleen dan was het mogelijk om aanzienlijke milieuverbeteringen in producten tot stand te brengen. De introductie van integraal ketenbeheer binnen het bedrijfsleven verliep aanvankelijk stroef. Bedrijven wilden wel ervaring opdoen met het uitvoeren van ketenanalyses om inzicht te krijgen in de huidige milieuprestatie van hun producten. Maar het doorvoeren van mogelijk verstrekkende verbeteringen stagneerde vaak. Bedrijven deinsden terug voor de organisatorische en/of economische risico's die eraan verbonden leken. De eerste initiatieven op het gebied van integraal ketenbeheer waren dan ook vooral het gevolg van pressie van buitenaf, bijvoorbeeld van de overheid in het kader van het afvalstromenbeleid en de daarmee samenhangende producentenverantwoordelijkheid.

Wel leidde de toegenomen aandacht voor de milieueffecten van de gehele productketen tot initiatieven binnen het bedrijfsleven op het gebied van milieugerichte productontwikkeling ('Ecodesign'). Bedrijven begonnen hun producten dusdanig te ontwerpen dat ze minder grondstoffen en energie vergden om te maken en ook minder milieubelastend waren in de gebruiks- en afvalfase. Voorbeelden hiervan zijn: Nedcar die de recyclebaarheid van auto-onderdelen heeft vergroot; Ahrend die een kantoorstoel ontwierp die deels recyclebaar is en minder milieubelastende stoffen bevat en Focus Veilig die bij het maken van zijn veiligheidsbrillen minder afval weet te veroorzaken.

De initiatieven op het gebied van Ecodesign richtten zich vooral op het optimaliseren van bestaande producten. Centraal stond hoe de huidige producten tot minder milieubelasting konden leiden. Dergelijke stapsgewijze milieuverbeteringen binnen veel bedrijven kunnen gezamenlijk een aanzienlijke milieuwinst opleveren. Bovendien vormen dergelijke incrementele verbeteringen een voedingsbodem voor verdergaande milieuverbeteringen. Bedrijven zijn meestal niet geneigd om de processen, producten of diensten uit milieuoogpunt fundamenteler te verbeteren, als ze niet eerst ervaring hebben opgebouwd op milieugebied. Wat dat betreft is het een continue leerproces.

Eco-efficiëntie als nieuwe uitdaging vanaf 1992

Het probleem is echter dat er door de groei van productie en consumptie op termijn waarschijnlijk niet voldoende resultaat geboekt kan worden met alleen stapsgewijze milieuverbeteringen van processen en producten. Daarom zijn verdergaande vernieuwingen in productketens noodzakelijk. De inzet van integraal ketenbeheer is nu juist om dergelijke sprongsgewijze verbeteringen te ontwikkelen. Het realiseren daarvan vereist van bedrijven strategische keuzes waarbij doelgericht wordt toegewerkt naar aanzienlijke verbeteringen van de milieuprestatie van bedrijven. De managementdeskundigen Hamel en Prahalad noemen dit in hun boek 'Competing for the Future' (1994) het formuleren van een strategische intentie die richting geeft aan een creatief en ambitieus veranderingsproces.

Om op milieugebied zo'n strategische intentie te verwezenlijken, kan het bedrijf niet volstaan met het op defensieve wijze zoeken naar de juiste 'fit' tussen de eigen bedrijfsvoering en de externe milieueisen die nu worden gesteld. Dan is het bedrijf alleen maar bezig om te voldoen aan de milieueisen van vandaag. In plaats daarvan moet het bedrijf juist zelf het initiatief nemen om de bedrijfsdoelen op te rekken ('stretchen') met het oog op de milieueisen van morgen. Milieumanagement van bedrijven verschuift zo van 'fit' naar 'stretch' doelen (Cramer, 1997). Een dergelijke aanpak stelt het bedrijf in staat om op toekomstige milieueisen te zijn voorbereid. Het bedrijf hoeft dan niet meer zo beducht te zijn voor kritiek van derden op het gevoerde milieubeleid. Bovendien wordt milieu een offensief onderwerp, waarmee het bedrijf zijn marktpositie kan versterken en kostenvoordelen kan behalen.

Voor bedrijven leek deze ambitieuze benadering aanvankelijk een brug te ver. De bedrijfseconomische risico's ervan werden te groot gevonden. Een doorbraak ontstond echter toen een groep van vooraanstaande bedrijven, verenigd in de Business Council for Sustainable Development (later verenigd met de International Chamber of Commerce in World Business Council), deze ambitieuze doelstelling als een uitdaging ging formuleren (Schmidheiny, 1992). Dit gebeurde op de vooravond van de internationale conferentie over milieu en ontwikkeling die in 1992 in Rio de Janeiro werd gehouden. De groep bedrijven reageerde daarmee op het verzoek van overheden en maatschappelijke organisaties aan het bedrijfsleven om actief bij te dragen aan duurzame ontwikkeling.

Deze vooruitstrevende bedrijven hebben kans gezien om het klimaat binnen het bedrijfsleven ten aanzien van milieu aanzienlijk te beïnvloeden. Door te benadrukken dat verdergaande milieuverbeteringen ook marktkansen met zich mee konden brengen, verschoof het bedrijfsleven geleidelijk van een defensieve naar een meer pro-actieve opstelling. Als mobiliserend concept introduceerden zij het begrip 'eco-efficiëntie'. 'Eco-efficiëntie' staat zowel voor het creëren van economische waarde als voor het verminderen van de milieueffecten in de gehele productketen en van het gebruik van hulpbronnen. In principe vertoont eco-efficiëntie veel overeenkomst met 'integraal ketenbeheer'. Het grote verschil is alleen dat eco-efficiëntie directer gekoppeld wordt aan de mogelijke economische voordelen die verbonden zijn aan verdergaande milieuverbeteringen. Het tot stand brengen van 'win-win' situaties staat veel centraler (DeSimone en Popoff, 1997). Daardoor spreekt 'eco-efficiëntie' bedrijven veel meer aan dan 'integraal ketenbeheer'.

Huidige stand van zaken

Milieumanagement verkeert nu in een overgangsfase (Blom e.a., 2002). Een aantal koploper bedrijven heeft sinds 1992 de handschoen opgepakt en getracht om het eco-efficiëntie denken in de praktijk te brengen. In plaats van de aandacht te concentreren op verbetering van de milieuprestatie van de eigen procesvoering, beginnen deze bedrijven zich toe te leggen op milieuverbeteringen in de gehele productketen. Bovendien stellen zij ambitieuzere milieudoelen en beperken zij zich niet tot optimalisatie van bestaande processen en producten, maar streven ook verdergaande vernieuwing van productketens na. Deze verschuivingen maken het besluitvormingsproces over milieuvraagstukken complexer én strategischer. Het milieuvraagstuk ontwikkelt zich bij deze bedrijven geleidelijk aan van een staftaak op operationeel niveau tot een strategische kwestie op de agenda's van het senior management. Het vereist van deze bedrijven ook het ontwikkelen van een samenhangende visie op het product 'van wieg tot graf' en op de waardeketen van het bedrijf. Tevens krijgen deze bedrijven te maken met een veel complexer netwerk van bedrijven en andere groeperingen die betrokken moeten worden bij de vinden van de beste oplossingen voor het milieuvraagstuk. Zo is er bijvoorbeeld afstemming of samenwerking nodig tussen uiteenlopende partijen in de keten.

Adequaat reageren op deze toegenomen complexiteit van het milieuvraagstuk vereist ook meer interne coördinatie en afstemming tussen verschillende afdelingen. Voorheen was er alleen een milieucoördinator die werd aangesproken op verbetering van de milieuprestatie van het bedrijf. Toen er meer aandacht kwam voor preventie van afval en emissies binnen productielocaties, vereiste dit ook van de mensen op de werkvloer een actieve betrokkenheid bij het verbeteringsproces. Maar naarmate bedrijven bovendien gaan letten op de milieuaspecten van hun producten – van wieg tot graf – is de medewerking nodig van uiteenlopende afdelingen, zoals productontwikkeling, inkoop en marketing.

7.2 De STRETCH aanpak

Er is dus een goed onderbouwde strategie nodig om op termijn succes te kunnen boeken met de eco-efficiëntie aanpak. Verschillende methodieken zijn reeds ontwikkeld om daarbij behulpzaam te zijn (VROM, 2001). Eén daarvan is de door de auteur ontworpen STRETCH methodiek. STRETCH is het acroniem voor 'Selection of sTRategic EnvironmenTal CHallenges'. De STRETCH methodiek is ontwikkeld binnen Philips (Cramer en Stevels, 1997) en vervolgens uitgebreid getest binnen Akzo Nobel (Cramer, 1999) en een aantal MKB bedrijven (Cramer e.a., 2000).

De essentie van de STRETCH-aanpak is dat eco-efficiëntieverbeteringen worden geselecteerd die inspelen op toekomstige marktkansen en maatschappelijke wensen. De aanpak vergt dus allereerst een goed inzicht in (toekomstige) combinaties van producten en hun markten. Vervolgens moet worden ingeschat welke eisen klanten, overheden en andere externe partijen (waaronder de milieubeweging) kunnen gaan stellen. Dit vereist een goede interactie tussen het bedrijf en externe partijen. Voor grote delen van het bedrijfsleven is dit nog altijd onontgonnen gebied. Ten slotte kan dan op grond van milieuanalyses van de gehele productketen worden nagegaan wat de meest kansrijke eco-efficiëntieverbeteringen zijn op korte en op de langere termijn. Om te zorgen dat deze exercitie geen eenmalige activiteit blijft, zal de STRETCH of een vergelijkbare aanpak moeten worden opgenomen in een management systeem.

De STRETCH aanpak volgt daarom de volgende zes stappen:
1 Geef een overzicht van de belangrijkste factoren die de strategie van het bedrijf in het algemeen bepalen en identificeer (potentiële) productmarkt combinaties.
2 Monitor nieuwe ontwikkelingen en trends in het milieudebat en tevens veranderingen in externe druk van belangengroeperingen.
3 Identificeer veelbelovende eco-efficiënte verbeteringen die in de productketen kunnen worden aangebracht.
4 Selecteer op grond van de voorafgaande stappen de eco-efficiënte verbeteringen die kunnen leiden tot het ontwikkelen van veelbelovende marktkansen of het vermijden van potentiële marktbedreigingen. Formuleer vervolgens een actieplan voor de korte en langere termijn eco-efficiënte verbeteringen in de product keten.
5 Integreer de STRETCH aanpak in de organisatie.
6 Stem de resultaten af op nauw verwante activiteiten, met name op ISO 14001 en productgerichte milieuzorg.

Om veelbelovende eco-efficiënte verbeteringen in de productketen te helpen identificeren, kan de volgende checklist van aandachtspunten worden gebruikt:

Tabel 7.1 Checklist van aandachtspunten voor een eco-efficiëntie verbetering

---

Minimalisering van de milieubelasting tijdens productie

1. Minimalisering van afval, emissies en energiegebruik in de productketen.
2. Cascadegewijs gebruik van energie, water en grondstoffen op regionale schaal ('industriële symbiose').
3. In acht neming van biodiversiteit.

Minimalisering van de milieubelasting van het product

4. Reductie van milieubelastende stoffen.
5. Minimalisering van materiaalgebruik (bijvoorbeeld door miniaturisering; gewichtsvermindering; systeemintegratie).
6. Minimalisering van het gebruik van niet-vernieuwbare grondstoffen.
7. Minimalisering van het gebruik van fossiele energiebronnen (bijvoorbeeld door verhoging van de energie-efficiëntie en toepassing van duurzame energiebronnen).

Verhoging van de efficiëntie van distributie en logistiek

8. Verschuiving naar minder milieubelastende transportmodaliteiten.
9. Efficiëntieverbetering van de logistiek (bijvoorbeeld hogere beladingsgraad).
10. Transportpreventie (bijvoorbeeld minder vervoer van lucht, vloeistof en water).

Verhoging van de intensiteit van gebruik van producten

11. Verhoging van de service-intensiteit van producten.
12. Gezamenlijk gebruik van producten.

Optimalisering van de levensduur van producten

13. Hergebruik van producten/onderdelen.
14. Technische opwaardering.
15. Bevordering van een langere levensduur, indien dit eco-efficiënter is.
16. Vergroting van de reparatie-/-opknapmogelijkheden.

Recycling van materialen

17. Reductie van de diversiteit aan materialen.
18. Materiaalhergebruik (cascadegewijs).
19. Het dusdanig ontwerpen van producten dat ontmanteling van onderdelen eenvoudig mogelijk is.
20. Selectieve, veilige opslag van restafval.

7.3 Meerwaarde van de eco-efficiëntie aanpak

Uit het voorafgaande blijkt dat het integreren van eco-efficiëntie in het denken over de bedrijfsstrategie een extra inspanning vergt. Bedrijven plegen een dergelijke inspanning alleen als zij hiervan een duidelijke meerwaarde verwachten. Waarom zouden zij zich anders de moeite getroosten?

Voor een aantal bedrijven is deze meerwaarde evident. Zo stelt de hoogste baas van S.C. Johnson Wax, Samuel C. Johnson:

> "We aggressively seek out eco-efficiencies – ways of doing more with less – because it makes us more competitive when we reduce and eliminate waste and risk from our products and processes. And it saves us money. By developing products that are as safe as possible for people and the environment, we improve our market share" (DeSimone en Popoff, 1997: ix).

De president-directeur van het Zwitserse ingenieursbedrijf ABB Asea Brown Boveri, Percy Barnevik, gebruikt woorden van dezelfde strekking:

> "ABB believes that the innovative powers of entrepreneurial business can provide eco-efficient solutions to many of the world's environmental challenges. We intend to play an important role in meeting those challenges – and in so doing to safeguard and develop our long-term prosperity."

Bedrijven die minder affiniteit hebben met de eco-efficiëntie-aanpak, zijn geneigd sceptisch te reageren op bovenstaande citaten. Het klinkt allemaal prachtig, denken ze, maar zijn er ook concrete resultaten geboekt met deze aanpak? Heeft het inderdaad geleid tot aanzienlijke milieuverbeteringen en tegelijkertijd tot een versterking van de marktpositie van het bedrijf in kwestie?

De praktijk wijst uit dat er technisch gezien veel mogelijkheden bestaan om aanzienlijk eco-efficiëntere producten op de markt te brengen (zie bijvoorbeeld Von Weizsäcker e.a., 1996). De grote uitdaging is om deze technische mogelijkheden ook economisch interessant te maken. Pas dan is er sprake van een eco-efficiëntieverbetering in ecologische én economische zin. De ervaringen die tot nu toe met de eco-efficiëntie-aanpak zijn opgedaan, tonen aan dat er wel degelijk 'win-win' situaties te creëren zijn. Het kan gaan om kostenreductie, versterking van de marktpositie van de huidige producten, uitbreiding naar nieuwe markten, afwending van kritiek van derden en vergroting van de mogelijkheid om op langere termijn te overleven. Er zijn legio voorbeelden te geven van bedrijven die dergelijke marktkansen benutten. Zo investeren autofabrikanten in verbetering van de brandstofefficiëntie en recyclingmogelijkheden van auto's om hun concurrentiepositie te versterken en hun imago op milieugebied te verbeteren. De maatschappelijke druk om de milieubelasting van auto's te verminderen en nieuwe mobiliteitsconcepten te introduceren, dwingt de autofabrikanten om met innovatieve oplossingen te komen. Daardoor wordt het een competitief voordeel wanneer je je als bedrijf inspant voor eco-efficiëntieverbeteringen.
Een soortgelijke situatie doet zich voor in de sector van de consumentenelektronica. Ook daar bestaat grote maatschappelijke druk om de milieubelasting van de producten te verminderen door bijvoorbeeld minder milieubelastende stoffen te gebruiken, meer te recyclen en energie-efficiëntere apparatuur te vervaardigen. Vooroplopen in het verbeteren van de eco-efficiëntie van consu-

mentenelektronicaproducten kan voor bedrijven dan een competitief voordeel opleveren. Daarom spelen bedrijven als Philips en Sony op deze marktkansen in. Ditzelfde deed de Philips Lighting divisie die een recyclingsysteem voor zijn TL-buizen ontwikkelde. Met name in Duitsland heeft dat de verkoop van deze producten aantoonbaar verhoogd.

In andere gevallen blijkt de eco-efficiëntie-aanpak te kunnen leiden tot aanzienlijke kostenreducties. Een voorbeeld hiervan vormt de enorme materiaalbesparing die Philips Medical Systems heeft weten te realiseren voor één van haar medische instrumenten (magnetische resonantie, MRI). Het nieuw ontworpen instrument leidde tot een gewichtsreductie van 35 ton, en een transportreductie van vijftig procent. Tevens kon het apparaat gemakkelijker worden ontmanteld en gerecycled dan het oorspronkelijke apparaat. Een ander voorbeeld is de tapijtproducent Interface (in Nederland voorheen bekend onder de naam Heuga Tapijt). In de veertig fabrieken wordt tezamen zo'n zestig miljoen dollar terugverdiend met afvalbesparing en hergebruik (Didde, 1999). Ook het Canadese elektriciteitsbedrijf Ontario Hydro wist in 1995 alleen al met energie-efficiëntieverbeteringen een kostenbesparing van 37 miljoen dollar te bereiken (DeSimone en Popoff, 1997). Een laatste voorbeeld is Xerox, die onder meer fotokopieermachines produceert. Dit bedrijf heeft zich ten doel gesteld om een zo gering mogelijk beroep te doen op natuurlijke hulpbronnen en elke gelegenheid te benutten om afvalmateriaal te hergebruiken of opnieuw te verwerken. Oude kopieermachines worden opgeknapt tot zo goed als nieuwe apparaten, terwijl zoveel mogelijk onderdelen worden hergebruikt. Deze strategie heeft het bedrijf geen windeieren gelegd. In 1995 bespaarde het bedrijf met de recyclingprogramma's wereldwijd twaalf miljoen dollar en met hergebruik van onderdelen vijftig miljoen (Elkington, 1997).

Bovenstaande voorbeelden illustreren de potenties van de eco-efficiëntie-aanpak. Welke concrete marktkansen uiteindelijk te behalen zijn, staat echter vooraf meestal niet vast. Dat moet blijken in de loop van het veranderingsproces. Het gaat immers om innovaties waarvan de uitkomst vaak onvoorspelbaar is. Het identificeren van kansrijke eco-efficiëntieverbeteringen is daardoor eerder een zoektocht dan een vastomlijnd ontwikkelingspad. Wat dat betreft biedt het voldoen aan regelgeving van de overheid, zoals traditioneel te doen gebruikelijk was, meer houvast en zekerheid. Maar het kiezen voor de onzekerder eco-efficiëntie-aanpak biedt wel meer marktkansen.

7.4 Leiderschap

De ervaringen die tot nu toe met de eco-efficiëntie-aanpak zijn opgedaan, laten zien hoe belangrijk leiderschap is. Wanneer het management van het bedrijf uitstraalt dat zij aan eco-efficiëntieverbetering groot belang hecht, werkt dit door in de gehele organisatie. Hoe het management deze uitdaging oppakt, is afhankelijk van de cultuur van het bedrijf en van haar eigen opstelling. Een innovatieve organisatie is eerder geneigd de eventuele risico's te dragen dan een organisatie die weinig veranderingsbereid is.

Een goed voorbeeld hiervan vormt de Nederlandse gereedschapsmakerij SMS, die in 1997 verhuisde naar een nieuw pand in Tilburg. Het bedrijf maakt onder meer dragers voor microprocessors en geheugenchips. Het milieubewustzijn in het bedrijf is hoog: het is een geïntegreerd onderdeel geworden van de cultuur van het bedrijf. In de woorden van algemeen directeur Jan Kuijpers:

> "Duurzaamheid en milieu hebben bij de bouw van het nieuwe pand zwaar meegewogen. Bij alles: bij de verlichting, de isolatie, de energievoorziening, de aankleding buiten en natuurlijk ook bij de inrichting van het bedrijfsproces. Behalve kwaliteit willen wij uitstralen dat we aandacht hebben voor de leefomgeving. Onze klanten zien en waarderen dat. Duurzaamheidmaatregelen beschouw ik dan ook niet als vervelende onkostenposten, maar als investeringen in de toekomst van de onderneming. Het heeft te maken met modern ondernemen; deze manier van werken zal in de toekomst normaal zijn" (Tilburg Magazine, 1998).

Ook een bevlogen manager kan een katalyserende rol spelen in het transformatieproces om tot eco-efficiëntieverhoging te komen. Neem bijvoorbeeld de hoogste baas van de tapijtproducent Interface, Ray Anderson. Door het lezen van het boek *The Ecology of Commerce* van Paul Hawken in 1994 raakte hij in de ban van het milieuprobleem. Sindsdien werpt hij zich op als milieugoeroe en heeft Interface op het spoor van eco-efficiëntie en duurzame ontwikkeling gezet. Als doel werd gesteld om de emissies tot nul terug te brengen. Onderdeel van deze strategie is om tapijten niet te verkopen, maar te leasen en na gebruik weer terug te nemen voor recycling (Didde, 1999).

Wanneer een manager van een bedrijf leiderschap toont, kan dit binnen de organisatie het veranderingsproces versnellen. Als de top van een bedrijf zich duidelijk uitspreekt voor de eco-efficiëntie-aanpak, biedt dit de organisatie de legitimatie om hiermee aan de slag te gaan. Maar een bevlogen managent alleen biedt nog geen garantie dat de aanpak beklijft, zeker niet in grote ondernemingen. Dit blijkt bijvoorbeeld uit de ervaringen die binnen het Canadese elektriciteitsbedrijf Ontario Hydro zijn opgedaan (Roome en Bergin, 1999). In 1992 werd Maurice Strong via politieke kanalen aangewezen als de topmanager van het bedrijf. Strong is een gedreven man die zich actief wil inzetten voor het streven naar duurzame ontwikkeling. Niet voor niets was hij secretaris-generaal van de United Nations Conferentie over Milieu en Ontwikkeling in 1992 in Rio de Janeiro. Zijn doel was om Ontario Hydro financieel weer gezond te maken en als organisatie een positie op het terrein van duurzame ontwikkeling te verwerven. Daartoe richtte hij een *Task Force on Sustainable Energy Development and Use* (SED) op. Deze Task Force betrok hierbij ongeveer 125 mensen uit alle geledingen van de organisatie alsook mensen van buiten. De Task Force formuleerde een strategie om de ontwikkeling en het gebruik van duurzame energie te bevorderen binnen het bedrijf en kwam op grond daarvan met 98 aanbevelingen. De implementatie van die aanbevelingen was net begonnen toen Strong in 1995 werd vervangen door Farlinger, die een andere, minder milieubevlogen agenda had. In de drie jaar dat Strong de leiding had, was hij niet in staat geweest de managers van de verschillende bedrijfsonderdelen daadwerkelijk van zijn visie op duurzame ontwikkeling te overtuigen. Zij stonden veel sceptischer tegenover de marktkansen die met milieumaatregelen geboekt konden worden. Als het erop aankwam was voor hen het verbeteren van hun economische positie de eerste prioriteit. Blijkbaar had de Task Force onvoldoende mensen met invloed weten te mobiliseren die binnen de verschillende bedrijfsonderdelen een leerproces in de richting van duurzame ontwikkeling op gang konden brengen. Aangezien in dezelfde periode het bedrijf een meer decentraal karakter kreeg, waardoor de autonomie van de afzonderlijke bedrijfsonderdelen werd versterkt, werkten directieven van centraal niveau zelfs enigszins contraproductief.

Uit dit voorbeeld van Ontario Hydra blijkt dat een van bovenaf opgelegd veranderingsproces in de richting van duurzame ontwikkeling niet goed van de grond komt wanneer de direct daarbij betrokkenen daarvan het voordeel niet inzien. Zelfs in een innovatieve bedrijfscultuur stagneert het proces dan. Men doet pro forma wel mee maar maakt het niet tot wezenlijk, geïntegreerd onderdeel van de bedrijfsstrategie. Zeker in een sterk gedecentraliseerde bedrijfsstructuur, waar de verantwoordelijkheid bij de managers van de onderdelen wordt gelegd, kan zo'n 'top-down' aanpak stranden. Managers moeten de zekerheid hebben dat zij de daarmee verbonden risico's kunnen dragen. Het helpt natuurlijk wel wanneer zij zich hierin gesteund voelen door het topmanagement. Maar als de manager uitsluitend wordt afgerekend op financiële prestaties, tellen deze het zwaarst.

7.5 Voorwaarden voor succes

Leiderschap kan de introductie van de eco-efficiëntie-aanpak versnellen, maar niet het succes ervan bepalen. De mogelijkheden om voordelen te behalen met eco-efficiëntieverbeteringen verschillen per bedrijf en zelfs per bedrijfsonderdeel.

Op grond van de literatuur en de ervaringen die met de eco-efficiëntie-aanpak zijn opgedaan, met name binnen Akzo Nobel (Cramer, 1998), blijkt het succes van de eco-efficiëntie-aanpak binnen bedrijfsonderdelen ('business units') vooral af te hangen van de volgende drie factoren:
1 De druk van externe belangengroeperingen om milieumaatregelen te nemen.
2 De manoeuvreerruimte van het bedrijf om te veranderen.
3 De mate waarin het bedrijf een competitief voordeel kan behalen op haar concurrenten door eco-efficiëntieverbeteringen.

Hoe meer externe druk, manoeuvreerruimte en competitief voordeel, des te meer kansen op succes er bestaan voor de eco-efficiëntie-aanpak. De kubus in figuur 7.1 geeft dit visueel weer. Het donkere deel rechtsboven in de grote kubus is het gebied waar de eco-efficiëntie-aanpak het best zal aanslaan. Hieronder worden de drie factoren waar succes van afhankelijk is, nader toegelicht.

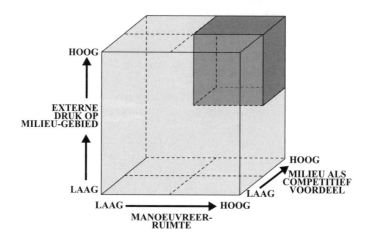

Figuur 7.1   Voorwaarden voor het welslagen van de eco-efficiëntie-aanpak

1   Externe druk

Wanneer een bedrijf druk van buitenaf voelt om zijn milieuprestatie te verbeteren, stimuleert dat om op milieugebied de nek uit te steken. Wanneer een overheid, klant, milieugroepering of andere partij het bedrijf hierop aanspreekt ontstaat voor zo'n bedrijf een marktvraag. Zolang het gaat om stapsgewijze milieuverbeteringen van bestaande producten, durft een bedrijf het risico wel aan om een verbeterd product op de markt te brengen, ook al heeft niemand daar expliciet om gevraagd. Maar dat ligt anders wanneer het gaat om het radicaal herontwerpen van bestaande producten. Daarom zijn bedrijven die enigerlei vorm van externe druk voelen om de milieuprestatie te verbeteren ontvankelijk voor de eco-efficiëntie-aanpak. Zij hebben er direct belang bij om hun marktpositie ten opzichte van de concurrent te versterken. Ook voelen zij de urgentie om potentiële kritiek van derden op hun milieubeleid voor te zijn en een slecht milieu-imago te vermijden. Negatieve publiciteit kan heel schadelijk zijn voor een bedrijf. De kosten voor imagoherstel, lobbywerk en juridische procedures zijn hoog.

De toepassing van de eco-efficiëntie-aanpak garandeert niet automatisch dat een bedrijf alle kritiek van derden op haar milieubeleid kan afwenden. Dat blijkt bijvoorbeeld uit de ervaringen van het bedrijf Asia Brown Boveri (ABB) dat eco-efficiëntie hoog in het vaandel heeft staan. ABB raakte betrokken bij de bouw van stuwdammen in Maleisië en China, waarvoor 700 vierkante kilometer regenwoud onder water moest worden gezet en 10.000 mensen moesten verhuizen. De kritiek van honderd gezamenlijke actiegroepen hiertegen richtte zich ook op ABB (Elkington, 1997: 310). De Brent Spar kwestie is een ander voorbeeld. Shell dacht zelf de milieutechnisch beste oplossing gevonden te hebben voor het af te danken boorplatform, namelijk door het te laten afzinken in diepe zee. Deze oplossing bleek echter maatschappelijk onacceptabel. De massale kritiek op Shell's voornemen had het bedrijf absoluut niet verwacht. Achteraf moest worden geconstateerd dat het beter was geweest om belangengroepen van buiten het bedrijf in een vroeg stadium in de besluitvorming te betrekken. Dan was de kritiek van derden veel eerder gesignaleerd.

Voor bedrijven is het moeilijk om de potentiële bedreigingen die hen op milieugebied boven het hoofd hangen, goed in te schatten. In tegenstelling tot voorheen gaat het er namelijk niet alleen om te voldoen aan de wet- en regelgeving op milieugebied. Veel belangrijker is het of de genomen eco-efficiëntiemaatregelen milieuverantwoord genoeg zijn. Juist daarin schuilt het inschattingsprobleem. Want wie bepaalt wat milieuverantwoord is? Recente discussies over het gebruik van een aardewerk koffiekopje versus een plastic bekertje, of over het gebruik van PVC tonen aan, hoe controversieel zulke zaken zijn. Een bedrijf kan nog zo goed trachten te onderbouwen hoe milieuverantwoord zijn product is, maar als de maatschappij (of delen daarvan) daar anders over denkt, moet het bedrijf dit wel serieus nemen.

2 Manoeuvreerruimte

Een tweede factor die het succes van de eco-efficiëntie-aanpak bepaalt, is de manoeuvreerruimte van het bedrijf. Hieronder wordt verstaan de mate waarin het bedrijf zelf kan beslissen over de eco-efficiëntieverbeteringen die ze wil doorvoeren.

Hoeveel ruimte een bedrijf heeft om te manoeuvreren, hangt allereerst af van de invloed van het bedrijf in de keten. Bij verdergaande eco-efficiëntieverhogingen gaat het namelijk vaak om initiatieven die samenwerking met andere schakels in de keten vergen. Bedrijven in de keten moeten bereid zijn om de gewenste veranderingen in hun producten door te voeren. Hoe meer macht een bedrijf heeft in de keten, des te meer druk kan het uitoefenen op andere bedrijven in de keten om hun producten aan te passen. Het kan bijvoorbeeld betekenen dat toeleveranciers producten met gewijzigde specificaties moeten aanleveren. Wanneer toeleveranciers daartoe niet direct bereid zijn, rest de initiatiefnemer twee mogelijkheden: (1) in samenwerking met de huidige toeleverancier tot een voor beide partijen acceptabele oplossing komen of (2) zoeken naar een andere toeleverancier. In de praktijk liggen hier vaak de knelpunten in de samenwerking.

Bedrijven kunnen om uiteenlopende redenen weinig invloed in de keten hebben. Dit geldt bijvoorbeeld voor de grondstofproducent van geneesmiddelen Diosynth door de strikte regelgeving op het gebied van geneesmiddelen. Een ander voorbeeld vormt ATAG, een producent van ondermeer keukens. Dit bedrijf kan moeilijk toeleveranciers betrekken bij eco- efficiëntieverbeteringen wanneer deze een eindproduct aanleveren (bijvoorbeeld vaatwasmachines). Ovens en afzuigkappen produceert ATAG zelf. Bij de ontwikkeling van die producten kan het bedrijf flexibeler omgaan met de keuze van toeleveranciers. Daarom wordt eerst gewerkt aan producten waarop ATAG invloed heeft: de kookplaat en de oven. Ten slotte kan een bedrijf weinig invloed hebben in de keten omdat ze maar een kleine speler is te midden van grote, invloedrijke ondernemingen.

Naast invloed in de keten speelt de flexibiliteit in de eigen procesvoering en/of productontwikkeling een belangrijke rol. Bedrijven die enorme investeringen hebben gedaan in grootschalige productieprocessen kunnen bijvoorbeeld moeilijker op andere procédés overstappen dan bedrijven met een flexibeler procesvoering. Ook het soort producten dat een bedrijf maakt, zal bepalend zijn voor de mate van flexibiliteit die een bedrijf heeft om zijn producten of processen fundamenteel aan te passen. Een eindproducent van consumentenartikelen is over het algemeen gemakkelijker in staat om over te schakelen op een nieuw ontwerp dan een grondstoffenleverancier die voor lange tijd vastzit aan de leverantie van specifieke producten. Neem bijvoorbeeld een producent van chloor. Zijn bedrijfsinstallatie gaat vele tientallen jaren mee en wordt alleen vervangen wanneer dit echt noodzakelijk is. Bij een producent van verf ligt dit anders. In wezen kan hij met praktisch dezelfde meng- en roerapparatuur geheel andere producten maken. Zijn flexibiliteit is daardoor veel groter om tot productvernieuwing te komen dan die van de grondstoffenleverancier.

3   Competitief voordeel

Een derde factor die de ontvankelijkheid van bedrijven voor eco-efficiëntieverhoging bepaalt, is de mate waarin een competitief voordeel kan worden opgebouwd door het bedrijf. Eenvoudig in te schatten is dit niet. Het gaat immers om de ontwikkeling van producten waarvan niet bij voorbaat vaststaat of ze zullen aanslaan. Veel hangt hier af van de bereidheid bij het management van een bedrijf om risico's te nemen. Bepalend daarbij is de positie in de markt, de investeringsruimte en marktprikkels. Het kan voorkomen dat een kansrijk project toch niet meteen leidt tot een nieuw product, omdat de investeringskosten te hoog zijn. Zo'n financiële barrière speelde bijvoorbeeld bij de meubelfabrikant Leolux. Dit hoeft echter niet te betekenen dat er niets met de resultaten gebeurt. In het geval van Leolux is er bijvoorbeeld bij een nieuw ontwerp wel rekening gehouden met de ervaringen die zijn opgedaan in het project. Dit leidde tot vijftien procent minder afval door een andere wijze van vormschuimen in mallen. Ook zal het uitmaken in welke fase de productontwikkeling verkeert. In een heel vroege fase van ontwikkeling is bijsturing met het oog op eco-efficiëntie wellicht gemakkelijker te realiseren dan in latere fasen.

Of de ontwikkelde, meer eco-efficiënte producten uiteindelijk succesvol zijn op de markt, hangt natuurlijk niet alleen af van de milieuprestatie van het product. Ook aan andere eisen die de klant stelt, moet worden voldaan, zoals een bepaalde prijs-kwaliteit verhouding. Soms is het zelfs verstandiger om het eco-efficiëntere product te marketen als een kwalitatief beter product, en niet als een 'groen' product. Bovendien wordt het succes van een product bepaald door de wijze waarop het bedrijf dit product in de markt zet en de klanten erop reageren. Daarom is de eco-efficiëntie-aanpak geen zaak van alleen milieudeskundigen, maar in feite een activiteit waarbij vertegenwoordigers van verschillende onderdelen van het bedrijf betrokken moeten zijn.

7.6 Tot slot

Milieumaatregelen in het kader van maatschappelijk verantwoord ondernemen kunnen zich niet alleen beperken tot optimalisering van het eigen productie-proces. Het gaat ook om het zetten van verdergaande stappen in het licht van de gehele productketen, ook wel eco-efficiëntieverhoging genoemd. Dit hoofdstuk illustreert dat de eco-efficiëntie-aanpak niet alleen interessant is om milieu-redenen, maar ook economische voordelen kan opleveren. Juist de combinatie van ecologische en economische efficiëntieverhoging maakt de aanpak zo aan-trekkelijk voor de bedrijven. Praktijkervaringen wijzen echter wel uit dat de eco-efficiëntieaanpak voor het ene bedrijf meer kansen biedt dan voor het andere.

Een eerste categorie van bedrijven kan direct baat hebben bij eco-efficiëntieverhoging. Dit zijn over het algemeen de bedrijven die maatschappelijk onder druk staan om hun milieuprestatie te verbeteren, en tevens de manoeuvreerruimte hebben om milieuverbeteringen door te voeren. Wanneer zij inschatten daar-mee ook nog een competitief voordeel te kunnen behalen, wordt het nog aan-trekkelijker om aandacht te schenken aan eco-efficiëntieverbeteringen. Deze bedrijven kunnen op eigen kracht 'win-win' situaties creëren.

Een tweede categorie van bedrijven kan ook voordeel hebben van de eco-efficiëntie-aanpak, maar dat brengt dan wel substantiële initiële investeringen of grote onzekerheden ten aanzien van de acceptatie op de markt met zich mee. Dit geldt bijvoorbeeld in situaties waarin bedrijven hun product of proces funda-menteel moeten herzien om tot hoge eco-efficiënties te komen of onzeker zijn over de marktacceptatie van hun nieuwe product. Wanneer deze hobbels wor-den weggenomen, zijn de economische vooruitzichten zeer gunstig. Bedrijven of bedrijfsonderdelen van grotere ondernemingen deinzen vaak terug om zulke grote economische risico's te nemen. Hiervoor hebben ze vaak financiële of andere vormen van ondersteuning nodig van derden (bijvoorbeeld de over-heid), en als het gaat om bedrijfsonderdelen, ook van het hoger management.

Voor een derde categorie van bedrijven vallen de meer vérstrekkende eco-efficiëntieverhogingen buiten het bereik van het bedrijf. Het gaat hier bijvoorbeeld om een bedrijfsonderdeel van een grote onderneming dat een bepaalde grondstof (zoals chloor) produceert. Eco-efficiëntere alternatieven voor deze grondstof kunnen niet door dit bedrijfsonderdeel zelf worden geproduceerd. Eventueel is wel een ander bedrijfsonderdeel binnen de gehele onderneming daartoe in staat. In zulke situaties kan de producent van bijvoorbeeld chloor alleen zijn eigen product zo eco-efficiënt mogelijk maken en goed monitoren in hoeverre dit op langere termijn wordt ingehaald door alternatieve grondstoffen.

Een laatste categorie van bedrijven heeft geen tot weinig baat bij eco-efficiëntieverhoging. Dit zijn de bedrijven die geen milieudruk voelen en ook geen enkel competitief voordeel verwachten.

Hoe moeten we bovenstaande conclusies interpreteren? Kan de samenleving verwachten dat bedrijven zelf voldoende initiatieven nemen om tot aanzienlijke eco-efficiëntieverbeteringen te komen? Zijn er voldoende 'win-win' situaties te creëren om dit te bereiken? Geconcludeerd kan worden dat het tot stand brengen van eco-efficiëntieverhogingen met een factor 4 in de komende vijftien tot twintig jaar een gezamenlijke inzet van bedrijven én de rest van de maatschappij vergt. Resultaten van zulke inspanningen zullen niet meteen morgen zichtbaar zijn. Dit ligt niet alleen aan de tijd die nodig is om binnen bedrijven kansrijke eco-efficiëntieverbeteringen op te sporen en te ontwikkelen. Maar het hangt ook af van de alertheid van de maatschappij om hierop adequaat te reageren. Als de maatschappij niet mee-evolueert in een meer eco-efficiënte richting, zijn de meeste pogingen van het bedrijfsleven tot verhoging van de eco-efficiëntie tot mislukken gedoemd.

Literatuur

Blom, M. (2002). *Eco-efficiency: Van idee tot bruikbaar concept*. Den Haag: Ministerie VROM.

Cramer, J. (1997). *Milieumanagement: Van 'fit' naar 'stretch'*. Utrecht: Jan van Arkel.

Cramer, J., en Stevels, A. (1997). 'Strategic environmental product planning within Philips Sound & Vision'. *Environmental Quality Management*, Herfst: 91-102.

Cramer, J. (1999). *Op Weg naar Duurzaam Ondernemen*. Den Haag: SMO publicatie.

Cramer, J., Lith, W. van, en Welling, J. (2000). *Strategisch Milieumanagement in het Brabants Midden- en Kleinbedrijf*. 's-Hertogenbosch: provincie Noord-Brabant.

DeSimone, L.D., en Popoff, F. (1997). *Eco-efficiëntie: The business link to sustainable development*. Cambridge: MIT Press.

Didde, R. (1999). 'Lopen op onsterfelijk tapijt'. *Milieudefensie*, 28 (2): 18-19.

Elkington, J. (1997). *Cannibals with Forks: The Triple Bottom Line of 21st century business*. Oxford: Capstone.

Fussier, C., en James, P. (1996). *Driving Eco-Innovation: A Breakthrough Discipline for Innovation and Sustainability*. London: Pitman Publishing.

Hamel. G., en Prahalad, C.K. (1994). *De Strijd om de Toekomst*. Schiedam: Scriptum Management.

Meadows, D.L. (1972). *The Limits to Growth*. New York: Universe Books.

Ministerie VROM (2001). *Op Weg naar Duurzaam Ondernemen: Milieu hoort in de ondernemingsstrategie*. Den Haag.

Roome, N., en Bergin, R. (1999). *Sustainable Industrial Enterprise: The case of Ontario Hydro*. Tilburg: Katholieke Universiteit Brabant.

Schmidheiny, S. (1992). *Changing Course: A global business perspective on development and the environment*. Cambridge: MIT Press.

Tilburg Magazine (1998). 'Duurzaamheid is bij SMS vanuit Medewerkers Ontstaan'. *Tilburg Magazine, 9* (3): 50-51.

Weizsäcker von, E.U., Lovins A., en Lovins, L. (1996). *Faktor Vier, Doppelter Wohlstand-Halbierter Naturverbrauch*. München: Droemer Knaur.

Weterings, R.A.P.M., en Opschoor, J.B. 1992. *De Milieugebruiksruimte als Uitdaging voor Technologie-ontwikkeling*. Rijswijk, RMNO, 74.

World Business Council for Sustainabie Development (1995). *Eco-Efficient Leadership for Improved Economic and Environmental Performance*. Genève.

World Commission on Environment and Development (1987). *Our Common Future*. Oxford: Oxford University Press.

8
De belegger: op weg naar een duurzaam beleggingsbeleid

Door Roger Wildeboer Schut

In december 1999, tijdens een conferentie van de Wereld Handelsorganisatie WTO in Seattle, werd er door duizenden demonstranten geprotesteerd tegen de ideologie van een vrije wereldhandel en de globalisering. In deze 'battle of Seattle' richtten de demonstranten ook hun protest tegen de multinationale ondernemingen die zich onttrokken aan hun maatschappelijke verantwoordelijkheid, vooral ten aanzien van de Derde Wereld en ten aanzien van het natuurlijk leefmilieu. Liberalisering van de wereldhandel heeft ertoe geleid dat multinationals meer en meer invloed hebben verworven: markten worden beheerst door westerse monopolies en oligopolies, nieuwe toetreders hebben in sommige sectoren een geringe overlevingskans, en de landen in de Derde Wereld die grondstoffen leveren, hebben geen of weinig invloed op marktprijzen.

De kritiek op de scheve verhoudingen in de wereldhandel gaat niet voorbij aan een belangrijke categorie stakeholders, te weten de vermogenverschaffers. Toonaangevend zijn de institutionele beleggers, zoals bijvoorbeeld beleggingsfondsen, verzekeringsmaatschappijen en pensioenfondsen. Vermogensbeheerders zijn ook gaan letten op de maatschappelijke verantwoordelijkheid van de ondernemingen, waarin belegd wordt. Nadat eerst particulieren en ideëel ingestelde organisaties geld belegden in een ethisch of maatschappelijk verantwoord beleggingsfonds, voeren inmiddels ook traditionele banken en beleggingsinstellingen 'duurzame beleggingsproducten' in hun assortiment. Aanvankelijk betrof het negatieve criteria, waardoor bepaalde ondernemingen werden uitgesloten als beleggingsmogelijkheid. Nu gaat het om positieve criteria, zoals bijvoorbeeld de 'triple p': *people, planet, profit*. Alle ondernemingen worden beoordeeld aan de hand van sociale, ecologische en financiële criteria.

Ook pensioenfondsen en andere institutionele beleggers zijn voorzichtig hun eerste stappen aan het zetten op weg naar een duurzaam beleggingsbeleid. Hier zijn tenminste twee redenen voor aan te geven: ten eerste vinden de fondsen zelf dat ze in de loop van de jaren een grotere maatschappelijke verantwoordelijkheid hebben gekregen, en ten tweede geloven ze in de veronderstelling dat ondernemingen die een goed sociaal en ecologisch beleid voeren, op de lange termijn ook een uitstekend financieel rendement laten zien. Met andere woorden: duurzaamheid zal door de aandeelhouders geldelijk worden gewaardeerd. Voor de verschaffers van vreemd vermogen kan risicoreductie, of *risk avoidance*, een extra financiële prikkel opleveren.

8.1 De historie van maatschappelijk verantwoord beleggen

Maatschappelijk verantwoord beleggen is al zo oud als iedere andere vorm van beleggen. In de zeventiende eeuw werd via de beurs door niet-ondernemende particulieren geparticipeerd in de financiering van de handel en het transport in *commodities*, met name koloniale goederen zoals specerijen en edelmetaal. Vertrouwen in de kapitein van het schip speelde een grote rol. Niet zelden steunden geloofsgenoten elkaar. Om uiteenlopende motieven vestigden zich Europeanen overzee. Behalve uit verlangen naar handel en avontuur vertrokken er ook emigranten om te ontkomen aan discriminatie en geloofsvervolging. Zij wilden niet zozeer een handelspost als wel een Nieuwe Wereld vestigen. Zo ook de Quakers, leden van de Religious Society of Friends, uit Engeland, die zich aan het eind van de zeventiende eeuw massaal vestigden aan de andere zijde van de Atlantische Oceaan, waar Quaker William Penn van de Engelse koning toestemming had gekregen om er 'zijn' Pennsylvania te stichten. De Quakers stonden bekend om hun humanitaire en vredelievende levensinstelling, een belangrijke reden voor andere geloofsgemeenschappen om zich juist in dit gebied te vestigen. In tegenstelling tot de Hollanders en vele andere handeldrijvende Europeanen konden de Quakers de slavenhandel en het bezit van slaven niet rijmen met de gedachte dat voor God iedereen gelijk is. Quaker John Woolman schreef al in 1754 hierover in zijn 'Considerations on the keeping of Negroes'. Tot ver in de twintigste eeuw zijn het met name religieuze groeperingen die zich met maatschappelijk verantwoord beleggen bezig hielden.

De welvaart in de Verenigde Staten en West-Europa in de jaren zestig van de twintigste eeuw maakte sommige mensen kritischer dan anderen. Politieke kwesties, zoals de oorlog in Vietnam en het apartheidsregime in Zuid-Afrika, en maatschappelijke problemen, zoals de wapenwedloop, de kernenergie of de milieuverontreiniging, vormden de aanleiding voor de vorming van actiegroepen en andere niet-gouvernementele bewegingen. In de Verenigde Staten ontstond kritiek op de technostructuur en het militair-industriële complex door de invloed van de boeken van John K. Galbraith. In 1971 kwam onder leiding van Ralph Nader een invloedrijke consumentenorganisatie tot stand. Ook aandeelhouders verenigden zich en daarmee was het kritisch aandeelhouderschap een georganiseerd feit in de Verenigde Staten, waar het zelfstandig beleggen door particulieren veel meer was ingeburgerd dan in Europa. De Amerikaanse aandeelhouder is partieel eigenaar van de onderneming en eist vanouds daadwerkelijke inspraak in het ondernemingsbeleid.

Maatschappelijk verantwoord beleggen is een bepaalde wijze van selecteren van beursgenoteerde aandelen en obligaties op basis van meer dan louter financiële criteria. Met duurzaam beleggen of maatschappelijk verantwoord beleggen ('social responsible investing') wordt niet het inleggen van geld in een groen-fonds bedoeld. Deze fondsen zijn specifiek gericht op projecten die het milieu ten goede komen. De term 'socially responsible investing' heeft in het begin van de jaren zeventig zijn intrede gedaan in de beleggerswereld (Moskowitz, 1972). Op 10 augustus 1971 werd op Wall Street het eerste maatschappelijk verantwoorde beleggingsfonds genoteerd: het American Pax World Fund. In Nederland was de ASN Bank, die in 1960 werd opgericht vanuit het Nederlands Verbond van Vak-bewegingen, jarenlang de enige bank met aandacht voor duurzaamheid. In 1980 ontstond de Triodos Bank vanuit een antroposofische achtergrond; deze ziet maatschappelijke vernieuwing als een van haar doelstellingen.

Aandacht voor meer dan louter het financiële rendement heeft inmiddels een plek verworven in de Nederlandse beleggingswereld. Hiervoor zijn drie ver-klaringen te geven. Ten eerste heeft het zelfstandig effectenbezit van particulie-ren een enorme vlucht genomen. Particulieren lezen de krant en zijn gevoelig voor kritiek. Daarom is het te verwachten dat sommige krantenlezende burgers bepaalde beleggingen juist niet (defensiesector, tabaksindustrie) of juist wel (windenergie, zonnepanelen) willen doen. Ten tweede zijn bepaalde institutio-nele beleggers, zoals de pensioenfondsen, relatieve nieuwkomers, omdat zij vroeger voornamelijk, of zelfs uitsluitend, in binnenlandse obligaties belegden. Hun vermogensbeheerders pakken de zaken nieuw aan en staan derhalve open voor nieuwe gedachten over beleggen. Ten derde neemt de invloed van de aan-deelhouder toe in de niet-Angelsaksische landen. Particuliere aandeelhouders en vertegenwoordigers van non-gouvernementele organisaties met wat belegd vermogen gebruiken de algemene vergadering van aandeelhouders als plat-form voor de verspreiding van hun ideeën.

8.2 De verschillende vormen van maatschappelijk verantwoord beleggen

Maatschappelijk verantwoord beleggen kan sterk lijken op andere vormen van investeren, en moet dan ook onderscheiden worden van bijvoorbeeld *communi-ty investments* en *charity funds*, die een vorm van filantropie zijn. In de financië-le wereld wordt met het begrip *community investments* gewezen op projecten en programma's in de maatschappelijke sfeer die door een onderneming financieel mogelijk zijn gemaakt. Er stroomt dus geld vanuit de onderneming naar de maatschappij. Bij maatschappelijk verantwoord beleggen stroomt er juist geld vanuit de samenleving naar de onderneming. In tegenstelling tot de Europe-anen, scharen Amerikanen ook *community investments* onder 'socially respon-sible investing'.

Maatschappelijk verantwoord beleggen is in de eerste plaats een vorm van beleggen. Het onderscheidt zich van het traditionele beleggen dat uitsluitend financiële criteria hanteert, door het feit dat investeringsbeslissingen mede op basis van sociale en ecologische motieven worden genomen. Rationele beleggingsbeslissingen worden genomen op basis van fundamentele groot heden die objectief meetbaar zijn en die daardoor kunnen dienen als criteria voor de investeringsbeslissingen. Die fundamentele grootheden hebben betrekking op de eerder genoemde drie p's:

- De p van *people* (of personen) voor de sociale criteria.
- De p van *planet* (of planeet) voor de ecologische criteria.
- De p van *profit* (of profijt) voor de financiële criteria.

Maatschappelijk verantwoord beleggen hoeft niet *per se* in een 'triple p'-raamwerk te worden gegoten. Er kunnen tenminste drie methoden, al dan niet in combinatie met elkaar, worden onderscheiden om een maatschappelijk verantwoord beleggingsbeleid vorm te geven:

1 Het uitsluiten van beleggingen op basis van absolute of negatieve criteria.
2 Het rangschikken van beleggingen op basis van relatieve of positieve criteria.
3 De dialoogbenadering van het pro-actief aandeelhoudersschap, ook wel aangeduid als de engagementmethode.

Ad 1 Het uitsluiten van beleggingen op basis van absolute criteria

Maatschappelijk verantwoord beleggen heeft zich in eerste instantie beperkt tot het uitsluiten van beleggingen op basis van absolute of negatieve criteria. Het Amerikaans analistenbureau Kinder, Lydenberg & Domini duidt deze methode aan met 'self-referential paradigm'. De bekendste specifieke vorm hierbij is een beleggingsbeleid dat de zogenaamde *sin stocks* mijdt. Dit zijn aandelen van ondernemingen die actief zijn in het gokwezen en/of de tabaks- en alcoholindustrie. Andere veel toegepaste 'screens' zijn: het uitsluiten van wapenproducenten, kernenergie en cosmeticafabrikanten die dierenproeven toepassen. Naast deze 'social screens' zijn er nog vele andere thema's en sectoren te bedenken waarbij de duurzame belegger niet betrokken wil zijn: bio-industrie, bont, mijnbouw, niet-duurzame bosbouw, olie en gas, pornografie, corruptie, discriminatie, milieudelicten, schendingen van sociale wetten en codes, kinderarbeid, en biotechnologie (genetische modificatie).

Zoals in de naam 'self-referential paradigm' al ligt opgesloten, gaat het bij het negatief screenen van beursgenoteerde ondernemingen over de vraag of een belegger zich wenst te identificeren, of juist afstand wil doen van bepaalde bedrijfsactiviteiten, dan wel gedragingen. Hierin ligt ook de kracht van deze vorm van maatschappelijk verantwoord beleggen: het spreekt de burger aan, hij kan zich erin verplaatsen. Dit geldt niet alleen voor burgers, het kan ook voor stichtingen, verenigingen en andere organisaties met een maatschappelijke doelstelling een goed toepasbare methodiek zijn.

Problemen kunnen ontstaan bij onderlinge belangen en dochterondernemingen. Zo heeft Daimler-Chrysler een dertig procent belang in de 'aerospace & defence' onderneming EADS. Bij uitsluiting van wapenproducenten kan nu de vraag gesteld worden of, en in hoeverre, naast de wapendochter ook het moederconcern uitgesloten moet worden. Doel van de uitsluiting is het willen treffen van de wapenproductie, en de signaalfunctie die daar vanuit gaat, en niet het treffen van bijvoorbeeld de personenautoproductie. Een soortgelijke problematiek doet zich voor bij het beleggen in staatsobligaties van landen die een substantieel deel van de begroting spenderen aan hun militaire apparaat. De Verenigde Staten zijn hiervan een goed voorbeeld. Het Pentagon, de defensieondernemingen en enkele onderzoeksinstituten, zoals NASA, ontvangen meer dan vijftig procent van de federale begroting. De internationaal afgesproken 0,7% van het bruto nationaal product voor ontwikkelingssamenwerking wordt zo niet gehaald. Deze keuze is in een democratie gemaakt. Is het nu nog wel verantwoord om Amerikaanse *Treasury bonds* te kopen? Uit een onderzoek van ING Bank, afdeling Duurzaam Beleggen, blijkt dat de Nederlander ernstige en/of herhaalde milieudelicten, het schenden van mensenrechten en corruptie de belangrijkste items vindt.[1]

Een nadeel van de absolute screen is het feit dat deze niet of nauwelijks tot verbeteringen leidt bij de ondernemingen in kwestie. Een cosmeticaconcern dat zijn producten op dieren test, wordt niet aangespoord om alternatieven te ontwikkelen als enige beleggers de aandelen van deze onderneming links laten liggen. Pas als de onderneming door grote beleggers gemeden wordt en als zo de beurswaarde onder druk komt te staan, zou de ondernemingsleiding misschien actie gaan nemen. 'Shareholder activism' (pro-actief aandeelhouderschap) zal in dit geval hoogstwaarschijnlijk meer effect sorteren.

Sectoren waar de negatieve benadering het enige alternatief is, zijn de sectoren waar geen sprake kan zijn van een verbetertraject. Dit zijn ondernemingen van de *sin stocks*, maar bijvoorbeeld ook wapenproducenten. Een onderneming die defensiemateriaal tot haar kernactiviteiten rekent, heeft hier bewust voor gekozen. Vanzelfsprekend kan een onderneming als Boeing ooit besluiten om te stoppen met de productie van kruisraketten, militaire vliegtuigen en helikopters, maar momenteel is het een strategische keuze om dat niet te doen. Anders ligt het voor ondernemingen die in geringe mate actief zijn in zo'n markt. Wellicht dat er in de militaire elektronica van Boeing ook halfgeleiders van Philips worden toegepast. Als dit zo is, weet Philips waarschijnlijk niet precies waarvoor Boeing die halfgeleiders gebruikt: het is immer een zogenaamd 'dual-use' product dat net zo goed in civiele systemen en vliegtuigen kan worden toegepast. Als het wel om bewuste leveringen gaat, dan kunnen de aandeelhouders de dialoog ter hand nemen om de betrokken onderneming van gedachten te laten veranderen.

Ad 2   De 'best in class'-benadering (relatieve criteria)

De positieve benadering, of positieve toets, is de laatste jaren in opkomst en wordt steeds verder ontwikkeld. Deze werkwijze wordt ook wel aangeduid met de naam 'comprehensive paradigm'. Onderzoeksbureaus beoordelen ondernemingen aan de hand van een breed scala criteria. Ondernemingen die goed scoren komen in aanmerking voor opname in een duurzaam beleggingsuniversum. Deze methode is vooral pragmatisch en daardoor ook geschikt voor grote portefeuilles van institutionele beleggers. Zo is bijvoorbeeld de stap tot het mijden van de gehele automobiel- en luchtvaartindustrie voor de grote fondsen te groot: het kan rendement kosten, de diversificatie wordt minder, en de liquiditeit van de portefeuille wordt kleiner. Indien gewenst kan de 'best in class'-benadering eenvoudig worden gecombineerd met een negatieve 'screen' op een aantal thema's. Met het gevormde beleggingsuniversum kunnen vervolgens de traditionele analisten en fondsbeheerders aan de slag voor de uiteindelijke selectie van aandelen en obligaties.

Naast het feit dat de onderzoekbureaus voor een immense taak staan, komt het probleem dat er nog weinig onafhankelijke en objectieve wereldstandaarden zijn voor duurzaamheid en maatschappelijke verantwoordelijkheid. De SA 8000-norm en de ISO 14001 milieucertificering zijn tot op heden een van de weinigen. Het 'Global Reporting Initiative' (GRI) is een organisatie die daar verandering in gaat brengen en wil komen tot 'algemeen aanvaarde principes inzake duurzaamheidsverslaggeving'. De eerste gevolgen zijn er al: steeds meer ondernemingen publiceren een HSE ('health, safety & environment') rapport volgens de GRI-richtlijnen. Daarnaast oefent de World Business Council for Sustainable Development invloed uit om het begrip duurzaamheid te verankeren in het ondernemingsbeleid van alle grote beursfondsen.

Ad 3   Pro-actief aandeelhouderschap (engagement)

De derde wijze om een maatschappelijk verantwoord beleggingsbeleid te verwezenlijken is de dialoogbenadering tussen de aandeelhouder en de onderneming. Dit betekent niet dat er 'met de voeten' moet worden gestemd. Een constructieve poldermodelbenadering ligt meer voor de hand. De betrokkenheid van de aandeelhouder bij het ondernemingsbeleid is groter geworden. De ondernemingsleiding zal meer openheid naar de stakeholders, niet alleen de aandeelhouders, moeten gaan betrachten. De verwachting dat de dialoogbenadering alleen maar aan belang zal winnen, zeker voor pensioenfondsen, is daarmee heel waarschijnlijk geworden (zie ook hoofdstuk 18).

In het Verenigd Koninkrijk hebben de pensioenfondsen samen een instituut opgericht ('Pensions Investment Research Consultants') dat zich bezig houdt met het uitoefenen van de aandeelhoudersinvloed op het ondernemingsbeleid. In Nederland heeft onder andere de FNV uitgesproken dat ze het wenselijk vindt dat de pensioenfondsen ook hier actiever de dialoog met de ondernemingen opzoeken. Daarnaast is er sinds 1995 de Vereniging van Beleggers voor Duurzame Ontwikkeling (VBDO): een Nederlandse vereniging die aandacht vraagt voor het duurzaamheidvraagstuk en de rapportage daarover. Zowel particulieren als institutionele beleggers zijn lid van de VBDO.

8.3 De drie p's: triple p bottom line investing

Duurzaamheid kan betrekking hebben op duurzaam ondernemen, investeren, beleggen, consumeren, et cetera. De term duurzame ontwikkeling, *sustainable development*, wordt het meest gebezigd (World Commission on Environment and Development, 1987). Maatschappelijk verantwoord beleggen heeft betrekking op een drietal dimensies: een ecologische, een sociale, en een financiële. Deze drie dimensies zijn bekend geworden als de 'triple p bottom line: people, planet en profit'. [2] Deze benadering volgt de opvatting dat maatschappelijk verantwoord beleggen niet een afzonderlijke discipline is, maar een manier van beleggen die niet alleen naar het traditionele winstbegrip kijkt. De eerder genoemde World Business Council for Sustainable Development (WBCSD) is een in 1995 opgerichte coalitie van ondernemingen die de drie p's van duurzame ontwikkeling onderkennen en daarna handelen. De WBCSD beveelt ondernemingen aan om milieuprestatie-indicatoren te identificeren en deze toe te passen bij het uitvoeren van de ondernemingsstrategie. Ook is de WBCSD een project gestart om sociale prestatie-indicatoren te ontwikkelen.

Een duurzame belegger ziet 'profit' of het financiële rendement slechts als een onderdeel van de investeringsselectie. Deze opvatting staat op gespannen voet met de aandeelhouderswaarde opvatting (shareholder value), die een onderneming beschouwt als een project dat kasstromen, en uiteindelijk waarde, moet voortbrengen voor de aandeelhouder. De aandeelhouderswaarde theorie is een parapluconcept: het onderscheidt meer groepen belanghebbenden ('stakeholders') dan louter aandeelhouders, maar veronderstelt tevens dat de aandeelhouderswaarde (de beurswaarde) gemaximaliseerd wordt indien de belangen van de aandeelhouders het best worden gediend (Rappaport, 1998). Hiervoor is wel nodig dat ervan uitgegaan wordt dat alle informatie, over bijvoorbeeld eventuele schadelijke neveneffecten voor het milieu, door 'de markt' wordt verdisconteerd. Een onderneming die schadelijke stoffen uitstoot zou dus, *ceteris paribus*, op de beurs minder waard moeten zijn dan een vergelijkbare onderneming die heeft geïnvesteerd in een milieuvriendelijke productiemethode. Aandeelhouders zouden dan beseffen dat de verontreinigende onderneming in de toekomst geconfronteerd kan worden met schadeclaims. Dit wordt ook wel een *risk avoidance strategy* genoemd.

De aandeelhouderswaarde theorie dicht de aandeelhouder een wel heel grote prijsbepalende rol toe. De prijs van het aandeel zou alle publiekelijk beschikbare informatie moeten weerspiegelen, ongeacht informatie-asymmetrie. Bij deze

benadering zou de markt altijd de juiste waarde weergeven. Bij deze veronderstelling kunnen grote vraagtekens worden gezet. Ten eerste zijn er de speculanten en *day traders* die geen lange termijn horizon hanteren. Speculanten zijn ge-
interesseerd in volatiele koersen: bewegingen naar boven of naar beneden toe,
dat is hen om het even. De voorspelbaarheid van een koers is voor hen belangrijker dan het feit of alle informatie juist is meegewogen bij de bepaling van die
koers. Ten tweede is het voeren van een goed milieubeleid geen garantie voor
meer aandeelhouderswaarde. De World Business Council for Sustainable Development zegt hierover:

> "An environmental strategy, like any other strategy, can therefore be right or
> wrong. 'Right' means that it increases the financial value of a company and at the
> same time decreases its environmental impact. 'Wrong' means that it does not
> contribute to higher financial value." (WBCSD, 1997: 15).

Het blijft bij deze benadering een financieel criterium dat bepaalt of een ecologische of sociale beslissing 'juist' is. Het is dan ook niet opzienbarend dat de aandeelhouderswaarde theorie, in 1982 door Alfred Rappaport geïntroduceerd,
gedurende zijn bestaan de nodige kritiek van de overige stakeholders heeft ontvangen. Toch schrijft Rappaport in de herziene druk van 'Creating Shareholder
Value':

> "The only social responsibility of business is to create shareholder value and to do
> so legally and with integrity. (...) Corporate management has neither the political
> legitimacy nor the expertise to decide what is in the social interest." (Rappaport,
> 1998: 5).

Rappaport is van mening dat de voorstanders van een vergaande 'corporate
social responsibility' kosten op ondernemingen willen afschuiven die daar niet
thuis horen. Het is volgens hem aan de politiek en aan het rechtssysteem om het
kader te bepalen waarbinnen ondernemingen dienen te blijven. In een democratie kan de burger via de stembus bepalen hoe dat kader eruit komt te zien,
aldus Rappaport. De stakeholder-benadering is volgens hem juist een middel
voor het management geworden om de aandacht af te leiden van zaken als:
matige prestaties, niet economische diversificatiebeslissingen en van bijvoorbeeld overinvesteringen. Daarnaast komt hij met het argument dat in feite de
burgers de grootste aandeelhouders zijn middels de pensioenvoorzieningen.[3]
Dus wat goed is voor de aandeelhouder, is ook goed voor de burger. Hiermee
gaat hij er vanuit dat het 'shareholder activism' goed functioneert en dat de aandeelhouder daadwerkelijk invloed kan uitoefenen op het ondernemingsbeleid.
Dat is in de Angelsaksische wereld ongetwijfeld enigszins het geval, in conti-
nentaal Europa moet nog veel gebeuren voordat het zover is.

8.4 Manoeuvreerruimte van een beleggingsfonds

De overheid heeft de taak om wetten en regels op te stellen en om deze te handhaven, maar dit ontslaat een onderneming niet van de plicht bij te dragen aan
het maatschappelijk belang. Een onderneming is immers zelf onderdeel van de
samenleving. Beleggingsfondsen hebben zich aan bepaalde regels te houden,
maar zijn vrij om daar eigen selectiecriteria aan toe te voegen. Beleggingsfondsen
dienen hun beleggingscriteria vooraf duidelijk te maken. Bij bepaalde beleggingsfondsen, zoals pensioenfondsen en beleggingen van verzekeringsmaatschappijen, geldt een eigen toezichtsystematiek ontwikkeld door de Pensioen-
en Verzekeringskamer. Bij de nieuwe actuariële principes staat het dynamische
toezicht middels een nieuwe zogenaamde toereikendheidstoets centraal. De
toets op toereikendheid moet een momentopname zijn van een financierings-
beleid dat is opgezet vanuit een continuïteitsdoelstelling: er moet rekening
gehouden worden met het dynamische karakter van het solvabiliteitsbegrip.

Relevant voor een maatschappelijk verantwoord beleggingsbeleid is het gegeven dat de Pensioen- en Verzekeringskamer bij de nieuwe actuariële principes
het risicoprofiel van de instelling bepalend laat zijn voor de omvang van de technische voorzieningen. Immers, er wordt rekening gehouden met de volatiliteit
van de beleggingen en de opbrengst van de beleggingen boven de marktrente.
De strategische doelstelling van een pensioenfonds is het bieden van een goed
pensioen tegen een zo laag mogelijke premie, gegeven een aanvaardbaar risico-
niveau.[4] Pensioenfonds PGGM formuleert het in zijn statuten als volgt: "Het
fonds heeft ten doel werknemers, gewezen werknemers en hun nagelaten
betrekkingen te beschermen tegen de geldelijke gevolgen van ouderdom, inva-
liditeit en overlijden. Het fonds beoogt niet het maken van winst." (PGGM, 2000)

Een mismatch tussen beleggingen en verplichtingen kan ontstaan in de sfeer van
marktrisico (bijvoorbeeld renterisico en koersrisico) en in de sfeer van krediet-
risico. In geval van een perfecte *matching* is de actuariële voorziening toereikend
om de verplichtingen te kunnen nakomen. De mismatchvoorziening moet rekening houden met de volatiliteit van de beleggingen ten opzichte van de verplichtingen, en met een variabele risicopremie, dat wil zeggen: de meerop-
brengst boven de marktrente. Mismatchrisico's moeten robuust worden
ingeschat.

Begin jaren tachtig van de twintigste eeuw hebben institutionele beleggers,
waaronder pensioenfondsen, een start gemaakt met het bekijken van hun beleggingen in samenhang met de verplichtingen. Dit *asset & liability management*
(ALM) is een beleidsondersteunend instrument, dat samenhang brengt tussen
het pensioen-, premie- en beleggingsbeleid van een pensioenfonds. Centraal
hierbij staat de vraag op welke risico's een pensioenfonds kan en wil sturen om
aan de pensioenfondsverplichtingen te kunnen voldoen bij een zo laag en zo stabiel mogelijke premie, en een aanvaardbaar risico van onderdekking. Met ande-

re woorden: wanneer is de samenhang optimaal en wat is de risicohouding van een pensioenfonds? De randvoorwaarden voor het ALM worden gevormd door het pensioenbeleid, het premiebeleid, het beleggingsbeleid en de sociale, politieke en fiscale ontwikkelingen, zoals een algemene ouderdomsuitkering (AOW). Het ALM-kader bepaalt de ruimte voor het beleggingsbeleid, zo ook voor een duurzaam beleggingsbeleid. Concreet leidt ALM tot een strategische beleggingsmix. Binnen de aangegeven bandbreedtes kan middels tactische *asset*-allocatie (TAA) gemanoeuvreerd worden. Kort samengevat: ALM bepaalt de lange termijn strategische koers, en TAA verwezenlijkt de korte termijn invulling hiervan.

De uiteindelijke beleggingsrendementen worden altijd afgemeten aan een *benchmark*, een referentiepunt. In geval van pensioenfondsen is dat een wettelijke normportefeuille. Daarnaast kunnen de rendementen intern afgemeten worden aan de zelf samengestelde beleggingsmix. Overigens worden ook externe vermogensbeheerders, die een mandaat beheren voor een beleggingsfonds, afgerekend op de prestaties ten opzichte van een bepaalde *benchmark*. Normaal gesproken een landen- of regio-index van het gebied waarin ze actief zijn.

Gaat duurzaam beleggen ten koste van het financiële rendement? Enkele institutionele beleggers zijn er echter van overtuigd dat duurzame ondernemingen op de lange termijn juist een beter rendement zullen behalen dan het markt- of sectorgemiddelde. De minder duurzame ondernemingen zouden op de lange termijn alsnog 'de rekening gepresenteerd krijgen', en daardoor uiteindelijk minder goed renderen. Naast het traject om op termijn een integrale duurzame benadering door te voeren, hebben institutionele beleggers inmiddels duurzame portefeuilles samengesteld naast hun traditionele. Dit hebben ze gedaan om zelf te ondervinden of deze stelling waar is. De stelling dat duurzame fondsen beter zouden renderen kan vanuit twee standpunten worden beargumenteerd:
- De fondsen die vandaag de dag goed uit de testen op duurzaamheid komen, zijn dezelfde fondsen die tot de 'best in class' behoren, en die daardoor sowieso tot de meest aantrekkelijke en best renderende fondsen behoren, dus duurzaamheid en maatschappelijke verantwoordelijkheid volgen uit 'best in class' ('slack resources' theorie: ze hebben de financiële middelen om duurzaam te kunnen zijn).
- Fondsen die tot de 'best in class' behoren, zijn dit geworden doordat ze altijd al veel aandacht hebben besteed aan sociale en ecologische aspecten van het ondernemen, en worden daarvoor door de aandeelhouder beloond, dus 'best in class' volgt uit duurzaamheid en maatschappelijke verantwoordelijkheid.

Bovenstaande is een 'kip-en-het-ei'-situatie. Welke van de twee ook waar moge zijn, het resultaat blijft hetzelfde: duurzaamheid en maatschappelijke verantwoordelijkheid enerzijds, en 'best in class' anderzijds, gaan vaak samen.

Bij de veronderstelling dat een portefeuille samengesteld aan de hand van maatschappelijk verantwoorde beleggingscriteria een gelijke verdeling naar de verschillende sectoren kent als een traditionele portefeuille, is er ook geen reden om aan te nemen dat de volatiliteit van de portefeuille zal afwijken van een traditionele portefeuille. Als zou blijken dat een maatschappelijk verantwoord belegde portefeuille een overweging (ook wel *tilt* genoemd) zou krijgen in bijvoorbeeld de technologiesector, en een onderweging in traditioneel vervuilende sectoren als de chemie- en kapitaalgoederensector, dan zou de volatiliteit wel hoger kunnen worden. Dit heeft als gevolg dat de aan te houden weerstandsvoorzieningen groter moeten worden. Het is nu aan het beleggingsfonds om te bepalen of zo'n *tilt* naar een bepaalde sector wel wenselijk is, en of de voorzieningen groot genoeg zijn. Overigens zal een institutionele belegger een te grote afwijking van de *benchmark*, een gekozen index, nimmer wenselijk achten. Dit verhoogt immers het marktrisico, omdat de *benchmark* de maatstaf is waarop de prestaties worden afgerekend.

8.5 De meningen van de FNV, het CNV en Amnesty International

Aan het debat over de verruiming van de selectiecriteria voor institutionele beleggers, met name pensioenfondsen, doen enige opvallende stakeholders mee. In deze paragraaf worden de standpunten van twee vakcentrales en die van Amnesty International toegelicht.

Volgens de FNV is de primaire doelstelling van het beleggingsbeleid van een pensioenverzekeraar erop gericht, te komen tot een optimale mix van een zo hoog mogelijk rendement, bij een zo laag mogelijk risico. De aandacht voor het beleggingsbeleid is de laatste jaren sterk toegenomen. Hieraan liggen volgens de FNV vier ontwikkelingen ten grondslag:
- Het belang van het aanvullende pensioen nam toe.
- Het beleggingsbeleid veranderde sterk: van Nederlandse vastrentende waarden naar beleggingen in internationale aandelen.
- De beleggingsresultaten zijn al twee decennia uitermate gunstig. Dit roept de vraag op wie gerechtigd zijn en wie kan beschikken over het pensioenvermogen.
- Pensioenfondsen worden sterker dan in het verleden afgerekend op de behaalde resultaten. De marktwerking gaat een steeds grotere rol spelen.

Met het uitbrengen van de nota 'Van Pensioen Verzekerd' (1996) heeft de FNV tevens voor een maatschappelijk verantwoord beleggingsbeleid gekozen. Dit houdt volgens de FNV in, dat pensioenfondsen en -verzekeraars moeten gaan voldoen aan (nog) te stellen sociale en milieucriteria. De FNV heeft het maatschappelijk verantwoord beleggingsbeleid onderverdeeld in een drietal beleidssporen. Deze beleidssporen komen in principe overeen met de drie vormen van maatschappelijk verantwoord beleggen zoals hierboven vermeld.

De minimumbenadering. De FNV vindt dat er sociale minimumvoorwaarden en milieurandvoorwaarden aan het beleggingsbeleid moeten worden gesteld. Zo wil de FNV niet dat er belegd wordt in landen waar mensenrechten- en/of vakbondsrechten worden geschonden. De FNV wil dat er 'core labour standards' worden nageleefd. Hierbij denkt de FNV in eerste instantie aan de Universele Verklaring van de Rechten van de Mens, de Internationale Conventie inzake Economische, Sociale en Culturele Rechten, de Internationale Conventie op het Verbod van alle Vormen van Raciale Discriminatie, en de Conventie op het Verbod van alle Vormen van Vrouwendiscriminatie. In de tweede plaats wijst de FNV op de ILO-standaarden zoals de conventies 87 en 98 (vrijheid tot vereniging in vakbonden, recht op collectieve onderhandeling, contractsvrijheid), 29 en 105 (verbod op dwangarbeid), 100 en 111 (verbod op discriminatie in beroep en bedrijfsuitoefening, recht op gelijke betaling voor gelijk werk), en 138 en 182 (verbod op kinderarbeid, recht op gezonde en veilige arbeidsomstandigheden). De FNV wil dat de minimum beleggingsrandvoorwaarden worden vastgelegd in beleggingscodes. De FNV wil dat alle bedrijfspensioenfondsen in 2004 een beleggingscode hebben ontwikkeld. Om dit te bereiken wil de FNV bevorderen dat de Stichting van de Arbeid komt met aanbevelingen.

De positieve benadering. Beleggen in ondernemingen die juist goed scoren wat betreft sociaal- en milieubeleid. De FNV is op zoek naar win-win-situaties: een hoog rendement en een goed sociaal- en milieubeleid. De FNV deelt de overtuiging dat een goed sociaal- en milieubeleid tot uitdrukking komt in een goed rendement. Expliciet meldt de FNV nog dat het volgens hen niet de bedoeling is om relatief milieuonvriendelijke sectoren uit te sluiten, maar dat er gekozen moet worden voor de 'best in class'. De FNV wil er niet voor kiezen om via de positieve beleggingsbeleidbenadering invloed uit te oefenen op het reguliere arbeidsvoorwaardenoverleg in ondernemingen. Rond 2008 zou vijftig procent van het pensioenvermogen moeten zijn geselecteerd volgens deze positieve benadering.

De dialoogbenadering. Er moet een actieve dialoog met de ondernemingen gevoerd worden om zo kritisch het beleid te volgen en op verbeteringen aan te sturen. De FNV denkt dat middels de dialoog op de lange termijn betere resultaten kunnen worden behaald dan via een beleid dat alleen bestaat uit het aan- en verkopen van aandelen en obligaties.

Ook het CNV wil komen tot een duurzaam en rechtvaardig beleggingsbeleid. Ook hier blijft bij de uitvoering van het beleggingsbeleid een optimaal rendement centraal staan, maar dat rendement mag niet ten koste van alles worden behaald. De beleggingscode van het CNV stelt daarom een aantal randvoorwaarden waaraan moet worden voldaan. Hierbij staan de werknemer, het milieu en duurzaamheid centraal. De beleggingscode van het CNV kent een driedeling:

- Negatieve of absolute criteria. Landen, ondernemingen en sectoren die rechtstreeks betrokken zijn bij stelselmatige schendingen van de mensenrechten of inbreuk maken op fundamentele ILO-normen, moeten worden uitgesloten.
- Minimale criteria op de naleving: zorg voor veilige en gezonde arbeidsomstandigheden, redelijke beloning, deugdelijke ziektekosten- en arbeidsongeschiktheidsvoorziening, actief beleid tegen geweld, intimidatie en/of discriminatie op de werkvloer alsmede een actief milieubeleid.
- Actieve opstelling en af te leggen verantwoording: het CNV vindt dat van pensioenfondsen een actieve rol mag worden verwacht in het streven naar een rechtvaardige en duurzame samenleving. Omdat zij hierover verantwoording dienen af te leggen, is een actieve opstelling van de pensioenfondsen op aandeelhoudersvergaderingen noodzakelijk, aldus het CNV. Expliciet meldt de beleggingscode van het CNV dat een deel van de beleggingsportefeuille gericht moet zijn op activiteiten die op een vernieuwende manier bijdragen aan een rechtvaardige en duurzame samenleving.

De UK Business Group van Amnesty International heeft, met het oog op de sinds 2000 in het Verenigd Koninkrijk van kracht zijnde wet, richtlijnen opgesteld voor de beheerders van pensioenvoorzieningen. Zij moeten in de Statement of Investment Principles openheid geven over "the extent to which, if at all, social, environmental or ethical considerations are taken into account in the selection, retention and realisation of investments." Amnesty stelt dat "companies have a direct responsibility for the impact or their activities on their employees, on consumers of their products and on the communities within they operate." Wat betreft beleggingen vindt Amnesty het om ten minste twee redenen verstandig dat pensioenfondsen een maatschappelijk verantwoord beleggingsbeleid voeren:

- Amnesty is van mening dat ondernemingen die mensenrechten en andere sociale criteria serieus nemen, op de lange termijn beter zullen renderen omdat zij op deze manier aan minder risico's worden blootgesteld.
- Het onvoldoende of niet nemen van sociale verantwoordelijkheid wordt in de publieke opinie afgestraft. Dit kan leiden tot een conflictsituatie met consumenten, burgerlijke belangengroepen en NGO's.

Amnesty onderkent het probleem dat pensioenfondsen geen concessies kunnen doen aan het financiële rendement dat behaald moet worden. Toch denkt Amnesty International dat een maatschappelijk verantwoord beleggingsbeleid, dat rekening houdt met mensenrechten, prima samen kan gaan met de financiële verantwoordelijkheid.

Amnesty maakt een onderscheid tussen de beschikbare premie of 'defined contribution'-regelingen (DC) en de 'defined benefit'-regelingen (DB). De onzekerheden van een DC-regeling liggen bij de deelnemer, en bij de DB-regeling bij het pensioenfonds. Bij de DC-regeling is er voor de deelnemer sprake van een 'eigen' pot met geld. Bij DB-regelingen is er één grote gemeenschappelijke pot met geld. Het onderscheid tussen de twee regelingen acht Amnesty belangrijk omdat de DC-regeling veel meer ruimte laat voor individuele wensen van een deelnemer aan een pensioenregeling. Bij de DB-regeling is er sprake van een grotere solidariteit, maar in dit geval ook van beperktere mogelijkheden. De individuele deelnemer heeft geen keuze in het al dan niet maatschappelijk verantwoord beleggen van zijn geld.

Amnesty is van mening dat bij beide pensioenstelsels ruimte moet zijn voor 'Additional Voluntary Contributions'. Een maatschappelijk verantwoord beleggingsfonds zou dan een optie kunnen zijn binnen deze aanvullende pensioenaanspraken. Voor het 'gewone' aanvullende pensioen (aanvulling bovenop AOW tot bijvoorbeeld zeventig procent van het laatst verdiende loon) ziet Amnesty de volgende mogelijkheden:
- *Engagement*, dit is de inmiddels bekende dialoogbenadering.
- *Enlightened fund management*, dit is de positieve- of 'best-in-class' benadering.
- *Ethical screening*, dit is het negatief 'screenen' oftewel het uitsluiten.

Amnesty denkt dat met name het 'screenen' op basis van uitsluitingscriteria voor de DB-regelingen problematisch kan zijn. Bij deze collectieve regelingen mag het maatschappelijk verantwoord beleggen immers geen rendement kosten

8.6   Is er een maatschappelijk verantwoord beleggingseffect?

Veel beleggers dachten tien jaar geleden nog dat ethiek en geld verdienen moeilijk verenigbaar waren. In Nederland waren de ASN Bank en de Triodos Bank de enige die vonden, en nog steeds vinden, dat een bank wel degelijk een actieve rol moet spelen bij de ontwikkeling naar een meer duurzame samenleving. De heersende of neoklassieke leer was dat ethisch beleggen ten koste zou gaan van het rendement.

Anno 2003 tonen bijna alle onderzoeken op het gebied van maatschappelijk verantwoord beleggen aan dat er geen significante verschillen zijn waar te nemen tussen het rendement van traditioneel beleggen en maatschappelijk verantwoord beleggen. De voorstanders van een maatschappelijk verantwoord beleggingsbeleid geloven dat op de lange termijn de duurzame portefeuilles beter zullen renderen.

In 1972 noemde Milton Moskowitz voor het eerst een zogenaamd SRI- of MVB-effect: het feit dat een aandelenportefeuille die is samengesteld na een 'social screen' de gewone index van aandelen verslaat. Degenen die geloven in een MVB- effect gaan uit van de veronderstelling dat ondernemingen die bovengemiddeld goed scoren op het sociale vlak, of die veel doen aan het terugdringen van milieuvervuiling, die innovatief zijn en oplossingen bedenken, kortom ondernemingen die blijk geven van een goed *corporate citizenship*, uiteindelijk een beter rendement zullen behalen dan ondernemingen die hier minder aandacht voor hebben.

De kern van het MVB-effect wordt gevormd door het feit dat de maatschappelijk verantwoorde belegger zijn aan- en verkoopbeslissingen baseert op meer dan alleen financiële informatie en daardoor beter is geïnformeerd over een onderneming. Het MVB-effect is hiermee een informatie-effect. Deze 'extra' informatie zou volgens de aanhangers van maatschappelijk verantwoord beleggen door de markt (positief) gewaardeerd worden. Vervolgens kan de vraag worden gesteld of dit informatie-effect groot genoeg is om de diversificatie-effecten te compenseren.

Moskowitz is de geestelijk vader van het 'capital asset pricing'-model (CAPM). De CAPM theorie zegt dat er in een efficiënte markt sprake is van een grenslijn die voor ieder gewenste onzekerheid het maximale rendement aangeeft. Bij een gegeven onzekerheid (marktrisico en *default*risico) is geen hoger rendement te behalen dan de grenslijn aangeeft. Zou deze mogelijkheid wel (kortstondig) bestaan, dan zou hierop onmiddellijk gearbitreerd worden. Het feit dat sommige MVB-studies komen tot het resultaat van een 'outperformance', zou volgens Markowitz dan ook niet mogelijk zijn. Immers, andere beleggers zouden de hogere rendementen ook opmerken, en dan zou ook hier op het verschil worden gearbitreerd.

Toch zijn er enkele onderzoeken die wel hebben aangetoond dat er sprake kan zijn van een MVB-effect. De aandelenmarkten werken blijkbaar niet zo efficiënt als Moskowitz verondersteld. Er is een aantal zaken waar rekening mee gehouden moet worden. Een 'screening' kan leiden tot het uitsluiten van ondernemingen waardoor het universum van beschikbare aandelen kleiner wordt. *Ceteris paribus*: hoe minder spreiding, des te hoger de onzekerheid, in dit geval het marktrisico. Dit geldt alleen als de correlatie tussen maatschappelijk verantwoorde fondsen en overige fondsen gelijk is aan de correlatie tussen de overige fondsen onderling. Hickman e.a. (1999) tonen (voorzichtig) aan dat dit voor maatschappelijk verantwoorde beleggingsfondsen niet het geval hoeft te zijn.

Naast een verkleining van een beleggingsuniversum kan er ook een verschuiving optreden. Er is dan sprake van een 'stijleffect'. Dat wil zeggen dat 'screening' kan leiden tot een verschuiving, ten opzichte van de markt/index, naar bepaalde sectoren en/of typen aandelen. Zo zijn de technologie-aandelen in de Clean & Green Domini 400 Social Index (DSI) oververtegenwoordigd ten opzichte van de S&P 500, waarvan de DSI is afgeleid. De traditioneel vervuilende sectoren als de olie- en staalindustrie zijn daarentegen minder vertegenwoordigd. Het is moeilijk om een zuivere correctie toe te passen, omdat het onderscheid tussen technologie-aandelen en olie-aandelen niet alleen samen valt met vervuilend en niet-vervuilend, maar ook (in dit geval) met het onderscheid tussen zogenaamde groei- en waarde-aandelen. Het verschil kan dus ook worden verklaard door een stijlverschil. Het MVB-effect is hierdoor moeilijk te isoleren. Dit kan alleen onderzocht worden door per sector te kijken naar de verschillen en overeenkomsten tussen een gescreende en niet-gescreende sector.

Daarnaast blijkt dat een MVB-effect eerder in bepaalde sectoren optreedt. Volgens onderzoekers van de Zwitserse bank Sarasin zijn dit de sectoren die erg gevoelig zijn voor de publieke opinie: de chemie-, olie- en farmaciesector, maar ook bijvoorbeeld een *military screen* zou leiden tot een MVB-effect (Butz en Plattner, 1999; Diltz, 1995). Hetzelfde argument kan worden aangevoerd bij de vele onderzoeken die zijn gedaan tijdens het Apartheidsregime in Zuid-Afrika dat in 1990 uiteen begon te vallen.[5] Ook hier zou de publieke afkeer de reden zijn van lagere rendementen voor bedrijven die in Zuid-Afrika actief waren.

Mocht er een MVB-effect bestaan, dan is het wel zo dat de mate van *outperformance* kleiner wordt naarmate steeds meer vermogen volgens MVB-criteria wordt belegd. Daarnaast is het zo dat zaken als goede sociale omstandigheden en aandacht voor milieuproblemen allang niet meer exclusief zijn voorbehouden aan de ethische koplopers onder de bedrijven. Bepaalde MVB-issues zullen steeds meer algemeen gangbaar worden, en dus zal het verschil met conventioneel beleggen steeds kleiner worden. Slechts enkele topics als tabak, alcohol, gokken, wapens en kernenergie zullen onderwerp van discussie blijven. Onderzoek laat zien dat een MVB-screen niet willekeurig of 'at random' is. Dat geldt voor uitsluiting van een sector (tabak, wapens, kansspelen) per definitie, maar het gaat ook op voor overige uitsluitingen. Zo worden ondernemingen met een grote marktkapitalisatie (olieconcerns, farmacie, industriële concerns) onevenredig vaak uitgesloten, en blijkt een duurzame portefeuille of index niet zelden een overweging te hebben in groeiaandelen.

Guerard en Hickman e.a. vullen bovenstaande aan met de opmerking dat als de screen niet willekeurig is, het ook wel eens zo zou kunnen zijn dat uitsluiting van fondsen niet per definitie leidt tot minder diversificatie in de portefeuille (tot op zekere hoogte). Hickman e.a. laten zien dat de correlaties van duurzame beleggingsfondsen met traditionele beleggingsfondsen inderdaad lager lijken te zijn. Deze resultaten zijn gestoeld op de hypothese dat duurzame beleggers minder geneigd zouden zijn om 'de markt' te volgen.

Lloyd Kurtz brengt een ander belangrijk inzicht aan het licht: als een MVB-effect bestaat, dan is dat een informatie-effect (Kurtz, 1997). Dit informatie-effect is in de praktijk misschien wel zo moeilijk waar te nemen omdat het deels teniet kan worden gedaan door diversificatie-effecten. Kurtz stelt dan ook dat als er een MVB-effect optreedt, dit nog niet hoeft te betekenen dat dit ook in een netto effect resulteert.

Diltz heeft de uitwerking van de verschillende 'screens' op de financiële *performance* onder de loep genomen. Hieruit komt naar voren dat er enkele 'screens' zijn die geld opleveren, en soms ook enkele die rendement kosten. Voor de meeste issues geld dat de gevonden verschillen niet significant zijn. Blijkbaar kent de markt (nog) geen economische prijs toe aan MVB-topics. Dit laatste komt ook overeen met de bevindingen van Statman e.a. (2000) en Reyes en Grieb (1998). Zij hebben de *risk adjusted performance* van maatschappelijk verantwoorde beleggingsfondsen met conventionele beleggingsfondsen vergeleken, evenals duurzame en niet-duurzame indices. Er worden geen significante verschillen gevonden. Reyes en Grieb komen wel tot de bevinding dat de beweging van maatschappelijk verantwoorde beleggingsfondsen significant anders is dan die van de reguliere beleggingsfondsen. Dit laatste vormt een bewijs voor de geldigheid van de marktsegmentatietheorie.

8.7 De opvattingen van de institutionele beleggers over MVB

Hoe staan de pensioenfondsen en -verzekeraars tegenover maatschappelijk verantwoord beleggen? Deze vraag stond centraal in een enquête die onder Nederlandse institutionele beleggers is gehouden.[6] Het totaal belegd vermogen van de respondenten bedroeg 490 miljard euro. De 29 bedrijfspensioenfondsen die hebben meegewerkt zijn goed voor het grootste deel van het belegd vermogen, namelijk 264 miljard euro, gevolgd door zes verzekeringsmaatschappijen die samen goed zijn voor 185 miljard euro. Hieruit kan geconcludeerd worden dat slechts de kleinere ondernemingspensioenfondsen niet hebben meegewerkt.

Van de 29 bedrijfspensioenfondsen verkeren er momenteel 22 in de onderzoeken studiefase, twee in de uitvoerende fase, en één bedrijfspensioenfonds zegt al maatschappelijk verantwoord te beleggen. De overige vier bedrijfspensioenfondsen zeggen dat maatschappelijk verantwoord beleggen binnenkort op de agenda komt. Bij de ondernemingspensioenfondsen is het beeld iets anders. Dertien van de 37 respondenten zeggen dat er voorlopig geen interesse voor duurzaam beleggen bestaat. Twaalf zijn het momenteel aan het bestuderen, twee zeggen al duurzaam te beleggen. De verdeeldheid onder de ondernemingspensioenfondsen is blijkbaar groter dan onder de bedrijfspensioenfondsen.

Op de vraag bij wie de verantwoordelijkheid voor een maatschappelijk verantwoord beleggingsbeleid ligt, zegt 71% dat duurzaam beleggen een verantwoordelijkheid is van de institutionele belegger zelf. Het merendeel vindt wel dat die verantwoordelijkheid wordt gedeeld met de betrokken ondernemingen en met 'de politiek'. De ondernemingspensioenfondsen houden er een andere opvatting op na: 33% van hen vindt dat zij geen verantwoordelijkheid dragen voor een duurzaam beleggingsbeleid.

Van de respondenten heeft 43% nog geen concrete plannen over hoe ze maatschappelijk verantwoord kunnen of moeten beleggen. De meeste zeggen een voorkeur te hebben voor òf de 'best in class'-benadering, òf een combinatie van negatief en positief screenen. Verreweg het grootste deel van de pensioenfondsen vindt dat duurzaam beleggen niet ten koste mag gaan van het rendement. Slechts vier bedrijfspensioenfondsen vinden dat dit wel het geval mag zijn, mits het niet de financiële buffers van het fonds in gevaar brengt.

Hoe een duurzaam beleggingsbeleid eruit moet komen te zien is niet eenduidig te zeggen. Eén groep vindt dat aandelen en obligaties van ondernemingen die niet voldoen aan de duurzaamheidcriteria verwijderd c.q. niet meer gekocht moeten worden. Dit is een eenmalige actie. Een andere groep vindt dat de duurzame beleggingen gescheiden moeten worden van de conventionele portefeuilles. Het maatschappelijk verantwoord beleggen wordt bij deze laatste groep dus niet integraal doorgevoerd.

Voor wat betreft de problematiek rondom het *benchmarking* kan gezegd worden dat de meerderheid van de institutionele beleggers een duurzame *benchmark* wil toevoegen naast de reeds gebruikte *benchmark*. Een kwart wil geen nieuwe *benchmark* invoeren. De pensioenfondsen hechten veel waarde aan de onafhankelijkheid van de bureaus, dat wil zeggen dat ze geen relatie hebben met een financiële instelling, en liefst ook niet met NGO's. Vooral dit laatste is opmerkelijk, omdat de meeste researchinstituten voor een groot deel afhankelijk zijn van informatie afkomstig van NGO's. Het merendeel van de bedrijfspensioenfondsen vindt het noodzakelijk dat ze zelf kennis over het concept, de criteria, de ondernemingen en de samenstelling van het universum in huis halen. Zij vinden het daarvoor noodzakelijk dat de kwalitatieve research deels door hen zelf wordt gedaan. Het vermogensbeheer houden de meeste bedrijfspensioenfondsen zelf in de hand. Van de ondernemingspensioenfondsen zegt de helft dat het vermogensbeheer al volledig is uitbesteed aan externe vermogensbeheerders.

Zoals reeds gezegd staat het maatschappelijk verantwoord beleggen bij bijna alle pensioenfondsen en verzekeringsmaatschappijen op de agenda, of komt het binnenkort op de agenda. Slechts onder de ondernemingspensioenfondsen is een aantal tegenstanders te vinden.[7] Het merendeel van de fondsen vindt het dan ook wenselijk dat maatschappelijk verantwoord beleggen in een strategisch beleidsplan van het fonds wordt opgenomen. Vrijwel unaniem zijn de fondsen tegen een verplichting zoals in het Verenigd Koninkrijk het geval is.

8.8   Evaluatie

Er zijn weinig punten waarop een maatschappelijk verantwoord beleggingsbeleid significant afwijkt van conventionele beleggingen. Zolang de volatiliteit en het rendement van de beleggingen niet afwijken van traditioneel beleggen is er geen reden om niet duurzaam te beleggen, en heeft het ook geen gevolgen voor de omvang van de reserves van pensioenfondsen.

Voor sommige deelterreinen zijn er aanwijzigen dat een duurzaam beleggingbeleid het zelfs beter kan doen dan een beleggingsbeleid dat uitsluitend door financiële criteria wordt bepaald. Zo zijn er aanwijzingen dat bij het uitsluiten van fondsen de diversificatie-effecten niet perse hoeven te leiden tot een verslechtering van de verhouding tussen risico en rendement. Er kunnen ook andere dan diversificatie-effecten optreden, om precies te zijn een specifiek informatie-effect: het MVB-effect. Hiermee verbonden is de relatie tussen de *corporate social performance* en de financiële prestaties van ondernemingen. Deze relatie blijkt in beide richtingen te werken. Deze relatie gecombineerd met een MVB-'screen' kan ertoe leiden dat het informatie-effect van duurzaam beleggen het diversificatie-effect tenietdoet of zelfs meer dan volledig compenseert.

Empirisch onderzoek is in de meeste gevallen niet in staat om significante verschillen aan te tonen tussen maatschappelijk verantwoord beleggen en conventioneel beleggen. Bezien vanuit het theoretische uitgangspunt is dit ook niet verwonderlijk: duurzaam beleggen is beleggen op basis van financiële, sociale en ecologische informatie. Beleggingsbeslissingen op basis van relevante en objectieve maatstaven met betrekking tot deze drie aandachtsvelden kunnen moeilijk leiden tot 'slechtere' beslissingen. Wel is het waarschijnlijk dat een extra beloning in de meeste gevallen achterwege blijft omdat 'de markt' de niet-financiële informatie niet, of niet juist, weet te waarderen. Volgens enkele onderzoeken blijkt er slechts bij enkele MVB-issues, die veel aandacht (in de media) hebben, zoals betrokkenheid bij kernenergie, wapenproductie, en milieudelicten, een positieve causale relatie te bestaan tussen de score van de betrokken ondernemingen op de 'screen' en de financiële *performance*.
Uit de enquête die gehouden is onder een substantieel deel van de pensioenfondsen en -verzekeraars in Nederland, blijkt dat vrijwel alle grote fondsen een start hebben gemaakt, of gaan maken, met maatschappelijk verantwoord beleggen. Het merendeel vindt ook dat duurzaam beleggen tot een van de verantwoordelijkheden van een pensioenfonds hoort. Het concept leent zich uitermate om aan pensioendeelnemers aan te bieden. Zeker voor wat betreft de aanvullende pensioenlaag en/of voor beschikbare premieregelingen. Bij deze vormen kiest de deelnemer zelf voor een duurzame aanpak en wordt er hem niets opgedrongen. Belangrijker nog is het feit dat door deze invoering de verantwoordelijkheid grotendeels bij de deelnemer blijft, terwijl de vermogensbeheerder van de pensioenvoorzieningen de benodigde ervaring op kan doen, en vooral zelf kan ondervinden of er gevolgen zijn voor risico en rendement. Dit gaat uiteraard ook op voor banken en verzekeraars die MVB-producten aanbieden.

Bij een integrale benadering van maatschappelijk verantwoord beleggen, en voor de *defined benefit*-regelingen, is meer voorzichtigheid geboden. De consequenties voor de beleggingsopbrengsten zullen bij een verstandige aanpak nihil zijn. Let wel: verstandig betekent in deze context zeker niet altijd het toepassen van een uitsluitingstrategie (*exit*-strategie). Uitsluiting is een laatste redmiddel voor situaties waarin geen uitzicht is op een verbetering. Een 'best in class'-benadering en de toepassing van een engagementstrategie zijn te prefereren. Niet alleen vanuit het standpunt van de vermogensbeheerder maar ook voor eenieder die graag ziet dat er daadwerkelijk verbeteringen tot stand komen wat betreft duurzaam ondernemen. Ook de ondernemers zelf hebben baat bij deze constructieve bemoeienis van de aandeelhouder. Overigens is dit een niet meer te stoppen proces: niet alleen de aandeelhouders krijgen meer invloed, ook talloze NGO's en consumenten verwerven meer inspraak.

Als het zo is dat maatschappelijk verantwoord beleggen steeds meer gangbaar wordt, mede geholpen door steeds meer eisende (milieu- en sociale) wetgeving en toenemende invloed van allerhande stakeholders, dan geldt automatisch dat de beperkte verschillen die er nu nog bestaan tussen het traditioneel beleggen en duurzaam beleggen, steeds kleiner zullen worden en uiteindelijk verdwijnen. Immers, datgene wat nu duurzaam- of maatschappelijk verantwoord beleggen heet, zal de 'normaalste zaak' van de wereld worden. Dit zal vooral voor de 'best in class'-benadering en de engagementstrategie het geval zijn. Voor wat betreft uitsluitingen zullen er altijd controversiële kwesties blijven bestaan.

Noten

1   Social Accountability 8000: deze norm van de Council on Economic Priorities heeft betrekking op de arbeidsomstandigheden (onder andere ILO conventies) op een bepaalde locatie van een onderneming.
2   Er kan ook over een 'triple e' benadering gesproken worden: 'ethics, environment en economics'.
3   In de VS grotendeels via de fiscaal gefaciliteerde 'individual retirement accounts' als de 401k.
4   De Amerikaanse Employee Retirement Income Security Act (ERISA) zegt dat een pensioenfonds moet worden bestuurd "with the care, skill, prudence, and dilligence under the circumstances then prevailing that a prudent man acting in like capacity and familiar with such matters would use."
5   Zie bijvoorbeeld Freeman en Winchester (1994) en Teoh e.a. (1999).
6   Dit onderzoek is gehouden in april 2001 onder 6000 relaties van ING Bank Nederland, 1259 enquêtes werden geretourneerd. Het onderzoek werd uitgevoerd door Capital Management Consultants in 2001.
7   Wellicht is deze groep nog iets groter onder de ondernemingspensioenfondsen die niet geantwoord hebben.

Literatuur

Butz, C., en Plattner, A. (1999). *Socially Responsible Investment: A statistical analysis of returns.* Basel: Bank Sarasin & Co.

Diltz, J.D., (1995). 'Does Social Screening Affect Portfolio Performance?' *Journal of Investing,* lente: 64-69.

FNV (2000). *Goed Belegd.* Amsterdam: Stichting FNV Pers.

Freeman, J.D., en Winchester, J. (1994). 'How to do the right thing: lessons in pension fund management and socially responsible investing.' *Journal of Investing,* winter: 39- 45.

Hickman, K.A., Teets, W.R., en Kohls, J.J. (1999). 'Social investing and modern portfolio theory.' *American Business Review,* januari: 72-78.

Kurtz, L. (1997). 'No effect, or no net effect? Studies on socially responsible investing.' *Journal of Investing,* winter: 37-49.

Moskowitz, M. (1972) 'Choosing socially responsible stocks.' *Business and Society Review,* Lente.

Rappaport, A. (1998). *Creating Shareholder Value.* New York: The Free Press.

Reyes, M.G., Grieb, T. (1998) 'The external performance of socially responsible mutual funds.' *American Business Review,* januari: 1-7.

PGGM (2000). *Pensioenreglement & Statuten 2000.* Zeist: Stichting PGGM.

Sociaal-Economische Raad (2000). *De Winst van Waarde.* 's-Gravenhage: SER.

Statman, M. (2000). 'Socially responsible mutual funds.' *Financial Analysts Journal,* mei/juni: 30-39.

Teoh, S.H., Welch, I., en Wazzan, C.P. (1999). 'The effect of socially activist investment policies on the financial markets: evidence from the South African Boycott.' *Journal of Business,* 72, 1: 38-52.

World Business Council for Sustainable Development (1997). *Environmental Performance and Shareholder Value.* Geneve: WBCSD.

World Commission on Environment and Development (1987). *Our Common Future.* Oxford: Oxford University Press.

9
Het complex van stakeholders: over kwaliteit en corporate ownership

Door Teun Hardjono

Vanuit welbegrepen eigenbelang en vaktrots leveren organisaties graag kwaliteit. Welbegrepen eigenbelang omdat ze ervan uit gaan dat het leveren van kwaliteit tevreden klanten betekent, die terug komen en positieve mond-tot-mond-reclame verspreiden. En als professional of vakman kwaliteit leveren, levert zelfrespect en aanzien op. Bij de klant maar zeker ook bij de collega's. Alleen: wat is kwaliteit en hoe is dat vast te stellen? Kwaliteitsmanagement richt zich nadrukkelijk op de kwaliteit van de organisatie en dus op de kwaliteit van de onderneming. De prestatie naar zowel interne als externe partijen is daarbij de leidraad. In de Europese ofwel Rijnlandse benadering geldt dat daarbij een evenwicht moet worden gevonden tussen de belangen van alle *stake*holders. In de Amerikaanse ofwel Angelsaksische benadering geldt dat prestaties moeten bijdragen aan een betere performance voor de *share*holders. De Japanse benadering is meer naar binnen gericht zodat kwaliteitsmanagement zich meer richt op een beter product en op een grotere efficiency. In de Amerikaanse, maar vooral in de Europese benadering is de prestatie naar de maatschappij al sinds het eind van de jaren tachtig expliciet als aandachtspunt aanwezig en daarmee een opmaat naar wat tegenwoordig maatschappelijk verantwoord ondernemen wordt genoemd. Impliciet gaat de Europese benadering ervan uit dat de organisatie streeft naar continuïteit, wat vandaag de dag uitgedrukt wordt met de term 'corporate sustainability'. Het streven naar 'sustainability' in zijn algemeenheid is daarvan de logische consequentie. Kwaliteitsmanagement bemoeit zich niet alleen nadrukkelijk met deze discussies, maar meent ook dat de in de verleden ontwikkelde kennis een bijdrage kan leveren bij het vinden van methoden om handen en voeten te geven aan het begrip 'sustainability'.

9.1 Kwaliteit

Volgens het Woordenboek VanDale is kwaliteit de hoedanigheid van een entiteit. Uit deze definitie blijkt dat er niet veel over kwaliteit te zeggen valt als niet duidelijk is wat de entiteit, het object is. Toch blijft dat vaak onduidelijk, hetgeen tot de nodige spraakverwarring leidt. In eerste instantie zal er aan een goed of dienst worden gedacht, maar in de loop van de tijd is de belangstelling verschoven. Kwaliteitsmanagement als discipline is zich in de jaren vijftig van de vorige eeuw vooral gaan richten op de hoedanigheid, de kwaliteit dus, van de voortbrengingsprocessen. Later is daar de organisatie als (gesloten) systeem voor in de plaats gekomen, logischerwijs gevolgd door de zienswijze van een organisatie als een open systeem, als een deel van een keten. In de periode dat de belangstelling verschoof naar de organisatie als systeem zijn begrippen als Total Quality Management en Integrale Kwaliteitszorg ontstaan. Hiermee wordt uitgedrukt dat het gaat om alle onderdelen van een organisatie en hun onderlinge samenhang, zijnde de randvoorwaarden om tot de gewenste output te komen. Aanvankelijk had men daarbij de geproduceerde goederen en diensten voor ogen, maar met de organisatie als object van aandacht veranderde ook dat. In de Angelsaksische traditie werd dat al snel het financiële eindresultaat, de shareholdersvalue-gedachte. Het Amerikaanse Baldrige Criteria for Performance Excellence Framework (zie figuur 9.1), behorend bij de Malcolm Baldrige National Quality Award (1987), laat dit duidelijk zien. Dit model is verankerd in een wet (Reagan 1987), hetgeen betekent dat de werking ervan onder het toezicht staat van de Federal Account Office, de Amerikaanse rekenkamer.

Figuur 9.1   Het Baldrige Criteria for Performance Excellence Framework

Het model wordt niet alleen gebruikt voor de selectie van kwaliteitsprijswinnaars, maar ook als bedrijfsvoeringmodel door organisaties die de kwaliteit van hun organisatie willen verbeteren. De Europese tegenhanger van dit model is het European Business Excellence Model (zie figuur 9.2), beter bekend als het EFQM model.

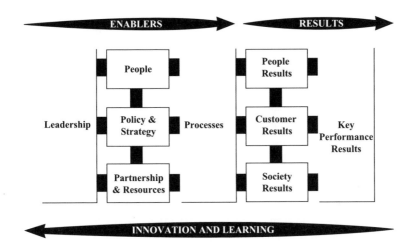

Figuur 9.2 Het European Business Excellence Model

Dit model is vernoemt naar de initiatiefnemer ervan, de European Foundation for Quality Management (opgericht in juli 1989 op initiatief van veertien presidenten van Europese multinationals). Het model neemt als output van de organisatie het effect dat ze heeft op een complex van stakeholders:

- De klant en leverancier.
- De medewerkers.
- De maatschappij.
- De financiële belanghebbenden en het management (versleuteld in het aandachtsgebied 'business results').

In het EFQM-model weerspiegelt zich de 'de Rijnlandse benadering'. Dit wordt nog eens versterkt door het feit dat in het EFQM-model nadrukkelijk medewerkers *niet* onder het aandachtsgebied 'resources' vallen maar als een apart aandachtsgebied worden genoemd. Tot het Rijnlandse denken behoort ook de opvatting dat de organisatie wordt gevormd door mensen die behalve stakeholder ook *leden* van de organisatie zijn. Dat betekent dat het toetreden tot de organisatie zorgvuldig moet plaatsvinden en dat er vervolgens een aan te spreken verantwoordelijkheid over en weer ontstaat, die ook zijn consequenties heeft als partijen besluiten uit elkaar te gaan, de manier waarop dit gebeurt en wat de relatie daarna zal zijn. Denk hierbij aan de groep van gepensioneerden.

Als subcriterium van het aandachtsgebied Leadership in het Malcolm Baldrige Model wordt 'good citizenship' genoemd. Omdat met Leadership met nadruk het gedrag van de top van de organisatie wordt bedoeld, kan daaruit worden afgelezen dat het hier gaat om een bijdrage tot een beter eindresultaat voor de aandeelhouder. Dat is logisch, omdat het zelfs in de Amerikaanse wet ligt verankerd dat het management verplicht is al datgene te doen wat het belang van de aandeelhouder dient. In het EFQM-model wordt al vanaf het begin de maatschappij heel nadrukkelijk als een van de stakeholders gezien. De ontwikkelingen die kwaliteitsmanagement als discipline heeft doorgemaakt zijn ook terug te lezen in het Nederlandse kwaliteitsmodel, bekend als het INK-model. Dit model gaat uit van de negen aandachtsgebieden van het EFQM-model maar heeft daar ontwikkelingsfasen aan toegevoegd. De gedachte is dat een organisatie die op een systematische wijze kwaliteitsmanagement wil invoeren eerst moet beginnen die organisatorische maatregelen te nemen die gericht zijn op controle en verbetering van het product. Deze fase, die activiteitgeoriënteerd (productgericht) wordt genoemd, wordt gevolgd door respectievelijk de fasen procesgeoriënteerd, systeemgeoriënteerd, ketengeoriënteerd en ten slotte excelleren en transformeren. Bij deze laatste fase past een kanttekening. Het zou logischer zijn deze laatste fase maatschappijgeoriënteerd te noemen, waarbij aangetekend kan worden dat een organisatie die daadwerkelijk alles weet door te voeren dat bij deze fase past (voorbeelden zijn daar nog niet echt van) zij ook een andere kijk op zichzelf krijgt en op datgene wat zij nu echt 'levert'. Naar verwachting zal dat leiden tot een paradigmashift en een andere definitie van wat het product nu echt is. Als consequentie daarvan zal de organisatie zich daarnaar moeten inrichten en begint men als het ware weer van begin af aan, met activiteitengeoriënteerdheid dus. Overigens is het beter de verschillende fasen te beschouwen als graden van complexiteit. Immers naarmate men de scope vergroot, zijn er meer organisatorische voorzieningen nodig die een grotere complexiteit tot gevolg hebben. Dit verklaart ook de stelling dat een volgende fase niet noodzakelijkerwijze een betere is. Dat betere hangt samen met de definitie van Juran (naast Deming de grootse goeroe in kwaliteitsland) van kwaliteit: 'Fitness for Use'.

9.2   Complexiteit als gegeven

De definitie 'Fitness for Use' omzeilt een filosofische benadering van het begrip kwaliteit. Om kwaliteitsmanagement hanteerbaar te houden is dat verdedigbaar. Maar vroeger of later loopt men toch ook tegen dat aspect van kwaliteit aan. Men kan blijven volhouden dat kwaliteitsmanagement zich bezighoudt met de 'geschiktheid voor gebruik' van de organisatie, maar alle stromingen zien een bepaalde groep toch als eindgebruiker van de organisatie. Het maakt in dit geval niet uit of dat nu in de Angelsaksische benadering de shareholder is, in de Japanse benadering de klant en het management zijn of in de Rijnlandse benadering een complex van stakeholders is. Al deze 'eindgebruikers' zullen zowel rationele als emotionele factoren in hun oordelen laten meewegen en uiteindelijk tot een subjectief oordeel komen en er naar handelen.

Volgens een van de meest geciteerde denkers in de wereld van kwaliteitskunde, Pirsig, kan kwaliteit dan ook niet worden gedefinieerd maar is zij wel vast te stellen. Je weet gewoon dat iets kwaliteit is (in plaats van heeft) als je ermee wordt geconfronteerd. Wat kwaliteit is, blijft dus behoorlijk subjectief. Een constatering die dus gelijk een strategisch/bedrijfskundige uitdaging inhoudt. Wie het beste met de subjectiviteit van kwaliteit kan omgaan heeft ook de meeste kans te scoren. Te scoren in de vorm van geld, een betere markt positie, meer aanzien en de erkenning een echte professional te zijn. Degene die weet hoe je kwaliteit moet maken heeft blijkbaar een evenwicht gevonden tussen wat de klant en de markt willen en wat de professional als eis stelt. Dit vereist wel dat we de houding om alles terug te willen brengen tot 'simple rules' moeten laten varen. Een houding die volgens Barzun al enkele eeuwen kenmerkend is geweest voor het westerse denken, maar volgens hem al te ver is doorgeschoten en dus niet langer houdbaar is. Met complexiteit kunnen we alleen voortgang boeken als we die complexiteit niet alleen accepteren maar juist als basis voor ons denken en handelen nemen. In de brochure 'A European Vision on Quality' dat op verzoek van de Finse regering door de European Organisation for Quality is geschreven (toen Finland het voorzitterschap van de Europese Unie had), wordt 'diversity' als een van de belangrijkste sterke kanten van Europa gezien. Andere punten zijn onder meer 'winning together' en 'quality and values'. Allemaal punten die eerder bijdragen tot een grotere complexiteit dan dat de wereld wordt teruggebracht tot een paar simpele regels. Belangrijker is dat de complexiteit wordt omarmd in plaats dat men ervan terugschrikt.

9.3   Certificering om vertrouwen te winnen

Tot nu toe hebben we het over een entiteit gehad als ware het een product in de vorm van een goed of dienst waarvan we de hoedanigheid of de geschiktheid voor gebruik zouden kunnen kennen. Er is echter een verschil tussen een goed en een dienst. De eigenaardigheid van een dienst is dat zij wordt geconsumeerd op het moment dat zij wordt geproduceerd. In veel andere gevallen moet de klant of opdrachtgever er het vertrouwen in hebben dat er uiteindelijk kwaliteit zal worden geleverd terwijl het object waar het omgaat er nog niet is. Intussen is er wel (wacht)tijd en geld geïnvesteerd en wellicht door de toekomstige gebruiker ook kennis, en hangt zijn of haar veiligheid en reputatie af van datgene wat er uiteindelijk zal worden geleverd. Als het om iets geheel nieuws gaat heeft zelfs nog nooit iemand het gezien en is het zelfs de vraag of het wel gemaakt kan worden volgens de ideeën van de opdrachtgevers of volgens de beloften van de aanbieder. Als oplossing van dat probleem heeft de NAVO al in het begin van de jaren vijftig van de vorige eeuw een oplossing bedacht. Als men niet het product of de dienst kan beoordelen dan is het wellicht een goede gedachte om de organisatie achter de dienst of het product te beoordelen. Daarmee verschoof automatisch de aandacht voor de kwaliteit van het product naar de kwaliteit van de organisatie. De normen die daarbij werden gehanteerd, zijn gepubliceerd onder de naam Allied Quality Assurance Publication ofwel de AQAP-eisen. Deze eisen zijn later omgewerkt tot nationale normbladen, die uiteindelijk weer de basis vormden van de ISO 9000-normen voor organisaties. ISO staat voor International Organisation for Standardization, die voor tal van producten normen opstelt. Vrijwel gelijktijdig ontstonden er organisaties die bedrijven certificaten toekenden: een soort diploma's op grond waarvan buitenstaanders mogen aannemen dat de desbetreffende organisatie ook daadwerkelijk aan de in de norm gestelde eisen voldoet. Na de ISO 9000-serie kwamen er ook andere normen, die niet zozeer gericht waren op de vraag of de organisatie in staat is de goederen en diensten te leveren die zij aan de klant heeft beloofd, maar die vooral zijn gericht op vragen als: gaat deze organisatie conform de voorschriften om met het milieu en is de veiligheid van medewerkers en de omgeving conform de eisen gewaarborgd?

Allengs ontstaat zo het beeld dat als een organisatie nu maar over de juiste certificaten beschikt, de omgeving er op kan vertrouwen dat haar belangen in goede handen zijn. De werkelijkheid is echter anders. Certificeerders zijn dikwijls om de tuin te leiden en het proces om te komen tot normen zorgt ervoor dat men eigenlijk altijd achter de feiten aanloopt en het niveau altijd een soort van minimumniveau zal zijn om er voor te zorgen dat in principe elke organisatie een dergelijk certificaat kan halen. Inmiddels hebben vele Nederlandse ondernemingen een zogenoemd kwaliteitsmanagementsysteem, gebaseerd op ISO 9001. Ruim vijftienduizend organisaties hebben hun systeem ook laten 'certificeren'.

9.4   Certificering als basis voor vertrouwen

Doordat certificering haar oorsprong heeft bij de eisen van de klant (de NAVO in het geval van de AQAP-serie), is ook de verantwoordelijkheid daar blijven liggen. Die verantwoordelijkheid is echter wel versluierd doordat certificeringinstellingen als 'onafhankelijke' derden tussen de klant en de leverancier in zijn komen te staan. Ook is een deel van de verantwoordelijkheid verschoven naar de overheid die via accreditatie-instellingen weer geacht wordt toezicht te houden op de certificeerders. Een vorm van complexiteit die wellicht als onwenselijk kan worden beschouwd omdat daardoor niet meer duidelijk is wie waarvoor verantwoordelijk kan worden gehouden. Dit temeer omdat de criteria waar organisaties zich aan hebben te houden door weer een andere instelling worden opgesteld, in casu de International Organization for Standardization. Op dit punt wijken modellen als het EFQM- en INK-model, maar ook het Malcolm Baldrige Model, duidelijk af. Hun aandachtsgebieden (EFQM), ontwikkelingsfasen (INK) of criteria (Baldrige) zijn 'tips' aan organisaties die mogelijk van dienst kunnen zijn om aan de kwaliteit van hun organisatie te werken. Door mee te doen aan het winnen van een prijs of het verkrijgen van een onderscheiding kunnen zij wel het oordeel van derden verkrijgen maar worden er geen certificaten afgegeven waarachter zij zich kunnen verschuilen. De beoordeling vindt dan plaats op grond van de aanwezigheid van een systematische samenhang van de door de organisatie ingevoerde voorzieningen en naar de 'state of the art' ervan. De beoordelaars stellen zich ook niet op als expert met objectieve meetcriteria, maar als een kritische groep van waarnemers die tot een intersubjectief oordeel komen. De verantwoordelijk blijft onmiskenbaar bij de desbetreffende organisatie liggen. Ook de norm die als basis geldt voor certificering is in die richting uitgegroeid. In 2000 is een vernieuwde versie gepubliceerd waar dit in tot uitdrukking komt (zie figuur 9.3).

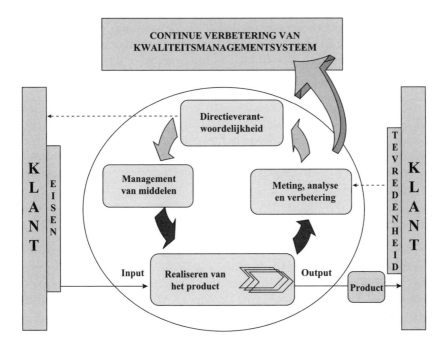

Figuur 9.3   Model van een procesmatige benadering

Opvallend in de nieuwste versie van de ISO 9001 is, dat alles wat de organisatie doet begint en eindigt bij de klant. De eisen van de klant vormen input voor het realiseren van het product. De output daarvan (het product, waarmee ook een dienst bedoeld is) wordt geleverd aan de klant en moet leiden tot tevredenheid van die klant. Om dit mogelijk te maken wordt het realiseren van het product beheerst, met name het primaire bedrijfsproces. Dit beheersingssysteem is het kwaliteitsmanagementsysteem, aangegeven door de cirkel in het figuur. De directie speelt hierbij een centrale en sturende rol. Zij moet door het managen van middelen (waaronder ook de 'human resources' begrepen zijn) ervoor zorgen dat de organisatie in staat is producten te realiseren die beantwoorden aan de eisen van de klant. (Het omgekeerde geldt ook: de organisatie moet pas verplichtingen aangaan als zij weet dat zij die ook kan waarmaken.) De kwaliteit van de processen en het product, en de tevredenheid van de klant moeten worden gemeten en vervolgens worden geanalyseerd. In het geval van verschillen tussen behaalde en gewenste resultaten, moeten corrigerende maatregelen (ter verbetering) worden getroffen. Preventieve maatregelen moeten oorzaken van mogelijke fouten wegnemen. Het verschil tussen de gewenste en behaalde prestaties vormt de basis voor continue verbetering van het kwaliteitsmanagementsysteem. Zo kan de afstemming van de organisatie op de eisen en wensen van de klant in de toekomst nog beter verlopen. De aansturing van dit geheel (het managen) is primair de verantwoordelijkheid van de directie. Interessant aan deze ontwikkeling is dat de aanleiding voor verbetering door processen te structureren en te beheersen, verschuift van intern gerichte naar extern gerichte motieven.

De waarde die organisaties toekennen aan hun eigen certificaat loopt sterk uiteen. Uit onderzoek van De Jong e.a. (2001) blijkt dat de meeste ondervraagde organisaties van mening zijn dat er in hun eigen organisatie sprake is van een 'gerechtvaardigd vertrouwen' dat zij voldoen aan de eisen van de ISO-norm. De ondervraagden zijn daarentegen minder positief over de waarde van ISO 9001-certificaten in het algemeen.

9.5 De grenzen van kwaliteitsmanagement

Een vergelijkbare lijn is ook rondom certificering op basis van de ISO 9000- serie te onderkennen. Daar wordt in de officiële definitie van certificatie de formulering 'gerechtvaardigd vertrouwen' gebruikt. Dit klinkt bijna religieus. Op deze 'geloofskant' van kwaliteitszorg gaat De Vries (1999) in zijn uitgave 'Kwaliteitszorg zonder Onbehagen' in:

> "De 'geloofsbelijdenis' van kwaliteitsborging is het geformuleerde kwaliteitsbeleid. *Betrouwbaarheid* is norm voor het geloofsaspect – het beleid moet niet bestaan uit gemeenplaatsen. Kwaliteitsbeleid en de daadwerkelijke implementatie ervan moeten vertrouwen inboezemen en respect oproepen. Directe betrokkenheid van de directie bij kwaliteitsborging (en -zorg) is dan ook nodig. Kwaliteitsborging maakt een organisatie geloofwaardig naar zijn afnemers en naar andere belanghebbenden toe, en ook naar het eigen personeel. Ook daar komt het aan op betrouwbaarheid, maar omdat in Nederland (en daarbuiten) certificatie niet goed functioneert, daalt het vertrouwen in ISO 9000-systemen. Bij bedrijven met een goed functionerend systeem wordt het vertrouwen in het fenomeen kwaliteitszorg geschaad door auditors van certificatie-instellingen die meer letten op de documentatie dan op het werkelijk functioneren van het systeem. Bedrijfsinterne factoren die vertrouwen kunnen ondermijnen zijn gebrek aan betrokkenheid van de directie, en onbetrouwbare kwaliteitsmeting of zelfs manipulatie van gegevens."

Een op ISO 9001 gebaseerd kwaliteitsmanagementsysteem helpt de organisatie om systematisch aandacht te schenken aan haar klanten. Maar onder Angelsaksische invloed is het genereren van zoveel mogelijk winst ten behoeve van de aandeelhouders een hoofddoel geworden van veel ondernemingen. De 'zorgzaamheid' gaat daarbij wel erg sterk in één richting. Bovendien voelt de aandeelhouder zich dikwijls niet verantwoordelijk voor de onderneming maar alleen voor zijn eigen portemonnee.

Een onderneming die zich 'bekeert' tot een ISO 9001-systeem, verplicht zich in feite om die liefde vrij eenzijdig te richten op één partij: de afnemer. De commissie die de ISO 9001-norm heeft opgesteld, Technical Committee 176 van de International Organization for Standardization, is zich die eenzijdigheid kennelijk bewust, want zij heeft naast ISO 9001 een richtlijn met een vergelijkbare opbouw, maar een ruimer toepassingsgebied opgesteld: ISO 9004. In deze richtlijn gaat het om het tevreden stellen van méér partijen dan alleen de klanten – zoals bijvoorbeeld medewerkers, leveranciers, overheden en omwonenden. In die zin is ISO 9004 vergelijkbaar met het EFQM-model. In zijn analyse stelt De Vries (1999) dat de onvrede met ISO 9000 niet zomaar met een eenvoudig stappenplan van maatregelen valt weg te nemen:

"Daarvoor zitten de oorzaken van de onvrede te diep. Het onbehagen met ISO 9000-kwaliteitszorg wordt vooral veroorzaakt doordat de mens te veel als object wordt behandeld. De veelal aanbevolen procesbenadering van kwaliteitszorg biedt onvoldoende soelaas om dit probleem op te lossen. Weliswaar wordt hiermee beter aangesloten bij de karakteristieken van het bedrijf, maar de mens blijft deel van een systeem. Deze situatie valt te beschrijven in termen, ontleend aan de filosofie van Foucault, waarbij de mens slachtoffer wordt van het (kwaliteits)systeem. De aanbeveling van Van Veldhuisen om, in lijn met Habermas, de dwang van het systeem te ontlopen door het systeem zelf en alle bijbehorende keuzes ter discussie te stellen, verdient navolging. De wijze van communicatie die Habermas aanbeveelt doet echter onvoldoende recht aan het karakter van de onderneming. Ook Habermas ontkomt niet aan het dilemma van de wil tot persoonlijke vrijheid en de wil tot beheersing die vrijheid (van anderen) juist belemmert. Dit dilemma valt terug te voeren op de Renaissance."

Opvallend is dat bij de recente discussie over het accepteren van complexiteit in plaats van de wereld te verklaren aan de hand van 'simple rules', de filosofie van Levinas wordt omarmd. Hij stelt dat mijn vrijheid ophoudt daar waar het die van de ander aantast en dat ik verantwoordelijk ben voor het gedrag van de ander. Een moeilijk te bevatten filosofie, die alleen tot werking komt als die door alle partijen wordt onderschreven. Kernpunt is echter het nemen van verantwoordelijkheid en daaraan gekoppeld de bereidheid verantwoording af te leggen over hoe met die verantwoordelijkheid is omgegaan. En dat niet alleen voor wat betreft het eigen domein maar zeker ook voor wat betreft het gemeenschappelijke domein, de samenleving, en zelfs ook het domein van de ander.

Kwaliteitsmanagement op die manier beschouwd, lijkt bijna een exclusieve westerse aangelegenheid. Dit is echter niet het geval. De Vries stelt terecht dat waarschijnlijk de beste weg naar kwaliteitsborging en -zorg ligt in het gezamenlijk zoeken naar de juiste invulling van de verschillende aspecten van kwaliteitsborging en -zorg voor de eigen onderneming. De aanbevolen werkwijze raakt de uitgangspunten van het functioneren van de onderneming, met name de rol van de medewerkers daarin. De ervaring met de invoering van ISO 9000 en allerlei andere (onder andere Japanse) kwaliteitsconcepten in vele landen in de wereld, leert dat elk concept in elke cultuur kan worden ingevoerd (dit bevestigt de universaliteit van 'wetten' voor het productiesysteem), maar dat de *wijze* van invoering cultuurafhankelijk is. Zo is bijvoorbeeld de Japanse drang naar perfectie (denk aan de theeceremonies) een element dat in onze cultuur goeddeels ontbreekt, hetgeen consequenties heeft voor de invoering van kwaliteitszorg. Zo heeft kwaliteitszorg te maken met de diepste drijfveren van zowel de individuele mensen als de onderneming als geheel. Individueel: in welke mate is het vrijheidsbegrip een streven naar autonomie? En collectief: weerstand kan pas dan opgelost worden als mensen elkaar 'als mens' ontmoeten (Geelhoed, 1996).

9.6 Duurzaam ondernemen en maatschappelijk verantwoord ondernemen als oriëntatie

Aangegeven is al dat de Malcolm Baldrige Quality Award en het EFQM-model tot twee verschillende bedrijfskundige scholen behoren. Uit het bovenstaande blijkt dat het ISO 9001-systeem daar een tussenpositie bij inneemt. Als het gaat om vertrouwen in de onderneming, voor zover het verder reikt dan alleen het vertrouwen dat klanten in een onderneming kunnen stellen, is het goed nog eens terug te grijpen op het feit dat onder het criterium 'Leadership' uit het Malcolm Baldrige Quality Award model, het subcriterium 'Public Responsibilty and Citizenship' valt. Met dit criterium is maximaal vier procent van het totaal aantal te behalen punten te verdienen. Het EFQM-model kent 'Impact on Society' als een van de negen hoofdaandachtsgebieden met zes procent als wegingsfactor.

Het belangrijkste verschil is dat in de Amerikaanse benadering het vervullen van 'good public responsibility' en 'good citizenship' het aandeelhoudersbelang dient c.q. moet dienen en gekoppeld is aan het gedrag van het (top)management, terwijl in het EFQM-model de maatschappij als een van de stakeholders geldt in relatie waarmee resultaten moeten worden geboekt en voor de organisatie als totaal geldt. De Nederlandse variant gaat, zoals aangegeven, weliswaar niet expliciet, nog een stapje verder. De vijf ontwikkelingsfasen, oftewel graden van complexiteit, staan voor kwaliteitssystemen, waarbij de borging, besturing en verbetering van de organisatie tot het kwaliteitssysteem moeten worden gerekend. Het kwaliteitssysteem dijt steeds verder uit. Van productcontrole tot en met de vraag hoe wordt omgegaan met de zakelijke partners in de keten. De aarzeling bij het INK om de laatste fase 'maatschappijgeoriënteerd' in plaats van 'excelleren en transformeren' te noemen is misschien wel een beetje te begrijpen. Immers, daarmee wordt in één keer gesteld dat een organisatie pas dan op een volledige, geïntegreerde manier met kwaliteit omgaat als zij uiteindelijk met de belangen van de maatschappij als geheel weet om te gaan. Aan de andere kant is dat nog niet een gekke gedachte. Men praat toch immers al heel lang over integrale kwaliteitszorg en Total Quality Management. Bovendien vragen de hierboven genoemde modellen elk op hun eigen manier al om aandacht te hebben voor de belangen van de maatschappij en de eisen die zij aan de organisatie stelt. Op die manier wordt het zelfs alleen maar een stuk eenvoudiger om zaken als duurzaam ondernemen en maatschappelijk verantwoord ondernemen tot een onderdeel van de bedrijfsvoering te maken. Gewoon een volgende ontwikkelingsfase van kwaliteitsmanagement ingaan en voortbouwen op dat wat er al is. Toegegeven, de complexiteit neemt toe en kan men de eenvoudigste vorm, productgeoriënteerd, nog onderbrengen in een apart kwaliteitssysteem, nu zal die gedachte moeten worden losgelaten. Dat moet echter dan allang zijn gebeurd, want de derde ontwikkelingsfase, systeemgeoriënteerdheid, impliceert al dat men om kwaliteit te kunnen leveren de organisatie als een samenhangend systeem moet beschouwen.

Een organisatie die leren en excelleren als een logische ontwikkelingsrichting onderkent begrijpt uit weloverwogen eigenbelang dat zij een onderdeel van de maatschappij uitmaakt, en dus ook te maken krijgt met een maatschappij die ook de toekomst voor volgende generaties heeft zeker te stellen. Streven naar duurzaamheid wordt daarmee richtinggevend voor organisaties die, op dit niveau van complexiteit, het streven naar kwaliteit willen waarmaken. Werkelijk maatschappijgeoriënteerde organisaties zijn overigens nog niet gevonden, hetgeen niet wil zeggen dat ze niet te beschrijven zijn. De nodige tools en technieken zijn reeds voor een deel aanwezig, ook in het kennisveld dat we aanduiden met kwaliteitsmanagement. Zolang een organisatie dit niveau niet kan waarmaken, is er, om het vertrouwen in de onderneming te winnen, geen andere keus dan door aan te tonen dat men eraan werkt en daarbij resultaten boekt.

Duurzaam ondernemen, maatschappelijk verantwoord ondernemen, maatschappelijk betrokken ondernemen en ethisch ondernemen zijn allen begrippen die naar hetzelfde verwijzen: de veranderde plaats van ondernemingen in een steeds complexere mondiale samenleving. Opvallend is dat de onderneming hiermee in een steeds bredere context wordt geplaatst. Diezelfde complexiteit roept vragen op met betrekking tot de betrouwbaarheid van ondernemingen. Duurzaamheid alleen, te omschrijven als het streven naar het min of meer in dezelfde vorm teruggeven aan de natuur wat wij door onze activiteiten daaraan hebben onttrokken, is blijkbaar niet meer genoeg. Het is ook meer dan de roep om te anticiperen op een situatie die mogelijk ontstaat als bepaalde grondstoffen en hulpbronnen uitgeput raken en het vinden van een evenwicht tussen economische en ecologische belangen op de korte en vooral ook op de (zeer) lange termijn. Het gaat blijkbaar om de duurzaamheid van de samenleving als totaal, nu en in de (verre) toekomst. Een ontwikkeling in het denken die volstrekt parallel loopt aan de ontwikkelingen in het denken over kwaliteit en in het bijzonder het managen daarvan.

De vraag daarbij is of het in een bredere context plaatsen van duurzaamheid en duurzaam ondernemen helpt om er meer grip op te krijgen of dat we daardoor alleen maar steeds verder afraken van de essentie. Beter is het om het begrip duurzaamheid vanuit verschillende invalshoeken te benaderen. Duurzaamheid moeten we echter niet alleen in een bredere maar ook in een historische context plaatsen.

Het streven naar duurzaamheid roept vragen op als: 'Waarom, voor wie en hoe?' De uitspraak dat de rechten behoren te gaan naar alles wat leeft, biedt een opening als het gaat om de vraag: 'voor wie?' Het antwoord op de waaromvraag ligt besloten in de gedachte dat het vervullen van de verlangens en belangen van de een, niet ten koste van de ander kunnen en mogen gaan. 'Mogen' is misschien nog een ideologische keus. 'Kunnen' ligt in het besef dat de ander het op de lange duur gewoon niet zal accepteren. Er is daarom een vorm van toestemming nodig. Het concept van 'licence to operate' is daar een uitdrukking van. De discussie over duurzaamheid en de daaruit voortgekomen discussie over maatschappelijk verantwoord ondernemen richt zich echter voor een groot deel op de hoevraag en op de meetbaarheid ervan. Meetbaarheid is nodig om na te gaan of de ondernomen acties ook tot resultaat hebben geleid, maar ook om verantwoording te kunnen afleggen.

De verantwoordingsvraag ligt echter gevoelig. Waarom zou men verantwoording moeten afleggen in een wereld die vrijheid hoog in het vaandel voert? Meer en meer komt men tot het besef dat een individu of organisatie niet los is te zien van zijn omgeving. Men maakt gebruik van de omgeving en de omgeving ondervindt het effect van het gedrag van dat individu of die organisatie. De eigen vrijheid houdt daarom op daar waar die de vrijheid van een ander aantast (Levinas). De ander, alles wat leeft en nog zal leven, heeft dus een belang bij het eigen gedrag van een persoon of organisatie. 'Belang hebben' houdt zoiets in als: het effect, 'de opbrengst' van jou raakt ook mij c.q. komt ook mij toe en ik heb dus ook een reden om er op toe te zien dat die 'verdeling' ook eerlijk plaatsvindt. Gevolg is dat belanghebbenden meer en meer invloed zullen willen uitoefenen over hoe men zich gedraagt en hoe de lusten en lasten zijn verdeeld. In die zin alleen al stelt de omgeving zich meer en meer op als ware ze 'mede eigenaar'. Door dit *corporate ownership* breed op te vatten en te koppelen aan verschillende vormen van bezit, kunnen we wellicht een voorzichtige stap maken naar het meetbaar en hanteerbaar maken van de duurzaamheid voor organisaties. Wat zal blijken is dat er geen eenvoudige regels te geven zijn. Misschien ligt de uitdaging juist in het accepteren van de complexiteit van duurzaamheid en van het feit dat grote morele en intellectuele inspanningen nodig zijn om duurzaamheid werkelijk inhoud geven.

9.7 Corporate ownership: een overdrachtelijke vorm van bezit

De markt is getransformeerd naar een complex systeem van stakeholders, die niet langer tevreden zijn met een product, in de vorm van een goed of de dienst, voortgebracht conform de afspraak en conform de wettelijke voorschriften ten aanzien van milieu en veiligheid. Van organisaties wordt ook geëist dat zij zich op een maatschappelijk aanvaardbare wijze gedragen. Kortom, de organisatie moet zelf rekenschap en verantwoording afleggen over hoe zij omgaat met de normen en waarden die op dat moment in de maatschappij opgeld doen.

Organisaties zijn echter niet om die reden in het leven geroepen. Hoe nu een evenwicht te vinden tussen het realiseren van de eigen doelstelling en die eisen die de omgeving stelt? En hoe past het leveren van kwaliteit hierin? Alles wijst erop dat als men het heeft over het vertrouwen dat men in een organisatie stelt, dat niet zozeer betrekking heeft op de vraag of de organisatie haar eigen doelen wel kan realiseren, maar meer of dat gebeurt op een manier die niet ten koste gaat van de stakeholders. Daarbij gaat het zowel om de direct betrokken stakeholders als om de indirect betrokken stakeholders. Deze laatste groep heeft in de loop van de tijd naar eigen opvatting zoveel macht weten te vergaren dat zij steeds meer eisen is gaan stellen aan de organisatie. Niet alleen met betrekking tot de wijze waarop de organisatie handelt maar ook over de wijze waarop de organisatie daarover verantwoording aflegt. Dat gaat zelfs zover dat het lijkt of deze indirect betrokken stakeholders dezelfde rechten hebben als diegenen die wel het meest bij de organisatie zijn betrokken, namelijk de eigenaars of de initiatiefnemers. De klok is echter niet terug te draaien. Het is daarom wenselijk dit ook als zodanig te benaderen. De *owners* van een organisatie zijn niet alleen diegenen die we traditioneel en als zodanig ook juridisch hebben vastgelegd, maar het totale collectief van belanghebbenden die menen dat de organisatie hun belangen raakt. Uiteindelijk is het toch ook zo dat de opstellers van de AQAP-eisen er al van uitgingen dat hun belang zo groot was dat zij eisen konden opstellen niet alleen over hoe de organisatie was ingericht maar ook hoe die werd bestuurd en hoe rapportage plaatsvond. Deze houding van opdrachtgevers is de afgelopen decennia alleen maar versterkt. Zij hebben ook steeds meer medestanders gevonden. Deze ontwikkeling leidt impliciet tot een andere opvatting over *corporate ownership* dan tot nu toe algemeen gebruikelijk is en wenselijk wordt geacht. Dit ligt in lijn met het denken over kwaliteit.

Het bestaan van eigendom of bezit (met name privé-bezit) is minstens zo kenmerkend voor het Westen als emancipatie en primitivisme. Het is juist de (mogelijke) aantasting van dat bezit dat het vertrouwen in een onderneming mede bepaalt. Hoewel er economieën zijn geweest die honderden jaren lang hebben kunnen bestaan op basis van gemeenschappelijk bezit is het niet waarschijnlijk dat we binnen afzienbare termijn vergelijkbare experimenten zullen meemaken. Toch doet de discussie over duurzaamheid en de daaraan gekoppelde discussie over maatschappelijk ondernemen vermoeden dat er wel zoiets is als gemeen-schappelijk bezit.

De maatschappelijke betekenis van de onderneming reikt verder dan de winst voor haar eigenaren/aandeelhouders. Naast 'Profit', zijn 'People' en 'Planet' maatschappelijke criteria voor succes. Een onderneming creëert financiële waar-de voor zijn aandeelhouders ('Profit'), maar voegt ook waarde toe voor mens en maatschappij ('People') en toont zich verantwoordelijk voor het milieu ('Pla-net'). Deze drie P's zijn onlosmakelijk aan elkaar verbonden en de gedachte is dat het functioneren van elke organisatie en dus ook ondernemingen daarop moeten worden beoordeeld (NCW en AWVN, 2001).

Men zou kunnen bedingen dat de drie P's een voorbeeld zijn van *primitivisme*. Want, wat wordt hier precies bedoeld met de 'Planet'? Vooralsnog ziet het er niet naar uit dat de mens in staat is de aarde als planeet te kunnen vernietigen. Wel kan de mensheid het leven van veel planten en dieren (inclusief de mens) op deze planeet onmogelijk maken. Er is dus een overlap van 'Planet' met de mens ('People'). Het 'People' wordt in 'de kroon' echter geïnterpreteerd als de maat-schappij en dat begrip staat dan vooral voor de (bestaande) maatschappelijke instituties en de echte belanghebbende daarvan zijn de gevestigde orde. De aan-deelhouders die als belanghebbende in verband worden gebracht met het begrip 'Profit' maken een belangrijk deel uit van diezelfde gevestigde orde. Als we zoiets complex als duurzaamheid hanteerbaar willen maken, zullen we moe-ten accepteren dat het hier gaat om paradoxen en belangentegenstellingen die op de een of andere manier gemanaged zullen moeten worden. Dat zal niet luk-ken met een paar simpele en eenduidige richtlijnen.

Terugkerend naar het begrip eigendom, valt op dat meestal de materiële vorm van eigendom wordt bedoeld en dat als het eigendom van ondernemingen betreft daar de aandeelhouder als alleenrechthebbende bij wordt opgevoerd. De positie van de aandeelhouders verschilt. We zagen reeds dat in het Angelsaksi-sche denken het economische belang van de aandeelhouder centraal staat. Het management heeft een 'contract' met de aandeelhouders en zij hebben de taak alles in het werk te stellen om de winst te maximaliseren. In het Rijnlandse model staan de stakeholders centraal. De aandeelhouder is daarbij één van de stakehol-ders, naast de medewerkers, de klanten, leveranciers en andere zakelijke part-ners. De onderneming of organisatie is als zelfstandige entiteit, vertegenwoor-digd door het management, óók een stakeholder. In feite is de kring van stakeholders ongelimiteerd. Iedereen die meent direct of indirect belang te heb-ben bij het voortbestaan óf verdwijnen van de organisatie dan wel bij de activi-teiten en de manier waarop de onderneming die activiteiten uitvoert, is in die opvatting een belanghebbende. In dit denken wordt overigens geen onderscheid gemaakt tussen ondernemingen (profit-organisaties) of instellingen (not-for-profit organisaties). Het management is gecontracteerd om ervoor te zorgen dat alle belanghebbenden zodanig aan hun trekken komen dat de continuïteit van de organisatie niet in gevaar komt. De acceptatie van het idee dat de kring van stakeholders in feite ongelimiteerd is, is een revolutie op zich. Immers, bijna ongemerkt heeft er een overdracht van macht en eigendom plaatsgevonden. De macht over een organisatie ligt dus al lang niet meer alleen bij de juridische eigenaren. Het lijkt er op dat zelfs onder het huidige juridisch kader maatschappelijk ondernemen, waaronder ook het streven naar duurzaamheid kan worden verstaan, wettelijk afdwingbaar is (Steins Bisschop, 2001). Wat nu nog nodig is, is het besef dat élke stakeholder rekening heeft te houden met de belangen van de onderneming. Dus ook de actievoerder heeft rekening te houden met de belangen van de organisatie en visa versa.

Corporate ownership is in feite dus al geherdefinieerd en biedt daardoor een mogelijkheid het streven naar duurzaamheid hanteerbaar te maken. Om *corporate ownership* meer hanteerbaar te maken moeten bezit en winst breder worden gedefinieerd dan alleen in materiële zin. Dat gebeurt min of meer al bij die organisaties die de Business Balanced Scorecard van Norton en Kaplan toepassen. Daarin wordt ondernemingsresultaat immers gedefinieerd als de som van het financiële resultaat, het effect op de klant, de verbetering van de organisatorische processen en gevolgen van leren en innoveren. Dit resultaat heeft een bepaalde levensduur en de som over een langere periode vertoont zich in de vorm van vermogen. Vermogen gedefinieerd als bezit, maar tegelijkertijd ook als potentie: men kan er immers iets mee. Het heeft zin om de vier verschillende resultaten zoals genoemd in de Business Balanced Scorecard ook verschillend te blijven benoemen en ze niet op te tellen of op één noemer te brengen. Die noemer wordt dan al snel geld, waarmee men niet alleen onrecht doet aan de verschillende soorten van resultaat maar waarschijnlijk zelf oploopt tegen de onmogelijkheid en onwenselijkheid alles in geld te willen uitdrukken. In het Vierfasenmodel (Hardjono, 1995) wordt dat dan ook niet gedaan. Daarin worden vier verschillende vermogens onderscheiden, zoals verderop is te zien.

9.8   Meetbaar maken van het effect

Met het introduceren van *corporate ownership* kan het streven naar duurzaamheid misschien hanteerbaarder worden gemaakt, meetbaar is het daarmee nog niet. Hiervoor biedt het zogenoemde Vierfasenmodel mogelijk hulp. Dit managementmodel gaat uit van de gedachte dat ieder individu (en iedere organisatie) streeft naar 'overleven' en daarvoor probeert het vermogen waartoe hij of zij toegang kan krijgen zo groot mogelijk te maken.

- Onmiskenbaar is het *materieel vermogen*: alles dat op de balans van een organisatie staat.
- Minstens zo belangrijk is het *commercieel vermogen*, ofwel de mogelijkheid en vaardigheid zich entrees te verwerven op markten (zowel afzet- en inkoopmarkt als arbeids- en financieringsmarkt).
- Het derde vermogen is het *socialisatievermogen* ofwel het vermogen tot samenwerken maar ook het vermogen het gedrag en de prestatie van ande-

ren te beïnvloeden en derhalve ook het vermogen open te staan voor de invloed van anderen. Dit is het vermogen waar Fukuyama zich zorgen over maakt.
- Het vierde vermogen in het zogenoemde *denk-* of *intellectueel vermogen;* het vermogen om denkkracht te mobiliseren en in te zetten.

Het Vierfasenmodel geeft aan wat min of meer de ideale ontwikkelingsgang is die een organisatie moet doormaken om continu te werken aan vermogensvermeerdering, de groei van het totaal van de hier genoemde vermogens. Het model laat zich hier niet in alle detail beschrijven. In het kort komt het erop neer dat individuen en organisatie voor de genoemde verschillende oriëntatierichtingen kunnen kiezen (externe oriëntatie, oriëntatie op beheersing, interne oriëntatie en oriëntatieverandering). Zoals uit figuur 9.4 blijkt, is een combinatie van tegenover elkaar liggende oriëntaties onmogelijk. Een combinatie van naast elkaar liggende oriëntaties kan wel en is zelfs wenselijk omdat dit leidt tot meer creativiteit, meer effectiviteit, meer efficiency of meer flexibiliteit. Succesvolle organisaties weten een bepaalde ritmiek te ontwikkelen waarmee zij zich (met de richting van de klok mee) richten op het vergroten van de resultantes van de oriëntatierichtingen.

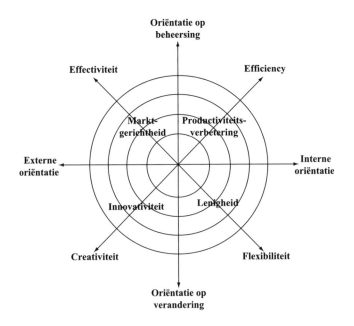

Figuur 9.4 Het Vierfasenmodel

Waar het hier om gaat is de gedachte dat ieder individu, en daarom ook vrijwel elke organisatie, streeft naar vermeerdering van zijn of haar vermogens. In de inleiding van dit hoofdstuk is al aangegeven dat de omgeving niet zal tolereren dat die vermogensvermeerdering structureel ten koste gaat van het vermogen van anderen (de huidige én toekomstige stakeholders dus). Dat houdt echter niet in dat de verschillende vermogens een op een moeten worden uitgeruild. Juist het uitruilen van het ene soort van vermogen tegen een andere soort biedt mogelijkheden voor zogenoemde win-win situaties. Jij leert (meer denkintellectueel vermogen) van mij iets en krijgt daar geld (materieel vermogen) en status (socialisatievermogen) voor terug.

Voor het materieel vermogen van een organisatie hebben we een zeer geavanceerd systeem van boekhouding weten te ontwikkelen, ingebed in een internationaal stelsel van wet- en regelgeving en gesteund door een transparant systeem van verslaglegging en controle. Het streven naar duurzaamheid zou erbij gebaat zijn als er ook een systeem van boekhouding zou komen op elk van de andere drie vermogens. Hierin kan inzichtelijk worden gemaakt wat de materiële, commerciële, sociale en intellectuele inbreng van elke stakeholder is, of het nu een aandeelhouder, klant, medewerker, omwonende, actievoerder of de maatschappij als geheel is. Dat betreft overigens niet alleen de stakeholders van nu maar ook de stakeholder uit het verleden en die van de toekomst. En wat houdt ons tegen om ook de natuur als stakeholder vertegenwoordigd te laten zijn?

Handig is daarbij wel de effecten van het gedrag van mensen en organisaties naar drie niveaus te onderscheiden:
- De primaire effecten: hierbij kan een directe relatie gelegd worden tussen de organisatie en bepaalde stakeholders. Het de beoogde en tevens directe effecten van het functioneren van de organisatie.
- De secundaire effecten: hierbij kan ook een directe relatie worden gelegd tussen de organisatie en bepaalde stakeholders. Het zijn echter neveneffecten in positieve en negatieve zin, die niet door de organisatie worden beoogd.
- De tertiaire effecten: hierbij kan geen directe relatie gelegd worden tussen de organisatie en de stakeholders, maar de stakeholder wordt wel indirect op de meestal langere termijn geraakt, mogelijk zelfs nadat de organisatie ophoudt met bestaan (Wempe en Kaptein, 2000).

9.9 Ten slotte

Maatschappelijk ondernemen en daarmee ook het streven naar duurzaamheid is zeker geen luxe maar dient het ondernemersbelang en loont als bezit en winst breder dan alleen in materiële termen worden gedefinieerd. Organisaties kunnen het beste worden aangezet tot duurzaamheid indien de overtuiging bestaat dat een hechte en goede relatie met de *corporate owners*, ofwel de stakeholders, een levensvoorwaarde is. Door het winnen en vervolgens behouden van het vertrouwen kan de relatie veilig worden gesteld en is er sprake van een duurzame relatie. Een duurzame relatie met de stakeholders zorgt daarnaast voor een duurzame inbedding in de samenleving. Daarmee krijgen organisaties tevens een goed instrument in handen om op een duurzame wijze financieel en niet-financieel succes te bereiken op zowel korte als (misschien zelfs belangrijker) langere termijn. Dit kan alleen als de paradox van mijn belang versus hun belang wordt omgezet in een win-win situatie, wat kan als partijen langs meer assen dan alleen de financiële as hun investering en hun rendement gaan meten.

Een organisatie kan dus, samengevat, het vertrouwen winnen door:
- De rechten en belangen van stakeholders te erkennen door hen als een volwaardige discussiepartner te beschouwen.
- De directe en indirecte korte- en langetermijneffecten van het functioneren van de organisatie en de gevolgen daarvan voor de stakeholders zo goed mogelijk zichtbaar te maken.
- Ruimte te bieden voor kritiek.
- Daar waar mogelijk inzicht te verschaffen in het besluitvormingsproces. Van belang is dat heldere, relevante informatie wordt verstrekt en dat duidelijk wordt gemaakt dat keuzes niet op basis van macht van enkele stakeholders, maar op basis van een eerlijke afweging tussen rechten en belangen tot stand zijn gekomen.
- De stakeholders waar mogelijk te betrekken in het besluitvormingsproces, met behoud van ieders eigen identiteit, waarmee de organisatie niet van haar verantwoordelijk wordt ontslagen.
- Indien mogelijk een redelijke compensatie te bieden wanneer rechten of fundamentele belangen geschaad worden.
- De niet juiste beslissingen indien mogelijk te corrigeren en te leren van gemaakte fouten (Kaptein en Wempe, 2002).

Deze manier van omgaan met de belanghebbenden (van vandaag en van morgen) is niet alleen een manier van invulling geven aan het begrip *corporate ownership,* maar kan ook worden gezien als *emancipatie* van de stakeholder. Voor duurzaamheid is het overigens niet alleen gewenst rekening te houden met de belangen van de *corporate owners* van nu maar ook met die van de toekomst en misschien zelfs door daarbij niet alleen aan de eigen groep te denken, maar aan de rechten die toebehoren aan alles wat leeft: illegale immigranten, schoolkinderen, misdadigers, baby's, planten en dieren. Duurzaam ondernemen is een kwestie van voorzichtig en stap voor stap proberen. 'Trial and error' zal ons dichter bij een antwoord brengen, mits we geduldig zijn, onderweg onze fouten onder ogen durven zien en dat alles zonder de absolute garantie op realisatie van ons doel. Wie niet begint komt nergens. In dit hoofdstuk is daarom ingegaan op het begrip *corporate ownership.* Door *corporate ownership* breed op te vatten en te koppelen aan verschillende vormen van bezit, kunnen we een voorzichtige stap maken naar het meetbaar en hanteerbaar maken van duurzaamheid voor organisaties. Organisaties hebben, beheren en vermeerderen meerdere vermogens zoals het socialisatievermogen. Dit vermogen kan alleen toenemen als de organisatie voor iedereen voldoende transparant is en er door die transparantie vertrouwen wordt gewekt. Vertrouwen zowel naar binnen als naar buiten toe.

Literatuur

Barzun, J. (2001). *Van de Wieg tot Volwassenheid*. Amsterdam: Byblos.

Fukuyama, F. (1992) *Het Einde van de Geschiedenis en de Laatste Mens*. Amsterdam: Contact.

Geelhoed, M.J. (1996). *Cultuur en Normativiteit: Kleine wijsgerige beschouwing over weerstand tegen verandering en cultuur*. Doctoraalscriptie Cultuur, Organisatie en Management. Amsterdam: Vrije Universiteit.

Hardjono, T.W. (1999). *Kwaliteitsmanagement: Laveren tussen rekkelijken en preciezen, op zoek naar mumsels*. Oratie. Rotterdam: Erasmus Universiteit.

Hardjono, T.W. (1995). *Ritmiek en Orgnisatiedynamiek: Vierfasenmodel*. Deventer: Kluwer.

Jong, A. de, Vries, J. de, en Wentink, T. (2001). *ISO 9000 in de Praktijk: Onderzoek naar toepassing van de ISO 9000-normen in Nederland*. Delft: Nederlands Normalisatie- instituut.

Kaplan, R.S., en Norton, D.P. (1999). *The Balanced Scorecard: Translating strategy into action*. Boston: Harvard University Press.

Kaptein, M., en Wempe, J. (2002). *The Balanced Company: A corporate integrity approach*. Oxford: Oxford University Press.

Levinas, E. (1992). *Ethisch en Oneindig*. Kampen: Kok Agora.

NCW en AWVN (2001). *Maatschappelijk Ondernemen*. Den Haag: NCW.

Vries, H.J. de (1999). *Kwaliteiszorg zonder Onbehagen: Praktische adviezen voor het gebruik van ISO 9000 als uitkomst van een christelijk-filosofische analyse*. Amsterdam: Buijten & Schipperheijn.

Wempe, J., en Kaptein, M. (2000). *Ondernemen met het Oog op de Toekomst: Integratie van economische, sociale en ecologische verantwoordelijkheden*. Den Haag: Stichting Maatschappij en Onderneming.

Deel III   Organisatievormen

10
De commerciële onderneming

Door Eduard Kimman

Publiek-private samenwerking boezemde eeuwenlang het meeste vertrouwen in. In de Middeleeuwen en nog lang daarna viel wat openbaar was onder de jurisdictie van ofwel de kerk ofwel de vorst. Hospitalen en scholen werden door een van beide machten opgericht en onderhouden. Ambacht en productie waren georganiseerd in gilden. Vijf eeuwen na de Reformatie is het voor ons niet gemakkelijk meer voor te stellen hoe ingrijpend die is geweest voor de definiëring van morele noties zoals soevereiniteit, vrijheid en rationaliteit. Omstreeks het midden van de zeventiende eeuw worden die noties in toenemende mate persoonlijk of individueel opgevat en zo scheppen zij een ethisch kader voor een vorm van activisme dat we ondernemerschap zijn gaan noemen.

Ondernemerschap en vooral de rijkdom als gevolg van geslaagd handel drijven en geslaagd ondernemerschap zal eerder afgunst dan vertrouwen opgeroepen hebben. De eerste fabrieken staan bekend om vuile, onmenselijke arbeidsomstandigheden. De eerste bedrijfssaneringen, wanneer er in de kosten gesneden moet worden, overrompelen degenen die ontslagen worden en laten een gevoel achter van te zijn verraden door de werkgever. Met andere woorden: de combinatie van onderneming en vertrouwen ligt niet voor de hand. Zoals op degenen die 'nouveaux riches' worden genoemd, ook nu nog door 'oud geld' wordt neergekeken, zo zijn ook ondernemers in de loop van de industrialisatie niet meteen geaccepteerd. De legitimiteit van ondernemer en ondernemerschap is aan wisselvalligheden onderhevig. Thans zoeken ondernemingen vertrouwen door zich te associëren, via sponsoring bijvoorbeeld, met aanzienlijke instellingen op het gebied van kunst en cultuur of met populaire personen uit de wereld van sport en theater.

Het doel van deze bijdrage is geen beschrijving van de geschiedenis, maar het schetsen van de ontwikkeling van het vertrouwen in de onderneming. De geschiedenis van de onderneming wordt ruwweg in drie perioden verdeeld, waarin achtereenvolgens de persoon van de ondernemer, de robuustheid van de onderneming en de gemeenschappelijke samenhang de vertrouwenwekkende factor van betekenis zijn.

10.1 Het vertrouwen in de persoon van de ondernemer

Het groeiende handelskapitalisme van de zeventiende en achttiende eeuw had gebruik gemaakt van duizenden thuiswerkers, die zelf de grondstoffen en hun instrumenten betaalden. Aan het einde van de achttiende eeuw wisten ondernemers door in manufacturen en later fabrieken de productie te organiseren goedkoper te produceren dan met behulp van thuisarbeid. De opkomst van de particuliere industriële onderneming in de loop van de negentiende eeuw is om meer dan een reden bijzonder: niet alleen om haar industriële karakter met een daarbij horende organisatiestructuur maar ook om de financiering uit familievermogen en winsten. De achttiende-eeuwse preïndustriële thuisarbeid, afhankelijk van de rondtrekkende 'Verleger', werd gekarakteriseerd door onzekerheid en armoede voor de families die voor inkomen afhankelijk waren van werkgevers, die wel wekelijks het werk kwamen afhalen maar niet wekelijks betaalden. (Lis en Soly, 1979). Zo'n rondtrekkende werkgever, niet gebonden aan gildebepalingen, genoot toen waarschijnlijk even veel maatschappelijk aanzien als een huisjesmelker in onze dagen.

Wat waren de eerste reflecties op het betrekkelijk nieuwe verschijnsel van een niet door gilden gebonden ondernemerschap? Het eerste antwoord is te vinden bij de Schotse Verlichting en haar belangrijke exponent Adam Smith, die gedachtegoed uit Frankrijk met dat van Schotse filosofen combineerde in een nieuwe systematiek, waardoor er een basis wordt gelegd voor een beginnende economische wetenschap, die later de klassieke economie wordt genoemd. Adam Smith bracht vanaf 1763 enige jaren door in Frankrijk en in Parijs moet hij kennis hebben genomen van een van de reeds gepubliceerde theoretische beschrijvingen van de hand van Richard Cantillon met betrekking tot de ondernemer, als iemand die bereid is te handelen onder onzekerheid en als gevolg daarvan verlies lijdt of winst maakt (Hébert en Link, 1982). De economisch geïnteresseerden onder de Franse Verlichtingsfilosofen, met een verzamelnaam de physiocraten genoemd, zoeken een weg om uit het paradigma van de heersende politiek van het Mercantilisme te ontsnappen. Dat laatste was een economische politiek gericht op exportoverschotten waardoor de hoeveelheid goud en zilver in het binnenland zou moeten toenemen, maar met weinig oog voor de positie van de landbouw. De prijzen van de landbouwproducten, die zo belangrijk zijn voor de vervulling van de primaire levensbehoeften, werden door de mercantilist onderschat. De reactie van de physiocraten is, achteraf bezien, begrijpelijk. Zij wilden af van het keurslijf van het mercantilisme, vonden dat de staat zich van inmenging moest onthouden en dat de beoefening van de landbouw de gezonde basis van elk economisch systeem zou moeten zijn. De boer is voor de physiocraat het prototype van de ondernemer. Boerenslimheid en boerenwijsheid is nodig om producten ter markt te brengen die voldoende opbrengen ondanks de onzekerheden van het weer, van het transport en van de vraag ter markt. Het argument van de physiocraten was dat de boer een *produit net* voortbracht en dat de boerenstand in tegenstelling tot de handelaren *la classe productive* vormde en derhalve de basis voor het belastingsysteem was.

De physiocraten wilden letterlijk terug naar de *physis*, de natuur. De Schotse Verlichting psychologiseert dit verlangen. Adam Smith, als deïst ervan overtuigd dat God de wereld leidt door de wetten van de natuur, vond de natuurlijke neigingen van de mensen interessant. Die natuurlijke neigingen moesten niet belemmerd worden, evenmin men bij een uurwerk de beweging der raderen moest verstoren. Onder die neigingen rekende Smith de neiging tot handelen en ruilen: "the disposition to truck, barter, and exchange" (boek I, hoofdstuk 2). De staat moest een beleid voeren, waarin de burgers vrij waren economische activiteiten te ontwikkelen conform deze natuurlijke neigingen. Overigens betekende dat nog helemaal niet dat Smith dacht dat het economisch proces zonder staatsbemoeienis kon, want op verscheidene terreinen pleitte hij voor een staatstaak, zoals de bestrijding van de woeker, de uitgifte van het bankpapier, wetten voor tarieven en nog veel meer. Belangrijk is de morele ruimte die voor het ondernemerschap geschapen werd: iets dat natuurlijk bij de mens paste. Wel ziet Smith vernieuwing als een belangrijke factor voor de verklaring van het succes van de ondernemer. Die wordt mogelijk gemaakt door arbeidsdeling en door marktvergroting.

De overgang van thuisarbeid ten bate van een 'Verleger' naar manufactuur en vervolgens naar fabriek heeft zich in de negentiende eeuw voltrokken. Halverwege die eeuw had de overgrote meerderheid van ondernemers niet meer dan een handvol mensen in dienst. Qua personeelsomvang waren een groot landbouwbedrijf, een molenaar met knechts of een smederij met elkaar vergelijkbaar. De sociale verhoudingen in zulke ondernemingen waren patriarchaal. De knechts woonden met hun gezinnen achteraf in een klein rijtje huizen, daar neergezet voor hun huisvesting. Een ondernemer zorgde voor 'zijn' mensen. Toch was er al een opvallende nieuwe klasse van ondernemers die grotere hoeveelheden wist af te zetten door grotere markten te bewerken. Geholpen door beginnende mechanisering en door ontwikkelingen in het transport kon de productiviteit en de afzet worden opgevoerd. De *trendwatchers* uit het midden van de negentiende eeuw meenden een ontwikkeling te bespeuren, waarin groot-industrieën zouden gaan ontstaan die de kleinindustrie zouden gaan wegdrukken en die nieuwe verhoudingen met hun arbeiders deden ontstaan. De bekendste *trendwatcher* en criticus uit die tijd is Karl Marx, wiens invloedrijke 'Das Kapital' eigenlijk 'De Kapitalist' had moeten heten, omdat juist die kapitalist als financier dan wel als industrieel dwangmatig handelt, in de woorden van Marx (Vol. III, Ch. 23).

10.2 Een betrouwbare rechtsvorm van de onderneming

In de tweede fase van het ondernemerschap is de systematiek karakteristiek. Een bedrijf leiden wordt een deskundigheid, bedrijfskunde. De industrialisatie in landen zoals Engeland versnelde, de personeelsomvang in de fabrieken, werven en mijnen groeide en de eerste samenvoegingen in de bedrijfskolom hadden plaats. Waarom hadden die pogingen concurrenten dan wel leveranciers en distributeurs op te kopen plaats? Coase heeft gezocht een verklaring te formuleren in zijn transactiekosten-theorie. Door een bepaalde toelevering naar 'binnen' te halen kan worden voorkomen dat er keer op keer contracten moeten worden afgesloten met verschillende partijen. Indien door de externe onzekerheid de daarmee samenhangende transactiekosten hoger zijn dan de interne organisatiekosten, dan is er, bij een gelijksoortig eindresultaat, een kostenvoordeel voor de onderneming. Coase verklaart de samenstelling van de onderneming uit deze vorm van kostenmijdend gedrag (Coase, 1937). De fusie of overname beoogt het terugdringen van onzekerheid. De zoekkosten en contractkosten worden vermeden als een onderneming de functies intern organiseert. Anders gezegd, de onderneming is in staat bepaalde kosten te vermijden, gesteld dat de onderneming op de hoogte is van de kosten die extern contracteren met zich mee brengen. De kosten worden niet vermeden maar wel teruggebracht (Williamson, 1975). De transactiekostentheorie poogt op puur economische gronden te verklaren dat de omvang en samenstelling van ondernemingen rationeel verdedigd kunnen worden zolang de kosten van enerzijds het 'ontdekken' van de prijs en anderzijds het 'onderhandelen' over de prijs lager liggen dan het niveau waarop de marktparticipanten zelf in staat zijn contracten af te sluiten. De benadering van Coase geeft geen reden waarom de ene onderneming beter in staat is de organisatie vorm te geven dan de andere. Het moet iets te maken hebben met informatie en met vertrouwen en vertrouwd worden op de plaatsen waar contracten worden afgesloten.

Simpel gesteld heeft de onderneming vier maal in een productieproces met een groot contract-probleem te maken. Het gaat om vier verschillende onzekerheden: ontwerp, uitvoering, financiering en afzetmarkt. De succesverhalen over ondernemers beginnen vaak met het hebben of krijgen van een goed idee, dat vervolgens omgezet wordt in een nieuw product of een nieuwe dienst. Niet iedereen heeft succes, want mensen met ideeën zijn niet altijd in staat ze uit te voeren, met andere woorden er is een zekere management capaciteit vereist of er moet management aangetrokken worden. Soms is er zowel een goed idee alsook de mogelijkheid tot uitvoering, maar ontbreekt de financiering, want geen bank of investeerder 'ziet er wat in'. De vierde onzekerheid is uiteindelijk de afzetmarkt: willen andere bedrijven of willen consumenten dit nieuwe product of deze nieuwe dienst afnemen?
Het industriële ontwerpen is omgeven met wettelijke bescherming, maar bij nieuwe diensten, zoals de ICT-sector in de jaren negentig van de vorige eeuw, is die bescherming zwak. Het ontwerpen is een risicovolle bezigheid, waarbij de kans op succes en op een economisch haalbare doorbraak klein is. Vaak zijn ontwerpers zelfstandig en proberen ze hun idee of hun patent te slijten aan een ondernemer die het ontwerp gaat uitvoeren. Operationele risico's verschillen per markt, per land, per product. Ervaring, omvang en technische hulpmiddelen

bepalen de moeilijkheidsgraad in de uitvoering van de productie. Uitvoerings-risico's in strikte zin kunnen worden ondergebracht bij assuradeuren, maar de rest is onzekerheid die gedragen wordt door ondernemer of onderneming. In alle productie is er weer afhankelijkheid van sub-contractors. Toegang tot financiers of, bij grote bedragen, tot de beurs is een kwestie van vertrouwen, gunst en over-tuiging. Hoewel veel bewegingen op de kapitaal- en valutamarkt achteraf ver-klaarbaar zijn, is de voorspellende waarde van economische modellen beperkt, omdat de persoonlijke factor bij een nieuw type transacties de doorslag geeft. De ondernemer moet een 'toegang' tot de beurs of de bank hebben: daarvoor is een netwerk noodzakelijk. De ondernemer moet met behulp van een netwerk en de adviseurs beslissen welke financiers betrouwbaar genoeg zijn. Deze laatsten die-nen vertrouwen te krijgen in de onderneming en haar voorgenomen producten of diensten. Over de afzetmarkten kunnen navenante sets van onzekerheden ver-teld worden. Voor de niet-ingewijde komt ondernemerschap over als vermetel-heid, durf en een dosis geluk, voor de ingewijde is het een reeks redelijke stap-pen, met een zekere systematiek en een hoeveelheid mensenkennis.

Ter wille van de zekerheid van de werknemers komen er dwingende voor-schriften ten aanzien van de rechtsvorm. Het merendeel der ondernemingen is in de tweede helft van de negentiende eeuw een familiebedrijf. Viervijfde van de ondernemingen met de vennootschappelijke rechtsvorm is besloten. Het zijn ondernemingen geworden, die als organisatie losgekomen zijn van een onder-nemer. De leiding van het bedrijf is al eens gewisseld. Het is niet meer de drij-vende kracht van de persoon van een directeur-eigenaar die met enkele knechts of zelfs met enige tientallen werknemers present is op de markt en in de maat-schappij, maar er is een organisatie, waar op een systematische en bedrijfseco-nomisch verantwoorde wijze wordt deelgenomen aan het economisch verkeer. Niet de ondernemer maar de onderneming oefent activiteiten uit, waardoor waarden worden toegevoegd aan de maatschappij. Toen de rechtsvorm een-maal ingeburgerd raakte, kon de continuïteit en de discontinuïteit van een onderneming losgezien worden van het leven of sterven van de firmanten. De wetgever gebruikt de termen bedrijf en onderneming door elkaar, zodat het niet eenvoudig is een goed onderscheid te maken. Een rechtspersoon kan meer ondernemingen of bedrijven omvatten, die op zichzelf geen rechtspersoon zijn (bijvoorbeeld filialen), anderzijds kunnen rechtspersonen via aandelenbezit, een contract voor een strategische alliantie of lidmaatschap van een vereniging aan elkaar verbonden zijn. De rechtspersonen waarvan andere rechtspersonen lid zijn, dragen bij aan een uniformering van rechten en verplichtingen. Dat geldt voor belangenbehartiging, kartelafspraken en andere overeenkomsten. Aan de reeds geleverde prestaties of aan het vermogen dat zij in staat is te pres-teren, ontleent de onderneming haar (financiële) waarde, haar reputatie en haar betrouwbaarheid. Bij het stopzetten van de activiteiten of bij een afnemend ver-mogen nog waarde te genereren voor de maatschappij gaat ook de (financiële) waarde van de onderneming verloren. Er ontstaat in en rond de onderneming een druk op continuïteit die haast marxistisch-dwangmatig aandoet, daar immers de waarde van de onderneming en, later, de werkgelegenheid in stand moet worden gehouden.

Een groep of een concern, zoals de Shell Groep of de Unilever Groep, verenigt twee of meer juridisch zelfstandige ondernemingen uit verschillende landen in een gezamenlijk bestuurd geheel. Bestuursleden van een dergelijke Groep zien zichzelf als ondernemers en spreken graag van 'hun' onderneming, ook al hebben deze bestuurders geen of slechts kleine belangen aandelen in deze Groep, dit concern, of deze groep van ondernemingen. Bedrijven kunnen eigendom zijn van ondernemingen of van overheden. Met het begrip 'bedrijf' wordt dus een bepaalde activiteit en een bepaalde vorm van organiseren aangeduid. Een gemeentelijke overheid kan bijvoorbeeld de vuilnisophaaldienst bij een bedrijf onderbrengen of als een bedrijf organiseren, terwijl de bevolkingsadministratie georganiseerd wordt als een publieke taak. Aan het hoofd van een bedrijfshuishouding staat iemand die als 'manager' te kwalificeren valt: gegeven de middelen zal een manager naar een positief financieel resultaat streven. Aan het hoofd van een openbare dienst, zoals bijvoorbeeld de brandweer of de gemeentesecretarie, staan hoofden, die weliswaar ook efficiënt de middelen beheren, maar wier output in andere termen wordt beoordeeld: veiligheid of punctualiteit bijvoorbeeld.
Overheidsbedrijven, zoals bijvoorbeeld een sociale werkplaats of het vroegere staatsbedrijf der PTT, worden verzelfstandigd of zelfs geprivatiseerd. Om uiteenlopende motieven kan een overheid besluiten een overheidsbedrijf buiten de directe controlesfeer te brengen. Het efficiëntie-argument is zo'n motief, naast andere motieven, die onder andere ter sprake komen in het artikel van Balkenende. Overheidsbedrijven hebben moeite om bij het leveren van goederen en diensten tegemoet te komen aan de wensen van afnemers. Afnemers hebben bij overheidsbedrijven soms geen keuze, terwijl ze wel een keuze willen hebben. Om aan die eis te kunnen voldoen streven overheden naar een situatie van concurrentie. Bij een zogenaamd natuurlijk monopolie acht de overheid zichzelf het meest competent om de selectie, productie of distributie van bepaalde goederen en diensten ter hand te nemen: het openbaar vervoer, de energievoorzieningen of de beveiliging laten zien dat een dergelijk beginsel niet een eenduidige en definitieve oplossing betekent, maar dat er bij voortduring gezocht wordt naar oplossingen die zoveel mogelijk partijen tevreden stellen. Naast efficiëntie, nationaal belang of vrees voor machtsmisbruik wordt voor beleidswijzigingen in toenemende mate duurzaamheid als argument gebruikt. (OECD, 1988).

Het vertrouwen van de onderneming werd jarenlang versterkt door de betrouwbaarheid van haar bestuur, dat wil zeggen directie en commissarissen. Daarom werd voor het lidmaatschap van de Raad van Commissarissen van beursgenoteerde ondernemingen gezocht naar publiek bekende figuren, zoals bijvoorbeeld politici en oud-politici. Naarmate er naar externe financiering gezocht werd, werden in de beoordeling ook andere dan persoonlijke elementen meegenomen. De economische resultaten, liefst gekwantificeerd, werden de graadmeter van het succes, de betrouwbaarheid en het vermogen tot groei en continuïteit. Vanaf de jaren dertig van de vorige eeuw zijn er vanuit de beurzen standaarden gesteld aan de financiële verslaggeving. De Verenigde Staten hebben die eisen vaak vastgelegd in wettelijke regels. In Nederland hebben achtereenvolgende commissies gewezen op vrijwillige deelname door beursgenoteerde ondernemingen aan gedragsregels met betrekking tot openbaarheid, transparantie en verantwoording. De continentale aanpak prefereert (vaak niet zulke vrijblijvende of vrijwillige) afspraken binnen het bedrijfsleven boven wetgeving. De veertig aanbevelingen voor behoorlijk ondernemingsbestuur van de Commissie Peters hebben in de jaren negentig de toon gezet voor het debat over corporate governance. Maar de aandeelhoudersvergadering, als het waakzame forum dat dit geheel moest bewaken, blijkt in de praktijk toch niet opgewassen tegen deze taak. Er worden dus andere, nieuwe wegen gezocht om transparantie te bevorderen, zoals registers, waarin alle informatie staat die ondernemingen moeten melden op gezag van de financiële autoriteiten. Daarnaast wordt er gezocht naar een verbetering van het forum, dat een aandeelhoudersvergadering zou moeten zijn, door bijvoorbeeld de institutionele beleggers te verplichten hun stemgedrag te melden.

10.3 Naar een derde vorm van betrouwbaarheid?

Een reeks van dergelijke maatregelen ter verbetering van de transparantie heeft als effect dat het huidige systeem wat gerepareerd wordt. Zou er meer moeten gebeuren? En dan niet alleen in de sfeer van financiering en toezicht maar in de sfeer van productie en marketing. De toenemende protesten tegen globalisering van deze tijd echoën de kritiek op het kapitalisme van de jaren zestig van de vorige eeuw. Die kritiek heeft toen geleid tot een nieuwe institutionalisering, ook wel genoemd de vermaatschappelijking van de onderneming. Zowel de definiëring van het maatschappelijk verantwoord handelen door ondernemen alsmede het toezicht op de behoorlijkheid en de transparantie van het ondernemingsbestuur zijn op te vatten als late uitlopers van die beweging naar vermaatschappelijking. Echt nieuw is het allemaal niet.

De vraag of de leiding en de medewerkers meer dan een gelegenheidscontract met elkaar sluiten en bijvoorbeeld zoiets als een gemeenschap zouden kunnen of moeten vormen, is gedurende het industrialisatieproces meermalen gesteld. In hoofdstuk 13 van dit boek behandelt Van den Heuvel een aantal coöperatieve experimenten. Daarnaast zijn er overal voorbeelden te vinden van ondernemingen die, weliswaar kapitalistisch opgezet, in de realisering van personeelshuisvesting een gemeenschapsideaal poogden te benaderen. De vraag is altijd maar gedeeltelijk beantwoord: er kan gezocht worden in de vermogenssfeer, in de winstdeling, in de huisvesting, in de besluitvorming of in een combinatie ervan, maar de principiële kwestie blijft of de betrouwbare onderneming niet uiteindelijk meer dan een 'ad hoc'-verband zou moeten zijn.

Is er een derde weg te vinden om de betrouwbaarheid van ondernemingen te vergroten door niet langer te kijken naar geïsoleerde terreinen als duurzaamheid, transparantie of maatschappelijke verantwoordelijkheid, maar naar het geheel? Vertrouwen in de onderneming als een geheel: leiding, structuur, medewerkers, product en reputatie. Het gaat dan niet meer om eisen die aan alle ondernemingen kunnen worden opgelegd, maar om een meer ideële invulling van de manier waarop ondernemingen handelen. Het gaat dan om wensen, die verder reiken en meer complex zijn dan de eisen van een duurzame, efficiënte of maatschappelijk verantwoorde productie. Het tegemoet komen aan die wensen verhoogt de productiekosten. Het conventionele argument tegen het inwilligen ervan is dat uiteindelijk de afnemer het moet betalen en dat de afnemer kan uitwijken naar een goedkoper alternatief.

Innovaties, nieuwe producten, flexibilisering van de arbeid of een nieuwe vorm van merchandising worden pas blijvend geaccepteerd, als blijkt dat er efficiënter of slagvaardiger mee gewerkt kan worden en dus niet kostprijsverhogend werken. Maar zullen ze ook geaccepteerd worden, als de kwaliteit van de producerende onderneming verhogen zonder overigens de kwaliteit in strikte zin van het product verhogen en zonder de kostprijs te verhogen? Dat kan alleen als werknemers of managers een salarisoffer brengen. Zo'n offer wordt alleen gebracht als de participanten in een organisatie er blijvend van overtuigd zijn dat het zo en niet anders moet. Idealisme dus.

Nogal wat verbeteringen in de sociale opzet en werkstijl van een organisatie worden wettelijk afgedwongen. Het gevolg is dat die veranderingen morrend ontvangen worden. De vraag of bijvoorbeeld veranderde arbeidsomstandigheden of een medezeggenschapsraad realiseren wat ze beogen, wordt niet gesteld. Medezeggenschap is bij weinig ondernemingen een deel van het morele landschap geworden. Dat dreigt ook het resultaat te worden van een stakeholdersdialoog: de bedrijfsleiding capituleert om erger te voorkomen. Het probleem met de meeste ideële vernieuwingen is dat er achteraf nauwelijks nog gekeken wordt of wat ermee beoogd werd, ook inderdaad gerealiseerd werd. Van nogal wat Nederlandse wetten heeft de laatste tijd de wetgever bepaald dat ze vijf jaar na hun invoering geëvalueerd dienen te worden, maar de praktijk wijst uit dat die evaluaties lang duren en dat de conclusies bij het verschijnen van het eindrapport al ingehaald zijn door reparatiewetgeving of door een structurele herziening die iets heel anders beoogt.

De enorme globalisering, die verwacht wordt als de wereldhandel verder geliberaliseerd zal worden, betekent enerzijds een toenemende concurrentie tussen een aantal steeds groter wordende multinationals en anderzijds nieuwe mogelijkheden voor ondernemingen met één vestiging. Voor bepaalde kapitaalintensieve activiteiten zullen er naar verwachting grote tot zeer grote ondernemingen ontstaan, vergelijkbaar met de situatie in de olie-industrie, de vliegtuigindustrie of de automobielindustrie. Zulke concerns zijn niet onkwetsbaar.

Strategische missers kunnen catastrofaal zijn en het concern in handen spelen van financiers of curatoren die door verkoop van divisies en door een sterfhuis-constructie binnen korte tijd te niet doen wat in jaren is opgebouwd. Er zal een belangrijke toekomst zijn voor een aantal zeer grote en geografisch zeer ver-spreide ondernemingen, gefinancierd via de internationale beurzen en nauw-lettend gadegeslagen door de internationale financiële vakpers. Maar dat be-tekent niet dat daarmee alle marktbehoeften uitgeput zijn. Toen de broodfabrieken in ons land in de jaren zestig de honderden zelfstandige bakkers eruit gewerkt hadden, ontstond de duurdere warme bakker. Toen de meubel-boulevards de schrijnwerkers en meubelmakers verdreven hadden met hun geïmporteerde artikelen uit goedkope-lonen-landen in Oost-Europa en Azië, begonnen designers ambachtelijke manieren van meubelmaken opnieuw te ont-wikkelen. Terwijl de fastfood-ketens zich nog uitbreiden, handhaven de ster-renrestaurants zich goed. En zo zijn er veel meer voorbeelden te geven van een kwalitatieve vraag naar producten en diensten waar goedkope geïmporteerde producten niet het antwoord op zijn. Zowel bij werknemers, als bij ondernemers alsook bij bepaalde categorieën consumenten is een behoefte naar nieuwe, klein-schalige, hoog-kwalitatieve en ambachtelijke dienstverlening.

Zo heeft bijvoorbeeld de steenfabriek Vogelensangh sinds 1919 zich niet aange-sloten bij een groot concern, maar is zelfstandig gebleven zonder zelfs maar de capaciteit noemenswaardig uit te breiden. Het traditionele familiebedrijf richt zich op het kleine gedeelte van de markt, waar het gaat om kleine orders met bij-zondere specificaties. Toch zijn dat geen handgevormde stenen meer, maar een machine drukt de klei in vormen, die dan vier dagen drogen voor ze de oven in gaan. Vroeger was steenbakken een seizoenbedrijf, waarin in het voorjaar de klei werd gevormd, in de zomer werden de vormen te drogen gelegd en in de winter werden ze gebakken. De oude fabriek bakt met een oude ringoven die aan de milieu-eisen van vandaag is aangepast. De eigenaar heeft nooit overwo-gen de oude fabriek te verruilen voor een nieuwe of de oude fabriek te verko-pen, want hij houdt te veel van zijn stenen en zijn mensen: "Ik heb de verant-woordelijkheid voor 24 werknemers en hun gezin." De beschrijving doet denken aan de fabriek die de designer William Morris (1834-1896) in 1881 oprichtte. Hij had de middeleeuwse werkplaatsen in de Lage Landen en Frank-rijk bestudeerd, waar er geen werknemers maar louter *craftsmen*, ambachtslie-den, waren, die toch plezier en voldoening in het eindresultaat van hun werken moeten hebben gehad. De twee decennia voor de oprichting van zijn fabriek had Morris naam verworven met, onder meer, zijn ontwerpen voor behang. Morris moest weinig tot niets hebben van de Victoriaanse smaak en de industriële wijze van productie. Hij zocht naar nieuwe en tegelijk ambachtelijke productietech-nieken voor zijn behang, tapijten, meubelen en glas-in-loodramen. Ten zuiden van Londen vond hij de leegstaande gebouwen van een textielververij. Vijf jaar later werd de plek, The Merton Abbey Works, bezocht door Amerikanen die enthousiast raakten door de verbluffende netheid en ordentelijkheid van het complex, waar het rook naar kruiden en natuurlijke verfstoffen en naar de bloe-

men, die tussen de gebouwen door geplant waren. Morris werkte soms dagen-
lang met zijn mensen om een bepaalde techniek of een bepaalde kleur tot stand
te brengen. Hij gaf lezingen en waarin hij uiteenzette dat de werkomgeving hem
inspireerde tot nieuwe ideeën en ontwerpen. Hoewel Morris zelf een Britse *middle
class* achtergrond had, voelde hij zich thuis tussen 'zijn' ambachtslieden in de
Merton Abbey Works. Zijn werknemers vertrouwden hem en hij, op zijn beurt,
zou ze nooit iets toevertrouwen, als hij niet eerst zelf de techniek had uitgepro-
beerd. Deze interessante man was bovendien een socialist, al verkocht hij zijn
producten vooral aan de rijke Britse kiezers.

De beide voorbeelden illustreren een vorm van een welhaast ambachtelijk en
ook postindustriële manier van organiseren, waar leiding en uitvoering dicht bij
elkaar staan en waar niet de absorptiecapaciteit van de markt de grens is maar
het enthousiasme en de arbeidssatisfactie van alle betrokkenen. Een industrieel-
ambachtelijke onderneming als gemeenschap dus? Volgens Dr. A. Kuyper zouden zij de ruggengraat van de maatschappij vormen. De toekomstige economie
zal deels bestaan uit massafabricage op een zo goedkoop mogelijke manier en
deels uit een kwaliteitsvraag, waarbij het kostenaspect niet op de voorgrond
treedt. Dat zou wat schaalgrootte betreft toekomst kunnen betekenen voor multinationale concerns en plaatselijk midden- en kleinbedrijf.

Voor zulke experimenten zijn enthousiasmerende en inspirerende ondernemers
nodig. Misschien zijn we na drie fasen van ondernemer, onderneming tot multinational terug bij 'af'. Het past bij het plurale karakter van onze samenleving dat
zowel globalisering alsook nieuwe gemeenschappelijkheid zich zal doorzetten.
Mensen kunnen kiezen. Soms voor een bepaalde duur van hun leven. Niets slijt
sneller als idealisme, tenzij gedragen door velen. Dat is de paradox van het ideaal: het begint bij weinigen, maar het beklijft als velen ervoor gewonnen worden. De grote godsdiensten, met een traditie van eeuwen, laten hier organisa-
tiemodellen zien, waar nog veel te leren zou zijn door het bedrijfsleven.
Efficiëntie is geen maatstaf voor continuïteit, wel een ideaal dat diep geworteld
is bij de betrokkenen.

Literatuur

Coase, R.H. (1937). 'The nature of the firm.' *Economica*, 4: 386-405.
Hébert, R.F., en Link, A.N. (1982). *The Entrepreneur*. New York: Praeger Publishers.
Lis, C., en Soly, H. (1979). *Poverty & Capitalism in Pre-industrial Europe*. Hassocks: The Harves-
ter Press.
OECD (1988). *Why Economic Policies Change Course: Eleven case studies*. Paris: OECD.
Williamson, O.E. (1975). *Markets and Hierarchies: Analysis and antitrust implications*. New York:
The Free Press.

11
De familieonderneming

Door Michel Ladrak

In dit hoofdstuk wordt ingegaan op de relatie tussen kapitaalverschaffer en ondernemingsleiding binnen het familiebedrijf. Saillant daarbij is dat de familieonderneming op vrijwel alle aspecten gelijk is aan elke andere onderneming. Het gaat om een bedrijfshuishouding die binnen haar grenzen verschillende productiefactoren heeft verzameld en deze op een dergelijke manier combineert dat bepaalde kosten van het marktmechanisme worden omzeild, waardoor er een mogelijkheid ontstaat voor het maken van winst. Daarbij geldt tevens dat de productiefactoren van een familieonderneming niet verschillen van andere reguliere ondernemingen. Ook de familieonderneming maakt op diverse manieren gebruik van de factoren kapitaal, arbeid, kennis en leiding. Ten slotte kan worden gesteld dat de rechtsvorm van een familieonderneming evenmin wezenlijk verschilt. Vaak gaat het om een besloten of naamloze vennootschap. Kortom, bij de familieonderneming lijkt geen sprake te zijn van een aparte ondernemingsvorm. Vraag is dus of specifieke aandacht voor dit onderwerp dan nog gerechtvaardigd is?

In antwoord op bovenstaande vraag kan het volgende gezegd worden. Het wezenlijke verschil tussen de reguliere onderneming en de familieonderneming bestaat uit één doorslaggevende factor, namelijk: de familie. En het is juist de familie die ervoor zorgt dat de relatie tussen ondernemingsleiding en kapitaalverschaffers afwijkt van andere meer reguliere bedrijfshuishoudingen. De reden is dat vanwege familiebanden kapitaalverschaffers bij de familieonderneming niet anoniem zijn. Dat heeft bepaalde voordelen, maar ook zekere nadelen. Er ontstaat een spanningsveld dat moeten worden doorbroken. Feit is dat aan de bedrijfseconomische gevolgen van dit spanningsveld nog relatief weinig aandacht is besteed.

Wat betekent bovenstaande voor het verdere verloop van dit hoofdstuk? Allereerst wordt vanuit historisch perspectief de relatie tussen ondernemingsleiding en kapitaalverschaffer belicht. Daarbij zal worden vastgesteld dat menig auteur in het verleden van mening was dat de ontwikkeling van een onderneming zou stagneren als het aandelenkapitaal geconcentreerd bleef in handen van een kleine groep belanghebbenden. Echter, tegenover dit historische inzicht wordt het perspectief geplaatst van de krachtige familieonderneming, die ondanks haar beperkingen kan overleven op een concurrerende markt.

Later in dit hoofdstuk wordt op een dieperliggend niveau gekeken naar de relatie tussen ondernemingsleiding en aandeelhouder. Daarbij wordt ook plaats gemaakt voor andere belanghebbenden die betrokken zijn bij de onderneming. Deze belanghebbenden kunnen bestaan uit toekomstige aandeelhouders, maar ook uit familieleden die op een andere manier afhankelijk zijn van het ondernemingsbeleid. Centraal thema in het tweede deel van dit hoofdstuk is de vraag wat de beperkingen zijn van een situatie, waarbij de leiding onder sterke invloed staat van een relatief machtige groep kapitaalverschaffers. Kapitaalverschaffers, waarvan de betrokkenheid verder reikt dan die van belegger vanwege hun sterke verwantschap met elkaar en de onderneming. Uiteindelijk wordt aan de beperkingen van een familieonderneming tegemoet gekomen door in te gaan op het begrip 'vertrouwen'. Welke rol speelt onderling vertrouwen bij het invullen van de wens om te continueren als familieonderneming? Is de familieonderneming betrouwbaarder dan de publieke onderneming? De stelling in dit hoofdstuk zal zijn dat de karakteristieke beperkingen van een familieonderneming, minder gevoeld worden naarmate het onderlinge vertrouwen groter is.

11.1 De familie-onderneming in een historische context

Lange tijd werd de familie-onderneming gezien als een eerste fase in de ontwikkeling van een onderneming. Een natuurlijk startpunt dat men verlaat op het moment dat de onderneming groeit en zich verder ontwikkelt. Alfred D. Chandler Jr. stelt bijvoorbeeld in zijn boek 'Scale and Scope: The dynamics of industrial capitalism' (1990) dat Groot-Brittannië de kans op een succesvolle aansluiting op de tweede industriële revolutie heeft gemist, omdat familieondernemingen een obstakel vormden voor verdere ontwikkeling. Deze gedachte was overigens niet nieuw. In 1933 schrijven Berle en Means het boek 'The Modern Corporation and Private Property'. De aanleiding hiervoor was de ontdekking dat: "It was apparent to any thoughtful observer that the American corporation had ceased to be a private business device and had become an institution." (1932: iii). Onderzoek in 1928 had onder meer uitgewezen dat: " ... American industrial property, through the corporate device, was being thrown into a collective hopper wherein the individual was steadily being lost...". (1932: 5). Wat betreft de ontwikkeling van een onderneming komen zij tot de conclusie dat het juist de scheiding tussen eigendom en zeggenschap is geweest die ervoor heeft gezorgd dat er een enorme aggregatie van bezit mogelijk was. Deze uitspraken wijzen op een stellingname die impliceert dat het instrument van de onderneming in handen van een familie remmend werkt op het creëren van toegevoegde waarde. De opkomst van grote dominante ondernemingen wekt interesse en trekt alle aandacht naar zich toe als onderdeel van een 'nieuwe economie'. De familieonderneming als een anachronisme achterlatend.

Ook na Berle en Means zet de gedachte achter een strikte scheiding tussen eigendom en zeggenschap zich voort in de economische literatuur. In 1953 schrijft Boulding, meer specifiek met betrekking tot de familieonderneming:

> "Thus, as long as the communications system is limited to informal contacts, as in the family, the organization cannot grow beyond the number of people who can maintain informal contacts with one another. (...) Similarly the 'family business', while it can grow beyond the limits of family size because of the relative simplicity of economic by comparison with family relationships, is strictly limited in its growth by the difficulties of maintaining effective personal contacts between the 'boss' and his 'big happy family'. Increasing size is possible only at the cost of increasing complexity of structure." (1953: 26-27)

Ook dit zou betekenen dat een familiebedrijf, naarmate het ontwikkelt en groeit, door inefficiëntie wordt achterhaald en dus zo snel mogelijk als ondernemingsvorm moet worden verlaten. Ook als de familie zou beschikken over een dominant minderheidsbelang wordt er van de stelling uitgegaan dat bepaalde taken voor de familie niet delegeerbaar zijn. Juist deze schijnbare onmogelijkheid om bij een familieonderneming te delegeren, maakt het gebruik van professionele managers onmogelijk.

Ten slotte is het de moeite om te verwijzen naar het boek van Penrose, onder de titel: 'The Theory of the Growth of the Firm' uit 1959. Penrose stelt min of meer dat de doorbraak van de vennootschap ertoe heeft bijgedragen dat de private onderneming haar beperkingen ten aanzien van groei en uiteindelijke grootte heeft verloren. De reden is volgens haar dat hierdoor de verbinding wordt verbroken tussen enerzijds de bedrijfsvoering en anderzijds de persoonlijke financiële positie van haar eigenaren. Zij stelt expliciet dat het samengaan van leiding en eigendom leidt tot een scherpe beperking van het financiële risico dat een onderneming wil nemen en dat het tegelijkertijd beperkingen oplegt ten aanzien van de mogelijkheid om zeggenschap te delegeren. Het gevolg is aldus dat: "The business could never be an entity in its own right, independent of the personal position of the firms owners, as it has increasingly tended to become today." Ook Penrose ziet dus op lange termijn geen rol weggelegd voor de familieonderneming. Zij sluit zich bij alle andere auteurs aan en ziet met hen slechts mogelijkheden als eigenaars en management een meer zakelijke relatie aangaan.

Bovenstaande meningen zijn enkele voorbeelden van de lijn die zich in de economische literatuur heeft ontwikkeld. Waar komt deze dominante stroom in het denken over familieondernemingen vandaan? Een korte blik op het verleden leert ons veel. De dominantie van de 'public corporation', met een duidelijke scheiding tussen leiding en eigendom, is dikwijls nadrukkelijk voelbaar en aantrekkelijk. Het zijn immers de multinationals die het landschap lijken te bepalen als het aankomt op economische groei en werkgelegenheid. De geschiedenis lijkt dit te bekrachtigen. Als Berle en Means hun boek schrijven is het 1932. Het jaar waarin de Grote Depressie op haar dieptepunt is. In zijn voorwoord baseert Berle zich op een studie uit 1928. Het jaar waarin de beurskoers van grote ondernemingen bijna verdubbelde, om in oktober 1929 als een zeepbel uit elkaar te spatten. Het onderscheid tussen enerzijds het oude als economische eenheid fungerende huisgezin en anderzijds de moderne los van het productieproces staande, burgerlijke familie wordt dan alom gevoeld en zet aan tot het aanpassen van de economische theorie. De ondernemersfamilie kan daarin worden gezien als een tussenvorm, hetgeen ook door Berle en Means wordt onderkend. Zij houden rekening met de mogelijkheid dat bepaalde groepen (bijvoorbeeld families) een meerderheidsstem of een dominante minderheidsstem hebben, maar gaan er tegelijkertijd vanuit dat op termijn elke onderneming geleid zal moeten worden door een professioneel management.

Boulding en Penrose wijken niet van deze gedachte af. Ook bij hen krijgt de publieke onderneming alle aandacht. In de jaren vijftig begint de economische heropleving. De industrialisatie zet onverwacht succesvol door en dat vormt een goede voedingsbodem voor verdere rationalisatie van de productieprocessen. Een sterke opleving van technologische kennis stelt hogere eisen aan de kwaliteiten van het management en de financiële capaciteit van de onderneming. Organisaties vragen om nieuwe structuren die aansluiting vinden bij de markt. Het zijn waarschijnlijk deze ontwikkelingen – die zich in de loop der jaren in meer of mindere mate hebben voorgedaan – waardoor toenmalige en huidige economen de familieonderneming van hun analyses uitsluiten. Een familie-onderneming lijkt immers maar zo beperkt. Ook de hausse op de AEX in de periode van 1997-1999 draagt bij aan de onderwaardering van het familiebedrijf. Bij de niet beursgenoteerde familie-onderneming zijn koerswinsten per definitie uitgesloten. Bovendien is men van mening dat door de afhankelijkheidsrelatie tussen kapitaalverschaffer en ondernemingsleiding het bedrijf minder kan profiteren van een hoogconjunctuur. Argument achter deze gedachte is de veronderstelde beperkte toegang tot de kapitaalmarkt, omdat de invloed van derden niet mag toenemen. Daarnaast steekt de familieonderneming maar sober af tegen de 'Nieuwe Economie' met haar prikkelende aantrekkingskracht op het gebied van technologie, media en telecommunicatie; sectoren waarin de familieonderneming nog niet voorkomt, vanwege hun recente opkomst als belangrijke economische factor. Een bedrijf als Newconomy[1] was onder leiding van topman Maurice de Hond met name geïnteresseerd in het potentieel van een verzameling van veel startende entrepreneurs. Familieondernemingen zijn hiervan per definitie uitgesloten.

Ten slotte – en dat is waarschijnlijk de belangrijkste reden voor het onderbelicht blijven van ondernemingen met een geconcentreerde groep kapitaalverschaffers – is de opvallende ontdekking van Hermann Simon (1997) dat succesvolle familieondernemingen een grote kans hebben te behoren tot een categorie van verborgen kampioenen. Simon heeft ontdekt dat er op de wereldmarkt bedrijven opereren die enerzijds marktleider zijn, maar anderzijds nauwlijks bekendheid genieten bij het publiek. Opmerkelijk hierbij is dat hij 76,5% van

deze populatie aanmerkt als familiebezit. Blijkbaar profileren de belanghebbenden van deze categorie bedrijven zich niet op een doorzichtige kapitaalmarkt, maar houden zij zich verscholen voor de buitenwereld. Invloed van buitenaf wordt volgens Simon beschouwd als bedreigend en improductief. Het feit
dat deze familieondernemingen zich verdekt opstellen en zich niet openlijk profileren betekent vanzelfsprekend dat ze niet de aandacht krijgen die ze vanuit
bedrijfseconomisch perspectief verdienen. Wat Simon echter wel duidelijk
maakt – en dat is een opvallende kentering in het denken – is dat de familieonderneming zich even goed kan ontwikkelen als elke andere gelijkwaardige,
maar reguliere onderneming. In het verleden waren sommige auteurs gepre-
occupeerd door een soort natuurlijk model van bedrijfsontwikkeling. Simon
heeft aangetoond dat dit beeld voor de familieonderneming niet op feiten
berust. De praktijk toont aan dat veel familieondernemingen zich weliswaar
verborgen houden uit angst voor invloed van derden, maar dat zij evengoed
zeer succesvol kunnen zijn.

11.2 De familieonderneming in de praktijk

De mening van Berle en Means, Boulding, Penrose en Chandler Jr. wordt in dit
hoofdstuk niet gedeeld. De praktijk wijst namelijk anders uit. Er zijn voldoende
voorbeelden van grote en succesvolle familieondernemingen. Opmerkelijk zijn
Carrefour van de franse familie Defforey met een omzet van 62 miljard euro,
Samsung Electronics van de familie Lee met een omzet van 28 miljard euro en
Ikea van de familie Kamprad met een omzet van negen miljard euro. Veel van
deze families houden zich verborgen, maar dat zegt niets over het economische
en maatschappelijke belang van hun ondernemingen. Naast de praktijk is er nog
een reden om te twijfelen aan de veronderstelling dat familieondernemingen
zich beperkt kunnen ontwikkelen. Het consequent doorvoeren van de redenering van bovenstaande auteurs zou immers wijzen op het bestaan van een algemeen optimum. Een optimum, waarbij de belangen van familie en onderneming
volledig met elkaar in harmonie zijn. Voorbij dat optimum zou de familieonderneming geen bestaansrecht meer hebben, omdat de ondernemingsbelangen gaan domineren. Deze stelling komt redelijk overeen met de micro-econo-
mische benadering van nutsmaximalisatie. Aan zowel het familie- als
ondernemingsbelang wordt een zeker nut toegekend bij het behalen van concurrentievoordeel dat deels kan worden opgegeven als dit wordt gecompenseerd door voldoende toevoeging van waarde bij de ander. Een dergelijke veronderstelling is logisch, omdat de familie en het bedrijf de uitersten zijn van een
zelfde continuüm, dat bestaat uit een gelimiteerde hoeveelheid productieve
middelen, waarmee slechts beperkt gevarieerd kan worden. Toch, als men vast-
houdt aan de gedachte van nutsmaximalisatie en als men concludeert dat er een
algemeen optimum bestaat, dan komt de vraag op waarom het optimum bij verschillende familieondernemingen verschilt? Enerzijds zijn er familiebedrijven
die behoren tot de categorie midden- en kleinbedrijf. Anderzijds zijn er familiebedrijven die overtuigend tot het grootbedrijf behoren. In Nederland valt te den-

ken aan C&A, SHV Holdings, Dirk van de Broek, Van Leeuwen Buizen, Bavaria en Van der Valk. Bovendien verschilt het karakter van deze grote ondernemingen sterk. Het betreft zowel productie-, handels- als dienstverlenende ondernemingen. De enige verklaring is dat er voor de familieonderneming dus geen algemeen optimum bestaat in de samenhang tussen leiding en eigendom. Weliswaar moeten familiebelangen en ondernemingsbelangen met elkaar in evenwicht zijn, maar dit kan per onderneming verschillen afhankelijk van de productiefactoren en competenties die men in huis heeft. Deze veronderstelling is noodzakelijk voor het vervolg van dit hoofdstuk.

11.3 Een gemeenschappelijk belang: continuïteit

Ondanks het potentieel dat een familieonderneming heeft, is het blijkbaar de nauwe band tussen kapitaalverschaffers en ondernemingsleiding die wordt ervaren als een probleem voor de familieonderneming. Vraag is echter: waarom? De praktijk heeft toch immers uitgewezen dat ook familieondernemingen heel groot en succesvol kunnen zijn? Het antwoord op deze vraag schuilt in de verschillende belangen! Kapitaalverschaffers hebben nu eenmaal andere belangen dan de leiding van een onderneming. Bij een reguliere onderneming kunnen partijen los van elkaar opereren, maar als daar familiebanden tussendoor lopen dan wordt er een factor toegevoegd, die voor de onderneming op lange termijn niet te managen lijkt. Toch logenstraft de praktijk in een aantal gevallen deze angst. Hoe kan dat?

De leiding van een onderneming en haar kapitaalverschaffers kunnen alleen in harmonie met elkaar een koers uitstippelen als zij opereren vanuit een gemeenschappelijk belang. Toch lijkt van een gemeenschappelijk belang bij de reguliere onderneming vaak geen sprake. Kapitaalverschaffers – en dit geldt met name voor het Angelsaksische model – willen een zo hoog mogelijk rendement op hun investering. De ondernemingsleiding daarentegen wil zoveel mogelijk autonomie, zonder dat zij wordt afgerekend op korte termijnprestaties die zij per kwartaal dient te verantwoorden. Het gaat hier dus om een natuurlijke tegenstelling.[2] Echter in de meeste gevallen houden beide partijen elkaar goed in evenwicht. Daarbij zijn twee mechanismen tegelijkertijd in werking. Allereerst hebben betrokken aandeelhouders een mogelijkheid om hun bezit te verkopen op een vrij toegankelijke markt. Zij kunnen afstand doen van de onderneming. Dit geeft de ondernemingsleiding een kans om haar eigen visie te volgen. Op de tweede plaats kunnen aandeelhouders er gezamenlijk voor kiezen om de ondernemingsleiding naar huis te sturen. Dit voorkomt dat het zittende bestuur teveel haar eigen belangen nastreeft. Kortom, het gemeenschappelijk belang bestaat hier uit het in stand houden van de relatie, omdat het verbreken van de relatie voor beide partijen organisatiekosten met zich meebrengt.

Bij de familieonderneming is bovenstaande situatie feitelijk niet anders. Er is echter één verschil. De familie die het kapitaal verschaft kan haar aandeel in de onderneming niet vervreemden en de ondernemingsleiding kan als (groot)aandeelhouder niet altijd naar huis gestuurd worden. Daarmee worden alle aandeelhouders voor hun inkomsten direct afhankelijk van de prestaties die de onderneming levert. Als het minder gaat met de onderneming dan is het voor de familie niet mogelijk om haar kapitaal zeker te stellen door verkoop van het aandelenpakket aan derden. Op de eerste plaats, omdat bij vervreemding het familiekarakter verloren kan gaan en dus hun positie als leidinggevende of dominante partij onder druk komt. Op de tweede plaats, omdat de waarde van een besloten onderneming, zoals de familieonderneming, voor de markt moeilijk te bepalen is. Het gevolg van beide punten is dat de familie niet gebaat is bij winstmaximalisatie. Winstmaximalisatie brengt immers risico's met zich mee, die niet op een vrije kapitaalmarkt bepaald en weggezet kunnen worden. Terwijl winstmaximalisatie tevens zou betekenen dat de onderneming moet worden verkocht op het moment dat de familie inschat dat de markt haar de beste verkoopprijs biedt. Zou de familie dit beleid voeren dan kan men niet serieus spreken van een familieonderneming en is er eerder sprake van een familiebelegging.

Bij een familieonderneming zijn ondernemingsleiding en kapitaalverschaffer dus veel intenser op elkaar aangewezen en kunnen zij alleen overleven als zij handelen vanuit een ander gemeenschappelijk belang dan oplopende organisatiekosten. Welk belang is dat dan?

Het gemeenschappelijk belang kan alleen maar bestaan uit het gevoel en de wens om met elkaar het bedrijf te continueren. De wens om als familieonderneming over meerdere generaties voort te bestaan houdt kapitaalverschaffers en ondernemingsleiding bij elkaar. Zijn er onderling dan geen verschillen mogelijk? Jawel! Er kunnen altijd verschillen bestaan tussen diverse belangen, maar deze worden met elkaar in evenwicht gebracht zolang men de ambitie heeft om met elkaar door te gaan. Dat is een strategische overweging! Eén die overigens alleen waargemaakt kan worden zolang de familieonderneming zich nog op de markt weet te onderscheiden als een geduchte concurrent. Dat betekent niet dat de familieonderneming altijd de grootste en de sterkste moet zijn om te kunnen overleven. Het betekent wel dat men zo nu en dan ruimte moet bieden aan enerzijds de belangen van de familie en anderzijds die van de onderneming, wanneer de situatie hiertoe dwingt. De ene keer zal het familiebelang zwaarder wegen en de andere keer het ondernemingsbelang, maar geen van beide kan langdurig overheersen zonder de continuïteit in gevaar te brengen.

11.4 Beperkingen

Hoewel een familieonderneming kan overleven vanuit een gemeenschappelijk belang is niet gezegd dat er geen forse beperkingen kunnen zijn. Om dit te expliciteren moet eerst een algemeen model van de familieonderneming worden gepresenteerd (zie figuur 11.1).

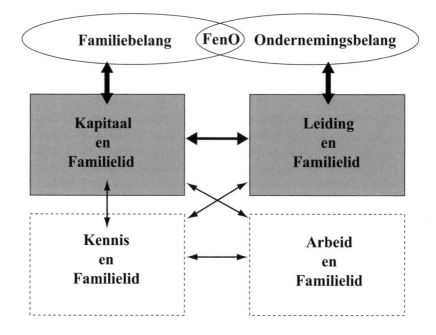

Figuur 11.1   Model van de familieonderneming

In figuur 11.1 zijn vier algemene productiefactoren te herkennen die samen de familieonderneming vormen. Opvallend is dat de verschillende belangen direct zijn verbonden met een specifieke productiefactor. Zo is het familiebelang verbonden met de productiefactor kapitaal en is het ondernemingsbelang verbonden met de productiefactor leiding. Dit komt enerzijds overeen met het feit dat de familie vooral baat heeft bij een langdurig rendement op het geïnvesteerde kapitaal. Het begrip rendement moet daarbij ruim worden geïnterpreteerd en omvat tastbare zaken als geld en goederen, maar ook minder tastbare zaken als arbeidszekerheid, respect en aanzien. Terwijl anderzijds het ondernemingsbelang vooral baat heeft bij een competente dagelijkse leiding.

Naast het familiebelang enerzijds en het ondernemingsbelang anderzijds is er ook een gemeenschappelijk belang. Dit vertaalt zich in het succesvol continueren van de ondernemingsactiviteiten. Continuïteit betekent voor de kapitaalverschaffers dat het rendement en hun eventuele invloed hierop over langere periode wordt gegarandeerd, terwijl voor de leiding continuïteit erkenning betekent van geleverde prestaties.

Uit figuur 11.1 maakt men tevens op dat de vier productiefactoren verschillend worden gewaardeerd. Kapitaal en leiding zijn essentieel en direct verbonden met zowel de familie en de onderneming. Voor kennis en arbeid is echter een minder prominente plaats ingeruimd. De reden is dat beide productiefactoren vrij op de markt aangetrokken kunnen worden. Het zijn middelen die de familie zelf kan inbrengen, maar die evengoed vrij verkrijgbaar zijn op de markt. Veel zal echter afhangen van de concurrentiekracht die ontstaat met behulp van kennis en arbeid dankzij aanwezigheid van de familie. Afhankelijk hiervan ontstaat er namelijk een familieof ondernemingsbelang dat de inbreng van familiespecifieke kennis of het plaatsen van familie als arbeidskracht stimuleert. Zo geldt dit bijvoorbeeld voor ondernemingen waar ambachtelijke kennis in huis is. Zoals een veilinghuis of een restauratieatelier. De waarde van de familie als arbeidskracht is dan aanzienlijk. Echter, de uiteindelijke keuze voor kennis of arbeid hoeft niet familiespecifiek te zijn. Een familieonderneming komt niet per definitie in gevaar als de familie geen inbreng heeft met betrekking tot de aanwezige kennis of de ingezette arbeid.[3] De waarde van de familie zal vooral blijken uit de manier waarop zij in staat is om productiefactoren te combineren tot een concurrerende kerncapaciteit.

Ten slotte geeft de dikkere horizontale pijl in het model aan dat kapitaal en leiding altijd nauw met elkaar verbonden zijn. Dit berust op de veronderstelling dat de familie als functioneel autonome eenheid opereert en op zijn minst gedeeltelijk aandeelhouder is, waarbij haar inbreng wordt gezien als investering. Zou de familie haar inbreng immers zien als belegging dan geldt dat zij slechts passief aandeelhouder is en heeft zij geen interesse in de dagelijkse bedrijfsvoering. Reëel gezien kan er dan ook geen sprake zijn van een familieonderneming, omdat het streven naar de continuïteit van het bezit bij beleggingen geen overweging is.

Kortom, het is duidelijk dat de familie haar band met de onderneming ontleent aan het kapitaal dat zij in de onderneming heeft gestoken. Het is meer dan de band die een reguliere aandeelhouder heeft. Het verschil tussen de anonieme vennootschap en de familieonderneming is dat de familie een dominante stem heeft in de algemene vergadering van aandeelhouders en mogelijk in de leiding. De familie als aandeelhouder en/of leidinggevende is niet anoniem, zoals bij een normale vennootschap, maar duidelijk zichtbaar en dominant. Dientengevolge kan de familie sterker dan wie ook haar opvattingen binnen de onderneming doen gelden.

De financiële limiet

Zoals reeds gezegd: de familieonderneming kent een aantal fikse beperkingen. De eerste beperking wordt omschreven als de financiële limiet. Hieronder volgt een toelichting.

De financiële limiet heeft betrekking op de mogelijkheid om kapitaal aan te trekken. Toegang tot de kapitaalmarkt wordt beperkt door belangenverschillen binnen de familieonderneming. Deze verschillende belangen herkent men op drie niveaus.

1   Tussen familieleden onderling.
2   Tussen familie en onderneming.
3   Tussen de familieonderneming en externe partijen.

Allereerst zijn er belangenverschillen binnen de familie. Deze verschillen komen
voort uit de verschillende functies die familieleden kunnen bekleden. Zo kan de
familie aandeelhouder zijn, maar ook een plaats hebben in de ondernemingsleiding. Zij kan arbeid verrichten en beschikken over specifieke kennis. Uiteindelijk geldt voor elk familielid dat hij iets terugverwacht voor de inbreng die wordt
geleverd. De verwachtingen hieromtrent verschillen per functie en per individu
en hebben bovendien geen statisch karakter. Belangen en verwachtingen ontwikkelen zich voortdurend. Zal bij de oprichter-entrepreneur zijn persoonlijke
belang sterk overeenkomen met dat van de onderneming, naarmate generaties
elkaar opvolgen – en van latere generaties is bij grote en oudere ondernemingen
vaak sprake – wordt het steeds aannemelijker dat met de diffusie van het eigendom de belangen tussen kapitaalverschaffers en onderneming gaan verschillen.
De wijze waarop aanwending van het kapitaal binnen de onderneming plaatsvindt, wordt minder vanzelfsprekend. Leiding en organisatie moeten rekening
gaan houden met een veelzijdige groep aandeelhouders, die zich op verschillende manieren nadrukkelijk kan laten gelden. Daarmee staat het evenwicht tussen beide belangen onder constante druk. Er zijn belangen van passieve familieleden, actieve familieleden, familie in de leiding, derden in de leiding en
buitenstaanders. Elk met hun eigen bijzondere belangen, interessen en verwachtingen. Aan al deze verschillende vormen van betrokkenheid binnen de
familie moet in zekere zin tegemoet gekomen worden.

Naast verschillende belangen binnen de familie ziet men op het tweede niveau
belangenverschillen tussen de familie en de onderneming. Reden is dat de familie enerzijds een dominant belang heeft in de onderneming, maar anderzijds
door diezelfde onderneming verschillend wordt gewaardeerd. Zonder bijvoorbeeld de oprichter-entrepreneur zou de onderneming nooit van de grond zijn
gekomen. De waarde en bijdrage van een oprichter-entrepreneur is dus hoog.
Dankzij hem kon de onderneming een product op de markt zetten en zich onderscheiden van de concurrentie. Naarmate het aantal afstammelingen van de
oprichter toeneemt wordt de bijdrage van het gemiddelde individuele familielid echter relatief steeds kleiner. Daarbij kunnen binnen de familie als geheel
grote verschillen ontstaan. Sommige leden zullen heel weinig waarde hebben
voor de onderneming en anderen juist heel veel. Daarmee is echter niets gezegd
over de individuele dominantie. In het slechtste geval kan de meest dominante
partij binnen de familie voor de onderneming het minst waardevol zijn. Het
omgekeerde kan natuurlijk ook.

Ten slotte heeft de familieonderneming de beperking om kapitaal aan te trekken
bij externen, zoals banken en investeringsmaatschappijen. De familie heeft altijd
als restrictie dat de afhankelijkheid van buitenstaanders moet blijven tot het

niveau waarop de familie autonoom is. Als investeerders zeggenschap willen over hun kapitaalinbreng dan zal het belang van de familie onder druk komen. Zij zal hier dus slechts beperkt aan kunnen toegeven. Kortom, zij wordt beperkt in de keuze bij het bepalen van haar vermogensstructuur.

Bovenstaande maakt één ding uitermate duidelijk. Het kapitaal in de familieonderneming kan een beperkende factor zijn. Enerzijds heeft de familie belang bij een bepaald rendement. Daarbij geldt dat hoe diffuser de belangen, hoe belangrijker een feitelijke onttrekking van gelden voor individuele aandeelhouders wordt. Weliswaar levert een gemiddeld familielid nooit dezelfde bijdrage aan de onderneming, maar datzelfde lid heeft wel de mogelijkheid om zijn waarde te verzilveren als ware hij gelijk. Het uitkeren van een rendement gaat derhalve ten koste van de onderneming en is om die reden slechts gedoseerd mogelijk. Een winstuitkering kan immers niet worden geïnvesteerd en onder eventueel geëtaleerde status ligt vaak een financiële basis. Anderzijds kan het voor de leiding moeizaam zijn om haar plannen te financieren met kapitaal aangetrokken bij derden. Dit, omdat bij grote hoeveelheden de dominantie van de familie onder druk komt. Het familiebelang kan dan nog slechts beperkt tegenwicht bieden aan het ondernemingsbelang. De continuïteit als familieonderneming is niet langer gegarandeerd.

De financiële limiet is dus het gevolg van verschillende belangen op diverse niveaus. Deze limiet speelt bij de familieonderneming voortdurend een rol. Voor de goede orde moet worden vermeld dat iedere onderneming – ook niet familieondernemingen – ooit in aanraking komt met een zekere financiële limiet. De mogelijkheid tot het oneindig aantrekken en aanwenden van vermogen, zonder een solide vergoeding of onderpand te bieden aan de verschaffers van dat vermogen, is onwaarschijnlijk. Het verschil met de familieonderneming is dat zij voor het aantrekken van vermogen wordt beperkt door de wens om haar zelfstandigheid te bewaren en als familieonderneming te continueren.

De management limiet

Naast een financiële beperking is er nog een beperking die wordt omschreven als de management limiet. De management limiet heeft betrekking op de competentie van de leiding. Is de ondernemingsleiding in staat om alle aanwezige productiefactoren effectief in te zetten? Men kan immers stellen dat geen enkele productiefactor van enige waarde is als zijn inzet niet op een verstandige manier wordt gecoördineerd. Leiding, kapitaal, kennis en arbeid kunnen nu eenmaal niet los van elkaar bestaan. Er is voortdurend onderlinge afstemming noodzakelijk om tot een concurrerende combinatie te komen. Dat de leiding bij deze coördinatie een belangrijke rol vervult, spreekt voor zich. De productiefactor leiding heeft immers de functie om alle productiefactoren met elkaar te verbinden tot een geheel dat waarde genereert op de markt. Daarbij zal zij streven naar een werkvorm die zonder veel interne organisatiekosten in stand kan worden gehouden. Is deze stabiele werkvorm eenmaal gevonden dan betekent verstoring daarvan een verlies aan efficiëntie en effectiviteit.

Naast het opbouwen van een onderneming heeft de leiding ook een belangrijke rol bij de ontwikkeling ervan. Alleen door zich voortdurend te ontwikkelen kan een onderneming aansluiting houden bij de omgeving. Grote ondernemingen hebben alleen hun omvang kunnen bereiken door consequent in te spelen op kansen in de markt en het is de leiding geweest die deze kansen heeft onderkend en daarop haar koers heeft uitgezet. Het zal niemand verbazen dat het opzetten van een onderneming heel andere competenties vraagt dan het continueren en uitbouwen ervan. Op elk moment dat de onderneming van de ene levensfase in de andere komt, wordt er druk gelegd op de competenties van het management. Een eenvoudig voorbeeld van het voorgaande is de situatie die ontstaat als een kleine onderneming een periode van forse groei doormaakt. Kan een oprichter-entrepreneur vaak vertrouwen op zijn gedrevenheid, naarmate de onderneming groter wordt zullen er meer managers moeten worden aangetrokken en ontkomt men niet aan een zekere vorm van taakverdeling en specialisatie.

Zolang de onderneming zich ontwikkelt, wordt het management voor keuzes gesteld met betrekking tot de inzet van de aanwezige productiefactoren. De waarde van productiefactoren wijzigt met veranderingen in de markt en dus moeten zij opnieuw op elkaar worden afgestemd. Als de onderneming klein is en kennis geconcentreerd, dan kan die herafstemming eenvoudig plaatsvinden door één of enkele personen. Een van de meest genoemde voordelen van de familieonderneming is dat de onderlinge afstemming effectief kan verlopen vanwege de korte communicatielijnen. Maar naarmate de onderneming groeit wordt er meer van het management verlangd. Functies binnen de onderneming worden te groot en te complex voor één persoon. De leiding zal haar coördinerende taken over meerdere personen moeten verdelen. Er zullen vacatures moeten worden opgevuld waaraan het zittende management niet tegemoet kan komen.

In de afweging van belangen staat de familieonderneming bij de invulling van het (toekomstige) management voor een drietal mogelijke keuzen.
1 De eerste keuze die kan worden gemaakt, is om niets te doen. Men veronderstelt dat de aanwezige productiefactoren voldoende waarde behouden om concurrerend te blijven.
2 De tweede keuze is om nieuwe familieleden te introduceren binnen de leiding. Men kiest ervoor om de productiefactor leiding met de inzet van extra familie te versterken.
3 De derde keuze bestaat uit het aanvullen van de leiding met derden.

Alle drie de opties zullen hieronder worden behandeld.

De eerste optie om de leiding onaangetast te laten bij een veranderende context lijkt onverstandig, maar moet niet worden uitgesloten. Figuur 11.1 wijst namelijk uit dat de leiding niet onafhankelijk van het familiebelang kan opereren. De samenstelling van de leiding moet dus de goedkeuring hebben van de dominante aandeelhouders. Deze goedkeuring zal worden gegeven als het ondernemingsbelang het belang van de familie niet in de weg staat. Overheerst het ondernemingsbelang en komt daarmee het familiebelang onder druk dan kan het zo zijn dat de familie niet thuis geeft bij het doorvoeren van noodzakelijke aanpassingen in de leiding. Een evenwichtige samenstelling van het management die past bij de nieuwe situatie blijft dan uit. Men streeft naar het handhaven van de status-quo. Een dergelijk besluit is wellicht rationeel niet te verantwoorden, maar sluit wel aan bij de beleving en emotie van de familie. Het gevolg is dat de ontwikkeling van het bedrijf voor een aantal richtingen wordt afgesloten. Dat is weliswaar niet spannend, maar het levert wel een bepaalde zekerheid en rust op. Ook al is dat op lange termijn niet vol te houden

Naast niets doen kan de familie er ook voor kiezen om de leiding aan te vullen met eigen mensen. Zij levert dus uit eigen gelederen diverse competenties om tegemoet te komen aan de nieuwe eisen uit de omgeving. Dit gaat goed als de familie voldoet aan het vereiste profiel. Er wordt schade berokkend als de familie een verkeerde of teveel van dezelfde capaciteit in de ondernemingsleiding toelaat. Capaciteit die eigenlijk niet nodig of gewenst is, maar die zo vanzelfsprekend lijkt, omdat het nu eenmaal om familie gaat. Gevolg van dit beleid is dat het beslissingsmechanisme vastloopt. Er zijn teveel mensen die zich met de besluitvorming bezig houden zonder dat zij een waardevolle extra bijdrage leveren aan de discussie. Het toevoegen van familie wordt onderhevig aan afnemende meeropbrengsten. Wederom gaat dit ten koste van de efficiëntie en effectiviteit. De vier productiefactoren zijn stuurloos of juist overbelast door respectievelijk te weinig en teveel management aandacht. Met andere woorden, men voegt productiefactoren aan de onderneming toe die niet of onvoldoende bijdragen aan de concurrentiekracht. Zij zijn extra zonder dat er extra opbrengsten tegenover staan.

De derde optie bestaat ten slotte uit het aantrekken van externe leidinggevenden. Dit kan als de familie zeker weet dat derden rekening willen houden met het familiebelang. Heeft zij dit vertrouwen niet oprecht, dan zal deze optie niet tot verbetering leiden. Men voegt weliswaar competenties aan de onderneming toe die een waardevolle bijdrage kunnen leveren, maar de familie ontkent tegelijkertijd het bestaan van deze waarde.[4] De aangetrokken productiefactoren krijgen niet de gelegenheid om bij te dragen aan een strategie die leidt tot blijvend concurrentievoordeel.

Kortom, het uitgangspunt is dat de leiding een belangrijke rol speelt bij het coördineren van de vier productiefactoren. Blijft de leiding in gebreke, dan komt het bedrijfsproces in gevaar omdat zij als dominante productiefactor onvoldoende waardevol is om een onderscheidende bijdrage te leveren aan een strategie die leidt tot blijvend concurrentievoordeel. De mogelijkheden van de onderneming worden afgeremd door wat hier de 'management limiet' van de familieonderneming wordt genoemd. Elke onderneming loopt ooit tegen een management limiet op, omdat elke onderneming – bijvoorbeeld door externe ontwikkelingen – ooit zal vaststellen dat de wijze waarop de vier productiefactoren sturing ondervinden, aangepast moet worden. Echter, alleen de familieonderneming heeft als extra restrictie dat er altijd een balans moet bestaan tussen familiebelang en ondernemingsbelang.

Uiteindelijk is de conclusie van deze paragraaf dat er naar richtingen moet worden gezocht die helpen bij het omzeilen van beide limieten. Op een aantal punten lijkt dit een praktisch onmogelijk probleem. Heeft de familieonderneming niet op voorhand een achterstand? De oplossing kan worden gevonden door deze gedachte in een tegenovergestelde richting door te trekken. De familieonderneming heeft op voorhand een voorsprong op de reguliere onderneming die elke mogelijke limiet te niet doet. Deze voorsprong komt voort uit de mate van vertrouwen. Hieronder wordt op dit aspect ingegaan.

11.5 Vertrouwen

Mogelijkheden enerzijds, maar flinke beperkingen anderzijds! Hoe reguleert zich dat binnen de familieonderneming? Hoe komen de verschillende belangen elkaar tegemoet? Een belangrijk aspect bij het beantwoorden van deze vraag is het begrip 'vertrouwen'. De stelling is dat de beperkingen van een financiële en management limiet minder gevoeld worden naarmate het onderlinge vertrouwen groter is. Laten we de problematiek rondom beide limieten eens vanuit deze optiek bekijken.

Bij elke onderneming draait het om een goede nachtrust voor de aandeelhouder. Is hij of zij verzekerd van een rendement dat tegemoet komt aan zijn verwachtingen en ambities, ofwel, is hij ervan overtuigd dat zijn belangen door het management worden gediend? Opmerkelijk is dat zich bij familieondernemingen vervolgens een paradox voordoet. Enerzijds zou men kunnen zeggen dat de nauwe banden binnen een familieonderneming een sterke basis leggen voor de ondernemingsleiding om relatief autonoom te opereren. Men kent elkaar immers door en door, en het onderlinge vertrouwen is groot. De eigen familie bedriegt je niet en men gaat voor elkaar door het vuur. Ook leidinggevenden van buiten de familie verdienen dit vertrouwen. Zij zijn zorgvuldig geselecteerd en hebben vaak een lange carrière binnen de familieonderneming achter de rug. Aan hun loyaliteit wordt eigenlijk niet getwijfeld! Hoewel er soms grote persoonlijke belangen op het spel staan, kan de aandeelhouder niet beter af zijn dan met de leiding van een familieonderneming. Geldt dit ook voor derden, zoals banken en investeringsmaatschappijen? In zekere zin wel. Echte bankiers ontwikkelen een goede relatie met hun klanten. Relaties die bij de familieonderneming meerdere generaties meegaan. In een aantal gevallen is de bankier zelf ook aan een familie gerelateerd. Een voorbeeld hiervan is lange tijd Van Lanschot geweest. Deze vergelijkbare 'karakters' van bankier en familieonderneming helpen bij het aangaan van samenwerkingsrelaties. Daarnaast is het streven van familieondernemingen naar winst op lange termijn voor kapitaalverschaffers een aantrekkelijke zekerheid, omdat dit garandeert dat de verplichtingen ook in de toekomst worden nagekomen. Ten slotte hebben derden nog de waarborg dat families niet schromen om hun persoonlijke vermogen aan te wenden wanneer extra financiële middelen nodig zijn om de continuïteit als zelfstandige onderneming te kunnen garanderen. Al met al is de familieonderneming dus een zekere investering, waarbij het vertrouwen van de kapitaalverschaffer in het management groot is.

Aan de andere kant ziet men een tegenovergestelde redenering. De nauwe banden binnen een familie maakt dat naast rationele besluitvorming ook emoties een rol spelen. De ondernemingsleiding wordt niet alleen afgerekend op haar competenties als leidinggevende, maar ook op haar bijdrage als vader, moeder, broer, zus, neef, nicht, oom of tante. Verstoorde verhoudingen binnen de familie zetten zich door binnen de onderneming. Van buitenstaanders in de ondernemingsleiding wordt evenmin verwacht dat zij dit patroon van onderlinge spanning kunnen doorbreken, want elke keuze die zij maken wekt de schijn van partijdigheid. Voor externe kapitaalverschaffers is de familieonderneming evenmin een interessante partij. De beperkte mogelijkheid tot inspraak betekent dat er geen halt kan worden toegeroepen aan overheersende familiebelangen. Hoewel de continuïteit misschien geborgd is, betekent dit toch dat het gewenste rendement sterk onder druk staat. Het geïnvesteerde kapitaal levert minder op dan elders mogelijk zou zijn geweest. Het vertrouwen van kapitaalverschaffers in het algemeen en de aandeelhouder in het bijzonder is laag.

Is de paradox van het vertrouwen in de familieonderneming op te lossen? Een antwoord op deze vraag is mogelijk te vinden door te kijken hoe een referentiegroep bestaande uit reguliere beursgenoteerde ondernemingen hiermee zou kunnen omgaan. Gekeken wordt naar de relatie van een reguliere onderneming met haar aandeelhouders. Heeft de aandeelhouder bij deze bedrijfshuishouding meer vertrouwen in de ondernemingsleiding? Het lijkt onwaarschijnlijk. De Nederlandse beursgenoteerde ondernemingen worden gekenmerkt door het karakter van structuurvennootschap. Niet de aandeelhouder heeft het daarbij voor het zeggen, maar de Raad van Commissarissen. Het is deze raad die de ondernemingsleiding controleert en adviseert. Bovendien benoemt de Raad van Commissarissen zijn leden op basis van coöptatie, waardoor de invloed van de aandeelhouder verder wordt beperkt. Waarom is het vertrouwen van de aandeelhouder bij deze constructie dan wel voldoende aanwezig om zijn geld blijkbaar moeiteloos aan de onderneming toe te vertrouwen? Voor de beantwoording van deze vraag wordt onderscheid gemaakt tussen aandeelhouders en overige kapitaalverschaffers, zoals banken. Aandeelhouders hebben bij een beursgenoteerde structuurvennootschap één voordeel boven dat van aandeelhouders in een familieonderneming. Zij kunnen hun vermogen differentiëren en daarmee het risico van hun kapitaal spreiden. Bovendien is hun aandeel in de onderneming vrij verhandelbaar, wat betekent dat zij winst en verlies kunnen nemen op het moment dat zij hiervoor het signaal krijgen. De aandeelhouder in een familieonderneming heeft deze voordelen niet. Hij beschikt over een pakket dat niet te differentiëren, noch vervreemdbaar is. Daarmee is hij volledig afhankelijk van een succesvolle ondernemingsstrategie.

Geldt het voordeel van de aandeelhouder van een beursgenoteerde vennootschap ook voor de overige kapitaalverschaffers? Het antwoord luidt nee. Om invloed uit te oefenen kunnen externe kapitaalverschaffers alleen de geldkraan dichtdraaien, waarbij geenszins verzekerd is dat de geïnvesteerde middelen ooit worden terugbetaald. Weliswaar is dit een serieus dreigement, maar het uiteindelijke voordeel dat men heeft is bij het uitoefenen van deze optie natuurlijk zeer beperkt. Ook hier moet dus sprake zijn van een sterke vertrouwensband om als onderneming financiers te kunnen aantrekken, wanneer het geplaatste kapitaal onvoldoende toereikend is voor de verdere ontwikkeling van de onderneming.

Vertrouwen speelt dus bij zowel de familieonderneming als de reguliere beursgenoteerde onderneming een belangrijke rol. De familieonderneming heeft tegenover haar aandeelhouders weliswaar een mogelijke achterstand in vergelijking tot de reguliere onderneming, maar bij externe kapitaalverschaffers is deze 'vanzelfsprekende' achterstand te betwijfelen. Zeker als er jaar op jaar zwarte cijfers worden geschreven kan men zich afvragen wat externe kapitaalverschaffers weerhoudt om in familieondernemingen te investeren. De vraag is vervolgens waar de echte succesfactor van het continuerende en groeiende familiebedrijf dan zit? Moet er werkelijk onderzoek worden gedaan naar de vertrouwensrelatie die zij heeft met haar stakeholders? Hier wordt de hypothese geformuleerd dat het voortbestaan van een familieonderneming grotendeels te danken is aan de vertrouwensrelatie die zij onderhoudt met haar omgeving. Daarbij wordt de omgeving opgedeeld in drie niveaus:
1   De interne omgeving.
2   De marktomgeving.
3   De sociaal-culturele omgeving.

Fukuyama is in zijn boek 'Trust' ook ingegaan op de vertrouwensrelaties binnen economieën. Hij richt zich daar vooral op landen in hun geheel, waarbij de opbouw van ondernemingen het gevolg is van de maatschappelijke context waarin zij geplaatst zijn. Hieronder wordt deze context eveneens onderkend, maar wordt evengoed aandacht geschonken aan de vertrouwensrelaties op een lager niveau.

Voor de interne omgeving geldt dat de onderneming alleen kan blijven bestaan als alle participanten binnen de ondernemingsgrenzen vertrouwen hebben in elkaars functioneren. De basis waarop dat vertrouwen is verkregen speelt daarbij een relatief beperkte rol. Soms is het feit dat men behoort tot een bepaalde familie al voldoende. Soms zullen aangetoonde diploma's daarin een rol spelen. Belangrijk is dat de onderneming als één blok staat achter haar leiding en gezamenlijk werkt aan een gemeenschappelijk doel. C&A is hiervan een goed voorbeeld. Dit concern heeft jaren geworsteld met tegenvallende omzetcijfers. Keer op keer werd een strategie gekozen die onvoldoende aansluiting bood met de markt. De familie was daarbij bereid om grote hoeveelheden van haar eigen vermogen te investeren om haar bedrijf erboven op te helpen. Daarbij zijn familieleden in de leiding niet onttroond. Zij hebben steun gekregen en met succes. Sinds kort lijkt het beter te gaan met de onderneming en lijkt men de weg naar boven terug te hebben gevonden.

In tegenstelling tot C&A staat de familie Gucci. Haar onderneming is ten onder gegaan aan onderlinge twist en tweespalt. Betreurenswaardig dieptepunt daarbij is de moord op één van de familiekopstukken. Het gebrek aan vertrouwen was daarbij overigens niet iets van latere generaties, maar speelde gedurende het hele voortbestaan van de onderneming een rol.

Naast intern vertrouwen is ook het vertrouwen van de markt belangrijk. De stakeholders waarmee een onderneming te maken heeft moeten een familieonderneming blijven steunen. Ook in moeilijke tijden. Op zich is dit geen onbekend fenomeen. Zo hanteert de populatie-ecologie theorie dat bepaalde populaties van ondernemingen blijven bestaan zolang zij een betrouwbaar product leveren en zichzelf kunnen reproduceren. De redenering hierachter is dat afnemers behoefte hebben aan voorspelbaarheid. Zij willen niet geconfronteerd worden met voortdurende veranderingen en hechten juist sterk aan een zekere stabiliteit ter garantie van hun eigen positie op de markt. In een dergelijke context kunnen familieondernemingen goed bestaan. Daarnaast kunnen ondernemingen elkaar onderling goed ondersteunen, wanneer er sprake is van wederzijds vertrouwen. Een voorbeeld hiervan vormen de Zaankanters. Deze groep ondernemingen uit de Zaanstreek ondersteunden elkaar aan het begin van de twintigste eeuw op onder andere financieel gebied. Zij voelden zich met elkaar verbonden op basis van religie en geboortegrond en konden daardoor gezamenlijk bijdragen aan de algemene concurrentiekracht van het economisch leven in de eigen regio.

Ten slotte moet er vertrouwen zijn binnen een sociaal-culturele context. Er moet binnen de economie een algemeen vertrouwen zijn in familieondernemingen. Hiervan is een land als Italië vandaag de dag een goed voorbeeld. Italië heeft relatief veel en ook grote familieondernemingen. Denk daarbij aan ondernemers als Agnelli en Benetton. Hun ondernemingen zijn sterk gedifferentieerd, maar alleen binnen de eigen landsgrenzen. Buiten Italië spelen deze ondernemingen een veel beperktere rol dan in eigen land. Zij weten zich internationaal niet bijzonder te onderscheiden. De reden dat beide ondernemingen zo groot zijn geworden heeft dus niets te maken met hun internationale concurrentiekracht, maar veel meer met de economische infrastructuur. Men is trots op zijn eigen ondernemingen en een groot deel van het economische stelsel is erop gericht dit in stand te houden. Dat geldt voor de politiek, maar ook voor het bankwezen, de binnenlandse markt en de Italiaanse consument. Bovendien domineert in het katholieke Italië de familie als hoeksteen van de samenleving. De familieonderneming is hier in een groot aantal gevallen de logische exponent van.

Kortom, vertrouwen lijkt een belangrijke bouwsteen in het voortbestaan van de onderneming. Op alle niveaus kan vertrouwen ertoe leiden dat familiebelangen en ondernemingsbelangen met elkaar in evenwicht komen.

11.6 Samenvatting en conclusie

Op de eerste plaats is vastgesteld dat de familieonderneming voor veel wetenschappers een natuurlijke fase in de ontwikkeling van een onderneming is. Deze fase moet volgens hen worden verlaten, om te kunnen overleven als reguliere en zelfstandige bedrijfseconomische huishouding. De relatie tussen kapitaalverschaffers en ondernemingsleiding moet op lange termijn worden verbroken om een aantal knellende beperkingen te kunnen ontlopen.

Vervolgens is geconstateerd dat veel ogenschijnlijke en theoretische beperkingen in de praktijk toch worden opgelost. Dit hebben diverse familieondernemingen inmiddels aangetoond. Bovendien vindt men deze ondernemingen in heel diverse en totaal verschillende branches. Er bestaat dus niet direct een optimum in ondernemingsgrootte. Ook als kapitaal en leiding nauw met elkaar verbonden zijn, kan de onderneming zich ontwikkelen.

Als derde punt is de waarde van een gemeenschappelijk belang aangehaald. Hoewel de belangen van familie en onderneming zo nu en dan flink van elkaar verschillen, kan een familieonderneming overleven doordat kapitaalverschaffers en ondernemingsleiding vooral opereren vanuit een gemeenschappelijk belang. Dat belang is het voortbestaan van de familieonderneming als zelfstandige entiteit. Is daarmee alles opgelost? Zeker niet. De betrokkenheid van een dominante en autonome familie bij het beleid van de onderneming leidt wel degelijk tot beperkingen. Aan de ene kant kan de onderneming mogelijk onvoldoende kapitaal aantrekken, omdat het familiebelang bepaalde vermogensstructuren niet tolereert. Aan de andere kant kan het ondernemingsbelang beperkingen opleggen aan de wensen van de familie, omdat deze onvoldoende competent is om een waardevolle bijdrage te leveren aan het ondernemingsbeleid. Deze financiële en respectievelijke management limiet leggen flinke beperkingen op. Dit geldt vooral, omdat beide limieten voortdurend en tegelijkertijd een rol spelen.

De leiding van een familieonderneming heeft een bijzondere relatie met haar aandeelhouders. Deze relatie is zelfs paradoxaal te noemen. Desalniettemin lijkt de relatie van een beursgenoteerde structuurvennootschap met haar kapitaalverschaffers niet veel beter. Dat geldt zeker voor bijvoorbeeld banken en investeringsmaatschappijen. Dat familieondernemingen toch blijven bestaan heeft dan ook grotendeels te maken met het vertrouwen dat belanghebbenden in een dergelijke onderneming hebben. Deze belanghebbenden, die men zowel vindt binnen de onderneming, op de markt als in het sociaal culturele landschap, bepalen in belangrijke mate het succes van de onderneming. Overigens gaat het hier om een veronderstelling. De daadwerkelijke betekenis van deze hypothese moet verder worden onderzocht.

Aan het einde van dit hoofdstuk kunnen de volgende conclusies worden getrokken. Op de eerste plaats blijft de relatie tussen aandeelhouders en ondernemingsleiding binnen de familieonderneming precair. Dat heeft te maken met tegenovergestelde belangen die partijen van nature hebben. Als deze partijen vervolgens via de familie met elkaar verbonden zijn dan leidt dat tot spanning. Spanning die alleen kan worden omgezet in positieve energie als beide partijen handelen vanuit een gemeenschappelijk belang of doel. Is een gemeenschappelijk doel voldoende om aan de beperkingen van een familieonderneming tegemoet te komen? Nee! Naast een gemeenschappelijk doel heeft de familie ook vertrouwen nodig. Vertrouwen in elkaar, in haar werknemers, de markt, het investeringsklimaat, de sociaal culturele context waarbinnen men opereert en vertrouwen in de toekomst.

Tot slot kan men stellen dat er toekomst is voor de familie-onderneming. Niet als het eerste stadium in de ontwikkeling van een onderneming, maar als volwaardige en zelfstandige entiteit die kan voortbestaan over meerdere generaties. Toekomstig onderzoek zal dit verder moeten aantonen. De huidige studies rondom familieondernemingen beperken zich met name tot bedrijfsgeschiedenissen en opvolgingsproblematiek. Daarmee is de familieonderneming ondergewaardeerd. Zij verdient binnen het bedrijfseconomisch denken een volwaardige plaats. Zij heeft een maatschappelijke betekenis die wel wordt onderkend, maar nog onvoldoende is uitgewerkt. Voor toekomstig onderzoek is hier een uitdaging weggelegd. Het vertrouwen van de maatschappij in deze bijzondere bedrijfscategorie moet verder onderzoek stimuleren.

Noten

1 Eind 2001 gefailleerd bij de totale neergang van de gehele technologiesector.
2 Deze tegenstelling wordt vaak pas doorbroken op het moment dat het voortbestaan van de onderneming in gevaar dreigt te komen. Banken en aandeelhouders blijken dan opeens bereid om hun eisen bij te stellen. Het behoud van de investering wordt belangrijker dan het rendement. Tegelijkertijd toont het management van de onderneming zich vaak weer bereid om te luisteren naar haar omgeving. Zij heeft haar vertrouwen nodig om te kunnen voortbestaan.
3 Op deze redenering moet een uitzondering worden gemaakt. Als enig arbeidspotentieel of bepaalde kennis bij de familie doorslaggevend is voor het strategisch voordeel van de onderneming, dan is er geen sprake meer van vrije inwisselbaarheid. Kennis en arbeid dra-

gen dientengevolge wezenlijk bij aan zowel het familie- als het ondernemingsbelang, waardoor hun aanwezigheid vereist is voor het vasthouden van de continuïteit.
4 Overigens zou in alle drie de gevallen een mogelijke oplossing kunnen worden gevonden door te kiezen voor krimp. De onderneming wordt teruggebracht naar een niveau dat wel door de familie in de leiding kan worden overzien.

Literatuur

Arnoldus, D.J.G. (2002). *Family, Family Firm, and Strategy: Six Dutch family firms in the food industry 1880-1970*. Proefschrift. Amsterdam: Vrije Universiteit.

Berle, A.A., en Means, G.C. (1932). *The Modern Corporation and Private Property*. New York: The Macmillan Company.

Boulding, I. (1953). *The Organizational Revolutions: A study in the ethics of economic organization*. New York: Harper & Brother.

Chandler Jr., A.D. (1990). *Scale and Scope: The dynamics of industrial capitalism*. Cambridge: The Belknap Press of Harvard University Press.

Fukuyama, F. (1995). *Trust: The social virtues and the creation of prosperity*. London: Hamish Hamilton.

Penrose, E.T. (1980). *The Theory of the Growth of the Firm*. Oxford: Blackwell. Herdruk uit 1959.

Schelven, A.L. van (1984). *Onderneming en Familisme: Opkomst, bloei en neergang van de textielonderneming van Heek & Co te Enschede*. Leiden: Martinus Nijhof.

Simon, H. (1997). *Verborgen Kampioenen: Successtrategieën van onbekende wereldmarktleiders*. Deventer: Kluwer Bedrijfsinformatie.

12
De structuurvennootschap

Door Jan Peter van den Toren

Vanouds worden arbeid en kapitaal gezien als de belangrijkste productiefactoren van de onderneming. De factor arbeid is altijd onderwerp geweest van bescherming en emancipatie. In de afgelopen honderd jaar heeft zich een uitgebreid stelsel van arbeidswetgeving en arbeidsverhoudingen ontwikkeld waar de onderneming op talloze fronten mee te maken heeft. De rol van de kapitaalverschaffers is voor grote ondernemingen geregeld in de zogeheten structuurregeling. De ondernemingsvorm die in Nederland de meeste politieke en economische aandacht heeft is de structuurvennootschap. Hoewel grote ondernemingen veelal worden gedreven in de vorm van een naamloze vennootschap, kan dat ook in de vorm van een besloten vennootschap (de SHV) een vereniging (de ANWB) of een coöperatie (de Rabobank). Voor de naamloze en de besloten vennootschap geldt dat zij onder bepaalde voorwaarden vallen onder de zogeheten structuurregeling. Deze regeling houdt in dat een vennootschap met een bepaalde omvang, een krachtens wettelijk voorschrift ingestelde ondernemingsraad en ten minste honderd werknemers wettelijk verplicht is een raad van commissarissen te hebben. Deze raad van commissarissen beoogt het toezicht op de onderneming op enige afstand te plaatsen van de aandeelhouders. Een van de motieven daarbij is dat de onderneming meer belanghebbenden heeft dan alleen de aandeelhouders.

Het stelsel van arbeidsverhoudingen en het structuurregeling hebben elkaar enkele keren gekruist. De huidige structuurregeling dateert van 1971 en is gebaseerd op een unaniem SER-advies uit 1969. In 2000 en 2001 stond de structuurregeling opnieuw op de agenda van het toporgaan van de Nederlandse arbeidsverhoudingen, de SER, en nu in kader van de discussie over corporate governance. Duidelijk bleek toen weer hoezeer er een spanning is tussen de belangen van de verschaffers van arbeid en kapitaal, maar bijvoorbeeld ook tussen verschillende groepen kapitaalverschaffers. Tegelijkertijd is de wetgever in de herziening van de structuurregeling uit op versterking van het vertrouwen van zowel ondernemingsraad als aandeelhouders in de raad van commissarissen. De Memorie van Toelichting bij het wetsvoorstel ter aanpassing van de structuurregeling (28 179; 8 januari 2002) spreekt dan ook verschillende malen over 'vertrouwen'.

"De opzet van de door de SER geformuleerde voorstellen is dat het vertrouwen van de ondernemingsraad in de raad van commissarissen wordt versterkt zonder dat wij overgaan tot een raad die is gebaseerd op de representatiegedachte."
"Dat *vertrouwen* in de financiële positie van ondernemingen is ook belangrijk voor de werknemers. Ondernemingen bieden werk. Via hun pensioenfondsen vormen de werknemers bovendien een deel van diezelfde investeerders. Er is kortom een spanningsveld tussen de wens tot behoud van het belangenpluralisme en de eisen van de economie. Daarin moet een balans worden gevonden."
"Het opnemen van de mogelijkheid voor de algemene vergadering om het *vertrouwen* in de gehele raad van commissarissen op te zeggen, vormt naar ons oordeel een belangrijke versterking van de positie van de algemene vergadering ten opzichte van de raad van commissarissen."
"De raad van commissarissen richt zich bij zijn taakuitoefening naar het belang van de vennootschap en de daarmee verbonden onderneming. Terzelfder tijd behoort de raad het *vertrouwen* te hebben van alle bij de vennootschap en haar onderneming betrokkenen."

Op het vlak van corporate governance is Nederland een interessante casus van Rijnlandse instituties en Angelsaksische invloed. Nederland heeft een sterke Rijnlandse traditie maar ook een hoge marktkapitalisatie: aandeelhouders oefenen met andere woorden een groeiende invloed uit op sterk verankerde instituties. Deze ontwikkelingen roepen verschillende vragen op. Op welke wijze vormt deze groeiende druk van het kapitaal een risico voor de Rijnlandse arbeidsverhoudingen? Hoe reageren de partijen in de arbeidsverhoudingen op deze groeiende invloed van de kapitaalmarkt? Zijn de instituties van het Rijnlandse model in staat om de groeiende druk van de aandeelhouders te temperen? Een belangrijke bijkomende factor is immers dat vakbonden de arbeidsmarkt kunnen reguleren, maar dat werkgeversorganisaties niet de deelname van hun leden op de kapitaalmarkt reguleren. Zoals Traxler (1993) zegt: "business' most powerful resources remain outside its associations' control."

In dit hoofdstuk zullen enkele indicaties worden gegeven met betrekking tot deze groeiende invloed van aandeelhouders en de effecten daarvan in Nederland, vervolgens wordt de relatie hiervan met arbeidsverhoudingen op bedrijfs- en nationaal niveau geanalyseerd en ten slotte zal aandacht worden besteed aan het corporate governance debat en de rol van vakbonden daarin.

12.1 Groeiende invloed van de kapitaalmarkt

Arbeidsverhoudingen richten zich op de relatie tussen werknemer en werkgever, georganiseerd op individueel en collectief niveau. Werknemers en hun organisaties kunnen invloed uitoefenen op de voorwaarden waaronder deze arbeidsverhouding totstandkomt. De meeste invloed wordt uitgeoefend op het niveau van de CAO-onderhandelingen: in bijna alle Europese landen worden collectieve arbeidsovereenkomsten alleen afgesloten wanneer zowel werkgevers (of hun organisaties) als vakbonden instemmen met de inhoud. Het reguleren van de arbeidsvoorwaarden wordt gezien als de belangrijkste manier om de belangen van de werknemers veilig te stellen. In de tweede helft van de vorige eeuw, en vooral in de jaren vijftig, zestig en zeventig, hebben de werknemers ook invloed gekregen *binnen* het bedrijf, op strategisch zowel als operationeel niveau. Op het strategische niveau gaat hun invloed nooit verder dan een minderheidspositie in het bestuur of het toezichthoudende orgaan of een adviserende rol voor een ondernemingsraad. Op het operationele niveau hebben ondernemingsraden vooral invloed op het personeelsbeleid, waar zij het recht hebben om al dan niet in te stemmen met de voornemens van de werkgever (Rogers en Streeck, 1995).

Het is belangrijk om op te merken dat deze continentale arbeidsverhoudingen – met hun nadruk op de regulering van de *individuele* arbeidsrelatie – na 1945 werden opgebouwd in een periode waarin de rol van de kapitaalmarkt zeer bescheiden was. Kapitaal werd gezien als noodzakelijk voor het doen van investeringen, en tot investeringen werd besloten wanneer de opbrengsten daarvan groter waren dan de kosten om kapitaal te verwerven. In de jaren zeventig en tachtig bijvoorbeeld weerhielden de hoge rente (deels als gevolg van de 'crowding' out door regeringen) en hoge lonen bedrijven ervan om te investeren, en zo nieuwe werkgelegenheid te creëren. Vanaf het midden van de jaren tachtig oefenen de kapitaalmarkten echter een grotere druk uit op bedrijven. Dit is een wereldwijde trend die wordt gestimuleerd door de liberalisering van de kapitaalmarkt, de zeer lage mondiale transactiekosten van kapitaal (in tegenstelling tot de transactiekosten op de arbeidsmarkt en de productenmarkten) en het sterk gegroeide aantal private kapitaalaanbieders met interesse voor investeringen in aandelen, in combinatie met een kleinere vraag op de kapitaalmarkt. De kapitaalsbehoefte van ondernemers vindt immers haar spiegelbeeld in de vraag naar aandelen door beleggers. De kapitaalbehoefte stijgt minder snel dan de vraag naar aandelen door particuliere en institutionele beleggers. Dit alles heeft geleid tot een lagere rente maar ook tot hogere aandelenkoersen. Dit proces wordt versterkt door de trend – of moet ik zeggen hype – van shareholdervalue-maximalisatie. Dit – voor continentale economieën nieuwe – criterium wordt gevoed door enkele economische argumenten, maar komt bijvoorbeeld ook voort uit de nog nauwelijks geanalyseerde interactie tussen ondernemingsleiding en beursanalisten.

De kapitaalmarkt oefent daarmee een nieuwe en steeds meer mondiale druk uit op bedrijven. Op het politieke vlak gaat dit gepaard met een groeiende aandacht voor transparantie en verantwoording. Bij het bestuur van bedrijven gaat het dan om 'corporate governance'. Deze aandacht is in de eerste helft van de jaren negentig ontstaan als een gevolg van een paar opvallende schandalen zoals bij Maxwell, Metallgeselschaft en Crédit Lyonnais, maar wordt ook gestimuleerd door een groeiend aantal transnationale fusies zoals Reed-Elsevier, Daimler-Chrysler, Fortis en Mannesmann-Vodafone. In Europa is dit debat zichtbaar in nationale rapporten over corporate governance, voor Nederland gaat het dan om het rapport van de Commissie Corporate Governance, een commissie die veelal naar haar voorzitter de Commissie Peters wordt genoemd. Deze rapporten in de diverse Europese landen zijn alle in meer of mindere mate beïnvloed door het eerste rapport over dit thema, de *Cadbury Code of Best Conduct* (1992) in Groot-Brittannië. Hoewel de diverse nationale rapporten betogen dat onafhankelijke leden in het bestuur zitting moeten nemen om een tegenwicht te vormen tegen de macht van de aandeelhouders, is volgens Wymeersch (1999) de dominante visie in deze rapporten dat een bedrijf in de eerste plaats de belangen van de aandeelhouders dient. Het Nederlandse rapport van de commissie Peters heeft volgens hem van deze rapporten nog het meeste oog voor andere belangen dan die van de leveranciers van risicokapitaal. Ook in de aanbevelingen van de OECD (1999) is het dominante gezichtspunt dat bedrijven transparanter moeten zijn tegenover hun aandeelhouders.

Economische en politieke trends wijzen dus op een groeiende druk van de kapitaalmarkt. Deze ontwikkelingen kunnen tevens worden gezien als aan groeiende invloed van het Angelsaksische denken, ook in economieën waarvan de arbeidsverhoudingen, verzorgingsstaat en corporate governancestructuur worden gerekend tot het Rijnlandse- of coöperatieve model. Continentale arbeidsverhoudingen veronderstellen een beperkte druk van de aandeelhouders. In de comparatieve arbeidsverhoudingen is aan het begin van de jaren negentig het onderscheid tussen het Angelsaksische shareholdermodel en het Rijnlandse stakeholdermodel geïntroduceerd (Albert, 1991). In de VS en in Groot-Brittannië heeft de grote aandacht voor shareholdervalue niet alleen zijn weerslag op de dynamiek van het bedrijfsleven, maar ook op het systeem van arbeidsverhoudingen. Het voor de lange termijn binden van werknemers door bedrijven wordt dan immers niet beschouwd als een sociale of economische waarde. Werknemers hebben in deze landen een grotere kans om ontslagen te worden, overigens tegen hogere kosten voor de werkgever. Een lager niveau van onderling vertrouwen in Angelsaksische arbeidsverhoudingen wordt weerspiegeld in grotere aantallen toezichthoudend personeel, en dus hogere toezichtkosten. In de Rijnlandse arbeidsverhoudingen daarentegen hebben werknemers een meer positieve mening over het management, dat wordt geacht hun belangen te beschermen. In de Angelsaksische arbeidsverhoudingen bestaan geen ondernemingsraden en opereren vakbonden en werkgevers(organisaties) in een meer competitieve en conflictueuze relatie, wat ook effect heeft op de wederzijdse investeringen. De veelgehoorde verwachting is dat, als gevolg van internationalisering en individualisering en veranderingen in ondernemingsstrategieën en -structuren, het shareholderkapitalisme het Rijnlandse model onder druk zal zetten, zelfs in de continentale arbeidsverhoudingen. Deze bijdrage richt zich op Nederland. De geïnstitutionaliseerde medezeggenschap en het overleg tussen management en werknemersvertegenwoordigers op ondernemingsniveau passen in een stakeholdersbenadering. Maar bij de stabiliteit van dit stakeholdersmodel worden vraagtekens gezet. Vijandige overnames waren bijvoorbeeld in Duitsland en Nederland tot 1999 onbekend. Maar in februari 2000 werd het

Duitse Mannesmannconcern overgenomen door het Britse telecombedrijf Vodafone, een fusie die begon met een vijandig bod. In Nederland deed het baggerbedrijf Boskalis een vijandig bod op het bouwconcern HBG en ontstond een slepende baggeroorlog. Meer aandacht voor de aandeelhouders lijkt een risico voor de lange termijnstabiliteit van een bedrijf, een van de eigenschappen van het Rijnlandse model.

12.2 'The Dutch miracle': het Rijnlandse overlegmodel

In de zomer van 1997 trok Nederland veel aandacht vanuit de hele wereld en werd het etiket 'poldermodel' geïntroduceerd. In 1997 en 1998 werd dat model ook vanuit meer wetenschappelijk perspectief geanalyseerd. Visser en Hemerijck (1997) keken naar de in de loop van de tijd tot stand gekomen sociaal-politieke instituties en de manier waarop ze met elkaar interacteren. Sinds de Tweede Wereldoorlog worden de Nederlandse arbeidsverhoudingen gekarakteriseerd door een dicht netwerk van adviserende en consulterende instituties op het centrale niveau, waarin vakcentrales en werkgeversorganisaties met elkaar en met de regering kunnen overleggen. In Nederland is zelfregulering een belangrijke kenmerk van sociaal-economische beleidsvorming. De belangrijkste instituties zijn de Sociaal Economische Raad (SER), een adviserend orgaan waarin zowel vertegenwoordigers van de vakbeweging en werkgeversorganisaties zitting hebben als onafhankelijke leden die door de Kroon worden benoemd, en de Stichting van de Arbeid, het bipartite orgaan van vakbeweging en werkgeversorganisaties. In Nederland valt meer dan 85 procent van de werknemers onder een CAO. De individuele werkgever mag daarnaast sommige bepalingen van de collectieve arbeidsovereenkomst, evenals een aantal secundaire arbeidsvoorwaarden, in overleg met de ondernemingsraad nader vormgeven. De ondernemingsraad wordt volledig uit en door het personeel gekozen en heeft informatie-, advies- en instemmingsrecht bij strategische, operationele respectievelijk HRM-beslissingen. Ongeveer 70 procent van de ondernemingsraadleden is ook lid van een vakbond. Naast deze politiekhistorische benadering worden deze instituties op de arbeidsmarkt ook vanuit een economisch perspectief geanalyseerd. Teulings en Hartog (1998) tonen aan, zowel theoretisch als empirisch, dat deze instituties de efficiëntie van de arbeidsmarkt kunnen verbeteren.

Het is belangrijk om op te merken dat de benaming 'poldermodel' vooral wordt gehanteerd bij de successen ten aanzien van de arbeidsmarkt en de verzorgingsstaat. Het thema corporate governance is in het debat over het Nederlandse model vrijwel afwezig. Er was vanaf 1996 veel discussie over corporate governance, maar nauwelijks in relatie tot Nederlandse arbeidsverhoudingen. Uitzonderingen waren Van den Toren en Vos (1997) en de Duits-Nederlandse vergelijkende studie *Challenging Neighbours* (CPB 1997). Op voorhand is er in ieder geval één opvallende relatie tussen poldermodel en kapitaalmarkt. De inkomensgroei die volgde uit het Nederlandse economische succes (paradoxaal genoeg als het resultaat van de loonmatiging) is een van de oorzaken van de groei van de private vraag op de aandelenmarkt, en daarmee tot stijgende beurs-koersen. Dit heeft vervolgens weer bijgedragen aan het shareholdervalue-denken.

De Nederlandse vakbeweging kent geen hoge organisatiegraad, maar heeft een sterke positie in het geïnstitutionaliseerde besluitvormingsproces (ook wel aangeduid als het 'poldermodel'). De vraag is vervolgens of deze vakbonden in staat zijn om de groeiende druk van de aandeelhouders te verkleinen of te reguleren.

Een ander onderdeel van het institutionele stelsel van een land is de structuur-wetgeving. In Nederland, net als in Duitsland, Oostenrijk en Finland, zijn de raad van bestuur en de raad van commissarissen van grote beursgenoteerde ondernemingen twee afzonderlijke bij wet geregelde organen. De twee lagen vormen het zogeheten 'two-tier model'. In de Verenigde Staten, Canada, Australië en het Verenigd Koninkrijk werken beursgenoteerde ondernemingen met een 'one-tier board model'. Executive directors (directieleden) en non-executive directors (commissarissen) vormen gezamenlijk één board. Onderzoek maakt overigens zichtbaar dat het Nederlandse two-tier model in zijn uitwerking meer Angelsaksische trekken gaat vertonen doordat commissarissen meer betrokken worden bij de strategievaststelling, terwijl in de VS en Groot-Brittannië meer aandacht komt voor onafhankelijk toezicht. Dit zou betekenen dat beide modellen convergeren (Maassen, 1999).

12.3 Hoog marktkapitalisme en de groeiende druk van de aandeelhouder

Nederland heeft een lange traditie van aandelenhandel. De Amsterdamse aandelenbeurs wordt algemeen erkend als de oudste ter wereld en vierde zijn 400e verjaardag in 2002. Wat haar marktwaarde betreft staat de Amsterdamse aandelenbeurs in de top tien van de wereld. Veel internationale bedrijven hebben hun hoofdkwartier in Nederland. Amsterdam is de thuismarkt voor enkele van 's werelds grootste multinationals, waaronder Royal Dutch (Shell), Unilever, Philips, ABN AMRO, ING Groep, AKZO Nobel, KLM, Ahold en Aegon. Op zichzelf zou de groeiende druk van de aandeelhouders zeker ook in Nederland merkbaar moeten zijn. Maar wat weten we eigenlijk over de rol van aandeelhouders in continentale economieën. Of – naar analogie van Freedman en Medoffs 'What do Unions do?' (1984) – 'What do shareholders do?'

In de eerste plaats zien we, vooral in de jaren negentig, een groei van de marktkapitalisatie van de beurs. In de continentale Europese economieën is deze marktkapitalisatie gegroeid van gemiddeld 13 procent in 1980 tot 53 procent in 1996. In Nederland was deze groei zelfs groter, van 17 naar 95 procent. Dit is een indicatie – hoewel niet meer dan dat – van een relatieve groei van de positie van aandeelhouders in nationale economieën. In 1998 bedroeg de groei van de totale aandeelhouderswaarde in Nederland zelfs meer dan het private looninkomen. Over een langere periode gezien waren de wisselkoersen in de jaren zestig en zeventig stabiel, maar ze werden in de jaren tachtig en negentig tien keer zo hoog.

Niet alleen de marktkapitalisatie is in die periode gegroeid, de omzet op de effectenbeurs groeide nog harder. Van eind 1995 tot eind 1998 bijvoorbeeld werd de omzet van de Nederlandse aandelenbeurs 4,1 keer zo groot, terwijl de totale marktwaarde van Nederlandse aandelen 2,3 keer zo groot werd.[1] In 1998 was de omzet van de aandelenmarkt groter geworden dan het totaal van de aandelenprijzen, dus de *gemiddelde* belegging duurde minder dan één jaar. Zelfs voor ondernemingen uit de 'oude economie' als DSM en Akzo Nobel gold dat de omzet op de AEX in 1999 nog 51 respectievelijk 71 procent groter was dan de totale afzet van het concern. De groeiende rol van de aandelenmarkten is ook ten koste gegaan van de rol van bancaire financiering, die traditioneel veel meer was ingegeven door langdurige relaties (Boot en Schmeits, 2001).

Ongeveer vijftien procent van de aandelen zijn in handen van commerciële beleggingsfondsen, waarvan de deelnemers (voornamelijk individuele huishoudens) over het algemeen een korte tijdshorizon hebben. Kersten (2000) heeft aangetoond dat deze tijdshorizon is verminderd van 15 jaar in 1994 tot 5,5 jaar in 1999. Howel de invloed van particulieren, al dan niet via beleggingsfondsen, op het koersverloop groot is, zijn zij niet de grootste beleggers. Pensioenfondsen vertegenwoordigen ruim de helft van de Nederlandse institutionele beleggingen, verzekeraars een derde.

Maar de groeiende aandelenmarktkapitalisatie en omzet betekenen niet noodzakelijkerwijs dat aandeelhouders een grotere druk op bedrijven uitoefenen. Het kan zelfs worden gezien als een verlaging van de prijs van kapitaal: het is goedkoper geworden om kapitaal voor investeringen te verkrijgen. Aandeelhouders moeten rekening houden met relatief lage dividenden. Gemiddelde dividenden zijn lager geworden dan de rente op staatsobligaties (de zogenoemde *dividend yield ratio* is mondiaal hoger dan drie). Doordat de dividenden zo laag zijn geworden, zullen de meeste aandeelhouders hun voordeel echter willen halen uit een stijging van de beurskoersen.

Dit wordt ook weerspiegeld in de uitlatingen van bedrijven en hun bestuurders. Zij proberen hun shareholdervalue te vergroten. Wanneer hun aandelen te laag worden gewaardeerd riskeren zij een overname. Dit was in 2000 voor enkele Nederlandse bedrijven bijvoorbeeld reden om zich terug te trekken van de beurs. Maar de algemene indruk is dat een groeiend aantal bedrijven expliciet laat weten dat zij uit zijn op een vergroting van hun shareholdervalue. Onderzoek dat deze tendens zou kunnen aantonen, ontbreekt echter. Weimer (1995) heeft empirisch onderzoek verricht naar de financiële ondernemingsdoelstellingen van Amerikaanse, Duitse en Nederlandse beursgenoteerde ondernemingen, maar hij lette daarbij vooral op het onderscheid tussen *lange termijn* aandeelhoudersbelangen versus liquiditeitsdoelstellingen. In alle drie de landen staat dan de winstgevendheid op lange termijn (meer dan vijf jaar) centraal. Duitse managers onderscheiden zich daarnaast enigszins door hun aandacht voor liquiditeitsdoelstellingen, terwijl Nederlandse managers zich opvallend genoeg onderscheiden door het relatief hoge belang dat zij toekennen aan het geven van zo betrouwbaar mogelijk winstvoorspellingen aan beleggingsanalisten. Dit laatste zou een signaal kunnen zijn van de aandacht voor de *korte termijn* ontwikkeling van de beurskoers.

Een indicatie van een groeiende focus op aandeelhouders is het vaker voorkomen van communicatie met aandeelhouders. Bijna alle Nederlandse bedrijven produceren elke drie maanden cijfers, naast hun jaarverslag en hun prognoses voor het komende jaar. Op deze wijze moeten bedrijven ten minste zes keer per jaar voldoen aan de hoge verwachtingen van hun aandeelhouders. Veel beursgenoteerde ondernemingen hebben een afdeling voor 'investers relations' en hun topmannen besteden veel tijd aan de contacten met de media en institutionele en particuliere investeerders. Dit wordt bevorderd door recente wetgeving die misbruik van voorkennis bestraft. Terwijl bijvoorbeeld in de jaren tachtig werknemers werden geïnformeerd over belangrijke en meestal pijnlijke beslissingen voordat deze openbaar werden gemaakt, worden dergelijke mededelingen sinds de totstandkoming van deze wet direct in openbaarheid gebracht. Werknemers moeten op die manier soms via de televisie horen over grote fusies van hun bedrijf in plaats van hierover vooraf op de hoogte te worden gesteld door hun directeur.

Een laatste indicatie – maar ook een verklaring – van de grotere nadruk op de aandeelhouder is het groeiende belang van opties en aandelen als een (extra) bonus voor leden van de raad van bestuur en hogere managers. In het bijzonder wanneer deze opties en aandelen direct na ontvangst kunnen worden uitgeoefend, stimuleert dit een korte termijnoriëntatie van directeuren en managers. Een typerend voorbeeld is het Brits-Nederlandse uitgeversconcern Reed-Elsevier, dat 345 miljoen euro reserveerde voor een optieplan voor zijn veertig topmanagers. Als de aandelenkoers van Reed (in Londen) en Elsevier (in Amsterdam) in drie jaar tijd met 20 procent groeit, zullen deze managers opties ontvangen tot een bedrag dat 10 tot 25 keer zo groot is als hun jaarsalaris. De meeste kritiek op dit plan kwam opvallend genoeg van de aandeelhouders zelf. Op hetzelfde moment was hen namelijk gevraagd om genoegen te nemen met een lager dividend om te kunnen investeren in internet. Dit optieplan van Reed-Elsevier vormt niet alleen een illustratie van de focus op de aandeelhouder door het topmanagement, maar ook van de korte tijdshorizon van drie jaar waarin kennelijk resultaten geboekt moeten zijn.[2]

In het debat over corporate governance, in Nederland en elders, wordt vaak naar voren gebracht dat een verandering in het corporate governance systeem, en zelfs al in de samenstelling van de raad van commissarissen, effect zal hebben op de strategische besluitvorming en de resultaten van een bedrijf. Maar wat weten we eigenlijk over de relatie tussen corporate governance en aandeelhoudersinvloed? Morris Tabaksblat, de voormalige bestuursvoorzitter van de Nederlands-Britse multinational Unilever en na zijn pensioenering president-commissaris van Reed Elsevier Plc, heeft ervaring met zowel Nederlandse als Britse aandeelhoudersvergaderingen, maar ziet in de praktijk weinig verschil in aandeelhoudersinvloed. Ook in Britse aandeelhoudersvergaderingen proberen de aandeelhouders het beleid van het bedrijf volgens hem niet echt te beïnvloeden.[3] Alleen zeer grote aandeelhouders kunnen direct of indirect invloed hebben, maar het is zeer de vraag of ze deze invloed expliciet in de algemene vergadering zullen uitoefenen. Aandeelhouders beïnvloeden bedrijven door te handelen op de aandelenmarkt – hoewel hun handel niet altijd gezien kan worden als het resultaat van hun waardering van het bedrijf; vaak kopen ze aandelen waarvan ze niet meer en niet minder verwachten dan dat de koers zal stijgen.

12.4 Het wetenschappelijke debat: wat is de betekenis van aandeelhoudersdruk en corporate governance voor de resultaten van bedrijven?

Vooralsnog gaan we er van uit dat de druk van aandeelhouders en de focus van bedrijven op de aandeelhouders groeit. Volgens veel economen komt dit ten goede aan de efficiëntie van bedrijven en markten. Een minderheid van economen trekt deze relatie tussen de aandeelhoudersdruk en efficiëntie echter in twijfel. Bedrijven zijn productief en winstgevend wanneer ze de investeringen van alle stakeholders op efficiënte wijze weten te combineren. Dit is extra belangrijk wanneer het gaat om ondernemingsspecifieke investeringen (Williamson, 1996). Wanneer de binding van andere aandeelhouders niet zeker is, zal een 'hold-up' probleem ontstaan (Moerland, 1998). Aangezien de ondernemingsspecificiteit van arbeid over het algemeen hoger is dan de ondernemingsspecificiteit van kapitaal, is het vreemd dat in het shareholdervalue-criterium de relatie met de kapitaalmarkt de relatie met de andere stakeholders domineert. Deze kritiek vanuit een economisch gezichtspunt wordt gedeeld door onderzoekers uit het vakgebied van de arbeidsverhoudingen die zich richten op het feit dat arbeid een lange termijnoriëntatie nodig heeft om effectief te zijn en om bedrijven competitief te maken. Niet alleen arbeid vraagt om een lange termijnperspectief, ook investeringen in R&D hebben een langere periode dan een jaar nodig om tot resultaten te leiden. De oriëntatie op de aandeelhouders wordt gezien als 'short-termism', terwijl de oriëntatie op de stakeholders wordt gezien als 'long-termism' (Scott, 1997).

Om de invloed van de kapitaalverschaffers in beeld te brengen richten theoretische analyses zich op de effecten van het 'two tier' versus het 'one tier' systeem van corporate governance en op de herkomst van het vermogen: bankleningen (belangrijk in Duitsland) en institutionele investeerders versus particuliere, kleine investeerders. Maar hoewel het theoretisch debat groeit, is er weinig empirisch onderzoek naar de *effecten* van de druk van de aandeelhouders en de verschillende systemen van corporate governance.

De Jong (1997), heeft een vergelijkend onderzoek gedaan naar de effecten van Rijnlandse versus Angelsaksische en Latijnse ondernemingen, waarbij de vestigingsplaats van de holding bepalend was voor de indeling. Hij concludeerde dat in de periode 1991-1994 Duitse en Latijnse bedrijven een hogere productiviteitsgroei en een lagere werkgelegenheidsdaling hadden dan Angelsaksische bedrijven. Wat de verdeling van de netto toegevoegde waarde betrof gaven Angelsaksische bedrijven kapitaal een hogere opbrengst (23,5 % van de netto toegevoegde waarde) dan Duitse (8,8 %) en Latijnse bedrijven (14,4 %). De oriëntatie op de aandeelhouder brengt dus niet per definitie hogere productiviteit en werkgelegenheid met zich mee. Impliciet werden door De Jong nationale instituties van groter belang geacht dan verschillen tussen bedrijven binnen de drie systemen (hoewel De Jong bedrijven in landen tot drie regionale typen combineert). Dit past in de institutionele benadering in arbeidsverhoudingen waarin padafhankelijkheid, nationale wetgeving en sociaal-culturele tradities leiden tot resistente nationale systemen (Crouch, 1993; Ferner en Hyman, 1998). Maar verschillen tussen landen hebben ook te maken met andere systeemkenmerken dan alleen corporate governance. Bijvoorbeeld, ook collectieve onderhandelingen beïnvloeden in het Duitse model productiviteit, werkgelegenheid en arbeid- en kapitaalinkomsten. Daarom kan in het onderzoek van De Jong de invloed van verschillende aspecten van corporate governance niet worden geanalyseerd.

Bovendien beperken de verschillen zich niet tot verschillen *tussen* nationale systemen. Ook *binnen* een land zullen bedrijven verschillen in hun corporate governance structuur, de invloed van hun aandeelhouders (in relatie tot andere stakeholders) en hun bedrijfsstrategie. In Nederland is zo, als onderdeel van het corporate governance debat, een database opgesteld van Nederlandse bedrijven die zijn beoordeeld op hun transparantie en openheid naar de aandeelhouders. Deze database is eveneens gebruikt voor economisch onderzoek, maar ook in dit geval waren de onderzoekers met name geïnteresseerd in de financiële effecten van de verschillende corporate governance-modellen. Zij concluderen dat de concentratie van aandelen een positief effect heeft op de aandeelhouderswaarde, terwijl beschermingsconstructies en de grootte van de raad van bestuur een negatieve invloed hebben (Center, 2000). Dit onderzoek toont aan dat sommige, maar niet alle vooronderstellingen over corporate governance stand houden. Maar onderzoek naar de *trade off* tussen lange en korte termijn resultaten op financieel en sociaal vlak van het bedrijf, in relatie tot de invloed van aandeelhouders, management en werknemers, ontbreekt nog steeds.

12.5 Het corporate governance-debat in Nederland

Als onderdeel van zijn beleid gericht op meer marktwerking streefde het eerste paarse kabinet ook naar liberalisering van de aandelenmarkt. Het wilde de invloed van de aandeelhouders op de bedrijven te vergroten, bijvoorbeeld door een grotere transparantie van bedrijven en het terugdringen van barrières tegen ongewenste overnames.

Deze druk van de regering werd gevolgd door een actie van verschillende beursgerelateerde belangenorganisaties in Nederland. Deze vormden in 1996 een 'Commissie Corporate Governance' (onder leiding van de voormalige Aegon topman Jaap Peters) die in juni 1997 met veertig aanbevelingen kwam. De commissie pleitte voor zelfregulering: regeringsbemoeienis zou niet nodig zijn als Nederlandse bedrijven op eigen initiatief hun corporate governance zouden veranderen. De aanbevelingen van de commissie, zoals het zodanig samenstelling van de raad van commissarissen dat die een onafhankelijke en kritische positie in kan nemen, het vermijden van het automatisch herbenoemen van commissarissen en het opmaken van een profiel voor de leden van de raad, richtten zich volledig op de raad van commissarissen. Bijna alle aanbevelingen hadden als doel de invloed van de aandeelhouders op het toezicht en het bestuur van de onderneming te vergroten. De Nederlandse vakbeweging bekritiseerde deze aanbevelingen omdat ze zouden leiden tot een relatief machtsverlies van het management en de werknemersvertegenwoordigers. Economische ontwikkelingen lijken de rol van de ondernemingsraad op zich al te verkleinen ten gunste van de positie van de raad van commissarissen. Dit is één van de verklaringen voor het feit dat werknemersvertegenwoordigers invloed aan het verliezen zijn op de strategische besluitvorming in het bedrijf (Van Brummelen en Van den Toren, 1998; Van het Kaar en Looise, 1999).

Het corporate governance-debat richtte zich niet alleen op de positie van kleine minderheidsaandeelhouders, maar leidde ook tot een interne discussie binnen de belangrijkste institutionele aandeelhouders (vooral pensioenfondsen, die in Nederland worden bestuurd door werkgevers en vakbonden). In 1998 vormden zij hun eigen stichting (de 'Stichting Corporate Governance Onderzoek voor Pensioenfondsen'). De deelnemers aan deze stichting vertegenwoordigen 60 procent van de beleggingen van pensioenfondsen in Nederlandse bedrijven. Deze stichting heeft haar eigen code voor corporate governance gemaakt, voornamelijk gebaseerd op de aanbevelingen van de commissie Peters.

In het rapport van de Commissie Corporate Governance krijgt zoals gezegd de raad van commissarissen veel aandacht. In het normale regime voor structuurvennootschappen kunnen noch de (algemene vergadering van) aandeelhouders, noch de werknemers hun vertegenwoordigers in de raad van commissarissen kiezen of aanstellen. Deze raad en al zijn leden moeten het belang van de onderneming als geheel dienen. Dit wettelijke systeem was in 1971 het resultaat van een met moeite bereikt compromis tussen arbeid en kapitaal, sterk mogelijk gemaakt door de christen-democraten die op basis van hun ideologie immers kiezen voor een systeem van zelfregulering, ook op bedrijfsniveau. In 1964 had de zogeheten Commissie Verdam met de kleinst mogelijke meerderheid (negen van de zestien leden) geadviseerd de werknemers via de raad van commissarissen, waarvan de bevoegdheid werd uitgebreid, nu in principe ook zeggenschap in de vennootschap te geven. In 1969 adviseerde de SER vervolgens over de voorstellen ten aanzien van de raden van commissarissen in structuurvennootschappen. Ondanks de sterke verdeeldheid in de Commissie Verdam was dit SER-advies unaniem. Dit SER-advies werd aangeduid als 'Het wonder van Den Haag' en lag aan de basis van de Structuurwet van 1971. Deze Structuurwet sprak onder meer over het vertrouwen van kapitaalverschaffers en werknemers in de nieuw te vormen raad van commissarissen (Plasman, 1988).

Het Nederlandse structuurregime is in beperkte mate van toepassing op multinationals die in Nederland zetelen maar van wie een meerderheid van het personeel in het buitenland werkt. Hoewel ook in 1971 de grootste Nederlandse bedrijven al internationaal opereerden (Shell, Philips, Unilever, Akzo), is sindsdien het aantal bedrijven dat internationaal actief is, gegroeid. In die gevallen zijn de meeste elementen van het Nederlandse structuurregime van toepassing op de Nederlandse subholding (zoals ze ook van toepassing zijn op Nederlandse dochters van buitenlandse multinationals). De populariteit van business unit structuur, die sinds de jaren tachtig zichtbaar wordt, heeft de positie van nationale sub-holdings echter verzwakt of deze zelfs doen verdwijnen(Marginson en Sisson, 1994). Onderzoek in Nederland heeft aangetoond dat een deel van de bedrijven dat dat wettelijk niet verplicht, toch het structuurregime toepast: zij geven er de voorkeur aan om de raad van commissarissen een belangrijke positie te geven. Ook in veel bedrijven die niet het structuurregime toepassen wordt aan de raad van commissarissen een sterke positie gegeven. Een recente enquête onder directeuren toonde de populariteit van deze raad aan; het wordt gezien als een kanaal dat de invloed van de aandeelhouder mitigeert.[4]

De aandeelhoudersbijeenkomst en de ondernemingsraad hebben volgens de wet beiden het recht om kandidaten voor de raad van commissarissen voor te dragen en om bezwaar te maken tegen de benoeming van kandidaten. In de praktijk worden de leden van de raad van commissarissen echter benoemd door coöptatie zonder veel invloed van de aandeelhouders of de ondernemingsraad. Er is veel kritiek dat deze praktijk de invloed van de aandeelhouder en de efficiëntie van het bedrijf verkleint. Aan de andere kant pleiten vakbonden ervoor dat meer leden van de raad van commissarissen benoemd kunnen worden door de werknemers(vertegenwoordigers).

In 2000 stonden deze beide (en andere) claims op de agenda van de Sociaal Economische Raad, het toporgaan van het Nederlandse institutionele model, in het kader van een adviesaanvraag over het structuurregime. Het debat in de Sociaal Economische Raad kan worden gezien als gericht op de vraag hoe de druk van internationale (kapitaal)markten kan worden geharmoniseerd met het op de lange termijn georiënteerde sociale systeem in Nederland. De vakbonden in Nederland zijn sinds de jaren zestig de mening toegedaan dat een derde van de leden van de raad van commissarissen zou moeten worden benoemd door de ondernemingsraad, nog een derde door de algemene vergadering van aandeelhouders en dat beide groepen leden de overige leden van de raad van commissarissen benoemen. De Nederlandse vakbonden zien het Nederlandse wettelijke systeem, waarin onafhankelijke toezichthouders worden benoemd, als een aanduiding van de pariteit van arbeid en kapitaal die ze graag willen behouden.

In zijn pariteit is het Nederlandse systeem uniek. Zelfs het Duitse systeem, dat met zijn directe vertegenwoordiging van arbeid en kapitaal in de raad van commissarissen het dichtst in de buurt van pariteit komt (Carley, 1998), wordt door de Nederlandse vakbonden niet gezien als een aantrekkelijk alternatief vanwege (1) het feit dat de vertegenwoordigers van het kapitaal de vertegenwoordigers van arbeid in de 'Aufsichtsrat' kunnen overstemmen en (2) de praktische problemen die voortvloeien uit een directe vertegenwoordiging. De werkgeversorganisaties in de Sociaal Economische Raad wilden juist de invloed van de aandeelhouders versterken om het vertrouwen van het risicodragende kapitaal in de onderneming te verstreken. Beide partijen waren bereid tot een compromis, om het functioneren en de legitimiteit van de raad van commissarissen te verbeteren en (zeker wat de werkgevers betreft) om overheidsinterventie te voorkomen. In zijn unanieme advies van 19 januari 2001 heeft de SER wijzigingsvoorstellen gedaan over de benoeming van de raad van commissarissen. De SER stelt, naast diverse andere actualiseringen van structuurregeling, voor het huidige stelsel van gecontroleerde coöptatie te vervangen door een nieuwe regeling waarbij de leden van de raad van commissarissen worden benoemd door de algemene vergadering van aandeelhouders. De raad van commissarissen krijgt een in beginsel bindend recht van voordracht, dat door de algemene vergadering alleen terzijde kan worden gesteld met twee derde van de uitgebrachte stemmen, vertegenwoordigende ten minste één derde van het geplaatst kapitaal. Het recht om personen bij de raad aan te bevelen wordt voor de algemene vergadering en de ondernemingsraad gehandhaafd. Voor het bestuur wordt dit recht geschrapt. Het past niet in moderne verhoudingen, aldus de SER, dat een bestuur zijn eigen toezichthouders kan voordragen. Om het evenwicht tussen algemene vergadering en ondernemingsraad te bewaren, stelt de SER voor dat de ondernemingsraad voor ten hoogste één derde van het aantal leden van de raad een bijzonder voordrachtsrecht krijgt. De SER was daarmee in staat zowel de invloed van de aandeelhouders als die van de ondernemingsraad te vergroten, waarmee werd gepoogd het vertrouwen van deze belanghebbenden te versterken. Deze voorstellen zijn door het tweede paarse kabinet overgenomen in zijn wetvoorstel van 8 januari 2002, waarvan ik uit de Memorie van Toelichting al enkele zinnen citeerde.

12.6 Conclusies en beleidsimplicaties

De druk van de aandeelhouder vormt één van de paradoxen van actuele economieën. Twintig procent van de Nederlandse huishoudens handelt in aandelen, en een deel van hen speculatief, dat wil zeggen met het oogmerk op korte termijn koerswinst te behalen. Particulieren en hun beleggingsfondsen nemen de minderheid van het aandelenbezit voor hun rekening, door de beweeglijkheid van hun transacties is hun invloed op de koersbewegingen echter groot. Deze handel maakt de aandelenmarkt dynamischer en bedrijfsdirecteuren nerveus, verkort hun tijdshorizon en beperkt daarmee de stabiliteit op de werkvloer voor de werknemers, van wie zoals gezegd twintig procent zelf aandelen heeft.

Hoewel haar effecten worden gevoeld, wordt deze paradox nauwelijks als zodanig onderkend. Voorzover zij dat doen hebben sociale actoren in Nederland wel de mogelijkheid in actie te komen. Nationale instituties als de SER bieden in beginsel de mogelijkheid bipartite consensus te bereiken om de druk van de aandeelhouder het hoofd te bieden. In het debat in de SER bleek dat er algemene consensus bestaat om het Nederlandse structuurregime met een onafhankelijke raad van commissarissen te behouden. Het SER-advies en de daaropvolgende wetgeving zal daarmee leiden tot een modernisering van het Nederlandse 'two tier' systeem, en een poging om het een grotere legitimiteit te geven ten opzichte van arbeid zowel als kapitaal.

Maar de vraag is wat deze modernisering betekent voor de druk van de aandeelhouders op de bedrijven. Een grotere transparantie en een hogere kwaliteit van de raad van commissarissen leiden immers niet automatisch tot een verandering in het machtsevenwicht tussen (verschillende typen) aandeelhouders en werknemers of tot een verandering in de bedrijfsdoelstellingen. Wellicht wordt het voor aandeelhouders aantrekkelijker om zich voor een langere periode aan het bedrijf te verbinden, omdat zij – in de woorden van Hirschman (1971) – naast de traditionele 'exit'optie, de mogelijkheid hebben hun 'voice' in de richting van bestuur en toezichthouders te laten horen. Dit zou met name kunnen gelden voor de grotere aandeelhouders, die sowieso geprikkeld worden hun rol meer zichtbaar te vervullen.

De vraag is of er daarnaast andere beleidsmaatregelen denkbaar om de groeiende oriëntatie op de aandeelhouders te matigen of ten minste te reguleren. Vanuit een economisch perspectief zou het verhogen van transactiekosten op de kapitaalmarkt de negatieve effecten van de hoge mobiliteit van kapitaal kunnen verminderen. Met dezelfde logica is het mogelijk om de kosten van aandelentransacties te verhogen om speculatieve handel te beperken. Het is duidelijk dat dit type beleidsmaatregelen op een internationaal niveau gemaakt moet worden. De liberalisering van de kapitaalmarkt en de antikartelwetgeving zijn begunstigd door oriëntatie die de Europese Unie heeft op marktwerking. De richtlijn voor de liberalisering van de Europese kapitaalmarkt heeft dit proces vergemakkelijkt en versneld; aan de andere kant heeft deze de Europese Unie legitimiteit gegeven om in te grijpen waar nodig.[5] Maar wat kan 'Europa' nog meer doen? Een al wat oudere vrucht van Europese beleidsvorming is het Statuut van de Europese Vennootschap, dat overigens nationale variaties in stand houdt. Daarnaast is er het initiatief van de Europese Ondernemingsraad (EOR). Sinds 1994 bestaat er de plicht voor internationale bedrijven om een Europese Ondernemingsraad te installeren. Deze plicht is van toepassing op ongeveer 1200 bedrijven, en in 1999 hadden al ongeveer 500 bedrijven dit besluit opgevolgd (Kerckhofs, 1998). Volgens de relevante Europese richtlijn moet de Europese Ondernemingsraad (ten minste) geïnformeerd en geconsulteerd worden over bepaalde gebeurtenissen, zoals de verplaatsing of sluiting van bedrijven, of collectieve ontslagen. De eerste onderzoeksresultaten wezen er op dat de ervaringen van Nederlandse bedrijven met een Europese Ondernemingsraad overwegend positief zijn (Lamers, 1998). Maar het is niet realistisch om te verwachten dat de EOR de verhouding tussen arbeid en kapitaal daadwerkelijk zal veranderen.

Het is echter ook belangrijk om te zien dat het actuele debat over de rol van de aandeelhouder niet alleen te maken heeft met het klassieke onderscheid tussen arbeid en kapitaal. Ook andere stakeholders zijn van belang, wat weer mogelijkheden biedt voor nieuwe coalities (Van der Meer en Van den Toren, 1999). Het management, zowel op concern- als op business unit niveau, heeft zijn eigen doelen, die kunnen verschillen van die van de kapitaalverschaffers. Ook het management voelt zich in veel bedrijven gehinderd door de korte termijnoriëntatie van speculatieve beleggers. Het management wil niet alleen investeren in R&D, het weet ook dat ze voor een concurrerende positie op de lange termijn een goedgetraind en toegewijd werknemersbestand nodig hebben, dat een langduriger relatie kan opbouwen met het bedrijf dan slechts een paar jaar. Naast de speculatieve beleggers is het van belang de institutionele beleggers als pensioenfondsen te benoemen als belangrijke speler. Zij worden bipartiet bestuurd en hebben een oriëntatie op de lange termijn. Een steeds belangrijker deel van het vermogen van pensioenfondsen wordt belegd in aandelen. Eind 2000 was dit 43 procent tegenover 28 procent in 1996, al is het percentage door de dalende beurskoersen weer iets teruggelopen. Pensioenfondsen lijken echter enigszins terughoudend in het plaatsen van druk op de ondernemingen, zo participeren zij nauwelijks op algemene vergaderingen van aandeelhouders. In de kring van institutionele beleggers ontstond de afgelopen jaren een voorzichtig debat. Daarbij wordt vaak verwezen naar het grootste pensioenfonds ter wereld, het California Public Employees Retirement System ofwel CalPERS. Dit Amerikaanse pensioenfonds voert een zeer actief en menigmaal ook succesvol aandeelhoudersbeleid bij ondernemingen die ten minste vijf jaar slechter presteren dan het markt- of sectorgemiddelde. Het treedt daartoe in discussie met de betrokken bestuurders over mogelijkheden tot verbetering. Aanvankelijk gebeurt dat achter gesloten deuren en als het beleid van het bestuur daarna voldoende wijzigt blijft het daarbij. Ontmoet CalPERS onvoldoende gehoor, dan dreigt CalPERS met een volmachtenstrijd bij de eerste (her)benoeming van bestuurders of dreigt het zijn oordeel over de onderneming naar buiten te brengen. De dreiging van een open confrontatie kan voor ondernemingen aanleiding zijn om pro-actief de corporate governance structuur of het beleid te verbeteren. Naast deze negatieve prikkels zijn ook voorstellen gedaan voor positieve prikkels, bijvoorbeeld door het mogelijk te maken voor institutionele beleggers om een lange termijn overeenkomsten te sluiten met een bedrijf, waarbij, als het bedrijf aan bepaalde criteria voldoet, langdurig in dat bedrijf wordt belegd (vergelijk het Amerikaanse SAI, Social Accountability International).

Naast de pensioenfondsen als lange-termijn-beleggers zouden ook andere 'nieuwe' stakeholders als maatschappelijke organisaties en omwonenden aan de orde kunnen komen in het debat over de structuurvennootschap. Dit is echter noch in de SER noch bij de parlementaire behandeling van het wetsvoorstel over het structuurregime gebeurd. Wanneer de structuurvennootschap ertoe leidt dat de korte termijn oriëntatie van speculatieve beleggers wordt geremd ten gunste van het lange termijn perspectief van bijvoorbeeld pensioenfondsen, zou dat ertoe kunnen leiden dat er meer ruimte is om andere belangen dan alleen de financiële mee te wegen. Pensioenfondsen hanteren nu vooral positieve prikkels via bijvoorbeeld duurzaamheidfondsen en nog nauwelijks negatieve prikkels. Een voorbeeld van het laatste is de waarschuwing van een internationale groep pensioenfondsen – waaronder PGGM – om niet te beleggen in bedrijven die in Birma investeren. De argumentatie van deze groep loopt overigens uiteindelijk ook weer via het aandeelhoudersbelang: bedrijven die investeren in Birma lopen het risico negatief in de publiciteit te komen wat leidt tot verlies aan vertrouwen van aandeelhouders.[6]

12.7 Ten slotte

De groeiende aandacht van bedrijven voor de aandeelhouder is een recente en belangrijke ontwikkeling in moderne bedrijven. Het wordt weerspiegeld, en niet alleen in beursgenoteerde bedrijven, in hoge eisen bij investeringsbeslissingen: hoewel kapitaal goedkoop is, eisen bedrijven van zichzelf en hun business units een rendement op geïnvesteerd vermogen van ten minste vijftien procent. Partijen rond de beurs en het kabinet hebben, in Nederland en elders, een debat over corporate governance georganiseerd. In Nederland kunnen de vakbonden meedoen in dit debat door hun rol in de tripartiete instituties als de SER. Maar dit sociaal-politieke debat wordt grotendeels beperkt tot de rol en de samenstelling van de raad van commissarissen. Net als deze instituties zelf heeft het debat een nationaal bereik, en daardoor zal het leiden tot een lichte aanpassing van het nationale recht aan internationale ontwikkelingen, en niet tot een nieuwe organisatie van de industriële democratie. Voor een meer diepgaand debat over de (op de aandeelhouders georiënteerde) doelstellingen van het bedrijf zijn echter ook internationale initiatieven nodig, bijvoorbeeld door de OECD, het IMF, de G8 of de EU. De aanpassing van nationale stelsels van corporate governance heeft elementen van een prisoners' dilemma. Zonder internationale druk zullen nationale instituties doen wat op nationaal niveau en op de korte termijn rationeel is, maar vanuit een breder en lange termijn perspectief onwenselijk en inefficiënt.

Vooralsnog is het debat en het beleid gericht op het vergroten van het vertrouwen van de aandeelhouders, zonder al te veel het vertrouwen van de werknemers te verliezen. Hoewel de Nederlandse wetgever denkt het vertrouwen van beide te kunnen versterken is er per saldo sprake van een verschuiving in de precaire balans tussen kapitaal en arbeid ten gunste van de eerste. Achter deze verschuiving ligt de paradox dat kapitaalverschaffers zich gemakkelijker van hun participatie kunnen ontdoen dan werknemers en daarom meer te vriend gehou-

den moeten worden dan werknemers, maar dat werknemers minder uitwisselbaar zijn en daarom meer van belang zijn voor de toekomst van de onderneming. Dit leidt bij Dow en Putterman (1999) dan ook tot de verzuchting: waarom huurt kapitaal eigenlijk arbeid en niet vice versa? Vaak wordt gewezen op
het ondernemingsspecifieke karakter van kapitaalsinvesteringen, waar de kapitaalverschaffers controle over wilden houden. De machines van Philips waren
uniek en de werknemers uitwisselbaar. Margaret Blair (1999) stelt echter de
vraag of deze redenering nog wel opgaat omdat werknemers hun *human capital*
ook ondernemingsspecifiek inzetten, en dus ook controle zullen willen uitoefenen over de aanwending daarvan. Wie vanuit deze redenering van Blair naar de
actuele ontwikkelingen kijkt, ziet dat werknemers er op uit zijn om hun investeringen minder ondernemingsspecifiek te maken, denk aan de discussie over
employability. Bedrijven laten op dit moment twee strategieën zien. Aan de ene
kant stimuleren zij de employability van hun werknemers, om hun interne
inzetbaarheid te vergroten en zo nodig afscheid van hen te kunnen nemen. Aan
de andere kant trachten zij hun werknemers juist sterker aan zich te binden, het
liefste moeten werknemers zich identificeren met het bedrijf. Als er inderdaad
sprake is van een fundamentele verschuiving van de onderlinge afhankelijkheid
van arbeid en kapitaal, dan moeten we vaststellen dat de voorgenomen wijzigingen in de structuurvennootschap daar geen antwoord op geven.

Noten

1   Berekend aan de hand van AEX-cijfers.
2   *NRC*, 26 April 2000.
3   *Elan*, maart 2000.
4   *Elan*, maart 2000.
5   Richtlijn 88/361/EEG van de Council van 24 juni 1998 voor de implementatie van artikel
    67 van het Verdrag.
6   *NRC*, 4 december 2001.

Literatuur

Albert, M. (1991). *Capitalisme contre Capitalisme*. Paris: Soeil.
Boot, A.W.A., en Schmeits, A. (2001). 'Onderneming en financiële markt.' In: Koninklijke Ver-
    eniging voor de Staathuishoudkunde. *Herpositionering van ondernemingen*. Utrecht: Lemma.
Blair, M.M. (1999). 'Firm-specific human capital and theories of the firm.' In: Blair, M.M., en
    Roe, M.J. (red.). *Employees and Corporate Governance*. Washington DC: Brookings Institu-
    tions Press.
Brummelen, Y., en Toren, J.P. van den (1998). *Medezeggenschap: Een hele onderneming*. Utrecht:
    CNV-rapport, OA-98-05.
Carley, M. (1998). 'Board-level employee representation in Europe.' In: *Transfer*, 2.
Commissie Corporate Governance (1997). *Aanbevelingen inzake Corporate Governance in Neder-
    land*. Amsterdam 25 juni.
CPB (1997). *Challenging Neighbours. Rethinking German and Dutch institutions*. Berlijn: Springer.
Crouch, C. (1993). *Industrial Relations and European State Traditions*. Oxford: Oxford University
    Press.

Dow, G., en Putterman, L. (1999). 'Why capital (usually) hires labor: an assessment of proposed explanations.' In: Blair, M.M., en Roe, M.J. (red.). *Employees and Corporate Governance.* Washington DC: Brookings Institutions Press.

Ferner, A. en Hyman, R. (red.) (1998). *Changing Industrial Relations in Europe.* Oxford: Blackwell.

Freeman, R.B., en Medoff, J.L. (1984). *What do Unions do'* New York: Basis Books.

Hirschman, A.O. (1971). *Exit, Voice and Loyalty: Responses to decline in firms, organizations and states.* Cambridge: Cambridge University Press.

Jong, H.M. de (1997). 'The governance structure and performance of large European Corporations.' *The Journal of Management and Governance*: 5-27.

Kaar, R.H. van het, en Looise, J.C. (1999). *De Volwassen Ondernemingsraad: Grenzen en groei van de Nederlandse OR.* Alphen a/d Rijn: Samsom Bedrijfsinformatie.

Kerckhofs, P. (1998). *Multinationals Database: Inventory of companies affected by the EWC directive.* Brussel: ETUI.

Kersten, E. (2000). 'Kortdurend beleggen bedreigt stabiliteit'. *ESB,* 12 mei.

Lamers, J. (1998). *De Toegevoegde Waarde van Europese Ondernemingsraden. Onderzoeksmemorandum.* Haarlem: HSI/ AWV-N.

Maassen, G.F. (1999). *An International Comparison of Corporate Governance Models.* Amsterdam: Spencer Stuart.

Marginson P., en Sisson, K. (1994). 'The structure of transnational capital: the emerging Euro-company and its implications for industrial relations.' In: Hymand. R., en Ferner, A. (red.). *New Frontiers in European Industrial relations.* Oxford: Basil Blackwell.

Meer M., van der, en Toren, J.P. van den (red.) (1999). *Wat Bindt de Onderneming? De belanghebbenden aan het woord.* Amsterdam: De Burcht/ IISG.

Moerland, P.W. (1998). 'Aandeelhouders en ander belanghebbenden.' *ESB,* 15 juni.

OECD (1999). *Principles of Corporate Governance.* Parijs: OECD.

Plasman, J. (1988). *Medezeggenschap in het Geding: Een bedrijfspastorale, toegepaste sociaal-ethische studie over medezeggenschap.* Den Haag: Boekencentrum.

Rogers, J., en Streeck, W. (red.) (1995). *Works Councils: Consultation, representation and cooperation in industrial relations.* Chicago: University of Chicago Press.

Scott, J., (1997). *Corporate Business and Capitalist Class.* Oxford: Oxford University Press.

SER (2001). *Het Functioneren en de Toekomst van de Structuurregeling.* Den Haag: Advies 2001/02.

Teulings, C., en Hartog, J. (1998). *Corporatism or Competition? Labour contracts, institutions and wage structures in international comparison.* Cambridge: Cambridge University Press.

Toren, J.P. van den, en Vos, P.J. (1997). ' En hoe stroomt de Rijn door de polder.' In: Toren, J.P. van den, en Vos, P.J. (red.). *Overleeft het Rijnlandse Model? Perspectief op arbeidsverhoudingen 1.* Amsterdam: Nationaal Vakbondsmuseum/IISG.

Traxler, F. (1993). 'Business associations and labor unions in comparison: theretical perspectives and empirical findings on social class, collective action and associational organizability. *British Journal of Sociology,* 44.

Visser, J., en Hemerijck, A. (1997). *'A Dutch miracle' Job growth, welfare reform and corporatism in the Netherlands.* Amsterdam: Amsterdam University Press.

Weimer, J. (1995). *Corporate Financial Goals.* Dissertatie. Enschede: Universiteit Twente.

Williamson, O.E. (1996). *The Mechanisms of Governance.* Oxford: Oxford University Press.

Wymeersch, E. (1999). *Convergence or Divergence in Corporate Governance Patterns in W. Europe?* Gent: Paper University of Gent.

13
De coöperatie

Door Frank van den Heuvel

De coöperatie is een organisatievorm die van onderop georganiseerd is. Een coöperatie heeft geen aandeelhouders, maar leden. Deze leden, die via een bestuur de coöperatie organiseren en laten opereren, bepalen de koers, het beleid en het doel. De coöperatie is gebaseerd op de dubbele grondslag van macht (maatschappelijke representatie) en ethiek (solidariteit) en is sterk van onderop georganiseerd. De leden zitten aan de stuurknuppel. De coöperatie is een zakelijke vorm van zelfregulering. Dit betekent dat de direct betrokkenen in het geval van onvrede met het beleid niet zo snel de organisatie (coöperatie) zullen verlaten als wel proberen te veranderen, te verbeteren in hun ogen. Het vertrouwen in de organisatie is sterker dan bij organisaties waar de belanghebbenden op grotere afstand staan. Gereglementeerde *voice mail* in plaats van het exit-mechanisme. Dit denken van onderop en het primaat aan de mensen past bij de huidige tijd. De coöperatie is modern. De coöperatie is een onderneming met vertrouwen. En dit vertrouwen geldt zowel intern als extern. Zowel de aangesloten leden, die tezamen de coöperatie vormen, moeten vertrouwen hebben in elkaar, als de externe contacten van de coöperatie, de mensen, bedrijven en instellingen die zaken doen met de coöperatie. Meer nog dan bij andere ondernemingsvormen heeft de coöperatie te maken met verschillende *stakeholders*, die allen een eigenstandige positie hebben: leden, klanten, medewerkers en maatschappelijke organisaties.

Wanneer we de situatie van na de Tweede Wereldoorlog bekijken vallen enkele ontwikkelingen op. Na de oorlog hadden we in Nederland de tijd van de verzuiling met met name de dominantie van twee grote kerkelijke zuilen: de katholieke en de protestantse, waarbij deze laatste weer was onderverdeeld in, grofweg, de gereformeerde en de hervormde zuilen. Een opvallend punt in deze jaren was de positie van de kerken. Deze hadden macht en invloed. In de loop van de jaren zestig kalfde de positie van de kerken af, werd het kerkelijk gezag ingeruild voor het wereldlijk gezag en werd de politiek belangrijk. De polarisatie kwam op en de ontzuiling ging in een rap tempo, terwijl de maakbaarheid van de samenleving, gestuurd door politici en genoten door mensen in een groeiende welvaart het land domineerde. 'Kroon' op deze periode was het roemruchte

Kabinet Den Uyl. Het primaat, de macht en de invloed lagen bij de politiek. De jaren tachtig-negentig waren jaren van *no nonsens*, waarbij de economie vooruit moest, geen halfzachte maatregelen werden genomen en de politiek zeker niet alles bleek te kunnen. Bedrijven, multinationals en de private sector maakten een sterke herwaardering door en hadden de macht en de invloed. De economie krabbelde op, de werkloosheid daalde en beleggen werd gewoon. Er was een forse economische groei, maar ook een groeiend knagend gevoel. Een gevoel dat bestond uit verschillende componenten. Mensen wilden weer meedoen.

Nadat de kerk, vervolgens de politiek en de laatste jaren het bedrijfsleven macht en invloed hebben gehad op de ontwikkelingen en de eerste viool speelden, willen nu de mensen weer de teugels in hand hebben. Deels gedreven door eigenbelang, deels door betrokkenheid. Gedreven door drang naar geld en meer, gedreven door bezinning en zingeving. De kerk zal niet meer terugkomen in de gedaante van de jaren vijftig, de jaren van de verzuiling. Waarden en normen blijken echter weerbarstiger en de mensen zijn hier niet blind voor. Ze willen een richtsnoer. En waar blijkt die gedrevenheid van de mensen uit? Hoe willen ze meedoen, meepraten en meebeslissen? Op allerlei wijzen. Internet, vele andere vormen van informatie en de nieuwste communicatiemiddelen bevorderen de toegankelijkheid, de transparantie en de potentiële deelname van mensen aan het mee-organiseren van de maatschappij. Inspraak als burger bij bestuurlijke zaken, meebeslissen als aandeelhouder bij ondernemingsbeleid en als consument bedrijven dwingen tot maatschappelijk verantwoord ondernemen worden van belang. Consumenten bepalen de koers en de koersen. Het primaat lijkt terug bij de mensen. Met plussen en minnen. Het risico bestaat dat er een *permissive society* ontstaat, waar negatief individualisme hoogtij viert en verantwoordelijkheid ingeruild lijkt voor vrijheid en eigenbelang. Waar individualiteit de solidariteit terzijde schuift en de 'ik-cultuur' sterk is. Pluspunt is dat niet primair op winst en continuïteit gerichte bedrijven of een anonieme overheid de koers bepalen, maar dat het primaat bij de mensen ligt, bij de maatschappelijke verbanden, de *stakeholders* en de samenleving. En daar is niks op tegen. De 'eindgebruiker' staat centraal. Zaken worden van onderop georganiseerd: vraagzijde boven aanbodzijde. Eveneens in herkenbare sectoren als onderwijs en zorg bestaat die behoefte en wordt met beleid steeds meer hierop ingespeeld: persoonsgebonden budget, de school aan de ouders en met eigen verantwoordelijkheid voor instellingen. Natuurlijk in combinatie met overheden en marktsector. En natuurlijk dient er een balans te zijn. Wanneer het primaat aan de maatschappij en de mensen is, betekent dat niet dat de staat, de overheden buiten spel staan.

13.1 De coöperatie in historisch perspectief

In een coöperatie werken bevolkings- of beroepsgroepen samen, zoals consumenten, boeren en tuinders, vrije beroepsbeoefenaars, et cetera. (Diepenbeek, 1990: 1). Er zijn veel (oude) coöperaties in de landbouwsector en in het midden-en kleinbedrijf, maar zeker ook grotere ondernemingen zijn ingericht als een coöperatie. Enkele tuinders-, zuivel- en financiële coöperaties zijn hier een bewijs van. De coöperatie gaat ver terug om de simpele reden dat mensen reeds lange tijd samenwerken. De oudste samenlevingsvormen waren in wezen een coöperatie in zichzelf. De gilden kenden eveneens een vergaande vorm van samenwerking. De samenwerking geldt op velerlei gebied en kan bijvoorbeeld zowel aan de inkoopzijde gelden als aan de verkoopzijde. Oude coöperaties zijn ook de samenwerkingsvormen die in Engeland ten tijde van de Industriële Revolutie ontstonden. Deze coöperaties waren, reeds toen, een reactie op de harde kapitalistische cultuur in industrieel Engeland. Er was behoefte aan samenhang en solidariteit. Deze reactie op een zekere doorgeschoten marktwerking is ook later zeer herkenbaar wanneer coöperaties worden opgezet. Diepenbeek (1990) noemt in dat kader de Socialistische Coöperatie-School waaronder het utopisch coöperatisme (reactie van Robert Owen op het kapitalisme), het werkplaatscoöperatisme (werkgemeenschappen) en het verbruikscoöperatisme (soort consumentenbond). Eveneens de kerken zagen dat steeds meer arbeiders 'ten prooi' vielen aan socialistisch georiënteerde vakbonden, coöperatieve organisaties en andere bewegingen. De Sociale Kwestie werd actueel in de volle breedte van de maatschappij. De christelijk-sociale leer kwam op en was een soort van derde weg (toen reeds!) tussen het harde kapitalisme en het compromisloze marxisme. De kerken zagen de coöperatieve organisatie en met name de coöperatieve kredietorganisatie als het middel om hun solidair-organische maatschappijvisie te realiseren. De christelijk-sociale leer komt in het onderstaande verder aan de orde. Eveneens in andere landen als Duitsland (Gemeinwirtschaftliche Unternehmung), België (Mellaerts) en Engeland (the Co-Operative Movement/ Richard Owen) waren in de negentiende eeuw belangrijke coöperatieve initiatieven.

Tot halverwege de twintigste eeuw werd de coöperatieve organisatie met name beschouwd als een politiek-maatschappelijke beweging, die eigenlijk tot doel had een coöperatieve economie te creëren. In de tijd van de verzuiling, die met name in Nederland pregnant was, groeiden de coöperaties nog stevig. Zeker in de agrarische sector en de financiële sector. De coöperatie paste ook binnen de corporatistische gedachten die tot midden van de jaren zestig opkwamen. Gedurende de laatste decennia van de twintigste eeuw werden steeds meer coöperaties omgezet in 'gewone' bedrijven. Maar toch..., bij het zoeken naar een nieuwe ordening, bij het weghalen van taken bij de overheid, bij de kanteling van een aanbod gestuurde samenleving naar een vraaggestuurde samenleving, bij het groeiende verlangen zaken van onderop te organiseren, meer invloed voor de mensen, de 'eindgebruikers', lijkt en blijkt de coöperatie op bepaalde terreinen een organisatievorm te zijn die plussen combineert. Het is een combinatie van onafhankelijkheid en onderlinge verbondenheid. Niet vrijblijvend, wel flexibel. Momenteel zijn er in Nederland ongeveer bijna zevenduizend coöperaties, in alle soorten en maten, en er komen er jaarlijks ongeveer driehonderd bij.

Tot slot van deze korte terugblik de zes zogenaamde universele coöperatie-beginselen van de International Cooperative Alliance te Genève, zoals Diepenbeek (1995) in zijn oratie heeft omschreven:

- Vrije toetreding voor iedereen zonder onderscheid naar geloof, politieke overtuiging, geslacht, afkomst, et cetera.
- Gelijk stemrecht voor ieder lid.
- Geen dividenden op inleggelden van leden, maar hooguit een beperkte rente.
- Verdeling van surplussen onder de leden naar rato van hun omzet met de coöperatie.
- Financiering van opvoeding en onderwijs van de leden uit het surplus.
- In het zakelijk verkeer preferentiële samenwerking met andere coöperaties om het coöperatieve aandeel in de economie te vergroten.

De coöperatie in relatie tot het christelijk-sociale denken

Zoals hierboven gezegd speelde, als gevolg van de slechte arbeidsomstandigheden, de Sociale Kwestie. Het marxisme en socialistische partijen en bewegingen speelden hierop in zoals hierboven beschreven en hebben daarnaast, of in het verlengde daarvan, een rol gespeeld bij het ontwikkelen van coöperatieve structuren. De kerken konden niet achterblijven met een reactie. Ook binnen de kerken zag men de mens meer als uniek wezen dan als onderdeeltje van het arbeidsproces. Het christelijk-sociaal denken kwam op. Geen compromis tussen liberalen en socialisten, maar een zelfstandige koers. Een derde weg. Toch was de christelijk-sociale leer ook weer niet zo nieuw. Het was de voortzetting van het solidarisme van Thomas van Aquino, die in zijn tijd reeds een maatschappelijk-economisch harmoniemodel voorstond. Het hieruit voortkomende Thomisme ging uit van twee leidende beginselen: het organische beginsel en het beginsel van de rechtvaardige prijs. Het organische beginsel houdt in dat het mensbeeld tweezijdig is: de mens is een zelfstandig individu en neemt als sociaal wezen deel aan het maatschappelijk-economisch verkeer. Het beginsel van de rechtvaardige prijs betekent dat de prijs in redelijkheid en billijkheid moet worden vastgesteld. Dit om een acceptabel inkomen te kunnen genereren. Beide gedachten komen later sterk terug bij de coöperatie. Met de komst van de Industriële Revolutie werd veel overhoop gegooid. Het ging de kerken natuurlijk eveneens aan het hart dat de mensen instrumenteel werden ingezet in de fabrieken, waar ze uren moesten werken zonder buitenlucht, in donkerte en tegen schamele lonen. De situatie op het platteland was overigens vaak niet veel beter met dat verschil dat men in de open lucht mocht werken. De pachters en hun kleine kavels hadden het zwaar. Een belangrijk signaal, zowel in de steden als op het platteland, kwam uit katholieke hoek. Zowel vanuit de basis, Pater Van den Elsen die de eerste boerenbond oprichtte, als van 'boven'.

Paus Leo XIII vaardigde de beroemde encycliek *Rerum Novarum* (1891) uit. In deze encycliek zette de Paus zich af tegen de slechte uitwassen van de 'moderne ontwikkelingen'. Overigens wees hij de nieuwe ontwikkelingen en de private onderneming niet af. Dat was juist een belangrijk verschil met het marxisme. Later is deze encycliek gevolgd door *Quadragesimo Anno* (1931), de encycliek waarin Paus Pius XI het principe van de subsidiariteit uiteenzette. De leer van de subsidiariteit benadrukt dat wanneer iets, een activiteit of een beslissing, gedaan kan worden door een lagere entiteit, dat deze entiteit dan de aangewezene is voor deze taak. Of anders gezegd: verantwoordelijkheid laag neer durven leggen in de organisatie. De coöperatie legt verantwoordelijkheden eveneens op een zo laag mogelijk niveau. Overigens zet de huidige paus Johannes Paulus de traditie van *Rerum Novarum* voort en hij gaf in 1991, honderd jaar na dato, de encycliek *Centesimus Annus* uit: een maatschappelijk verband op hoger niveau moet zich niet mengen in het leven binnen een maatschappelijk verband op lager niveau en dit niet van zijn bevoegdheden beroven. In deze encycliek geeft de paus nogmaals de relevantie van de katholiek sociale leer aan: er dient een balans te zijn in marktwerking en solidariteit. *Fides et Ratio* enkele jaren later zit wat dat betreft op dezelfde lijn. Johannes Paulus benadrukt hierin het feit dat vertrouwen, meer de zachtere kant van het ondernemen, minstens zo belangrijk is als rationele factoren. De Amerikaanse historicus Francis Fukuyama heeft in zijn tweede boek *Trust* het belang van vertrouwen eveneens uiteengezet. De gedachte van de publiekrechtelijke bedrijfsorganisatie krijgt ook een plaats in de christelijk-sociale leer. "Binnen dit verband moeten standsorganisaties, vakbonden, werkgevers en andere geledingen samenwerken en een harmonieus maatschappelijk-economisch bestel opbouwen, waarin tegenstellingen en spanningen door overleg en wederzijds begrip worden overwonnen en dient de maatschappelijke vrede door middel van collectieve overeenkomsten te worden verzekerd." (Diepenbeek, 1995: 22). Bij een dergelijke orde past de coöperatieve structuur, die eveneens sterk gericht is op samenwerking.

Wanneer we de katholieke sociale leer analyseren zien we dat vier begrippen hierin centraal staan: solidariteit, sociale rechtvaardigheid, subsidiariteit en personalisme. Alle vier deze begrippen komen terug bij een coöperatie. De solidariteit zit in het feit dat ondernemers, boeren en belanghebbenden gezamenlijk optreden; een gezamenlijke verantwoordelijkheid hebben. Gezien het economisch karakter van de coöperatie geldt de solidariteit primair ten opzicht van de leden onderling. De sociale rechtvaardigheid blijkt uit het feit dat door de 'samenspanning' men zichzelf en elkaar beschermt tegen sterke andere partijen in het economisch verkeer (leveranciers en afnemers). Subsidiariteit is inherent aan de coöperatie: verantwoordelijkheid op een zo laag mogelijk niveau neerleggen. De mensen willen meesturen. Personalisme benadrukt de uniciteit van ieder individu. De coöperatie is, mits goed georganiseerd, een economische verschijningsvorm van, al dan niet geseculariseerd, christelijk-sociaal denken. Overigens is het te eenzijdig om alle *credits* voor het coöperatief denken te geven aan de christelijke denkers en doeners. Zoals hiervoor beschreven zijn er ook zeker socialistische wortels en moet de invloed van het humanisme niet verwaarloosd worden.

13.2 De agrarische en financiële coöperatie

De coöperatie is het best bekend uit de agrarische sector en de financiële wereld. Hierbij zij aangetekend dat de financiële coöperaties hun wortels eveneens in de agrarische sector hebben. De Nederlandse Rabobank is wat dat betreft het meest bekende voorbeeld. In de agrarische sector bestonden aan het begin van de negentiende eeuw reeds allerlei vormen van coöperatieve samenwerking. Boeren werden gedwongen om samen in te kopen, opdat ze niet werden gemangeld door de leveranciers van zaaigoed en apparatuur. Dit waren pure inkoopcoöperaties. Daarnaast werd ten behoeve van de afzet eveneens samengewerkt. Centraal werd de oogst en de melk ingekocht en verwerkt. De coöperatie was de afnemer van deze producten en distribueerde deze weer verder in de keten. In de agrarische wereld waren er vanaf ongeveer 1850 vele initiatieven om de zaken in de agrarische wereld beter te organiseren. Landbouworganisaties en coöperaties werden opgericht. Eerst provinciaal en later landelijk. De grootste impuls in deze was de crisis die de Nederlandse landbouw vanaf 1880 teisterde. Eveneens de modernisering van de landbouw stimuleerde de samenwerking: machines en grootschaligheid (nog steeds beperkt) toonden de voordelen van coöperaties. En, het was eigenlijk heel simpel, boeren wilden via de coöperaties economische voordelen en invloed hebben. De hedendaagse mens is niet veel anders. Zoals gezegd was pater Van den Elsen in de katholieke agrarische wereld de grote man rond de eeuwwisseling. Deze heeft zelf meermalen aangegeven de reeds genoemde paus Leo XIII als zijn grote leermeester te zien.

Het coöperatieve denken en doen kreeg een enorme impuls door de activiteiten van de Duitser Friedrich Wilhelm Raiffeisen.[1] Hij introduceerde in Duitsland het concept van de boerenleenbank als antwoord op het gebrek aan kredietmogelijkheden voor boeren. De op het platteland beschikbare geldmiddelen werden ondergebracht bij een onderlinge kredietvereniging en tegen gunstige tarieven aan de boeren uitgeleend. De *Heddesdorfer Dahrlehnskasse* was in 1864 de eerste boerenleenbank (Sluyterman e.a., 1998). In Nederland waren het jonkheer Ridder De van der Schueren en Van den Elsen die aan de wieg stonden van zowel de boerenbond als van de coöperatieve banken. Zij waren sterk geïnspireerd door de christelijk-sociale leer. Het goede was dat zowel de protestantse als de katholieke elite meededen aan de initiatieven en zich inzetten als bestuurders van de coöperaties. Men zag dat als een *noblesse oblige*. Nadrukkelijk dient gezegd dat de coöperaties opgericht werden vanuit een welbegrepen eigenbelang. Alle mensen en partijen die hierin meededen hadden en hebben een belang. Een coöperatie was steeds een rechtsvorm die gedreven werd door economische principes. De huidige coöperaties zijn niet anders qua drijfveer. Een coöperatie is in wezen steeds een mix van solidariteit en zakelijkheid, van 'wat over hebben voor een ander' en de eigen portemonnee, van 'de schoorsteen moet ook roken' en maatschappelijke betrokkenheid. Door deze balans van belangen blijven coöperaties bestaan en zijn partijen gebaat bij continuering. Gedurende de twintigste eeuw groeiden de coöperaties; deels autonoom, deels door fusies en overnames. Aan het einde van de twintigste eeuw zien we veel coöperaties zichzelf omzetten in besloten of naamloze vennootschappen.

De Rabobank

De grootste en bekendste coöperatie in Nederland is de Rabobank. Ruim honderd jaar oud en, in navolging van de initiatieven van Raiffeisen in Duitsland, opgezet in een tijd dat boeren het moeilijk hadden in het economisch verkeer. Vele discussies zijn gevoerd binnen de Rabobank-gelederen of de coöperatieve structuur nog wel van deze tijd is. Moet de bank niet gewoon een beursgenoteerde onderneming worden? Net zoals die andere banken. Het zou samenwerking, fusies en internationale expansie een stuk eenvoudiger maken. In het jubileumjaar werd het debat hieromtrent (natuurlijk altijd voorlopig) afgesloten. Tijdens de discussie kwam de ontstaansgeschiedenis aan de orde en werd nog eens besproken waarom de organisatie destijds opgebouwd werd zoals die was. Er werd in het kader van deze discussie gekeken hoe de Rabobank als grote financiële instelling gepositioneerd wil zijn in Nederland. Is enkel winst van belang of spelen nog allerlei andere zaken een rol? Is enkel de aandeelhouder belanghebbende of zijn er nog meer? Nadrukkelijk werd gezegd dat de bank te maken heeft met drie aandachtspunten: de klanten, de medewerkers en de financiële resultaten. Alle drie hebben elkaar nodig. De bank heeft niet één *stakeholder* (namelijk de aandeelhouder), maar vele *stakeholders* (klanten, medewerkers, leden, overheid, leveranciers, maatschappij, et cetera). Winst is in dit kader slechts een middel en nodig om te reserveren voor mindere tijden of om te investeren in nieuwe zaken ten behoeve van klanten en leden. Doordat vele mensen en partijen meepraten over het beleid is het soms ietwat stroperig en voor het oog traag, maar de besluiten worden breed gedragen. Bedrijfseconomisch streeft de Rabobank derhalve niet naar winstmaximalisatie, maar naar winstoptimalisatie. Dit heeft tot gevolg dat ten tijde van hoogconjunctuur de winsten lager zijn dan van collega-banken, maar dat in laagconjunctuur de pieken naar beneden juist minder diep zijn.

De resultante van genoemde brede discussie is dat de Rabobank een coöperatie blijft, die bestaat uit een centrale coöperatie die momenteel ongeveer 350 leden heeft in de vorm van lokale, aangesloten, banken. Deze zijn zelf ook weer georganiseerd in de coöperatie-vorm. Iedere coöperatie heeft z'n eigen directie, bestuur en raad van toezicht, waarbij de directeur van de bank qualitate qua secretaris is van het bestuur. Aldus is en heeft de Rabobank een netwerk van vele duizenden bestuurders. Deze mensen komen uit werkelijk alle delen van de samenleving. Inderdaad nog boeren, maar zeker ook mensen uit het bedrijfsleven, de politiek en het maatschappelijk leven. Iedere bank wordt bestuurd door een door de algemene ledenvergadering gekozen bestuur. Iedere klant van de bank, bedrijf, instelling of particulier, kan lid worden van de bank waar zijn zaken lopen. Aldus is er naast een netwerk van bestuurders een netwerk van leden. Momenteel zijn er ruim één miljoen leden, van wie het grootste deel natuurlijk particuliere klanten zijn. Opmerkelijk punt is dat de laatste drie jaar het aantal leden met vierhonderdduizend is gegroeid. Waarom worden mensen lid? Niet enkel alleen omdat het gratis is. Niet enkel alleen omdat je als lid allerlei faciliteiten krijgt. Mensen willen meesturen en mede het beleid van hun bank bepalen. Mensen hebben hun mond vol over *corporate governance* en meer invloed voor de aandeelhouder. Rabobank-klanten hebben echt directe invloed op het beleid van hun lokale bank en via deze weg weer op het beleid van de centrale Rabobank. Bij een coöperatieve bank behoort meer dan het juridische etiket. Klantwaarde staat centraal. Natuurlijk zullen andere banken dat eveneens betogen, maar daar heerst toch eveneens de tucht van de koersen en de beurs. Aandeelhouders tevreden stellen is anders dan klanten en leden de plussen bieden. Vanzelfsprekend, wanneer de klanten tevreden zijn en het met het bedrijf goed gaat, zijn eveneens de aandeelhouders tevreden, maar bij een coöperatie kun je meteen aan klantwaarde denken en heb je die omweg via de aandeelhouder niet nodig. De leden van een coöperatie hebben altijd nog een relatie meer met de onderneming waar ze lid van zijn. Dat kan als klant, als gebruiker, als leverancier of als werknemer zijn. Overigens is het van belang dat wanneer je veel leden hebt, je netwerk daar op aansluit. Natuurlijk moderniseert een Rabobank ook. Door in een vroeg stadium te beginnen met *on line*-bankieren en *e-commerce* een plaats te geven, is de Rabobank momenteel in Europa koploper in de virtuele wereld. Intermediair (2001) gaf in een onderzoek Rabobank de derde plaats op een lijst van de meest belovende nieuwe high tech bedrijven. Dit alles neemt overigens niet weg dat de coöperatie, en dus ook de Rabobank, door het hoog waarderen van draagvlak en inspraak van onderop, eveneens te maken kan hebben met stroperige en moeizame trajecten, waar een beursgenoteerd bedrijf met een klassieke CEO vanuit de ivoren toren snel en duidelijk kan beslissen. Een coöperatie als de Rabobank heeft dagelijks zeker ook te maken met deze tekortkomingen. Al met al koestert de Rabobank zijn coöperatieve structuur. Ook en juist omdat deze, mits goed ingevuld, modern is. Oud-Rabobanktopman Herman Wijffels heeft in dat kader gezegd dat mensen nu misschien minder een vereniging nodig hebben, omdat de emancipatie van mensen voor een belangrijk deel voltooid is. Hiërarchische structuren zijn afgebroken en macht en kennis worden steeds meer gespreid. In het verlengde daarvan geeft hij aan: "Vroeger waren mensen eerst lid van een groep en daarna individu. Tegenwoordig is iemand eerst een individu, die zijn eigen opvattingen en wensen heeft. Vervolgens gaat hij op zoek naar één of meerdere groepen waar hij bij wil horen, waar iets gebeurt dat hem helpt." (Sluyterman e.a., 1998: 339-340). Dit laatste geeft aan dat de coöperatie zich voortdurend zal moeten aanpassen aan de omstandigheden en aan de leden. De leden bepalen de invulling van de activiteiten. De leden willen sturen. De leden zijn de coöperatie. Oud-Rabobank topman Meijer sprak bij zijn afscheid van de bank over de coöperatie als "De minst slechte ondernemingsvorm in een tijd dat er geen betere is".

13.3 Toepassingen van de coöperatie

In het bovenstaande is reeds aangegeven hoe de coöperatie als organisatie-vorm werd en wordt ingezet in de agrarische en financiële sector. Daarnaast kennen we de onderlinge waarborgmaatschappijen, die het verzekeringsbedrijf uitoefenen. Momenteel vertegenwoordigen de dertig grootste coöperaties samen tien procent van de Nederlandse economie (Vlaming, 1999).

Hoe kunnen we de coöperatie-structuur in de huidige maatschappij verder vormgeven en inzetten? Hoe kunnen we in een economie en maatschappij, waar beursfondsen en Angelsaksisch denken de hoofdmoot vormen, toch nog de relevantie van de coöperatie en coöperatieve organisaties aantonen, waarbij de coöperatie wel een onderneming is maar niet gestuurd wordt door vluchtig kapitaal? De coöperatie wordt meer gestuurd door vertrouwen onder en tussen de verschillende *stakeholders*. Maar waarom is de coöperatie relevant? En, is de coöperatieve structuur meer vertrouwen-scheppend dan andere structuren? Hoe werken deze mechanismen? Binnen een coöperatie zal de ondernemingsleiding van alle *stakeholders*, en niet enkel van de aandeelhouders, steun moeten hebben. De belanghebbenden, de leden, de klanten, hebben formeel en materieel steeds invloed op de beslissingsfora. De vele duizenden mensen, bedrijven en instellingen die de afgelopen jaren lid geworden zijn, vormen ook een krachtige consumentenlobby, die steeds de bestuurders zal dwingen een beleid te voeren dat gedragen wordt. Het nadeel voor bestuurders is dat ze minder 'vrij' zijn hun besluiten te nemen. Anderzijds weten ze dat wanneer besluiten zijn genomen en de onderdelen en leden van de coöperatie het besluit en het beleid dragen, dat ze ruime steun hebben en het benodigde vertrouwen van deze belanghebbenden. En dit vertrouwen is, door het besluitvormingstraject en het voortdurend invloed uitoefenen door de verschillende *stakeholders*, duurzamer dan bij veel andere bedrijven. Aandeelhouders gaan vluchtiger met hun mogelijkheid tot invloed om dan leden. Of, om het anders te zeggen: waar de afgelopen jaren aandeelhouders 'hun' bedrijven in de steek lieten, werden coöperaties gevormd en namen ledenaantallen toe. De coöperatie is een middel tot spreiding van economische macht en een vorm van bedrijfsdemocratie (Diepenbeek, 1995: 4). Een heldere definitie, die bij onderstaande toepassingsvormen eveneens relevant blijft en de reden voor het opzetten van een coöperatie, is die van Ter Woorst (1966: 64): "Een coöperatie is die vorm van economische organisatie, waarbij overigens zelfstandig blijvende economische subjecten, welke elkaar niet als concurrenten ervaren, één of meer gelijkgerichte economische functies of gedeelten daarvan gezamenlijk blijvend uitvoeren, teneinde het economisch resultaat van de economische subjecten te verbeteren." Twee belangrijke punten zijn dat de leden die de coöperatie vormen elkaar, in tegenstelling tot bij een kartel, niet zien als concurrenten en dat leden hun eigen economische zelfstandigheid behouden. Het prestatie- en profijtbeginsel zijn belangrijke aspecten van een coöperatie. Het voordeel van een coöperatie is voorts dat de leden die zich verenigen binnen een coöperatie hun eigen identiteit kunnen behouden. Bij een fusie ligt dat zeker anders. En, de coöperatie is altijd een middel en nooit doel in zichzelf. Een zuivere coöperatie heeft een resultaat van '0'. Diepenbeek (1995: 12) zegt in dat kader dat winst bij de coöperatie een nominaal begrip is; door de leden moet worden vastgesteld welk saldo voor de continuïteit en groei van de coöperatie gereserveerd moet worden. De coöperatie werkt niet volgens een bepaald ideaal-typisch ondernemingsmodel, maar richt zich sterk op de omgeving. Die is leidend. Zo zijn er vanzelfsprekend grote verschillen tussen de verschillende coöperaties.

Coöperatieve financiering

Financiering door en van een coöperatie wordt vaak als drempel gezien. Hoe financieren coöperaties zich? De coöperatie kent in dat kader vijf peilers (Galle, 2000):
- De ledenbinding (leden zijn trouwe klanten, die voor een zekere continuïteit zorgdragen).
- Ledenleningen (soms achtergesteld).
- Aansprakelijkheid (leden zijn gelimiteerd of ongelimiteerd aansprakelijk voor tekorten).
- Het omslagstelsel (nabetalingsystematiek gevolgd door een definitieve afrekening).
- Eigen vermogensvorming (oppotten van de winst).

Het wettelijk coöperatiebegrip

Galle (1998) breekt regelmatig een lans voor het breder inzetten van de coöperatie. De coöperatie heeft als enige privaatrechtelijke rechtspersoon de verplichting van een wettelijk voorgeschreven doel. Het doel dient te zijn: te voorzien in economische behoeften van de leden. De wetgever geeft tevens aan hoe dat doel dient te worden nagestreefd; door een bedrijf uit te oefenen, tot zekere hoogte met de leden. De leden zijn in principe ook aansprakelijk voor tekorten. Wel kan de coöperatie in haar statuten deze verplichting van (oud-)leden uitsluiten of beperken tot een maximum (uitsluiting van aansprakelijkheid, beperkte aansprakelijkheid en wettelijke aansprakelijkheid).

Er bestaan verschillende soorten coöperaties. De wetgever maakt overigens geen onderscheid. Grofweg zijn er drie varianten:
1 De ondernemerscoöperatie.
2 De werknemerscoöperatie.
3 De consumentencoöperatie.

Bij de eerste coöperatie zijn de leden ondernemer. De bekendste zijn in dat kader de aloude agrarische coöperaties. De andere twee coöperaties worden respectievelijk geleid door leden-werknemer en leden-consumenten/afnemers. In het onderstaande worden coöperaties beschreven aan de hand van de sector waarbinnen ze (kunnen) opereren.

Nutssector

Het laatste decennium is de nutssector in brede zin in beweging. In een recordtijd krijgen instellingen, overheidsbedrijven en andere onderdelen een nieuwe status. De modi zijn divers variërend van een ruimere bevoegdheid binnen het departement tot volledige privatisering. Daartussen zijn allerlei varianten mogelijk. In dat kader is het jammer dat men in deze ordeningstombola niet vaker werkt of durft te werken met de coöperatieve variant. De coöperatie slijpt, zoals in het onderstaande beschreven, de scherpe randjes van de marktwerking weg. De coöperatie is een private verschijningsvorm die tevens kan worden ingezet bij activiteiten die nu nog op publieke basis zijn georganiseerd. En de coöperatie past met name goed bij het privatiseren van nutsvoorzieningen omdat "de coöperatieve onderneming niet winst als doelstelling heeft, doch het leveren van producten of diensten tegen een zo gunstig mogelijke prijs." (Galle, 1998: 2). En dat is de essentie van de nutsvoorziening of deze nu publiek of privaat is. Politici en bestuurders doen zichzelf tekort wanneer ze de coöperatie niet op z'n minst overwegen wanneer een nieuwe verantwoordelijkheidsinrichting aan de orde is. In de Nederlandse politiek heeft het CDA, dat wat gedachtegoed betreft past bij de co-operatieve denklijn, gepleit voor het opzetten van maatschappelijke ondernemingen (Van den Heuvel, 2000; Balkenende en Dolsma, 2001). Het CDA verstaat hieronder een niet-commerciële onderneming die is ontstaan uit maatschappelijke motieven met in de doelstelling een taak met een publiek karakter die ook kan worden uitgevoerd in situaties waarin de markt niet perfect kan functioneren. Een maatschappelijke onderneming zou bepaalde taken die op het snijvlak publiek-privaat liggen kunnen uitvoeren, waarbij nadrukkelijk niet enkel rekening wordt gehouden met marktwerking maar ook met het publieke belang. Moet de maatschappelijke onderneming dan als een coöperatie worden georganiseerd? Hierover verschillen, ook binnen het CDA, de mensen van mening. Feit blijft dat enkele significante kenmerken van een coöperatie passen binnen deze 'maatschappelijke onderneming'. Overigens is het CDA niet de enige partij die zoekende is naar nieuwe modaliteiten op genoemd terrein. Zeker ook binnen de PvdA en de VVD vindt gedachtevorming hierover plaats.

In de Verenigde Staten zijn er vele voorbeelden van coöperaties die juist voorzieningen in de nutssector als doelstelling hebben (Abramsen, 1976). "Waarom nemen wij in Nederland eerder de slechte kanten van het Amerikaanse model over en niet de goede zelfbestuurvarianten die daar met succes worden ontwikkeld" (Van den Heuvel en Klop, 1998). Juist ook in het Angelsaksische Amerika zijn mooie vormen van Rijnlands denken. In het onderstaande volgen enkele voorbeelden van nutsactiviteiten die zich lenen voor een coöperatieve structuur.

Kabelsector

Enkele jaren geleden was er in Amsterdam een heftige discussie over de toekomst van de kabel: CNN verdween van de kabel. Dit had de aandeelhouder in de Verenigde Staten besloten. Ten tijde van de liberalisering van de kabel, één van de traditionele nutsvoorzieningen, zag iedereen primair hoge verkoopopbrengsten die privatisering opleverde. Privatisering van de kabelvoorziening zou goed zijn, want dat betekende meer keuzevrijheid, pluriformiteit, marktwerking, democratisering en lagere kosten. En wat gebeurde er: kabelbedrijf A2000 had reeds, zonder de consumenten te raadplegen, eerder Eurosport en MTV van de kabel gehaald. Dat leed was nog te overzien. Maar CNN van de kabel halen viel verkeerd. De kijkers, de burgers, de consumenten, de eindgebruikers hadden hier niks over te zeggen gehad. En dat is de paradox die speelt. Dan blijkt privatisering ineens niet te brengen wat beloofd leek. Het publieke domein was de mensen afgepakt en een minder interessant privaat domein was teruggegeven. Sterker: de burgers moesten het terugkopen zonder dat men invloed had op hetgeen aangeboden werd. En genoemde doelstellingen, marktwerking, keuzevrijheid, democratisering en lagere kosten, waren niet bereikt. A2000 is monopolist, er is dus geen echte markt. Keuzevrijheid is er niet want de aandeelhouder in Amerika kiest. Democratisering is een farce, want de nietgekozen Programmaraad wordt niet gecontroleerd. En met de extra uitgaven voor de schotel om toch de gewenste zenders te kunnen ontvangen zijn de kosten hoger. Het voorbeeld van A2000 is exemplarisch. Een democratisch georganiseerde coöperatie bestuurd door de leden/consumenten was een goed alternatief geweest voor zowel de 'stroperige staat' als de 'kille BV'. In het geval van een coöperatie waren de beslissers geen Amerikaanse aandeelhouders op afstand geweest, maar leden/consumenten die in Amsterdam wonen. Wanneer het bestuur van de coöperatie had gezegd dat CNN van de kabel moest, dan hadden de leden van de coöperatieve vereniging hun bestuur ter verantwoording kunnen roepen. Dan had de invloed, de zeggenschap gelegen bij de mensen om wie het gaat. Dan was A2000 geprivatiseerd geweest, maar zonder de minpunten die bij de huidige structuur wel spelen. Overigens kan een lidmaatschap nooit verplicht zijn. Bij een andere Kabelbedrijf, *Multikabel* in Alkmaar, is wel gedacht aan de eindgebruikers. Bij de verkoop van Multikabel is een vereniging opgezet die een zogeheten *'golden share'* houdt voor een periode van drie jaar. Voor strategische wijzigingen is van dit orgaan, waarin leden van de betrokken gemeenten zitten, toestemming nodig (Houben, 2000).

Watersector

In de watersector is eveneens een discussie over de ordening. Waar moet welke verantwoordelijkheid liggen? In het Financiële Dagblad (2001) werd door de Tweede Kamerleden Feenstra (PvdA) en Leers (CDA) betoogd dat drinkwater een nutsvoorziening bij de overheid moet blijven. De vele bekende bezwaren tegen privatisering werden opgesomd. Slechte referenties uit het Verenigd

Koninkrijk werden er bij gehaald. De suggestie dat drinkwater zo'n essentiële levensbehoefte is en dat het daarom publiek moet zijn is echter niet voldoende. Het belang van kwaliteit is natuurlijk evident, maar geen reden voor niet privatiseren. Terecht werd gewezen op het risico van een publiek monopolie dat een privaat monopolie wordt. Gunster (2001), werkzaam bij het VNO-NCW, nuanceerde het standpunt van Feenstra en Leers en bepleitte dat drinkwater geen taak, maar wel de verantwoordelijkheid is van de overheid. Derhalve kunnen zaken goed worden uitbesteed op basis van concessies. En inderdaad, een alternatief voor privatiseren kan uitbesteding zijn, *outsourcing*: expertise en mankracht anders organiseren voor ondersteunende en uitvoerende taken, waardoor efficiënter kan worden gewerkt. Bij *outsourcing* houdt de overheid greep op de zaak, maar is de uitvoering gericht op efficiency en resultaat. Na afloop van de concessie-periode kan de balans worden opgemaakt.

Een ander alternatief in de discussie wordt door Vos de Wael (2001) van waterbedrijf *Hydron* genoemd: de coöperatie. Wanneer gemeenten en waterschappen lid worden van deze coöperatie kunnen ze hun gezamenlijke belang, namelijk een goed product tegen een redelijke prijs, verwezenlijken. Hydron is sinds enkele jaren zo'n coöperatie (Het Financieele Dagblad, 2000). Het voordeel hiervan is dat de gezamenlijke belangen voorop staan en dat niet één grote partij/lid de coöperatie kan domineren. De coöperatie blijft overigens, gezien de achtergrond van de leden, een publiek karakter houden. Goed idee derhalve, maar waarom niet privatiseren, maar dan in de vorm van een coöperatie van particulieren? Een coöperatie waarvan de echte belanghebbenden, de consumenten (burgers) lid zijn. De onderneming kan in deze vorm zakelijkheid koppelen aan betrokkenheid. De ondernemingsleiding wordt dan gestimuleerd een beleid te voeren dat draagvlak heeft en de belanghebbenden zijn niet uit op het korte termijn-succes, dat aandeelhouders vaak wel hebben. Wanneer de belangen van leden/consumenten worden geschaad, zullen deze zich roeren tijdens de (buitengewone) ledenvergadering. De uiteindelijke beslissers zijn tevens direct belanghebbenden. Winstmaximalisatie is er niet; het gaat om een goed product tegen een mooie prijs. Evenals eerder genoemde auteurs zijn er bezwaren tegen een volledig geprivatiseerde watermarkt, waarbij het risico bestaat dat aandeelhouders op afstand meer naar het korte termijn-rendement kijken dan naar het maatschappelijk nut. Alles bij de overheid houden zoals Feenstra en Leers bepleitten, getuigt, echter, van te weinig creativiteit. Concessies zoals door Gunster betoogd is een goede en belangrijke nuancering op een *overkill* aan overheidsbemoeienis. Dit concessiemodel kan overigens eveneens toegepast worden in het bepleite private coöperatie-model. De coöperatie besteedt bepaalde zaken, die beter door andere, gespecialiseerde, partijen kunnen worden gedaan uit en stelt vooraf condities en een periode vast. De coöperatie, de belanghebbenden, houdt greep op de voorziening. Vos de Wael ziet de mogelijkheid van de coöperatie goed, maar dient dit bij de overheid weg te durven halen. Kortom, een symbiose tussen genoemde pleidooien plús een nadrukkelijke additionele betrokkenheid van de echt belanghebbenden, van de mensen, want dat waren de anderen even vergeten.

Windmolens

In Kopenhagen staat sinds kort het grootste offshore windmolenpark ter wereld. Niets bijzonders, maar voor de helft is dit park eigendom van particulieren verenigd in een coöperatie. Achtduizend particulieren zijn via hun reguliere energiebedrijf verenigd in deze coöperatie.
Een kleinschalig windmolenproject is de *Westfriese Windmolen Coöperatie U.A.* (WWC). De WWC is geen commerciële instelling maar een milieuvereniging. Het doel van de coöperatie is het gebruik van windenergie te bevorderen. Zij doet dit door zelf windmolens te plaatsen. De molens zijn gefinancierd door de enkele honderden leden van de WWC. Een deel van de leden heeft de coöperatie ook geld geleend voor investeringen. Hierover wordt rente betaald die, afhankelijk van de resultaten, hoger of lager gesteld kan worden. De ledenvergadering beslist hierover.

Afval- en milieusector

In de afval- en milieusector zijn er eveneens duidelijk partijen die gezamenlijke belangen hebben en in zekere zijn aangewezen op elkaar. In de publieke sector bestaat sinds enkele jaren de afvalcoöperatie VAOP die de gemeenten in Nederland als lid heeft. De coöperatie VAOP zorgt ervoor dat glas, textiel, papier, et cetera worden verzameld en op een goedkope en verantwoorde manier worden vernietigd of verbrand. Waarom kan dit coöperatieve denken en handelen niet worden uitgebreid, waarbij particulieren lid zijn van een afvalcoöperatie. Iedereen wordt dan belast naar rato van zijn afvalkwantiteit. Het zou een mooi punt zijn waar in de politiek de VVD en Groen Links elkaar kunnen vinden op het issue milieu en profijtbeginsel. Een andere vorm van samenwerking vindt plaats in de zogenaamde ecoöperaties (Polman en Slangen, 2001). Het gaat hier om milieucoöperaties, waarbij boeren als natuurbeheerder zijn aangesloten. Gezamenlijk worden natuurprojecten ter hand genomen en gefinancierd. De boerenleden behouden hun private eigendomsrechten over hun kapitaalgoederen zoals vee, gebouwen en land. Het is ook geen probleem op dit terrein samen te werken, want natuur en landschap zijn niet-rivaliserend. Dergelijke milieucoöperaties kunnen gaan concurreren met traditionele natuurorganisaties.

Overige nutsvoorzieningen

Naast de genoemde sectoren zijn er nog meer mogelijkheden. In de Verenigde Staten zijn er coöperaties in de telefonie, wegenbeheer, et cetera. Het gaat ook hier weer om sectoren die veel gebruikers kennen en forse investeringen vragen, waarvan iedereen, zonder rivaliteit, gebruik kan maken. En dan is het aantal mogelijkheden schier oneindig.

Onderwijs

De onderwijssector is sterk in beweging. Een belangrijke trend is de schaalvergroting. Scholen in het MBO en HBO zijn de afgelopen jaren op grote schaal gefuseerd. Vele honderden instellingen zijn geworden tot enkele tientallen. In het primair en voortgezet onderwijs heeft eveneens een grote schaalvergroting plaatsgevonden. Hier is echter veelal bestuurlijk en niet institutioneel gefuseerd. Instellingen blijven binnen een vereniging of stichting hun eigen zelfstandigheid behouden. Bepaalde zaken (huisvesting, personeel, financiën) worden centraal aangepakt, sterk eigen aspecten blijven bij de individuele instelling. In 2001 maakte de toenmalige minister van onderwijs, Hermans, bekend dat scholen, over de gehele linie, wat hem betreft, meer autonomie zouden krijgen. Zijn opvolgster, minister Van der Hoeven, steunde deze lijn. Minder strak bestuurd worden vanuit Zoetermeer/ Den Haag. Dat beantwoordt aan de roep om meer eigen verantwoordelijkheid, zelfregulering en vraagsturing. Het primaat moet liggen bij de school, de ouders en de leerlingen. Wanneer scholen zelf bepaalde zaken moeten organiseren zie je dat ze zich ook weer aaneensluiten. Niet te strak, want dan zijn ze hun zelfstandigheid (deels) weer kwijt. Deze samenwerkingen kunnen prima in de vorm van een coöperatie: eigen koers varen, maar waar samen te werken is voor ieders belang samen optrekken. De Vereniging van Bijzondere Schoolbesturen (VBS) is in dat kader momenteel bezig met het opzetten van een coöperatief kenniscentrum voor het bijzondere onderwijs op algemene grondslag. In het onderwijs zou bijvoorbeeld ook goed gewerkt kunnen worden met de hieronder te bespreken werknemerscoöperaties. Wanneer we kijken naar de jongere kinderen zien we initiatieven ontstaan met betrekking tot crèches. Ouders en instellingen slaan de handen ineen en richten crèches in de vorm van coöperaties op. De direct belanghebbenden, de ouders, zijn de leden en bepalen de structuur, het beleid en welk speelgoed ingekocht wordt. Een dergelijke crèche staat echt dichtbij de mensen, bij de ouders en bij de kinderen.

Zorgzame samenwerking: coöperaties in de zorgsector

Eerder is reeds aangegeven dat een voordeel van de coöperatie is dat bij het vormen van de coöperatie de verschillende leden hun eigen identiteit kunnen behouden in tegenstelling tot de situatie bij een fusie. In de zorgsector hecht men sterk aan de eigen identiteit. Dit houdt in dat de coöperatie mogelijkheden biedt. Ziekenhuizen die geen concurrenten zijn van elkaar en die hun research-investeringen slimmer willen inzetten hebben een coöperatie gevormd voor hun laboratoriumactiviteiten. Op dat ene punt wil men samenwerken en verder zelfstandig blijven. De coöperatie is dan juist een goed alternatief voor de fusie. Een ander voorbeeld in de gezondheidszorg is de ontwikkeling die plaatsvindt bij de vrijgevestigde medisch specialisten. Deze specialisten hebben per ziekenhuis een coöperatie gevormd. Deze vrijgevestigde medisch specialisten zijn te typeren als een groep met een gemeenschappelijk belang; stoffelijk zo men wil. De stap tot het oprichten van een coöperatie is onder andere genomen omdat de medisch specialisten zich door ontwikkelingen in de wet- en regelgeving bedreigd voelden in hun status van zelfstandig ondernemer. De verschillende coöperaties van medisch specialisten in de verschillende ziekenhuizen hebben bovendien weer een coöperatie opgericht, waar de 'individuele' coöperaties lid van zijn. Uit het oogpunt van netwerken en het bundelen van kennis blijkt de coöperatie hier de aangewezen structuur (Houkes-Van Dijk, 1999).

De straat aan de mensen

Eveneens komen we de coöperatie meer en meer tegen in allerlei meer sociale projecten. Bij het afbouwen en stroomlijnen van de verzorgingsstaat, hebben centrale en decentrale overheden taken afgestaan aan particuliere partijen en soms enkel afgestoten aan het luchtledige. Dat was ook weer niet de bedoeling van het reduceren van de staatstaken. Maar de mensen pikken zaken die blijven liggen op. Er is een 'georganiseerde' sociale controle en de fijnmazige maatschappij neemt initiatieven. In oude binnensteden worden coöperaties opgezet met als doel bepaalde maatschappelijke taken te verrichten. De kracht van dergelijke middenveld-activiteiten is dat ze door de mensen zelf worden opgezet en uitgevoerd. De mensen, de burgers die er wonen zijn tevens consumenten, belanghebbenden, betrokken. In Delft is een wijk waar de samenwerking zo hecht is dat de wijk aandelen uitgeeft. Aldus worden mensen nog sterker betrokken bij hun buurt. Het zijn allemaal coöperatieve initiatieven. Van onderop.

Consumentencoöperatie

Het actualiteiten-programma Nova opende er enkele jaren geleden de uitzending mee. De ouderwetse coöperatie is weer terug. Geen plattelandsinitiatief van enkele boeren in het diepe zuiden van Nederland, maar een modern initiatief om mensen bij elkaar te brengen. Dit naar aanleiding van de start van het bedrijf *UnitedConsumers*, een bedrijf dat consumenten van velerlei producten mobiliseert om gezamenlijk kwantum-kortingen te organiseren bij aanbieders van producten. In een mondialiserende wereld zijn mensen meer en meer in staat zich op allerlei niveaus te organiseren en toegang te krijgen tot in de verste uithoeken. Tot het kleinste verband. Zo zijn er landelijk en wereldwijd groepen te formeren met een zelfde belang. Samenwerking. Internet kenmerkt zich ook door het feit dat het van onderop georganiseerd is. Ieder individu kan zijn eigen voorkeuren kiezen en zijn eigen voorkeuren doen realiseren. De extreme toegankelijkheid en transparantie hebben tot gevolg dat unieke producten duurder worden en serie- en bulkproducten goedkoper. De consument heeft toegang tot alles. Wat is nu het nut van een inkoopcoöperatie via internet als je het ook zelf kunt regelen? Omdat de meeste consumenten niet de moeite nemen of de tijd hebben om voor ieder product de markt af te struinen en omdat in groepsverband een scherpere prijs kan worden bedongen, sluiten individuen zich aaneen. De klant, met z'n inkoopcoöperatie, is dan koning. Mutatis mutandis geldt hetzelfde voor de verkoopcoöperatie. Naast *UnitedConsumers* zijn vergelijkbare initiatieven opgezet. Na het terugvallen van de internet-*hype* hebben deze bedrijfjes ook veelal weer een stapje terug moeten doen. Het principe blijft echter overeind: internet biedt een veel meer toegankelijk forum dergelijke inkoopcoöperaties op te zetten.

Een trend die eveneens tot gevolg heeft dat verbruikers zich aaneensluiten is de liberalisering. Liberalisering heeft eveneens transparantie en toegankelijkheid tot gevolg. Een ander voorbeeld is *AgroEnergy*, een coalitie van LTO Nederland en de Rabobank, die inspeelt op de liberalisatie van de elektriciteits- en gasmarkt voor middelgrote gebruikers per 1 januari 2002. De tuinders in Nederland nemen ongeveer tien procent van de gasmarkt voor hun rekening. Deze zijn nu gebundeld in een coalitie, een aloude coöperatieve structuur, die een vuist kan maken als verbruikersgroep tegenover de steeds groter wordende energieleveranciers. Diepenbeek benadrukt in zijn oratie dat verbruikers/consumenten meer samenwerken en ook meer móeten samenwerken om sterker te staan tegenover de steeds groter en machtiger wordende winkelketens en conglomeraten (Diepenbeek, 1995: 8). Verbruikerscoöperaties passen in een tijd waarbij bedrijven, instellingen en particulieren coalities aangaan en veel gewerkt wordt met zogenaamde *loyalty*-programma's. Bij dergelijke programma's is het eerste streven van de deelnemers niet zozeer invloed als wel financieel voordeel.

De hierboven genoemde coöperaties die voortzettingen zijn van nutsactiviteiten zijn in wezen ook consumentencoöperaties.

De nieuwe maatschap: de werknemerscoöperatie

Bij een consumenten(verbruikers-)coöperatie wordt sterk gekeken naar de afnemers van producten of diensten. Gezien de coöperatieve structuur is het kennelijk de bedoeling dat de afnemers ook nog als lid betrokken zijn bij de onderneming. Voor het lid (afnemer) is het de bedoeling dat uiteindelijk hierdoor beter af te zijn. Daarnaast bestaat de werknemerscoöperatie. Bij het vormen van een dergelijke coöperatie wordt primair gekeken naar de belangen van degenen die als werknemer de specifieke diensten en producten verrichten of maken. De leden zijn een soort van ondernemer. Zelfstandig ondernemer, hetgeen past bij de trend dat steeds meer ondernemingen gedreven worden in de vorm van een ZZP (Zelfstandige Zonder Personeel). In wezen wordt de coöperatie dan als een alternatief voor de maatschap gebruikt. Het kan ook betiteld worden als werknemersparticipatie. Op diverse plaatsen in het land hebben zich mensen aaneengesloten en vormen een soort van arbeidsorganisatie, een soort van detacheringsbureau op coöperatieve basis. CAN is een arbeidsorganisatie voor de groen-, grond-, industrie- en bouwsector met enkele honderden leden. CAN bemiddelt in de uitwisseling van arbeiders tussen de deelnemende bedrijven. Perioden van rust en topdrukte wisselen elkaar af en uitwisseling van werknemers zorgt voor verevening en dus kostenbesparing. Door het besloten karakter van de organisatie zijn de leden verzekerd van kwaliteit en beschikbaarheid van personeel. Er wordt niet zozeer gesproken over 'uitzenden', maar 'collegiaal ter beschikking stellen'. Gespecialiseerde werknemers worden 'ingeleend' op flexibele basis. Dit geschiedt tegen kostprijs met een kleine opslag om aan vermogensvorming van de coöperatie te doen.

Een andere coöperatie op dit terrein is de *Coöperatie Werk en Vakmanschap*, een samenwerkingsverband van werkgevers in de industriële sector. De coöperatie wil zorg dragen voor een flexibele in- en uitstroom van vakbekwaam technisch personeel, gecombineerd met continue bij- of omscholing. Deze vorm van coöperatie, ten behoeve van werknemers, is groeiende. Zo zijn er ook coöperaties van specialisten, ingenieurs, adviseurs, interim-managers, et cetera. Bij deze laatste groep is eigenlijk niet zozeer sprake van een bedrijf als wel van bundeling van kennis. Overigens kan een dergelijke structuur ook prima met een aandelenstructuur worden georganiseerd. Het bedrijf is dan heel transparant: het bedrijf zijn de werknemers en omgekeerd.

Natuurlijk zijn er ook coöperaties, die verschillende type leden binnen de coöperatie hebben: zowel leden-afnemers als leden-werknemers

Zakelijk en betrokken in ontwikkelingslanden en Midden- en Oost-Europa

Zoals coöperatie in veel gevallen bij ons dienst gedaan hebben als onderdeel van de emancipatie en op weg naar een beter bestaan, zo kunnen coöperaties deze functie nu eveneens gaan vervullen in derde wereld-landen en in Midden-en Oost-Europa. Overal in de wereld worden momenteel coöperaties opgezet om (kleine) gemeenschappen een stukje verder te helpen. Het is betrouwbaarder dan veel overheden en de direct belanghebbenden zitten aan het stuur. Coöperaties in velerlei vorm, landbouw, financiën en handel, brengen de mensen weer enkele stappen verder. En het werken binnen en met coöperaties in deze landen zet de mensen meer aan tot initiatief en ondernemingsgeest dan subsidies, die een afhankelijkheid creëren. Het creëert een verantwoordelijkheidsgevoel. Verschillende Nederlandse banken en instellingen zijn projecten opgestart in dat kader. Westerse landen dienen bij dergelijke initiatieven rekening te houden met de lokale situatie en niet te veel als indringer en opdringer over te komen.

De overheden in ontwikkelingslanden en in Midden- en Oost-Europa kunnen een autonome coöperatie-ontwikkeling bevorderen door een voorwaarden-scheppen beleid, waarbij de volgende elementen van belang zijn (Diepenbeek, 1995: 28):
- Een niet-dirigistische coöperatie-wetgeving die de beslissingsrechten en bevoegdheden bij de leden van de coöperatie legt.
- Geen directe overheidsinmenging, maar een stimulerend beleid door middel van gerichte voorlichting met betrekking tot economisch-inhoudelijke landbouwcoöperaties en coöperatieve banken, en facilitering van opleiding van coöperatie-bestuurders.

- Een privatiseringsbeleid met betrekking tot landbouwbanken en voedsel-verwerkende industrie ten gunste van autonome landbouwcoöperaties.
- Kredietgarantiefondsen ter bevordering van investeringen voor de voedsel-verwerkende industrie.

13.4 Vooruitblik: is er toekomst voor de coöperatie?

"De nieuwe coöperatie wordt gebouwd op het Internet en kan vrijwel direct ont-staan: *on line* en *real time* zijn de sleutelwoorden", aldus De Ridder, directeur van de Stichting Maatschappij en Onderneming. De moderne maatschappij is een netwerksamenleving. Bedrijven, instellingen, overheden, personen sluiten de hele dag coalities, convenanten, allianties en gaan samenwerkingen aan. Opgaan in elkaar, fuseren of andere meer ingrijpende pacten zijn niet nodig en zullen aan populariteit inboeten. Een coöperatie is per definitie een netwerk en past in deze moderne maatschappij. Samenwerking waaruit de vrijblijvendheid is geëlimineerd. Een coöperatie bestaat uit zelfbewuste leden, veelal individuen met een specifiek doel om juist van deze specifieke coöperatie lid te zijn. Maar ook deze kan het niet alleen en werkt samen met anderen. Welbegrepen eigen belang. De tijdgeest is duidelijk. Overal in de maatschappij willen mensen meer inspraak, meepraten, meebeslissen en invloed. Mensen laten zich niet meer alles voorschrijven en verlangen democratie op alle punten en alle niveaus. Maat-schappelijk verantwoord ondernemen wint aan aandacht en belang. De veel geroemde nieuwe economie kent ook minder dan de oude economie hiërarchi-sche verhoudingen. Kennis, contacten, netwerken van onderop georganiseerd zijn leidraad. De samenleving wordt informeler. Een goed georganiseerde co-operatie blijkt dan een moderner en beter vehikel dan veel oude bedrijven. Zeker wanneer we deze vorm afzetten tegen structuurvennootschappen, waar de top almachtig is en de aandeelhouder zoet gehouden wordt met dividend en koers-stijgingen. Geforceerd wordt nu gekeken hoe in het kader van de *corporate gover-nance* via een wetswijziging aandeelhouders een tikkeltje meer invloed kunnen hebben. Invloed die leden van de coöperatie reeds lang hebben. Diezelfde top van de structuurvennootschappen werkt ondertussen aan het dichttimmeren van de nieuwe mogelijkheden, terwijl de aangestelde top van coöperaties kijkt hoe de invloed van leden beter kan worden (benut) en de doelstelling van de coöperatie beter gehaald.

Is de coöperatie dan een fossiel uit het verleden of een moderne structuur die prima mogelijkheden heeft in de huidige tijd en in de toekomst? De coöperatie betekent samenwerken tussen bedrijven, instellingen en mensen. In de private sector is deze manier van denken overigens veel meer waar te nemen dan in de publieke sector. Ministeries en ambtenaren zijn nog voor een belangrijk deel *top down* georganiseerd, terwijl in het bedrijfsleven samenwerking in teams, multi-disciplinair, meer ingeburgerd is. *Business units* en werkmaatschappijen hebben een eigen verantwoordelijkheid. Verder zijn in de private sector veel organisa-ties als een maatschap georganiseerd. In dat kader betoogde McKinsey-topman

Pieter Winsemius in 2001 dat de komende tien à twintig jaar de 'BV Nederland' plaats maakt voor de 'Maatschap Nederland', waarbij de mensen zelfsturend zijn en minder afhankelijk voor grote, loggere, organisaties. Punt van aandacht is dan wel, zoals FEM/ De Week (2001) terecht stelt, dat de maatschap die bestaat uit zelfstandige en zelfbewuste individuen, niet vervalt in een verzameling calculerende burgers die enkel aan eigenbelang denken.

Heeft de coöperatie toekomst? Zeker. Je kunt een heleboel bezwaren noemen die spelen bij coöperatie. De meeste zijn eenvoudig te weerleggen. Alleen voor zwakke broeders? Neen, wel is het een versterking voor de deelnemers. Iets van de emancipatie-tijd? De coöperatie is meer. Ouderwets? De nieuwe economie en de huidige generaties denken juist van onderop. Geen fusies mogelijk? Misschien zijn allianties wel moderner en meer flexibel. Geen aandeelhouders? Neen, inderdaad, *stakeholders*, dat is breder. Stroperig? Soms, maar dan doen de belanghebbenden zich dat zelf aan en zal zich dat vertalen in minder economisch voordeel. Hebben de leden van de coöperaties ook zelfstandig bestaansrecht? Misschien, maar door de samenwerking in de coöperatie staan ze sterker en hebben ze een wezenlijk, en krachtig, marktinstrument in handen.

In het bovenstaande is aangegeven dat de coöperatie nadrukkelijk een sterke positie heeft opgebouwd in twee essentiële sectoren in de samenleving: de agrarische (zowel in de productie als verwerkende industrie) en de financiële sector. De laatste jaren zien we zeker ook buiten deze sector coöperaties opgezet worden. In de nutssector als een privatiseringsvorm die de harde kanten van de markt afzwakt en toch de logge constellatie van de overheid ontvlucht. In sectoren als kinderopvang, sociale projecten in steden, in het onderwijs en in ontwikkelingslanden willen mensen een eigen verantwoordelijkheid, maar ook niet alleen staan. De werknemerscoöperatie kan de maatschap vervangen. Tot slot de virtuele wereld. Internet is bij uitstek van onderop georganiseerd en denkt in allianties en samenwerking. Geen coöperatie oude stijl, wel slim samenwerken op terreinen die beter samen te doen zijn.

13.5 Epiloog

De coöperatie heeft nog relevantie. De oude economie had toch wel goede structuren of de nieuwe economie is ouderwetser dan men denkt. Nadat de coöperatie vroeger met name om defensieve redenen werd gekozen als ideale ondernemingsvorm, wordt de coöperatie nu juist om offensieve redenen verkozen. Vertrouwen in de onderneming is van belang binnen ieder bedrijf, binnen iedere bedrijfseconomische eenheid die actief is op de markt. Wanneer een onderneming georganiseerd is als een coöperatie, dan is vertrouwen in alle opzichten van belang. En dan heeft de coöperatie, zijnde een middel en geen doel, het voordeel dat ze geen beursnotering heeft en de leden en hun bestuur niet onder druk staan van aandeelhouders die na twee mindere kwartalen het vertrouwen in de onderneming opzeggen en hun aandelen verkopen. De coöperatie heeft een verdere horizon. De continuïteit staat centraal. Een coöperatie kan meer vertrouwen hebben in zijn *stakeholders* dan dat een 'normaal' bedrijf heeft in zijn aandeelhouders. Binnen een coöperatie zijn in wezen allemaal zelfstandige ondernemers/mensen actief die tezamen weer een onderneming vormen. De verschillende ondernemers/leden participeren in de overkoepelende coöperatie en zijn derhalve direct afhankelijk van het handelen, het optreden, het wel en wee van de andere ondernemers, de andere leden. Vertrouwen, afspraken en solidariteit zijn dan belangrijk. Van Luijk (1999) zegt het nog duidelijker:

"Leden van coöperaties hebben samenwerking en vertrouwen in de genen zitten. Niet voor niets wordt een coöperatie omschreven als 'georganiseerd vertrouwen'. Het onderling vertrouwen is de grondslag (...). Een coöperatie is een organisatievorm die uit samenwerking en vertrouwen is voortgekomen."

Een coöperatie is door zijn organisatie (bestuur, directie, raad van toezicht, leden, klanten, et cetera) een haarvatenstelsel, wijdvertakt, beklijvend en duurzaam. Dat schept vertrouwen.

Wanneer een bedrijf georganiseerd is als een coöperatie, dan is vertrouwen in de onderneming aanwezig en belangrijk, maar vertrouwen in de andere leden is er eveneens en dat is nog veel belangrijker. En als we over 'vertrouwen in de onderneming' spreken kun je zeggen dat de leden van een coöperatie over het algemeen minder de waan van de dag achterna rennen dan de aandeelhouders en echt vertrouwen in hún onderneming hebben.

Noten

1   Zie Koch (1998). *Walter F.W.Raiffeisen: Dokumente und Briefe 1818-1888*. Wenen.

Literatuur

Abramsen, M.A.A. (1976) *Cooperative Business Enterprise*. New York: McGraw Hill Book Company.

Balkenende, J.P., en Dolsma, G. (2001). 'Geen paarse bureaucratie, maar keuzevrijheid.' *Het Financiële Dagblad*, 1 juni.

Diepenbeek, W.J.J. van (1990). *De Coöperatieve Organisatie*. Delft: Eburon.

Diepenbeek, W.J.J. van (1995). *Coöperatie: Een hele onderneming*. Oratie. Maastricht: Universiteit van Maastricht.

Feenstra, J.J., en Leers, G. (2001). 'Drinkwatersector hoort niet in een vrije markt.' *Het Financiële Dagblad*, 1 februari.

FEM/ De Week (2001). 'Maatschap NL.' 23 juni.

Financiële Dagblad (2000). 'Waterkanon Hydron staat op scherp.' 10 april.

Fukuyama, F. (1995). *Trust: The social virtues and the creation of prosperity*. Londen: Hamish Hamilton.

Galle, R.C.J. (1998). 'Privatisering en coöperatie.' *Tijdschrift Privatisering*, 5, 2.

Galle, R.C.J. (2000). 'Juridische aspecten van coöperatieve financiering.' *Coöperatie*, 565, december.

Gunster, W. (2001). 'Drinkwater is geen taak, wel verantwoordelijkheid overheid.' *Het Financiële Dagblad*, 12 februari.

Heuvel, F. van den, en Klop, K. (1998). 'Maak van A2000 gewoon een bloeiende coöperatie.' *Parool*, 18 september.

Heuvel, F.A.M. van den (2000). 'Politiek worstelt nog steeds met verantwoordelijkheden.' *Het Financiële Dagblad*, 23 juni.

Houben, M., (2000). 'Multikabel weigert de rol van speelbal.' *Het Financiële Dagblad*, 14 januari.

Houkes-Van Dijk, I. (1999). 'De coöperatie als vehikel voor netwerken.' *VDB magazine*, 21, 1, februari.

Luijk, H.J.L. van (1999). 'Een coöperatie-code.' *Coöperatie*, 561, december.

Polman, N.B.P., en Slangen, L.H.G. (2001). 'Ecoöperaties, natuurlijk!' *Economisch Statistische Berichten*, 29 juni.

Sluyterman, K., Dankers, J., Linden, J. van der, en Zanden, J.L.van (1998). *Het Coöperatieve Alternatief*. Den Haag: Sdu Uitgevers.

Sanders, T. (2001). 'De meest belovende nieuwe high tech bedrijven.' *Intermediair*, 26 juli.

Vlaming, H. (1999). 'Samen Sterk.' *Internationaal Management Team*, 21 mei.

Vos de Wael, A. (2001). 'Coöperatie voor waterketen maakt privatiseren onnodig.' *Het Financiële Dagblad*, 1 maart.

Woorst, G.J. ter (1966). *Coöperatie als Vorm van Economische Organisatie*. Arnhem: Van Mastrigt en Verhoeven.

14
De Europese vennootschap

Door Johan de Koning

De Europese economische integratie en de internationalisering van het sociaal-economisch leven in het algemeen (globalisering) hebben uiteraard consequenties gehad voor de wijze waarop wordt aangekeken tegen het juridisch kader waarbinnen internationale ondernemingen moeten opereren. De totstandkoming van het juridisch raamwerk voor de oprichting van de Europese vennootschap past in een dergelijke ontwikkeling. Een belangrijke vraag in het kader van dit boek is welke gevolgen een dergelijke ontwikkeling heeft voor het Nederlandse poldermodel waarin vertrouwen zo'n belangrijke rol speelt. Wat zijn bijvoorbeeld de consequenties voor de Nederlandse vorm van medezeggenschap? Is op dit punt in de Europese vennootschap minder of meer geregeld? Alvorens op deze vragen in te gaan wordt eerst een overzicht gegeven van de totstandkoming van de Europese vennootschap, alsmede van de inhoud van de regelgeving in kwestie.

14.1 De ontwikkeling van de Europese vennootschap in historisch perspectief

Naar verluidt had de Italiaanse jurist Fedozzi in 1897 de primeur van de gedachte om te komen tot een vennootschap naar Europees recht, die los zou komen te staan van de nationale vennootschapswetgeving. Ruim een halve eeuw daarna – in 1952 – werden in Raad van Europa-verband twee (later verworpen) ontwerpregelingen betreffende de 'compagnie Européenne' behandeld inzake een Europees statuut voor vennootschappen die (grensoverschrijdende) publieke diensten exploiteerden c.q. publieke werken uitvoerden.

Als katalysator voor de discussie over de Europese vennootschap in EU-verband worden echter beschouwd de lezing van de Franse notaris C. Thiebierge tijdens het 57e Congres des Notaires de France (1959) alsmede de inaugurele rede 'Naar een Europese N.V.' later dat jaar van Professor mr. P. Sanders. Laatstgenoemde zat een aantal jaren later een groep van nationale experts voor die in opdracht van de Europese Commissie een studie uitvoerden naar de mogelijke vormgeving van een Europese vennootschap. Deze werkzaamheden resulteerden uiteindelijk in het 'Voorontwerp Sanders' (1967).

Sedertdien zijn er – mede op basis van het voorwerk van Sanders – vele pogingen gedaan om de Europese vennootschap oftewel de Societas Europaea (hierna afgekort als SE) daadwerkelijk tot stand te brengen.

Aanvankelijk was het de bedoeling een nieuwe privaatrechtelijke rechtspersoon in het leven te roepen die geheel en al door het Gemeenschapsrecht zou worden bestreken, en die daarmee uniforme regelgeving voor alle aspecten van de SE zou introduceren. Van die supranationale kapitaalvennootschapsgedachte is echter vanwege onenigheid tussen de lidstaten in een later stadium weer afgezien. Sinds 1989 speelt het nationale vennootschapsrecht van het land waar de SE haar zetel heeft daarom weer een belangrijke rol in de voorstellen. Huiskens (1993) omschrijft de SE sedertdien als een 'kameleonistische' rechtsvorm die al naar gelang het zetelland van juridische kleur verschiet.

Een jaar eerder – in 1988 – was de totstandkoming van het statuut inzake de Europese vennootschap door de Europese Commissie als belangrijk onderdeel opgenomen in het 'Witboek over de Interne Markt'. De Commissie (1988: 137: 7) suggereerde zelfs dat mislukte grensoverschrijdende samenwerkingsverbanden als Hoesch/Hoogovens en Fokker/VWF hadden kunnen worden voorkomen door de Europese vennootschap: "Ook al is de verbreking van deze samenwerkingsverbanden gedeeltelijk te wijten aan economische factoren, toch zouden op een (geschikter) rechtskader gebaseerde, meer dwingende verplichtingen die samenwerkingsverbanden misschien hebben kunnen redden."

Toch strandden ook weer nieuwe voorstellen uit 1989 en 1991. De voornaamste reden was gelegen in de kwestie rond de vormgeving van werknemersmedezeggenschap in de toekomstige SE. Aangezien de nationale systemen van de lidstaten in deze zeer van elkaar verschillen liepen de onderhandelingen vast. Landen zonder medezeggenschapstraditie vreesden voor import van medezeggenschap via de Europese vennootschap, terwijl er omgekeerd landen waren die juist beducht bleken voor een vlucht uit medezeggenschap via de SE.

Om uit deze impasse te geraken werd in mei 1997 op verzoek van de Europese Commissie door de werkgroep Davignon een oplossing voorgesteld die nauw aansloot bij de in de richtlijn 94/45 EG over de Europese ondernemingsraad gehanteerde systematiek. In eerste instantie zouden vrije onderhandelingen tussen directie en werknemers uitsluitsel moeten geven over de vraag welke vorm en mate van medezeggenschap zou moeten gelden in de op te richten SE. Indien een akkoord zou uitblijven zouden bepaalde standaardafspraken als vangnet dienen te gelden. In dit kader werd door Davignon een verplichte werknemersparticipatie van een vijfde deel in de raad van commissarissen of bij afwezigheid van een raad van commissarissen in de directie met een minimum van twee zetels voorgesteld.

Er volgden hierop weer de nodige voorstellen van de zijde van de landen die het EU-voorzitterschap bekleedden, maar zonder resultaat. De door Davignon voorgestelde procedure werd onderschreven, maar er bleek onenigheid over de zwaarte van de vangnetbepalingen. Zo leek een akkoord over de Europese vennootschap begin 1999 nog ver weg. Toenmalig staatssecretaris Benschop (PvdA) van Buitenlandse Zaken stelde vast dat het voor de Interne Marktraad nu allereerst wachten was op een akkoord in de Sociale Raad waar men het niet eens had kunnen worden over de bij de verordening horende richtlijn inzake de rol van werknemers. De bewindsman hield daarvoor één lidstaat aansprakelijk, te weten Spanje. Hij sprak, mede in het licht van het feit dat Spanje tevens de kwestie Gibraltar had opgevoerd tijdens de onderhandelingen, in weinig diplomatieke bewoordingen zelfs over 'onzinnige blokkades'.[1]

Toch kwam er uiteindelijk tijdens de Eurotop van Nice in december 2000 – meer dan dertig jaar sedert het eerste Europese Commisie voorstel – vrij onverwacht een politiek akkoord over de Europese vennootschap tot stand.

Op basis van dat akkoord drong de Europese Raad erop aan om nog in 2000 de laatste hand te leggen aan de teksten inzake het statuut van de Europese vennootschap.

"Er is nu een impasse doorbroken doordat Spanje zijn verzet heeft opgegeven." Dat was althans de conclusie van toenmalig minister-president Kok (PvdA) in het Tweede Kamerdebat na afloop van de Europese Top.[2] De vraag is echter of niet juist de overige EU-landen water bij de wijn hebben gedaan. Spanje heeft namelijk een 'opt-out' bedongen op het gebied van werknemerszeggenschap bij fusie zoals vervat in artikel 7 lid 3 van de Richtlijn (zie verder hieronder bij de bespreking van de Richtlijn).

Nederland zelf had overigens ook de nodige bedenkingen, en wel over het feit dat de voorgestelde Europese vennootschapsregeling uitgaat van de leer van de reële (feitelijke) zetel. Dit betekent dat de oprichting van de Europese vennootschap alleen mogelijk is in het land waar het hoofdkantoor is gevestigd. Nederland daarentegen gaat uit van de leer van de statutaire zetel, omdat multinationale bedrijven daar behoefte aan zouden hebben. Daar wilde een meerderheid van lidstaten echter niet aan in verband met een (vermeende) hogere kans op belastingfraude en/of witwaspraktijken.

Tijdens een extra Raad voor Werkgelegenheid en Sociaal Beleid d.d. 20 december 2000 bereikten de betrokken EU-ministers toch binnen korte tijd overeenstemming over de twee onderdelen waaruit het Europees vennootschapspakket bestaat, te weten de Verordening betreffende het statuut van de Europese vennootschap en de Richtlijn tot aanvulling van het statuut van de Europese vennootschap met betrekking tot de rol van de werknemers.

Het Nederlandse voorbehoud ten aanzien van de zetelkwestie – waarmee een aantal EU-lidstaten nog rekening hielden – werd wel gemaakt, maar Nederland koos ervoor de besluitvorming niet te blokkeren. Drie redenen speelden daarbij een rol. Ten eerste heeft Nederland aan de wieg gestaan van het idee van een Europese vennootschap. Ten tweede bevat de verordening een reeds lang door Nederland bepleite regeling voor internationale juridische fusie. Ten slotte is vastgelegd dat de keuze voor de reële zetel geen precedent inhoudt voor andere communautaire regelingen. Ook op financieel vlak leek de Nederlandse concessie op het gebied van de zetelleer te rechtvaardigen: "We hebben natuurlijk wel gekeken naar wat dit fiscaal-technisch allemaal betekent, maar we hebben geen angst dat het kwalijke gevolgen heeft, want anders hadden we het wel geblokkeerd" aldus een woordvoerder van het ministerie van Financiën na afloop van deze bijeenkomst (Bogaerts, 2000).

Van een feeststemming was echter tijdens de extra Raad voor Werkgelegenheid en Sociaal Beleid geen sprake geweest. Integendeel; er brak een kleine diplomatieke rel uit toen na behandeling van de Europese vennootschap het agendapunt conceptrichtlijn inzake informatie en consultatie van werknemers op nationaal niveau aan de orde kwam (naar aanleiding van de sluiting van de Franse Renault-fabriek in het Belgische Vilvorde). Men had gehoopt dat de afsluiting van het Europese vennootschapsdossier een impuls zou kunnen betekenen voor deze volgende heikele kwestie, doch die hoop bleek geheel en al ongegrond. Het Verenigd Koninkrijk – sterk gekant tegen de conceptrichtlijn – gebruikte zeer tegen de zin van de Franse voorzitter een procedurele bepaling om de discussie te verdagen. Daarmee dringt zich uiteraard de vraag op waarom het Verenigd Koninkrijk zich niet heeft verzet tegen de Europese vennootschap. De reden is dat de SE een optionele mogelijkheid voor bedrijven is, maar geen verplichting. De facto kan dus naast de Spaanse 'opt-out' gesproken worden van een company 'opt-in'.

Europees Commissaris Bolkestein (Interne Markt) zette de voordelen van het bereikte akkoord over de SE als volgt uiteen:

> "This political accord represents a major breakthrough for companies seeking an efficient structure to operate on a pan-European basis. The European Company will enable companies to expand and restructure their cross-border operations without the costly and time consuming red tape of having to set up a network of subsidiaries. It is therefore a step forward in our efforts to make the Internal Market a practical reality for business, to encourage more companies to exploit cross-border opportunities and so to boost Europe's competitiveness in accordance with the objectives of the Lisbon Summit."[3]

Zijn collega Commissaris voor Werkgelegenheid en Sociale Zaken Diamantopoulou voegde daaraan toe:

"I welcome this milestone agreement which marries the needs of business with the needs of workers and reflects the Lisbon Summit approach that good social policy is good economic policy. Worker involvement helps to deal with the social side - effects of competition. Governments, business and workers should coope-rate positively to industrial change during this period of rapid globalisation."[4]

Ter formalisering van het akkoord dienden nog twee stappen doorlopen te wor-den. De plenaire vergadering van het Europees Parlement (EP) heeft zich begin september 2001 over de SE kunnen buigen,[5] waarna de Raad voor Werkgele-genheid en Sociaal beleid op 8 oktober 2001 het dossier heeft kunnen finaliseren.

Gehoopt wordt dat het akkoord over de Europese vennootschap een positief effect zal hebben op de afronding van de onderhandelingen die sedert 1991 plaatshebben over drie andere Europese rechtsvormen, te weten de Europese coöperatieve vennootschap, de Europese onderlinge waarborgmaatschappij en de Europese vereniging. Vanaf 1985 bestaat wel reeds de mogelijkheid van een Europees economisch samenwerkingsverband (EESV), doch deze lijkt niet in een grote behoefte te voorzien (Kiersch en Ter Huurne, 2001).

In het hiernavolgende wordt ingegaan op de meest in het oog springende bepa-lingen van de Verordening en de Richtlijn, met daarbij de aantekening dat in dit bestek op geen enkele wijze gestreefd wordt naar volledigheid. Immers: de Ver-ordening bestaat uit 70 artikelen; de Richtlijn kent 17 artikelen, nog afgezien van bijlagen. Verordening en Richtlijn bestrijken samen 95 bladzijden.

14.2 De voornaamste bepalingen van de Verordening over de Europese vennootschap

De tekst van de Verordening[6] betreffende het statuut van de Europese vennoot-schap (Raad van Ministers, 2001) wordt voorafgegaan door maar liefst dertig overwegingen, die een onderbouwing (trachten te) vormen voor de noodzaak van de Verordening. Een daarvan luidt dat herstructurerings- en samenwer-kingsoperaties waarbij ondernemingen uit verschillende lidstaten betrokken zijn, op moeilijkheden van juridische, psychologische en fiscale aard stuiten (overweging 3).

Daarom wordt nu de mogelijkheid geschapen om op het grondgebied van de Gemeenschap vennootschappen op te richten in de vorm van een Europese naamloze vennootschap (artikel 1). De SE is een vennootschap met een in aan-delen verdeeld kapitaal (op grond van artikel 4 luidend in euro; het geplaatste kapitaal bedraagt overigens minimaal 120.000 euro) en bezit rechtspersoonlijk-heid (als voldaan is aan het inschrijvingsvereiste van artikel 16). De rol van de werknemers in een SE is onderworpen aan de hieronder te bespreken Richtlijn. In overweging 20 bij de Verordening wordt namelijk bepaald dat de Richtlijn tot aanvulling van het statuut van de Europese vennootschap met betrekking tot de rol van de werknemers 'een onlosmakelijke aanvulling' op de Verordening vormt en derhalve 'gelijktijdig daarmee' moet worden toegepast.

Er zijn vijf manieren waarop een SE kan worden opgericht (artikel 2), waarbij vooraf opgemerkt wordt dat dus steeds sprake moet zijn van een communautaire dimensie:

1   Naamloze vennootschappen (gespecificeerd in Bijlage I bij de Verordening) die overeenkomstig het recht van een lidstaat zijn opgericht en hun statutaire zetel en hoofdbestuur in de Gemeenschap hebben, kunnen via *fusie* een SE oprichten indien ten minste twee van de betrokken NV's onder het recht van verschillende lidstaten ressorteren (uitwerking in artikel 17 e.v.).

2   Naamloze vennootschappen en vennootschappen met beperkte aansprakelijkheid (gespecificeerd in Bijlage II bij de Verordening) die overeenkomstig het recht van een lidstaat zijn opgericht en hun statutaire zetel en hoofdbestuur in de Gemeenschap hebben, kunnen het initiatief nemen tot de oprichting van een *holding-SE*, indien ten minste twee van die vennootschappen a) onder het recht van verschillende lidstaten ressorteren, of b) elk sinds tenminste twee jaar een dochtervennootschap hebben die onder het recht van een andere lidstaat ressorteert, dan wel een vestiging die in een andere lidstaat gelegen is (uitwerking in artikel 32 e.v.).

3   Vennootschappen in de zin van artikel 48 tweede alinea van het Verdrag, alsmede andere publiekrechtelijke of privaatrechtelijke lichamen die overeenkomstig het recht van een lidstaat zijn opgericht en hun statutaire zetel en hoofdbestuur in de Gemeenschap hebben, kunnen een *dochter-SE* oprichten door de aandelen ervan te verkrijgen, indien tenminste twee van die vennootschappen a) onder het recht van verschillende lidstaten ressorteren, of b) elk sinds tenminste twee jaar een dochtervennootschap hebben die onder het recht van een andere lidstaat ressorteert, dan wel een vestiging die in een andere lidstaat gelegen is (uitwerking in artikel 35 e.v.).

4   Een naamloze vennootschap die overeenkomstig het recht van een lidstaat is opgericht en haar statutaire zetel en hoofdbestuur in de Gemeenschap heeft, kan in een SE worden *omgezet* indien zij tenminste twee jaar een dochtervennootschap heeft die onder het recht van een andere lidstaat ressorteert (uitwerking in artikel 37).

5   Een lidstaat kan bepalen dat een vennootschap die haar hoofdbestuur niet in de Gemeenschap heeft, kan deelnemen aan de oprichting van een SE, op voorwaarde dat zij overeenkomstig het recht van een lidstaat is opgericht, haar statutaire zetel in die lidstaat heeft en een daadwerkelijk en duurzaam verband met de economie van een lidstaat heeft (wordt niet nader uitgewerkt; wel kan hier verwezen worden naar overweging 24).

De oprichting van de SE wordt, behoudens het bepaalde in de Verordening, beheerst door het recht dat in de staat waar de SE haar statutaire zetel heeft van toepassing is op nationale vennootschappen (artikel 15 lid 1).

Een SE kan overigens zelf één of meer dochtervennootschappen in de vorm van een SE oprichten (artikel 3 lid 2 jo. artikel 35-36). Ook behoort, onder de nodige voorwaarden, de omzetting van een SE in een naamloze vennootschap naar het recht van de lidstaat waar zij haar statutaire zetel heeft tot de mogelijkheden (artikel 66). Dit is vergeleken met artikel 37 een omzetting de andere kant op.

De in de Verordening opgenomen leer van de feitelijke zetel – waartegen Nederland dus lange tijd voorbehoud heeft aangetekend – wordt in artikel 7 vastgelegd: "De statutaire zetel van de SE moet binnen de Gemeenschap gelegen zijn, in dezelfde lidstaat als het hoofdbestuur. De lidstaten mogen bovendien voorschrijven dat op hun grondgebied ingeschreven SE's hun statutaire zetel en hun hoofdbestuur op dezelfde plaats moeten hebben". Overigens zal op basis van de voorziene evaluatie van de Verordening in ieder geval aandacht geschonken worden aan de mogelijkheid om alsnog toe te staan dat het hoofdbestuur en de statutaire zetel van een SE in verschillende lidstaten gelegen zijn (artikel 69 sub a).

Verplaatsing van de statutaire zetel is mogelijk op grond van artikel 8. Deze leidt niet tot ontbinding van de SE, noch tot vorming van een nieuwe rechtspersoon. Indien zulks wordt overwogen dient door het leidinggevend of het bestuursorgaan een (openbaar) voorstel tot zetelverplaatsing (later gevolgd door een verslag) te worden gedaan, waarin onder meer op de voorgestelde nieuwe statutaire zetel en de eventuele gevolgen van de verplaatsing voor de rol van de werknemers en de rechten ter bescherming van de aandeelhouders en/of schuldeisers wordt ingegaan. Over het voorstel tot zetelverplaatsing kan niet eerder dan twee maanden na de openbaarmaking worden besloten. Besluitvorming in de algemene vergadering van de SE kan variëren van gewone meerderheid tot zwaardere vormen van stemmenweging (cf. de bepaling van artikel 59).

Artikel 9 zet het op de SE toepasselijke recht uiteen, te weten:
a) De bepalingen van de Verordening.
b) De bepalingen van de statuten van de SE voorzover de Verordening dit uitdrukkelijk toestaat.
c) Voor aangelegenheden die niet of slechts gedeeltelijk door de Verordening worden geregeld gelden:
    i.   De door de lidstaten ter uitvoering van communautaire maatregelen vastgestelde wettelijke voorschriften die specifiek op SE's gericht zijn.
    ii. De wettelijke voorschriften van de lidstaten welke zouden gelden voor een naamloze vennootschap die is opgericht overeenkomstig het recht waar de SE haar statutaire zetel heeft.
    iii. De bepalingen van de statuten van de SE, onder dezelfde voorwaarden als die welke gelden voor een naamloze vennootschap die is opgericht overeenkomstig het recht van de lidstaat waar de SE haar statutaire zetel heeft.

De Verordening gaat uitgebreid in op de structuur van de SE. Het uitgangspunt wordt uiteengezet in artikel 38. Daarin wordt bepaald dat de SE een tweetal organen omvat; te weten a) een algemene vergadering van aandeelhouders en b) hetzij een toezichthoudend en een leidinggevend orgaan (dualistisch stelsel), hetzij een bestuursorgaan (monistisch stelsel) al naar gelang de in de statuten gemaakte keuze. Deze kwestie is – naast die van de medezeggenschap – lange tijd één van de hete hangijzers geweest in de onderhandelingen over de SE. In wezen hebben de lidstaten gekozen voor een 'agreement to disagree' over de juridische vormgeving van de SE. Artikel 38 houdt in dat nu de SE zelf - en dus niet de desbetreffende lidstaat - bepaalt of gekozen wordt voor een monistisch, one-tier Board model (zoals het Verenigd Koninkrijk met een Board of Directors) dan wel voor een duaal, two-tier Board model (zoals Nederland met een Raad van Bestuur en een Raad van Commissarissen). De taak van de lidstaten is dus beperkt tot het wettelijk mogelijk maken van deze keuze.

In de artikelen die volgen worden nadere voorschriften gegeven met betrekking tot het dualistisch stelsel (artikel 39-42), het monistisch stelsel (artikel 43-45), als-mede voorschriften die beide systemen gemeen hebben (artikel 46-51). Ten slotte wordt ingegaan op de algemene vergadering van aandeelhouders (artikel 52-60).

Na bepalingen over de jaarrekening en de geconsolideerde jaarrekening (artikel 61-62) handelt Titel IV over ontbinding, liquidatie, insolventie en staking van de betalingen. Interessant is met name artikel 64 dat voorziet in de situatie waarin een SE niet meer voldoet aan het in artikel 7 neergelegde beginsel van de leer van de feitelijke zetel. Dan dient de lidstaat waar de SE haar statutaire zetel heeft maatregelen te nemen om de desbetreffende SE te dwingen deze situatie binnen een bepaalde termijn te regulariseren door ofwel haar hoofdbestuur opnieuw in de lidstaat van de statutaire zetel te vestigen, ofwel haar statutaire zetel te ver-plaatsen cf. artikel 8. Geeft de SE daaraan geen gevolg, dan neemt de lidstaat waar de SE haar statutaire zetel heeft de nodige maatregelen om de SE aan een liquidatieprocedure te onderwerpen.

Artikel 69 voorziet in een evaluatie van deze verordening, en wel uiterlijk vijf jaar na inwerkingtreding. De Europese Commissie zal daartoe een verslag aan de Raad en het Europees Parlement uitbrengen.

14.3 De voornaamste bepalingen van de Richtlijn met betrekking tot de rol van de werknemers

De Richtlijn[7] tot aanvulling van het statuut van de Europese vennootschap met betrekking tot de rol van de werknemers (Raad van Ministers, 2001) wordt voor-afgegaan door twintig overwegingen.

Het uitgangspunt van de richtlijn is dat de voor SE's geldende concrete proce-dures voor transnationale informatie en raadpleging, en in voorkomend geval medezeggenschap, van de werknemers in eerste instantie gestalte moeten krijgen door middel van een overeenkomst tussen betrokken partijen. Pas bij gebreke aan een overeenkomst treedt een geheel van aanvullende regels in werking.

Voorts wordt in de belangrijke overweging 18 gesteld: "Het veiligstellen van de verworven rechten van werknemers betreffende hun rol in de besluitvorming van ondernemingen is een grondbeginsel en één van de doelstellingen van deze richtlijn; de vóór de oprichting van SE's bestaande rechten van de werknemers vormen mede het uitgangspunt voor de bepaling van de wijze waarop gestalte zal worden gegeven aan hun inspraakrechten in de SE ('voor en na'- beginsel). Deze benadering dient bijgevolg niet alleen van toepassing te zijn op een nieuw op te richten SE, maar ook bij structurele veranderingen in een reeds opgerichte SE en op de vennootschappen die door de gevolgen van de structurele veranderingen worden getroffen."

In de Richtlijn wordt deze systematiek nader uitgewerkt. Artikel 2 bevat een elftal definities. Zo wordt onder 'rol van de werknemers' elke procedure – met inbegrip van informatie, raadpleging en medezeggenschap – verstaan die de werknemersvertegenwoordigers in staat stelt om invloed uit te oefenen op binnen de vennootschap te nemen besluiten. 'Medezeggenschap' wordt omschreven als de invloed van het orgaan dat de werknemers vertegenwoordigt en/of van de werknemersvertegenwoordigers op de gang van zaken bij een vennootschap via hetzij het recht om een aantal leden van het toezichthoudend of het bestuursorgaan van de vennootschap te kiezen of te benoemen, hetzij het recht om met betrekking tot de benoeming van een aantal of alle leden van het toezichthoudend of het bestuursorgaan van de vennootschap aanbevelingen te doen of bezwaar te maken.

Wanneer de leidinggevende of de bestuursorganen van de deelnemende vennootschappen een voorstel tot oprichting van een SE opstellen, doen zij 'zo spoedig mogelijk' na de openbaarmaking 'het nodige' (zoals het verstrekken van relevante informatie) om met de vertegenwoordigers van de werknemers van de vennootschappen in onderhandeling te treden met het oog op het treffen van een regeling inzake de rol van de werknemers in de SE (artikel 3 lid 1).

Er wordt met het oog op die onderhandelingen een bijzondere onderhandelingsgroep (hierna BOG) opgericht die representatief is voor de werknemers van de deelnemende vennootschappen en de betrokken dochterondernemingen en vestigingen. De lidstaten bepalen de wijze van verkiezing of aanwijzing van de op hun grondgebied te kiezen of aan te wijzen leden van de BOG. De lidstaten kunnen bepalen dat vakbondsvertegenwoordigers lid van een BOG kunnen zijn ongeacht de vraag of zij wel werknemers van een deelnemende vennootschap of een betrokken dochteronderneming of vestiging zijn (artikel 3 lid 2 sub b).

Grofweg zijn de volgende uitkomsten van de onderhandelingen mogelijk:

A Er komt een overeenkomst tussen de BOG en de bevoegde organen van de deelnemende vennootschappen tot stand.

B Er komt geen overeenkomst tot stand, want de werknemers zien af van het openen van onderhandelingen c.q. reeds geopende onderhandelingen worden beëindigd.

C Er komt geen overeenkomst tot stand, want de onderhandelingen leveren na zes maanden (eventueel door de partijen te verlengen tot maximaal een jaar) geen resultaat op, en er is niet gekozen voor optie B.

Ad A

Teneinde tot een overeenkomst te komen dient 'in een geest van samenwerking' onderhandeld te worden tussen de bevoegde organen van de deelnemende vennootschappen en de BOG (artikel 4 lid 1).

In principe besluit de BOG op grond van artikel 3 lid 4 met de volstrekte meerderheid van stemmen.

Echter een tweederde meerderheid is vereist indien het onderhandelingsresultaat zou uitmonden in een inperking van medezeggenschapsrechten (hiermee wordt gedoeld op de situatie dat na oprichting van de SE minder leden van het bestuursorgaan of het toezichthoudendorgaan van de SE kunnen worden benoemd dan het hoogste aantal dat in de deelnemende vennootschappen van toepassing was) – in het geval van SE oprichting door fusie, indien de medezeggenschap minimaal 25 procent van het totale aantal werknemers van de deelnemende vennootschappen omvat of – in geval van SE oprichting door oprichting van een holdingmaatschappij of een dochteronderneming indien de medezeggenschap minimaal 50 procent van het totale aantal werknemers van de deelnemende vennootschappen omvat.

Dit geldt echter weer niet voor SE's die door omzetting zijn opgericht. Krachtens artikel 4 lid 4 moet de overeenkomst in dat geval "tenminste in dezelfde mate voorzien in elk aspect van de rol van werknemers als bij de in een SE om te zetten vennootschap het geval is".

De overeengekomen regelingen inzake de rol van de werknemers dient te worden vastgelegd in een schriftelijke overeenkomst tussen de BOG en de bevoegde organen van de deelnemende vennootschappen (artikel 3 lid 3). De overeenkomst dient te voldoen aan diverse vereisten. In artikel 4 wordt uitgebreid opgesomd welke kwesties in de overeenkomst dienen te worden geregeld, waaronder de samenstelling, het aantal leden van, en de zetelverdeling in het vertegenwoordigingsorgaan alsmede de looptijd van de overeenkomst.

Ad B

De BOG kan op grond van artikel 3 lid 6 met tweederde meerderheid besluiten af te zien van het starten van onderhandelingen of om reeds geopende onderhandelingen af te breken. Een dergelijk besluit beëindigt de procedure tot het sluiten van een overeenkomst (wel blijft de mogelijkheid geopend tot heropening van onderhandelingen op een later tijdstip).

Als gebruik wordt gemaakt van de optie om af te zien van onderhandelingen c.q. het afbreken van onderhandelingen, dan wordt teruggevallen op de regels inzake informatie en raadpleging van werknemers die gelden in de lidstaten waar de SE werknemers heeft. Artikel 13 lid 6 bepaalt voorts dat indien een besluit op grond van artikel 3 lid 6 wordt genomen, dit met zich meebrengt dat Richtlijn 94/45/EG inzake de Europese ondernemingsraad of Richtlijn 97/74/EG betreffende de uitbreiding van eerstgenoemde richtlijn tot het Verenigd Koninkrijk, en de bepalingen ter omzetting van die richtlijnen in het nationale recht van de lidstaten van toepassing zijn. Artikel 3 lid 6 is overigens niet van toepassing op een SE opgericht door omzetting indien er in de om te zetten vennootschap sprake is van medezeggenschap.

Ad C

Artikel 7 van de Richtlijn handelt over referentievoorschriften en deze zijn van toepassing als er niet binnen de termijn van zes maanden (eventueel te verlengen tot een jaar) een overeenkomst tot stand is gekomen, en het bevoegde orgaan van elk van de deelnemende vennootschappen besluit ermee in te stemmen dat deze referentievoorschriften met betrekking tot de SE worden toegepast. Het betreft hier een belangrijk aspect van de company 'opt-in'. Er kan op dit moment namelijk nog altijd de keus worden gemaakt om af te zien van inschrijving, en dus oprichting van de SE. Uiteraard kunnen partijen – dat wil zeggen de BOG en de bevoegde organen van de deelnemende vennootschappen – er ook voor kiezen om in het kader van een door hen gesloten overeenkomst (zie onder A) de referentievoorschriften van de wetgeving van de lidstaat waar de SE haar statutaire zetel zal hebben van toepassing te verklaren.

De referentievoorschriften die de lidstaten dienen op te stellen moeten voldoen aan de vereisten zoals opgenomen in de Bijlage bij de Richtlijn. Deze Bijlage valt uiteen in deel 1 inzake de samenstelling van het orgaan dat de werknemers vertegenwoordigt; deel 2 betreffende referentievoorschriften voor informatie en raadpleging en ten slotte deel 3 betreffende referentievoorschriften voor medezeggenschap.

In artikel 7 lid 2 wordt bepaald dat de referentievoorschriften voor medezeggenschap (uit Bijlage deel 3) alleen onder bepaalde voorwaarden van toepassing zijn, te weten in het geval van:

a) SE opgericht door *omzetting*: Bijlage deel 3 (referentievoorschriften voor medezeggenschap) is slechts van toepassing indien de regels van een lidstaat inzake medezeggenschap van werknemers in het bestuursorgaan of het toezichthoudend orgaan op een in een SE omgezette vennootschap van toepassing waren.

b) SE opgericht door *fusie*: Bijlage deel 3 (referentievoorschriften voor medezeggenschap) is slechts van toepassing indien er vóór de inschrijving van de SE in een of meer van de deelnemende vennootschappen een of meer vormen van medezeggenschap van toepassing waren die minimaal 25 procent van het totaal aantal werknemers omvatten óf als de BOG daartoe besluit indien het minder dan 25 procent van het totaal aantal werknemers van de deelnemende vennootschappen betreft.

c) SE opgericht door oprichting van een *holdingmaatschappij* of een *dochteronderneming*: exact dezelfde regeling als onder b) met dien verstande dat hier het percentage op 50 procent van het totaal aantal werknemers gesteld is.

Overigens besluit de BOG in het geval er in de diverse deelnemende vennootschappen meer dan één vorm van medezeggenschap bestond, welke van die vormen in de SE moet worden ingevoerd.

Maar daarmee is toepassing van de referentievoorschriften inzake medezeggenschap nog niet zeker. In het geval van SE oprichting middels fusie is door Spanje immers een 'opt-out' bedongen die terug te vinden is in artikel 7 lid 3. Lidstaten *kunnen* op grond hiervan bepalen dat de referentievoorschriften voor medezeggenschap uit deel 3 van de Bijlage niet van toepassing zijn in geval van SE's opgericht door fusie. Indien deze 'opt-out' wordt geoperationaliseerd, dan treedt artikel 12 lid 3 van de Verordening betreffende het statuut van de Europese vennootschap in werking. Deze bepaling brengt met zich mee dat een SE slechts kan worden ingeschreven in een lidstaat die van de 'opt-out' gebruik heeft gemaakt als er óf een overeenkomst over de regelingen inzake de rol van de werknemers in de zin van artikel 4 van de Richtlijn is bereikt óf als geen van de deelnemende vennootschappen vóór de inschrijving van de SE onderworpen zijn geweest aan medezeggenschapsvoorschriften.

In het geval er sprake is van toepasbaarheid van de referentievoorschriften voor medezeggenschap, dan geldt op grond van Bijlage deel 3 het volgende:

• SE opgericht door *omzetting*: indien de regels van een lidstaat betreffende de medezeggenschap van de werknemers in het toezichthoudend of het bestuursorgaan vóór de inschrijving van toepassing waren, blijven alle elementen van medezeggenschap op de SE van toepassing.

- SE opgericht door *andere methoden van oprichting*: de werknemers van de SE en van haar dochterondernemingen en vestigingen, en/of hun vertegenwoordigingsorgaan hebben het recht om leden van het toezichthoudend of het bestuursorgaan van de vennootschap te kiezen of te benoemen, of om terzake aanbevelingen te doen of bezwaar te maken, voor een aantal dat gelijk is aan het hoogste van de aantallen dat vóór de inschrijving van de SE in de betrokken deelnemende vennootschappen van toepassing was.

Indien er echter vóór de inschrijving van de SE voor géén van de deelnemende vennootschappen medezeggenschapsregels voor werknemers golden, dan hoeft de SE deze niet in te voeren.

Onder de noemer diverse bepalingen zijn voorschriften terug te vinden over onder meer geheime en vertrouwelijke informatie (artikel 8) en bescherming van werknemersvertegenwoordigers (artikel 10). In artikel 13 worden de gevolgen van deze Richtlijn voor de toepasselijkheid van andere bepalingen omschreven. Zo bepaalt lid 2 dat de overeenkomstig de nationale wetgeving en/of praktijk geldende bepalingen inzake werknemerszeggenschap in de vennootschapsorganen die niet tot uitvoering van deze richtlijn strekken, niet van toepassing zijn op vennootschappen die zijn opgericht overeenkomstig de Verordening en die onder deze Richtlijn vallen. Behoudens medezeggenschap in de organen van de SE blijven echter de bestaande rechten met betrekking tot de rol van de werknemers, overeenkomstig de nationale wetgeving en/of praktijk die de werknemers van de SE en van haar dochterondernemingen c.q. vestigingen genieten, onverlet.

De lidstaten dienen de nodige wettelijke en bestuursrechtelijke bepalingen vast te stellen om uiterlijk drie jaar na datum van aanneming aan deze Richtlijn te voldoen of dragen er zorg voor dat de sociale partners via overeenkomsten de nodige bepalingen in werking doen treden (artikel 14). Via artikel 70 van de Verordening zijn de inwerkingtredingsdatum van Richtlijn en Verordening aan elkaar gekoppeld.

Artikel 15 voorziet uiterlijk zes jaar na datum van aanneming van deze richtlijn in een her-onderzoek door de Europese Commissie.

14.4 Evaluatie

In het christelijk-sociaal denken wordt de onderneming gezien als een samenwerkingsverband waarin arbeid en kapitaal beide een belangrijke rol te vervullen hebben. Om die reden is steeds grote waarde toegekend aan medezeggenschap. Een ander belangrijk thema in het christelijk-sociaal denken betreft het leerstuk van de subsidiariteit, dat wil zeggen onderwerpen dienen op basis van de bottom-up gedachte op het daartoe geëigende niveau geregeld te worden.

Onder erkenning van het feit dat het sociaal-economisch leven binnen de EU (en daarbuiten) in snel tempo internationaliseert zijn er zeer zeker aanknopingspunten te vinden voor een positief antwoord op de vraag of de juridische vorm van de onderneming niet op een hoger niveau vorm en inhoud kan c.q. dient te krijgen. Een meer eenduidig juridisch kader voor internationaal opererende ondernemingen is immers een logisch vervolg op de Interne Markt en de komst van de Euro.

Hoe eenduidig is echter dat eindresultaat? Ruim dertig jaar onderhandelen heeft een juridisch zeer complexe, en vaak niet altijd even duidelijke en consistente SE-regeling opgeleverd.

Reeds vóór inwerkingtreding roepen de Verordening en Richtlijn talloze vragen op. Bovendien worden de problemen naar verwachting nog vergroot omdat de Richtlijn geïmplementeerd moet worden in de nationale wetgeving van de lidstaten, en ook de Verordening nog uitvoeringswetgeving behoeft. In dat opzicht is de SE voor het *Europa van de juristen* een goudmijn. Doch niet alle juristen appreciëren deze ontwikkeling. Zo haalde de eminente jurist W.C.L. van der Grinten begin jaren negentig hard uit in de richting van de SE. Naar zijn oordeel bestond er allerminst behoefte aan nieuwe 'n.v.-vormen' van een hybride karakter die deels door het Europees recht, en deels door nationaal recht zou worden gevormd. Van der Grinten (1993) vreesde dat de in zijn ogen 'merkwaardige figuur van de SE' het vennootschapsrecht alleen nog maar verder zou compliceren, want ieder EU-land krijgt immers zijn eigen SE.

Het *Europa van de sociale partners* zal niet ontevreden zijn met de uitkomst dat de rol van de werknemers in de SE in eerste instantie aan vrije onderhandelingen tussen de sociale partners wordt overgelaten, hetgeen overigens goed aansluit bij het Nederlandse poldermodel. Als procedureel is gewaarborgd dat sociale partners in de onderhandelingen een rol dienen te spelen, worden inhoudelijke minimumvoorschriften als het ware minder noodzakelijk. Daarop kunnen de sociale partners dan immers zelf aandringen, aldus de toenmalige minister Melkert (PvdA) van Sociale Zaken in 1997.[8] Wat wel enige verbazing wekt is dat diezelfde – in de Sociaal-Economische Raad (SER) vertegenwoordigde – sociale partners in het op 19 januari 2001 verschenen unanieme SER advies inzake het functioneren en de toekomst van de structuurregeling geen aandacht schenken aan de komst van de Europese vennootschap. En dat ondanks het feit dat de komst van de SE wel degelijk consequenties zal hebben voor wat betreft de toepasbaarheid van de Nederlandse structuurregeling op in Nederland gevestigde SE's (zie de verdere opmerkingen hierover bij het onderdeel het Europa van de werknemers).

Voor het *Europa van de bedrijven* betekent het akkoord vooralsnog slechts een eerste stap. In wezen kan de uitkomst gekarakteriseerd worden als 'too little, too late'. Dat laatste behoeft, in het licht van dertig jaar onderhandelen, geen nadere toelichting. Voor wat betreft het 'too little'-aspect zij nog even herinnerd aan de derde overweging van de Verordening waarin werd geconstateerd: "Herstructurerings- en samenwerkingsoperaties waarbij ondernemingen uit verschillende lidstaten betrokken zijn, stuiten op moeilijkheden van juridische, psychologische en fiscale aard." Echter, de Verordening handelt expliciet niet over rechtsgebieden zoals het fiscaal recht. Met andere woorden, de Verordening neemt dus hooguit de juridische en psychologische moeilijkheden weg. Met name in dat eerste ligt daarom de winst (mogelijkheid tot grensoverschrijdende fusie en zetelverplaatsing).

UNICE (Union of Industrial and Employers' Confederations of Europe, waarbij VNO-NCW is aangesloten) betreurt echter het gebrek aan een supranationale rechtsvorm voor de SE; op basis van het huidige systeem krijgt ieder EU-lid immers een eigen SE-variant. Voorts stelt UNICE onder meer dat de SE in zijn huidige vorm zonder bijbehorend fiscaal pakket niet veel economische meerwaarde biedt. En dat was nu net de bedoeling. Een studie naar de baten van de invoering van de SE door de in 1995 opgerichte Competitiveness Advisory Group (CAG) onder leiding van de Italiaan C. Ciampi (later opgevolgd door P. Barnevik) wees uit dat de totstandkoming van de Europese vennootschap tot potentiële kostenbesparingen in de orde van grootte van dertig miljard ECU (!) op jaarbasis zou kunnen leiden. De concurrentiekracht van het Europese midden- en kleinbedrijf (MKB) en het grootbedrijf zouden dus zeer gebaat zijn bij voortgang op het SE-dossier (Jacquemin en Pench, 1997).

UNICE is kennelijk van oordeel dat deze baten niet gehaald worden. Voorts is men in tegenstelling tot de CAG van mening dat het midden- en kleinbedrijf (MKB) niet veel opschiet met de Europese vennootschap in zijn huidige vorm. UNICE wijst in dat verband op een eerder van Franse werkgeverszijde geopperd voorstel om te komen tot een apart 'private company statute' dat wel is toegesneden op de behoeften van het MKB. Dit laatste door UNICE aangevoerde kritiekpunt zal ongetwijfeld meegenomen worden door de recentelijk middels Eurocommissaris Bolkestein in het leven geroepen expertgroep voor vennootschapsrecht die eind 2002 zal moeten rapporteren over nieuwe prioriteiten voor de ontwikkeling van het Europese vennootschapsrecht in brede zin.

Ten slotte zij vermeld dat er de komende tijd wellicht nog een geheel andere categorie SE's kan gaan ontstaan. Voor vennootschappen die zich enerzijds graag Europees willen profileren, maar anderzijds niet willen, of kunnen overgaan tot oprichting van een SE lijkt artikel 11 van de Verordening uitkomst te bieden. De letters 'SE' mogen namelijk alleen worden gedragen door SE's, maar vennootschappen waarvan de naam de letters 'SE' bevat en die vóór de inwerkingtredingsdatum van Verordening en Richtlijn in een lidstaat staan ingeschreven zijn niet verplicht hun naam te wijzigen!

Aangaande het *Europa van de werknemers* kan opgemerkt worden dat de ETUC (European Trade Union Confederation, waarbij FNV, CNV en Unie MHP aangesloten zijn) enthousiast reageerde op het akkoord over de Europese vennootschap: "The Nice European Council's decision on the European Company gives long awaited cheer to the European trade union movement."[9] In Europees verband gezien was daar ook zeker reden toe. Een akkoord over de Richtlijn kon dan ook alleen maar tot stand komen omdat bedrijven niet verplicht zijn voor deze rechtsvorm te kiezen. UNICE verklaarde niet voor niets dat de bij de SE gekozen oplossing inzake medezeggenschap 'totally unacceptable' was geweest indien bedrijven een keuzemogelijkheid zouden ontberen.

Is het bereikte akkoord op het gebied van medezeggenschap vanuit Nederlands oogpunt echter een vooruitgang? Of is er sprake van 'knock-outs' van medezeggenschapsrechtelijke rechten van werknemers? Nederland heeft in het kader van de onderhandelingen over de Richtlijn op een aantal punten concessies moeten doen.

De toenmalige staatssecretaris Kosto markeerde in 1991 de Nederlandse positie met betrekking tot de toepasselijkheid van het Nederlandse structuurregime op SE's: "Mijn uitgangspunt is dat op in Nederland gevestigde SE's de structuurwet onverkort van toepassing moet kunnen worden verklaard. De SE mag geen middel zijn om aan de werking daarvan te ontkomen."[10] Dat uitgangspunt is in twee opzichten niet gehaald.

Ten eerste is de Nederlandse structuurregeling, zoals vervat in artikel 2:152 e.v. BW op basis waarvan werknemers middels de ondernemingsraad een recht van aanbeveling en een recht van bezwaar hebben voor wat betreft de samenstelling van de Raad van Commissarissen – in de uiteindelijke regeling niet onverkort van toepassing op in Nederland gevestigde SE's. Dit zal mutatis mutandis ook gelden voor de situatie na de veranderingen in de wijze van benoeming van Commissarissen die aanstaande is. De keuze voor het medezeggenschapsregime wordt immers in eerste instantie aan de *vrije onderhandelingen* tussen betrokken partijen overgelaten. In een later stadium heeft de Nederlandse regering hier mee ingestemd (zie opmerkingen Melkert onder het Europa van de sociale partners).

Ten tweede kent de Richtlijn *géén concernmedezeggenschap*. In het kader van de Richtlijn zijn dus in principe alleen de medezeggenschapsrechten van werknemers van de SE zelf relevant. Dit in tegenstelling tot de Nederlandse wetgeving, die er juist in voorziet dat niet alleen werknemers die zijn vertegenwoordigd in een ondernemingsraad van een structuurvennootschap inspraak hebben op de samenstelling van de Raad van Commissarissen, maar ook diegenen die zijn vertegenwoordigd in de ondernemingsraad van een dochteronderneming. Dit gegeven zal ongetwijfeld terugkomen ten tijde van de implementatie van de Richtlijn in de nationale wetgeving.

Bovendien, maar dat geldt niet alleen specifiek voor de Nederlandse situatie, kunnen er op basis van de *referentievoorschriften voor medezeggenschap* van de Richtlijn, zoals hierboven behandeld, in een aantal gevallen op onvrijwillige basis medezeggenschapsrechten verloren gaan. In die gevallen is er sprake van 'knock-out' van medezeggenschapsrechten voor (een deel van de) bij de deelnemende vennootschappen betrokken werknemers. De Nederlandse regering heeft zich tijdens de onderhandelingen over deze bepalingen overigens ingezet voor een minimum aan participatierechten voor werknemers in de referentievoorschriften die in alle gevallen zouden gelden indien de onderhandelingen zouden vastlopen. Nederland stond daarin echter alleen.[11]

Het 'voor en na'-beginsel zoals opgenomen in overweging 18 van de Richtlijn blijkt dus niet in alle gevallen op te gaan. Deze constatering staat overigens los van de vraag of dit nu niet eenmaal onvermijdelijk is als je een beladen kwestie als medezeggenschap in EU-verband wilt regelen.

Daarmee is echter niet alles gezegd. Naast het feit dat werknemers geconfronteerd (kunnen) worden met het *incasseren* van medezeggenschapsrechtelijke 'knock-outs', bestaat ook de mogelijkheid tot het *uitdelen* van een 'knock-out'. Dit is waarschijnlijk een ongewenst gevolg van de complexiteit van de gekozen regeling. Er is in ieder geval één situatie denkbaar waarin het voor werknemers mogelijk wordt – door slim gebruik te maken van de mogelijkheden die de Richtlijn biedt nu daarin onder meer geen onderscheid gemaakt wordt naar de aard van de medezeggenschap – om maar liefst alle commissarissen van een SE door de werknemers benoemd te krijgen! (Winter, 2001)

Binnen de marges van wat mogelijk is, zullen de grenzen van de Richtlijn door beide partijen worden verkend, waarbij een medezeggenschapsrechtelijk 'forum-shoppen' door bedrijven naar alle waarschijnlijkheid niet zal ontbreken. 'Forum-shopping' kan dus allereerst plaatsvinden door gebruik te maken van het keuzemenu dat wordt geboden. Op grond hiervan is overigens reeds de vrees uitgesproken dat Duitse ondernemingen – gezien de vergaande werknemerszeggenschap – in de praktijk wel eens grote moeilijkheden zouden kunnen gaan krijgen om geschikte fusiepartners uit landen zonder medezeggenschap te vinden (Europees Parlement, 2001). Voor echte vormen van misbruik – die overigens niet worden gedefinieerd – vervult Artikel 11 van de Richtlijn de rol van een nog niet geteste veiligheidsklep: "De lidstaten nemen maatregelen met inachtneming van het Gemeenschapsrecht om te voorkomen dat de oprichtingsprocedure van een SE wordt misbruikt om aan werknemers rechten met betrekking tot de rol van de werknemers te ontnemen of te ontzeggen."

Sommige lidstaten hadden op het gebied van medezeggenschap voor werknemers in de SE voorkeur voor een 'race-to-the-bottom'; anderen prefereerden een 'race-to-the-top'. Het weerspiegelt het verschil in opvattingen tussen de aanhangers van het Angelsaksische 'shareholders'-model en die van het Rijnlandse 'stakeholders'-model. Concessies van beide kanten zijn terug te vinden in het uit-eindelijke SE-akkoord. Zo zal er bijvoorbeeld in alle SE's in oprichting onder-handeld moeten worden over de rol van de werknemers, ook al kent geen van de betrokken vennootschappen medezeggenschap. De praktische relevantie van dit voorschrift zal in de praktijk overigens nihil zijn gezien de verdere bepalingen van de Richtlijn. Feit blijft dat dit onderhandelingvereiste gezien kan worden als (kleine) concessie van de kant van landen zonder medezeggenschapstraditie. In laatste instantie is het echter zo dat de deelnemende vennootschappen middels de company 'opt-in' een vrije keuzemogelijkheid hebben om al dan niet tot oprichting van een SE over te gaan, terwijl de werknemers onvrijwillig kunnen worden getroffen door een medezeggenschapsrechtelijke 'knock-out'.

14.5 Ten slotte

Al met al doet de discussie over de Europese vennootschap in een aantal opzich-ten denken aan die over de Economische en Monetaire Unie (EMU). De tot-standkoming van beide is bedoeld ter vervolmaking van de Interne Markt. Op *principieel* vlak zijn er zowel voor wat betreft EMU als in het geval van de SE cri-tici die nu juist de noodzakelijkheid van die ontwikkeling met het oog op de vol-tooiing van de Interne Markt betwisten (Van der Grinten, 1993). Los van deze meer principiële discussie, kan vanuit meer *praktisch* oogpunt geconcludeerd worden dat het met name gaat om de wijze waarop SE en de EMU vorm hebben gekregen. Daar zijn in beide gevallen de nodige kanttekeningen bij te plaatsen. Het bouwwerk van de SE lijkt in ieder geval nog niet voltooid. De in de Veror-dening voorziene evaluatie binnen 5 jaar na inwerkingtreding – alsmede die van de Richtlijn die om onduidelijke redenen een jaar later zou kunnen plaatsvinden – zal daarom een belangrijke rol kunnen vervullen in het wegnemen van reeds nu gebleken – alsmede van op dit moment nog verborgen – gebreken.

Tot die evaluatie is het afwachten of de SE in zijn huidige vorm middels de com-pany 'opt-in' in een behoefte zal voorzien, in hoeverre sprake zal zijn van een medezeggenschapsrechtelijke 'knock-out' van werknemers, en op welke wijze de door Madrid bedongen 'opt-out' in de praktijk zal uitwerken op de aantrek-kelijkheid van het SE-vestigingsklimaat in Europa. Vooralsnog is minimaal tot 2004 sprake van een 'time-out' in verband met de implementatietermijn van de Richtlijn.

Noten

1   Tweede Kamer 1998-1999, 21 501-01 nummer 124, pagina 4.
2   Handelingen der Tweede Kamer 13 december 2000, pagina 2927.
3   Zie: www.europa.eu.int/comm/internal_market/en/company/company/news/1495. htm
4   Zie: www.europa.eu.int/comm/internal_market/en/company/company/ news/1495. htm

5 De rechtsgrond die door de Raad van Ministers in deze is gekozen is artikel 308 (artikel 235 oud) van het EU- verdrag (cf. overweging 29 van de Verordening en de daarmee corresponderende overweging 17 van de Richtlijn). Dit kapstokartikel voorziet slechts in raadpleging van het EP. Dit in tegenstelling tot artikel 54 oud (44 nieuw) waarop de voorstellen van de Commissie uit 1989 en 1991 gebaseerd waren. Op basis daarvan gold indertijd de samenwerkingsprocedure, die na inwerkintreding van het verdrag van Maastricht werd omgezet in de medebeslissing (co-decisie) procedure, waarbij een zware rol voor het EP is weggelegd. De Commissie Juridische Zaken en Interne Markt – binnen het EP aangewezen als eerstverantwoordelijke commissie voor dit onderwerp – behoudt zich het recht voor om zich te zijner tijd tot het Europese Hof van Justitie in Luxemburg te wenden om alsnog de rechtsgrondslag te betwisten. Prioriteit geeft het EP nu echter aan een snelle inwerkingtreding van de Verordening en de Richtlijn, zodat het 'vlaggenschip van het Europees vennootschapsrecht' zeewaardig kan worden verklaard; zie: Europees Parlement (2001).

6 Een Verordening heeft een algemene strekking. Zij is verbindend in al haar onderdelen en is rechtstreeks toepasselijk in elke lidstaat.

7 Een Richtlijn is verbindend ten aanzien van het te bereiken resultaat voor elke lidstaat waarvoor zij is bestemd, doch aan de nationale instanties wordt de bevoegdheid gelaten vorm en middelen te kiezen.

8 Tweede Kamer 1997-1998, 21 501-18, nummer 76, pagina 2.

9 Declaration by Emilio Gabaglio 8-12-2000. Zie www.etuc.org.

10 Tweede Kamer 1991-1992, 22.559 nummer 1, pagina 12.

11 Tweede Kamer 1998-1999, 21.501 nummer 87, pagina 4.

Literatuur

Blanquet, F. (2001). 'Enfin la société européenne, la SE.' *Revue du Droit de l'Union Européenne*, 1: 65-109.

Bogaerts, G.J (2000). 'EU wordt het eens over uniforme vennootschap.' *Volkskrant*, 21 december.

Buijs, D.C. (2001). 'De Europese vennootschap: een instrument voor internationale reorganisaties voor liefhebbers van een rol voor de werknemers. *Nederlands Tijdschrift voor Europees Recht*, 5: 121-126.

Dalm, R. van (2001). 'Bolkestein richt expertgroep voor vennootschapsrecht op.' *Europa van Morgen*. 26 september: 236.

Europese Commissie (1970).'Voorstel voor een verordening van de Raad betreffende het Statuut voor Europese naamloze vennootschappen van 30 juni 1970.' *Pb EG C 124/1, Suppl. Bull. EG 8/70.*

Europese Commissie (1975). 'Gewijzigd voorstel voor een verordening van 13 mei 1975.' *Suppl. Bull. EG 4/75.*

Europese Commissie (1989). 'Voorstel voor een verordening van de Raad betreffende het statuut van de Europese vennootschap van 25 augustus 1989.' *Pb. EG C 263/07.*

Europese Commissie (1980). 'Voorstel voor een richtlijn van de Raad tot aanvulling van het statuut van de SE met betrekking tot de plaats van de werknemers in de SE van 25 augustus 1989.' *Pb EG C 263/08.*

Europese Commissie (1991). 'Wijziging van het voorstel voor een verordening van 16 mei 1991.' *Pb EG C 176/01.*

Europese Commissie (1991). 'Gewijzigd voorstel voor een richtlijn van 6 april 1991.' *Pb EG C 138/08.*

Europees Parlement, Commissie Juridische Zaken en Interne Markt rapporteur, Hans-Peter Mayer (2001). *Verslag over de ontwerpverordening van de Raad betreffende het statuut voor een Europese Vennootschap.* 26 juni, A5-0243/2001.

Europese Raad (2000). *Conclusies van het Voorzitterschap Europese Raad van Nice 7-9 december 2000*. Punt 22.

Grinten, W.C.L. van der (1993). 'Europese N.V.?' In *Grensoverschrijdend Privaatrecht: Een bundel opstellen over privaatrecht in internationaal verband aangeboden aan mr. J. van Rijn van Alkemade bij gelegenheid van zijn afscheid als raadsadviseur bij het ministerie van Justitie*. Deventer: Kluwer: 109-117.

Huiskens, C. (1993). *De Europese Vennootschap: Enkele beschouwingen omtrent het ontwerp-statuut (1991) voor een Europese vennootschap*. Zwolle: Tjeenk Willink.

Jacquemin, A., en Pench, L. (1997). *Europe Competing in the Global Economy: Reports of the competitiveness advisory group*. Cheltenham: Edward Elgar Publishing.

Kiersch, E., en Huurne, G. ter (2001). 'Het statuut van de Europese vennootschap.' *Ondernemingsrecht* 2001-7: 183-190.

Lannoo, K., en Levin, M. (2002). *An EU Company without an EU tax? A corporate tax action plan for advancing the Lisbon process*. Brussel: Centre for European Policy Studies.

Nijs Bik, W. de (2001). 'Ideaal van één Europese nv is verder weg dan ooit.' *Het Financieele Dagblad*, 14 juni.

Raad van Ministers (2001). 'Verordening (EG) nr. 2157/2001 van de Raad van 8 oktober 2001 betreffende het statuut van de Europese vennootschap en Richtlijn 2001/86/EG van de Raad van 8 oktober 2001 tot aanvulling van het statuut van de Europese vennootschap met betrekking tot de rol van de werknemers.' *Pb. EG L294, 10 november.*

Smith, M. (2000), 'UK and French ministers swap insults over plan for worker consultations.' *Financial Times*, 21 december.

Tweede Kamer (2000-2001). *SER advies over het Functioneren en de Toekomst van de Structuurregeling*. 25.732, nummers 17, 18 en 19.

Tweede Kamer (2000/2001). *Verslag van de Minister van Sociale Zaken over de extra Raad voor Werkgelegenheid en Sociaal Beleid d.d. 20 december 2000*. 21.501-18, nummer 140.

Unice (2001). *Comments on the European Company Statute, 29 maart*. Zie: www.unice.org.

Winter, J.W. (1998). 'Voortgang Europese Vennootschap na Davignon.' *TVVS*, 98, 1: 14-15.

Winter, J.W. (2001). 'De Europese vennootschap: besturen en toezicht houden in rangen en standen.' *Ondernemingsrecht*, 2001-7: 195-199.

15
De maatschappelijke onderneming

Door Jan Peter Balkenende

De noodzakelijke vernieuwing en ontbureaucratisering van de verzorgingsstaat hangen nauw samen met de positie en het functioneren van de organisaties op het gebied van zorg, onderwijs en volkshuisvesting. De maatschappelijke – of non-profit – onderneming functioneert tussen markt en staat, op het terrein van de verzorgingsstaat. In dit hoofdstuk zal het verband tussen de problemen van de verzorgingsstaat, de diverse behoeften van mensen in de samenleving van de eenentwintigste eeuw en de rol die de maatschappelijk onderneming hierin kan spelen met elkaar in verband gebracht worden. Het schetst een algemeen denkkader van waaruit het concept maatschappelijke onderneming begrepen moet worden.

15.1 De vastgelopen verzorgingsstaat

De Nederlandse verzorgingsstaat staat onder druk. In de afgelopen jaren zijn per saldo miljarden extra uitgetrokken voor onder meer onderwijs en zorg. Toch is de maatschappelijke onvrede ten aanzien van deze sectoren groot. Wat is er mis met de Nederlandse verzorgingsstaat?

De koopkracht van de Nederlandse burger is de afgelopen jaren fors gestegen. De werkgelegenheid is gegroeid. Extra lastenverlichting heeft zeker bijgedragen aan de economische groei, maar zeker ook de aandelen en huizenprijzen. De laatste tijd zien we ook de negatieve effecten ervan. De krapte op de arbeidsmarkt betekende dat lastenverlichting contraproductief werkt. De 'automatische' reflex van het paarse kabinet – lastenverlichting is goed voor de economie – heeft ertoe geleid dat de inflatie aangewakkerd werd en de lonen behoorlijk stegen. Het betekende dat de sectoren van de verzorgingsstaat aanvankelijk achterbleven. De vastgelegde ruimte aan de uitgavenkant kon het tempo van de door het kabinetsbeleid aangewakkerde groei van lonen en prijzen in de marktsector niet bijhouden.

Mensen zijn eraan gewend geraakt om eigen keuzes te maken ten aanzien van hun leven. De welvaart is toegenomen en daarmee ook de materiële kwaliteit van het leven. Burgers zijn mondige consumenten geworden met een diversiteit aan wensen. Er wordt meer waarde gehecht aan kwalitatieve aspecten van het leven, aan de normatieve kant van het bestaan. Maar ook willen mensen zeggenschap over de zaken die hen direct raken en zijn ze niet zomaar tevreden met wat aangeboden wordt. Inmiddels is hier een woord voor gevonden: 'massa-individualisering'. Ook als het gaat om bijvoorbeeld zorg en onderwijs stellen mensen hogere eisen, die zij ook op andere terreinen van hun leven stellen. De mondige burger van de eenentwintigste eeuw heeft hier echter weinig keus. Dat staat haaks op de maatschappelijke ontwikkelingen van de laatste decennia. In het bedrijfsleven bezint men zich op een nieuwe werkwijze die tegemoetkomt aan de individuele wensen van klanten.

De overheidsvoorschriften hebben als effect een uniformering van het aanbod: de aangeboden zorg, het onderwijs en de overige dienstverlening verschillen onderling nauwelijks. Burgers worden in een afhankelijkheidspositie geplaatst ten opzichte van de geboden diensten, zonder dat er keuzemogelijkheden en alternatieven zijn. Alleen voor de categorie hoge (gezins)inkomens in onze samenleving staan andere wegen open. Maar voor de anderen is er weinig te kiezen. Op terreinen als onderwijs en zorg gaat het echter om dienstverlening waarbij waarden en normen en zingevingvragen een belangrijke rol spelen. Kan er wel voldoende tegemoet gekomen worden aan de vraag naar waardengeoriënteerde dienstverlening? De overheid kan een veelkleurige en pluriforme dienstverlening, die gebaseerd is op waarden en normen vanuit de eigen identiteit en leefstijl van (groepen) mensen, niet zelf verzorgen.

De greep van de overheid op de sectoren van de verzorgingsstaat is vanuit een sturingsmotief immers de afgelopen jaren versterkt. Zo is de uitvoering van de werknemersverzekeringen genationaliseerd. In de gezondheidszorg is sprake van centrale sturing door budgettering en planning van het aanbod. De regulering in het (primair) onderwijs gebeurt nog steeds door het departement. Instellingen worden rechtstreeks gefinancierd door de overheid en leggen alleen verantwoording af aan de overheid. Met de financiering komen de regels van de overheid mee. Regels ten aanzien van de interne bedrijfsvoering, de inhoud van de dienstverlening en de uniformering van de uitvoering ervan. Omwille van de continuïteit van hun organisatie richten de instellingen zich dus op de overheidsregels en de subsidiemogelijkheden en niet op de wensen van de patiënten of de leerlingen. De schaalgrootte en de specialisatie zijn vaak voorgeschreven, waardoor er weinig ruimte voor de leiding is om creatief te werken aan verbetering van de kwaliteit of vernieuwing van het aanbod. De dienstverlening sluit niet aan bij de verwachtingen en wensen van burgers. Zij hebben nauwelijks mogelijkheden tot beïnvloeding van het aanbod. Van keuzevrijheid voor burgers is geen sprake meer. Men kan alleen bij een 'overheidsuitvoerder' terecht. Juist deze ontwikkeling, de claim van de overheid op bijvoorbeeld de zorg, leidt tot de huidige problemen. Schaarste, wachtlijsten en bureaucratie zijn het gevolg. 'Staatsverzorging' leidt tot bureaucratische uitvoering met uiteindelijk een te sober niveau van dienstverlening.

Steven de Waal beschrijft het probleem van de verzorgingsstaat als volgt.

"In de huidige wereldsamenleving is dit de paradox van klassieke overheidssturing: rigide en beschermende regels lokken bij de betrokken organisaties, hoe privaat ze juridisch ook zijn, ambtelijk gedrag uit, dat vervolgens leidt tot ouderwetse voorzieningen. (...) Het serviceniveau bevindt zich vaak op een laag, typisch staatsniveau, waardoor zij niet aantrekkelijk zijn voor groeperingen die financieel wel kunnen kiezen. Daarmee dreigt op termijn steeds weer gettovorming in de publieke voorzieningen, met een scheiding in 'staatsvoorzieningen voor de arme lui' en 'private voorzieningen voor de rijke lui'." (De Waal, 2000).

Het probleem van de versterking van de rol van de overheid is door Frank Kalshoven (2001) kort en bondig omschreven: "Het grote probleem van de overheid, die domweg sectoren van het maatschappelijk leven overneemt, is dat elke prikkel ontbreekt om fatsoenlijke producten of diensten te leveren."

Het punt waarop we nu zijn aangeland, als het gaat om de kwaliteit van onderwijs en zorg, kan worden gekarakteriseerd als een patstelling. Het lijkt alsof er een systeem is gecreëerd waarop niemand meer vat heeft. Burgers weten niet meer bij wie ze moeten zijn om zorg of onderwijs af te dwingen en stappen zelfs naar de rechter. Instellingen op hun beurt kijken naar de overheid, die tenslotte de regels stelt en het budget bepaalt. En de overheid kan de eigen regels onvoldoende handhaven en wordt telkens opnieuw geconfronteerd met tekortkomingen in de regelgeving of budgettering. De mensen die het werk doen, voelen zich slechts uitvoerders van regels. Ze worden gesmoord in hun creativiteit en hebben nauwelijks mogelijkheden om de kwaliteit van hun werk te verbeteren. Een citaat dat goed aangeeft hoe de situatie in de verschillende sectoren door de regelgeving en budgettering 'verworden' is.

"In het onderwijs, waar krachtige sectorvakbonden bestaan, is het een normale zaak dat op centrale niveau in tripartiete overleg met de betrokken ministeries en met onderhandelaars van de eigenlijke werkgevers gedetailleerde afspraken worden gemaakt over bedrijfsvoering en werkorganisatie. Het resultaat is verstarring. Of erger nog, verwording, waarbij voor elke aanpassing aan lokale omstandigheden eerst een centrale regel moet worden uitgevaardigd en elke flexibiliteit in de werkorganisatie van bovenaf de kop wordt ingedrukt. (...) Anders dan bedrijfstakken die hun geld op de markt moeten verdienen, zijn collectief gefinancierde sectoren afhankelijk van ' inderdaad ' collectieve financiering. Geld dat de centrale overheid zonder veel omhaal bij de burger opeist in de vorm van belastingen of heffingen als schoolgeld of ziekenfondspremie. Alle vormen van beïnvloedbare eigen inkomsten per school, thuiszorginstelling of andere uitvoerder zijn zo ver mogelijk teruggedrongen. (...) Wat ooit begon als globale eisen, gecontroleerd door landelijke overheidsinspecties, verwerd tot gedetailleerde sturing vanuit Den Haag. Daardoor leerden de 'koepels' van werkgevers en de vakbonden in de collectieve sector pas goed om hand in hand op te trekken, centralistisch detaillisme werd hun tweede natuur." (De Hen, 2000).

Er is dus behoefte aan decentralisatie, maar dan in de zin dat de verantwoordelijkheid ook primair daar ligt. Het centrale niveau is te ver weg, om te kunnen reageren op de veranderingen in de omgeving. Het is helder dat het systeem is vastgelopen.

Voor de oplossing van de problemen in de zorg en het onderwijs wordt allereerst gekeken naar de overheid en de politiek. Terecht, want steeds opnieuw heeft de politiek de indruk gewekt dat de problemen met extra geld of een ander soort 'sturingsmechanisme' kunnen worden opgelost. Via de geldstromen heeft de overheid steeds meer greep willen krijgen op het functioneren van de instellingen. Maar ook oplossingen als deregulering en autonomievergroting in het onderwijs gingen gepaard met een versterking van de sturing door de overheid via het toezicht of via opgelegde onderwijsvernieuwingen. Toch loopt de overheid keer op keer achter de feiten aan. De wachtlijsten blijken niet af te nemen; de uitvoering van onderwijsvernieuwingen laat te wensen over.

Met de opbouw van de verzorgingsstaat zijn onderwijsorganisaties en zorgorganisaties naar het domein van de overheid getrokken. Daarmee zijn ze losgesneden van hun oorspronkelijke maatschappelijke inbedding en draagvlak. Terecht kan de vraag gesteld worden: wie heeft de zeggenschap over deze nonprofitorganisaties? In naam het bestuur en de leden. Maar wat is de feitelijke zeggenschap nog als de overheid ingrijpt in de bedrijfsvoering, de reserves afroomt, of als beslissingen over investeringen niet zelfstandig genomen kunnen worden? Of als het onderwijsprogramma tot in detail voorgeschreven wordt? Is het dan niet logisch dat ook ziekenhuizen, zorginstellingen en scholen zich machteloos voelen?

Als de tekorten op de ene plek zijn weggewerkt, verschijnen er weer tekorten op een andere plek. De leiding van de organisaties hebben geen budgettaire vrijheid, terwijl de overheid op te grote afstand staat om problemen bij organisaties te kunnen oplossen. Marcel van Dam (2002) heeft dit dilemma als volgt omschreven.

> "De bestuurskracht en het probleemoplossend vermogen van de overheid nemen af zonder dat het verlies gecompenseerd wordt door de introductie van zelfregulerende systemen waarvan marktwerking een van de belangrijkste is. Waardoor de burger de verantwoordelijkheid voor alle falen bij de overheid kan leggen en de eigen handen kan wassen in onschuld."

Oplossing die steeds terugkomen houden in dat er een 'nieuwe overheid' moet komen waarbij er sprake is van efficiënter werken door de overheid, meer prestatiecontracten en het afrekenen van overheidsdiensten en instellingen op resultaten.[1] In de kern gaat het dan om dezelfde oplossingen die de afgelopen acht jaar steeds gekozen zijn. Deze oplossingen gaan er namelijk van uit dat het taken van de overheid betreffen. Uitgangspunt is dat de overheid over de zorg en het onderwijs 'gaat', dat zij de eindverantwoordelijkheid draagt. In wezen betekenen deze oplossingsrichtingen echter een versterking van de greep van de overheid. Hoewel de meeste zorginstellingen in ons land de stichtingsvorm hebben, worden ze in overheidsregie bestuurd. Reeds begin jaren negentig van de vorige eeuw werd over de gezondheidszorg opgemerkt dat ze bestuurlijk een soort 'medische DDR' voorstelde: centrale besluitvorming, sterke bureaucratisering, en feitelijk een groeiende mismatch tussen vraag en aanbod.

Weer een nieuw sturingsplan ontwerpen is wandelen op een doodlopende weg, niet omdat prestaties niet beter beoordeeld zouden moeten worden, maar omdat de verantwoordelijkheidsverdeling hetzelfde blijft. Hoe moet dan een antwoord worden gegeven op de wensen in de samenleving?' Mensen kunnen en willen zelf ook meer verantwoordelijkheid dragen voor hun leven. Keuzevrijheid, verantwoordelijkheid en zeggenschap: begrippen die uitdrukken hoe mensen in de samenleving staan en hun leven vorm geven. Een gedifferentieerd aanbod dat inspeelt op de vraag van burgers moet daarom tot stand komen.

15.2 Vraagsturing

Vraagsturing wordt tegenwoordig door velen omarmd als oplossingsrichting voor de problemen waar de 'collectieve sector' voor staat. De oplossingen richten zich veelal op een versterking van de positie van de klant, de ouder, zorgvrager of gebruiker in de verschillende instellingen via voorgeschreven democratisering of medezeggenschap. Of naar systemen van vouchers en persoonsgebonden budgetten, die mensen keuzevrijheid binnen de aanbodsturing moeten geven bij de besteding ervan. Deze oplossingen voldoen echter niet. De keuze om de vraag van mensen centraal te stellen betekent namelijk dat er een scala van aanbieders moet zijn dat het aanbod kan aanpassen aan de vraag van mensen. Het invoeren van vouchers of persoonsgebonden budgetten alleen is dan onvoldoende. Ook het bieden van meer medezeggenschap en inspraak in het beleid van instellingen, die overigens op dezelfde wijze gebudgetteerd en gereguleerd blijven, is een lege huls.

Lans Bovenberg (2002) heeft een heldere beschrijving van vraagsturing, die een duidelijk onderscheid tussen vraag- en aanbodsturing weergeeft.

"Bij vraagsturing draagt de overheid een budget over aan de burger in de vorm van geld of rechten. Burgers zoeken vervolgens zelf de aanbieder, waarbij concurrerende aanbieders vrij kunnen toetreden en over een ruime beleidsvrijheid beschikken om aan de wensen van burgers te voldoen. Door met de voeten te stemmen, oefenen burgers direct invloed uit op de aard en kwaliteit van het aanbod. Het budget is in de meeste gevallen vast (genormeerd) en niet afhankelijk van de individuele uitgaven aan het betreffende goed. Bij aanbodsturing, daarentegen, bepaalt de overheid een meestal gestandaardiseerd aanbod, vaak op basis van gedetailleerde kwaliteitsvoorschriften die de beleidsvrijheid van aanbieders aanzienlijk beperken. De directe invloed van de burger op de kwaliteit

van de geleverde diensten is daarom klein. Ook is er sprake van gedwongen win-
kelnering: de burger kan niet kiezen tussen verschillende instellingen en ontvangt
het gestandaardiseerde aanbod in natura. Niet de genieter (het huishouden), maar
de financier (de overheid) bepaalt de aard en kwaliteit van de geleverde diensten.
Alleen via het politieke proces (het stemgedrag) kan de burger daar invloed op
uitoefenen. Een genormeerd, vast budget dat niet afhangt van de individuele uitgaven aan een bepaalde dienst stimuleert de burger om kostenbewust in te kopen.
De band tussen betalen en genieten is sterk: een keuze voor een relatief dure dienst
voelt de burger direct in de eigen portemonnee. Dit legt de kosten-baten-, en de
prijs-kwaliteitafweging bij de burger. Zo neemt de burger de rol van de overheid
over in het disciplineren van aanbieders en het in de hand houden van de kosten."

Vraagsturing op deze wijze werkt alleen als het gepaard gaat met het in rekening brengen van reële prijzen. De invoering van deze reële integrale prijzen van
de diensten en de zorgverzekering moeten gecombineerd worden met ondersteuning van huishoudens om de premies te kunnen dragen. In de gezondheidszorg betekent dit een vaste of nominale premie voor de zorgverzekering,
in combinatie met een fiscale zorgkorting afhankelijk van het inkomen. Op deze
wijze wordt ook minder draagkrachtigen keuzevrijheid geboden.[2]

"Het essentiële verschil tussen vraag- en aanbodsturing is niet zozeer aan wie
de overheid middelen vertrekt, maar de mate waarin de overheid aanbieders
reguleert." (Bovenberg, 2002). Deze stelling van Bovenberg geeft aan dat er een
directe relatie ligt tussen de positie van de aanbieder en vraagsturing. Zonder
versterking van de positie van de aanbieders die reële prijzen in rekening moeten brengen, blijft het pleidooi steken in vraagfinanciering met wachtlijsten.
Vraagfinanciering in een stelsel waarbij de aanbieder gebonden is aan bijvoorbeeld investeringsbeslissingen van de overheid is een schijnoplossing. Het gaat
om bestuurlijke, juridische en economische *eigen verantwoordelijkheid*.

Non-profitorganisaties verzorgen in Nederland het grootste deel van de maatschappelijke taken van onze verzorgingsstaat. De non-profitsector wordt wel de
derde sector genoemd: noch markt, noch staat (Sociaal en Cultureel Planbureau,
2001). In Nederland zijn er verschillende omschrijvingen voor deze sector,
afhankelijk van de invalshoek die gekozen wordt, zoals maatschappelijk middenveld, particulier initiatief, collectieve of publieke sector. Het Sociaal en Cultureel Planbureau geeft een aantal kenmerken waaraan een organisatie moet
voldoen om tot de non-profitsector te behoren. Het moet gaan om een organisatie (institutionalisering) met een privaat karakter, die niet aan winstuitdeling
doet. Er moet sprake zijn van zelfbestuur en vrijwilligheid. Voorbeelden van
non-profitorganisaties zijn bijzondere scholen, de meeste ziekenhuizen en
woningcorporaties. Afgezien van puur vrijwilligersorganisaties, is de non-profitsector een professionele sector die de functies van de verzorgingsstaat uitvoert. Het grootste deel van de zorg wordt verleend door private instellingen
op non-profitbasis. Een groot deel van het onderwijs wordt gegeven door priva-

te onderwijsinstellingen. Ongeveer zeventig procent van de dienstverlening in onderwijs, zorg en welzijn wordt door private instellingen verzorgd. Ook zeventig procent van de huurwoningen zijn in handen van woningbouwcorporaties.

Er wordt vaak gesproken over publieke taken en de publieke sector. Onder paars leek het algemeen belang vervangen door het publiek belang, waardoor een minister voor alles in de samenleving verantwoordelijk werd gehouden. Maar toch gaat het om sectoren die maatschappelijke taken verrichten in het algemeen belang. Deze diensten worden voor het grootste deel verzorgd door private instellingen en organisaties: ziekenhuizen, scholen, verzekeraars. En als we het breder trekken woningbouwcorporaties en omroepen bijvoorbeeld. Dat duidt erop dat deze instellingen in het verleden op initiatief van burgers zelf tot stand zijn gekomen. Vanuit een sociaal besef en maatschappelijke verantwoordelijkheid hebben mensen gemeend deze sociale functies los van de overheid vorm te moeten geven. Maatschappelijk draagvlak en maatschappelijke betrokkenheid vormden en vormen nog steeds de bestaansgrond voor deze instellingen werkzaam in het algemeen belang. Het vergt een herijking van verantwoordelijkheden in de samenleving.

Een andere naam voor bepaalde non-profitorganisaties is wel maatschappelijke onderneming. Non-profits is de term die je leest als economen over de maatschappelijke onderneming schrijven. Door Steven de Waal (2002) is het concept van maatschappelijk ondernemen geïntroduceerd.

> "In het kort komt het erop neer dat de maatschappelijke onderneming een erkende private non-profitonderneming is die in hoge mate wordt gefinancierd vanuit publieke/collectieve middelen en daarvoor ook publieke dienstverlening volgens wettelijke rechten en regels levert. Ook de vraag aan welke doelgroepen deze organisatie levert, is vaak wettelijk vastgelegd. (...) Tenslotte houdt het concept in dat deze private organisaties, die immers een sterk 'hybride' karakter hebben en tegelijk belangrijke vormen van publieke dienstverlening verzorgen, onder grote druk staan om zich zelfstandig te verantwoorden naar de samenleving en daar stimulerend en betrokken middenin te staan."

Ook het CDA heeft de afgelopen jaren nadrukkelijk het concept van de maatschappelijke onderneming op de agenda gezet. Het geeft echter een andere definitie.

> "Maatschappelijke ondernemingen zijn gewone ondernemingen, maar zonder winstuitdeling aan aandeelhouders (N.V./B.V./C.V.) of leden (coöperatie/ onderlinge). Maatschappelijke ondernemingen werken met ingehouden winst en hebben daarom de vorm van een vereniging of stichting en werken complementair aan overheidstaken. Werkt een maatschappelijke onderneming met kostprijsverlagende publieke middelen, dan kan deze onderneming niet eenzijdig de ondernemingsdoelstelling wijzigen. De beperking van het (maatschappelijk)

ondernemen wordt vastgelegd in de toelatingsvoorwaarden van de betreffende wet en illustreert de uitruil van belangen. Dit is meer een juridische definitie. De wetgever kan op grond van deze sociale functie vrijstellingen verlenen, bijvoorbeeld voor de vennootschapbelasting. Het gevolg van deze uitruil is dat eventuele commerciële nevenactiviteiten van maatschappelijke ondernemingen onder een aparte rechtspersoon moeten worden gebracht, die zonder de bedoelde vrijstellingen moeten werken. Anders zou er immers sprake zijn van oneerlijke concurrentie. De uit dit soort activiteiten ontvangen winstuitdeling valt vervolgens weer binnen de toelatingsvoorwaarden zodat alles het sociale doel ten goede komt." (De Hoop Scheffer en Dankers, 1999).

"De goederen en diensten die de maatschappelijke onderneming 'produceert' zijn geen publieke taken, maar een economische activiteit. Maatschappelijke ondernemingen vallen dan ook onder de werkingssfeer van de Wet Economische Mededinging omdat het geen publieke organen zijn die taken in opdracht van de staat uitvoeren. De maatschappelijke onderneming is zo bezien niet een hybride organisatie tussen de domeinen van de markt en de staat, maar opereert op de markt. (...) De maatschappelijke organisatie is ook geen vrijwilligersorganisatie (geen civil society) (...) Het is geen alternatief voor marktwerking en privatisering maar wel voor (ver)commercialisering." (Balkenende en Dolsma, 2000).

Opvallend verschil tussen de definitie van De Waal en die van de auteurs uit CDA- kring betreft de positie van de maatschappelijke onderneming. Het verschil betreft de discussie om de vraag[3]: is de non-profitonderneming uitvoerder van overheidsbeleid of een maatschappelijke onderneming op de markt? De discussie over de positie van de maatschappelijke onderneming gaat dus niet over de kracht of zwakte of de omvang van de non-profitsector in Nederland, maar over de omsingeling ervan door de overheidsbureaucratie. Dat lijkt me een belangrijke notie voor het CDA om met het concept te willen werken. Over dit laatste zijn de auteurs het eens. De gevolgen ervan zijn eerder beschreven, bijvoorbeeld in de zorg: schaarste, onvoldoende flexibel kunnen inspelen op wijzigingen in de vraag en – niet het minste belangrijke – het ontbreken van keuzevrijheid van mensen.
Een meer fundamentele oriëntatie ligt ten grondslag aan de keuze voor versterking van de positie van maatschappelijke ondernemingen in combinatie met vraagsturing en -financiering.

15.3 Inspanningsverplichtingen van de overheid

De terreinen van de verzorgingsstaat waar we over spreken betreffen de sociale grondrechten. De sociale grondrechten vragen om een inspanningsverplichting van de overheid. Maar de verwerkelijking van de verschillende sociale grondrechten veronderstelt en behoeft ook het bestaan van goed functionerende verbanden in het maatschappelijk middenveld.[4] Hoe is dan de verhouding tussen deze verbanden en de overheid? Dat is de principiële ordeningsvraag. En het is tegelijkertijd de kern van de problemen. Deze maatschappelijke verbanden hebben een meerwaarde als het gaat om het daadwerkelijk realiseren van de sociale grondrechten. Een meerwaarde, omdat het bij de sociale grondrechten om solidariteit met en zorg voor de medemens gaat. Aspecten die mensen van oudsher niet alleen wilden overlaten aan instellingen met een winstoogmerk of aan de overheid. De meerwaarde is er ook, omdat het uitdrukking geeft aan de diversiteit in de samenleving. Vanuit perspectief van werking van de markt hoeft pluriformiteit niet te betekenen dat het hele aanbod pluriform is, maar als aan de randen een gedifferentieerd aanbod ontstaat betekent dat toch al veel voor de keuzemogelijkheden, vergelijk in het onderwijs Montessorischolen en andere vormen. De kwaliteit van de zorgverlening, het onderwijs en de hulpverlening wordt medebepaald door de wijze waarop vorm wordt gegeven aan de maatschappelijke doelstelling van de organisatie. Juist op de terreinen van onderwijs, zorg en wonen hebben mensen vanuit hun eigen idealen vorm willen geven aan de dienstverlening. Van oudsher hebben mensen juist op deze terreinen vanuit ideële motieven eigen organisaties – verenigingen en stichtingen – opgericht om goederen en diensten op deze terreinen aan te bieden, taken die van maatschappelijk belang geacht werden. 'De markt', in de zin van commerciële initiatieven, is hier niet zaligmakend. Waarden en normen en vragen van identiteit spelen hier een belangrijke rol. Commerciële 'productie' of overheidsverzorging is een keuze die te eenzijdig is. Het gaat om zorg: onderwijs en maatschappelijke dienstverlening vanuit een bepaalde overtuiging of een werkwijze die aansluit bij een bepaalde levensstijl of een programmatische voorkeur. Of zoals Etzioni (2000) het waarom van de keuze voor de samenleving formuleert: "because they can fulfil them with lower public costs and with greater humanity than either the state or the market."

Vanuit de traditie van subsidiariteit en soevereiniteit in eigen kring wordt het begrip gespreide verantwoordelijkheid in deze tijd ingevuld met een pleidooi voor het herstel van verantwoordelijkheid. Het gaat dan om de samenleving zelf. Een mens kan niet leven zonder relaties met anderen en komt ook pas werkelijk tot z'n recht in die relaties. Keuzes die mensen in hun leven maken worden hierdoor meebepaald. De samenleving is dus meer dan een verzameling van individuen. Het is echter ook meer dan een verzameling van huishoudens of samenlevingsverbanden en een overheid die alleen invulling geeft aan het algemeen belang. Sociale samenhang vraagt om meer.

Het probleem van de patstelling in onze verzorgingsstaat (het vastlopen van het systeem van regulering en budgettering door de overheid, de verschraling van de kwaliteit en het langzaam verdwijnen van betrokkenheid en motivatie van mensen om zich in te zetten) kan alleen doorbroken worden door een herijking van de verantwoordelijkheden. Door de zeggenschap over maatschappelijke verzorgingstaken terug te leggen bij de samenleving. In hoeverre is dit nog mogelijk en welke kansen zijn er om hiermee de kwaliteit en betrokkenheid te vergroten?

Voor maatschappelijke ondernemingen zoals scholen, ziekenhuizen en zorginstellingen moeten de 'automatische' financiering door de overheid en de daarmee gepaard gaande regels verdwijnen. Maatschappelijke ondernemingen
moeten afhankelijk zijn van de keuze van mensen voor de dienstverlening die
zij te bieden hebben. Het grote voordeel hiervan is dat er een herbezinning op
de maatschappelijke doelstelling zal plaatsvinden. Waar staan deze instellingen
voor? Wat hebben zij te bieden als school, verpleeghuis, kinderdagverblijf? Wat
is hun meerwaarde? Juist omdat onderwijs meer is dan kennisoverdracht en
zorg meer is dan een technische handeling zullen de uitgangspunten van waaruit men werkt nadrukkelijk een rol gaan spelen. Mensen zullen ook bereid zijn
meer te betalen voor dienstverlening die aansluit bij hun voorkeuren. Allerlei
nieuwe mogelijkheden dienen zich aan. Nieuwe combinaties van zorg, wonen
en andere dienstverlening bijvoorbeeld. Of scholen die het onderwijs weer meer
klassikaal gaan geven. De professionaliteit en creativiteit van de werknemers
wordt weer uitgedaagd. De eenvormigheid verdwijnt. Door omkering van de
zeggenschap kan een nieuwe verankering van de instellingen in de samenleving
tot stand komen. Vrijheid, verantwoordelijkheid en zeggenschap worden terug-
gelegd bij mensen en de samenleving. Dan werpt deze vorm van ondernemerschap een dam op tegen te ver doorgeschoten commercialisering. Immers maatschappelijke ondernemingen hebben geen winstdoelstelling: de winst vloeit
niet uit de onderneming, maar wordt opnieuw geïnvesteerd in de maatschappelijke doelstelling.

Voorwaarde hiervoor is dat de financiering door de overheid verplaatst wordt
naar financiering door of via burgers zelf. Dat kan alleen op basis van het berekenen van een reële prijs. Met name in de zorg is dit op dit moment nog een probleem. Op dit moment stelt het College Tarieven Gezondheidszorg tarieven vast
voor bepaalde verrichtingen en zorgverlening, maar deze zijn niet gebaseerd op
een echte kostprijs. Voordat maatschappelijke ondernemingen echt op eigen
benen kunnen staan zullen eerst de kostprijs en bedrijfseconomische criteria als
solvabiliteit in kaart moeten zijn gebracht. De huidige opgelegde tarieven houden onvoldoende rekening houden met de werkelijke kosten. Door de budget-
financiering ontbreekt echter de noodzaak om de kosten per eenheid product te
bepalen en om bijvoorbeeld medische en andere diensten te onderscheiden.
Vraagfinanciering betekent dus dat de overheid niet langer de instelling rechtstreeks subsidieert om zo de prijs te verlagen en de financiële toegankelijkheid
te waarborgen. De overheid waarborgt deze toegankelijkheid door mensen zelf
naar draagkracht financieel te ondersteunen, zodat voor hen wonen, zorg,
onderwijs en kinderopvang betaalbaar is en blijft.

Dat betekent dat de overheid ook echt moet durven loslaten. Vraagsturing, persoonsgebonden budgetten en dergelijke kunnen pas werken als er ook ruimte is
om op de vraag in te spelen. De overheid moet zich beperken zich tot kwali-
teitscontrole. Dat betekent dat er ruimte gegeven wordt aan nieuwe aanbieders
en aan ondernemerschap. Anders blijven oude monopolies in stand. Erken-

nings- of toelatingsvoorwaarden mogen nieuwe initiatieven niet in de weg staan. Toetreding is nu vaak erg lastig, door de regulering van het aanbod en de zeer scherpe en gedetailleerde eisen. Als voorbeeld kan genoemd worden de huidige stand van zaken in de kinderopvang.

15.4 Maatschappelijke ondernemingen

Maatschappelijke ondernemingen zijn stichtingen of verenigingen. De stichtingsvorm heeft langzamerhand de overhand gekregen. De vraag wat het maatschappelijk draagvlak van een maatschappelijke onderneming is, kan beantwoord worden door te kijken naar wie de deelnemers (bij een stichting) of de leden (bij een vereniging) zijn. Sommige stichtingen kennen een duidelijk maatschappelijk draagvlak. Bijvoorbeeld doordat de leden van de raad van toezicht voorgedragen worden uit verschillende maatschappelijke geledingen met achterbannen. Steeds vaker is dit niet het geval. Het maatschappelijk draagvlak blijft dan onduidelijk. Ook ontbreekt, zoals bij structuurvennootschappen het geval is, een derde toezichthoudende laag van 'aandeelhouders'. Maatschappelijk beleggen kan dit ondervangen. Van Leeuwen (2002) stelt dat maatschappelijke ondernemingen voor hun legitimiteit aan hogere eisen moeten voldoen dan commerciële ondernemingen. Hij stelt voor dat maatschappelijke ondernemingen (stichtingen) in de statuten de instelling van een adviesraad moeten regelen, waarin de verschillende 'belanghouders' zijn vertegenwoordigd.

Een maatschappelijke onderneming dient voor het doen van investeringen over voldoende eigen vermogen te beschikken om vreemd vermogen aan te kunnen trekken. Een uitvoerder van overheidsbeleid is thans voor de investeringen afhankelijk van de overheid (via een gegarandeerde lening of een startsubsidie bijvoorbeeld). Indien er 'winst' wordt gemaakt, dan dient dit als 'overschot' terug te vloeien in 's Rijks kas. In bijvoorbeeld de gezondheidszorg heeft de overheid een grens gesteld aan het eigen vermogen op de balans, dat in het zorgjargon RAK, 'reserve aanvaardbare kosten' wordt genoemd. Als de RAK hoger wordt dan een bepaald percentage van de 'omzet', dient het overschot te worden gestort bij het zorgkantoor. Op deze wijze kunnen de zorginstellingen langs legale weg geen eigen vermogen vormen. Het probleem waar een maatschappelijke onderneming bij omzetting van aanbod- naar vraagsturing voor komt te staan, is de financiering van toekomstige investeringen. Zij moet in de gelegenheid zijn het eigen vermogen te versterken uit de exploitatie.

Daarnaast is er een andere optie denkbaar. De maatschappelijke onderneming kan deelnemers aantrekken, die op een achtergestelde lening hebben ingeschreven. Deze deelnemers in de stichting zouden dezelfde bevoegdheden kunnen krijgen als die van een algemene vergadering van een vereniging of een vergadering van aandeelhouders. Het belang van deze deelnemers is het bewaken van de continuïteit van de stichting, waarbij uitvoering van de maatschappelijke doelstelling centraal staat. De bevoegdheden van de deelnemersvergadering zouden dan bestaan uit de benoeming van leden van de raad van toezicht en de goedkeuring van de jaarrekening en statuten. Wanneer de inschrijving van de deelnemer fiscaal nog als 'groene belegging' wordt aangemerkt, zullen particulieren hierop zeker intekenen.[5] Dit biedt niet alleen een gelegenheid voor deze ondernemingen om kapitaal aan te trekken, maar tegelijkertijd wordt het maatschappelijk draagvlak versterkt.

Voor onderwijs of zorg zou een bruteringsoperatie zoals Staatssecretaris Heerma die voor de huursector heeft doorgevoerd, nodig kunnen zijn. De wachtlijsten in de huursector zijn mede dankzij een volledige vraagfinanciering verdwenen. Stapsgewijs heeft de overheid zich teruggetrokken als beheerder, financier en subsidieverstrekker. Ze beperkt zich tot haar kerntaken als wetgever en als toezichthouder (achteraf) op basis van vastgestelde kaders. Woningcorporaties kunnen breder activiteiten ontplooien en kunnen hun bedrijfsvoering zelf bepalen. We zien dat ze deze verantwoordelijkheden goed oppakken door nieuwe initiatieven te ontplooien bijvoorbeeld in de combinatie van wonen en persoonlijke dienstverlening. Het bruteringsakkoord onder Heerma kocht tot 1995 alle aanbodsubsidies bij de woningcorporatie af. Wat overbleef was huursubsidie om de vraag te ondersteunen. Voortaan moesten non-profitverhuurders, net zoals commerciële verhuurders, met kostendekkende huurprijzen werken. Om de financiële risico's verantwoord aan te kunnen gaan zijn binnen de sector twee fondsen op basis van zelfregulering aanwezig. Het invoeren van reële kostprijzen in het ziekenhuizen lukt nog niet, omdat de aanbodsturing en -financiering blijft bestaan. Ondertussen moeten ziekenhuizen wel wachtlijsten wegwerken, wachtlijsten voor verzekerde zorg waar mensen premie voor betaald hebben. Als de aanbodsturing niet overboord gezet wordt, is een normale bedrijfsvoering van non-profitondernemingen onmogelijk. Concurrentie zal dan niet tot stand komen en het leidt slechts tot vraagfinanciering met wachtlijsten. Daarom zijn er meer bruteringsoperaties nodig.

De taak van de overheid is allereerst het bewaken van de toegankelijkheid. In financiële zin door naar draagkracht te ondersteunen in de rekening van wonen, zorg en onderwijs. Maar ook het bewaken van de toegankelijkheid om selectie tegen te gaan als het gaat om kwetsbare groepen, zoals mensen met een minder goede gezondheid. Daarnaast stelt de overheid kwaliteitseisen of ook wel deugdelijkheidseisen genoemd, zonder de financiële zelfstandigheid voor de bedrijfsvoering en eigen verantwoordelijkheid van de maatschappelijke ondernemingen aan te tasten. Via de toelatings- en erkenningsvoorwaarden kan dit vormgegeven worden. Een onafhankelijk toezichthouder heeft de middelen om de toelatingsvoorwaarden te toetsen en eventueel in te grijpen.

De maatschappelijke onderneming is dus een normale onderneming met een private rechtsvorm die goederen en diensten op de markt afzet. De goederen en diensten die de maatschappelijke onderneming voortbrengt vallen niet onder de publieke taken die het exclusieve domein van de staat zijn, zoals bijvoorbeeld politie- en justitietaken. Zolang de staat niet bij wet een bepaalde taak als een exclusieve publieke taak opeist en daarmee private taken uitsluit of verbiedt, val het voortbrengen van goederen en diensten door private rechtspersonen onder het regime van de markt. Maatschappelijke ondernemingen vallen dus onder de werkingsfeer van de Wet Economische Mededinging, omdat het geen publieke organen zijn die wettelijke taken uitvoeren. Goederen worden in principe tegen kostprijs aangeboden: het zijn dus geen collectieve goederen die niet aan de gebruiker toegekend kunnen worden. De maatschappelijke doelstelling van de onderneming betekent dat de winst niet uitgedeeld wordt aan aandeelhouders of leden, maar geïnvesteerd wordt in de doelstelling. Het reputatiemechanisme speelt ook om deze reden een belangrijke rol. Het vertrouwen dat de maatschappelijke onderneming diensten of producten van goede kwaliteit levert wordt hierdoor versterkt. Ook de betrokkenheid van werknemers is veelal groter: beter gemotiveerde werknemers. De prikkels om de kosten te beperken zijn echter beperkter dan bij profit-ondernemingen. Van belang is dat er transparante markten ontstaan, waarbij burgers geconfronteerd worden met reële prijzen. Dan kunnen maatschappelijke ondernemingen scherper calculeren dan commerciële ondernemingen, omdat ze geen winstopslag hoeven te berekenen. Maatschappelijke ondernemingen zijn dus niet duurder en kunnen de concurrentie met commerciële ondernemingen aan.

De taak van de maatschappelijk onderneming is het bevorderen van het algemeen welzijn. De maatschappelijke ondernemer is dus niet enkel uitvoerder van al wat verder door de overheid wordt gedicteerd. Het algemeen welzijn is de private doelstelling van het algemeen belang, naast de publieke doelstelling en taken van de overheid in de wet. Wanneer burgers en/of de samenlevingsverbanden de noodzakelijk geachte goederen en diensten zelf niet organiseren, dan organiseert de overheid deze activiteiten. De positie van de particuliere initiatieven ten opzichte van de publiekrechtelijke organen van de staat en de commerciële bedrijven in de markt is een tussenpositie in de markt. In de markt, omdat alle particuliere initiatieven tenminste bloot staan aan onderlinge competitie, wat op het terrein van de staat niet het geval is. Veel maatschappelijke ondernemingen zijn zo te plaatsen als een kreukelzone tussen staat en commerciële markt.

De maatschappelijke onderneming is zo bezien geen hybride organisatie tussen de domeinen van de markt en de staat zoals de commissie-Cohen in het kader van de MDW-operatie heeft gesteld. De maatschappelijke onderneming opereert op de markt. De aanduiding hybride duidt meer op een zoektocht naar wie de regiefunctie uitoefent: is dit de regie van overheidssturing (publiek) of zelfsturing (privaat)? Wat mij betreft het laatste. Het is een professionele organisatie in de markt naast commerciële ondernemingen en (voor zover aanwezig) staatsbedrijven. De publieke randvoorwaarden aan private activiteiten op het middenveld zijn niet hybride, maar duiden op een bijzonder deel van de gewone markt buiten het domein van de staat. De keuzes die het paarse kabinet hierin maakte, leidden tot een ontvlechting van het middenveld in een publiek deel en een commercieel marktdeel. Deze opdeling deed zich voor in het publieke omroepbestel, de Arbeidsvoorziening, de uitvoering van de werknemersverzekeringen WW en WAO en de thuiszorg vanwege de AWBZ.

15.5 Besluit

Beschreven is dat de huidige 'sturingsmechanismen' in de verschillende sectoren van de verzorgingsstaat zijn vastgelopen. Noodzakelijk is een herijking van de rol van de overheid op basis van vraagsturing en ruimte voor maatschappelijk ondernemerschap. Helder is dat indien we in Nederland een hoog niveau van maatschappelijke dienstverlening willen behouden, dat betaalbaar en toegankelijk is, er een herijking van verantwoordelijkheden moet plaatsvinden. De verstatelijking in de zorg en het onderwijs is niet toekomstbestendig. Er moet een nieuwe poging ondernomen worden de collectieve sector te dynamiseren. De verzorgingsstaat kan gedynamiseerd worden door ruimte te scheppen voor de maatschappelijke onderneming, die tussen overheid en markt zich zou moeten ontwikkelen. De rol van de overheid richt zich op de ondersteuning van de vrager. Het aanbod is particulier, op individuele basis. De maatschappelijke onderneming krijgt een 'ziel' doordat de gebruikers van de diensten zich identificeren met de onderneming of zich herkennen in doelstellingen van de dienstverlener.

De overheid moet en kan zich tot haar kernverantwoordelijkheden beperken: toezicht op kwaliteit en ondersteunen, waar nodig, van mensen in hun inkomensdraagkracht. Maatschappelijke ondernemingen moeten weer de gelegenheid krijgen om hun maatschappelijke missie zelf vorm te geven. Dat vergt een andere inzet van de overheid. Het gaat hier niet om een liberalisering van de zorg of het onderwijs, maar een andere organisatievorm van de maatschappelijke rol van deze instellingen.

Noten

1   A.F.A. Korsten (2002) beschrijft (de keerzijde van) prestatiesystemen als volgt. "Door benchmarking kun je kwaliteit van werkwijzen, prestaties of effecten vergelijken. Vergelijking biedt een stap naar verbetering." Hij schrijft verder dat er ook risico's zitten aan benchmarking. "Wie vergelijkt, wil ook straffen of belonen. Als dat gebeurt gaan partijen zich tactisch gedragen. De kans is aanwezig dat prestatiesystemen perverteren doordat organisaties die zaken gaan produceren die goed scoren in plaats van goederen produceren waarmee burgers zijn gediend."

2   Het CDA stelt de verantwoordelijkheid die mensen – samen met anderen – dragen voor hun bestaan centraal. De overheid dient deze eigen verantwoordelijkheid van burgers te respecteren en indien nodig te ondersteunen. De overgang van aanbodsturing naar vraagsturing onderstreept de eigen verantwoordelijkheid van mensen en geeft hen keuzevrij-

heid. Bovendien geeft het ruimte aan een pluriform en geschakeerd aanbod. Het heeft echter wel consequenties voor de wijze waarop de overheid de financiële toegankelijkheid waarborgt. Het CDA heeft in twee rapporten (2000, 2001) een nieuwe benadering van inkomensbeleid neergelegd. Het biedt een nieuwe integrale benadering van draagkracht, die uitgaat van vraagsturing.

3   Deze vraag wordt ook in de studie van het SCP 'Noch Markt, Noch Staat' opgeworpen.
4   Hirsch Ballin (1988) behandelt in zijn artikel uitgebreid de verhoudingen tussen de overheid en instellingen die zij subsidieert. De overheid kan financieel ondersteunen en daar ook randvoorwaarden aan stellen. De verschaffing van een financieel voordeel (een subsidie bijvoorbeeld) maakt een activiteit mogelijk die anders niet, niet in de gewenste mate en /of niet in de gewenste vorm zou zijn uitgevoerd. Dit neemt echter niet weg dat de gesubsidieerde activiteit het karakter behoudt van *een eigen activiteit* van de gesubsidieerde. Subsidiëring is dan geen vrijgevigheid, maar een uitvloeisel van de eigen verantwoordelijkheid van de overheid die betrekking heeft op de mogelijkheden van andere actoren in de samenleving om ingevolge hun eigen verantwoordelijkheid een uit overwegingen van algemeen belang gewenste activiteit te verrichten.
5   Dit is eerder beschreven in Balkenende en Dolsma (2001).

Literatuur

Balkenende J.P., en Dolsma, G. (2000). 'De maatschappelijke onderneming in de gezondheidszorg.' *Christen Democratische Verkenningen*, 7-9: 67-73.

Balkenende J.P., en Dolsma, G. (2001). 'Geen paarse bureaucratie, maar keuzevrijheid.' *Het Financieele Dagblad*, 1 juni.

Bovenberg, L. (2002). 'Het wat, waarom en hoe van vraagsturing.' *Christen Democratische Verkenningen*. Themanummer Ontketening door Vraagsturing, nummer 7/8/9.

CDA-Tweede-Kamerfractie (2000). *Gericht en Rechtvaardig: Een christen-democratische oplossing voor de armoedeval*. Den Haag.

CDA, Wetenschappelijk Instituut (2001). *Evenredig en Rechtvaardig: Een voorstudie naar een vlakke belasting: een vervolg op herstel van draagkracht*. Den Haag.

Dam, M. van (2002). 'De samenleving als gevangenis.' *De Volkskrant*, 28 maart.

Etzioni, A. (2000). *The Third Way to a Good Society*. London.

Hen, P. de (2000). 'Middenveld: overheidscentralisme maakt kwelgeesten van betrokken bonden en werkgevers.' *Elsevier*, 25 augustus.

Hirsch Ballin, E. (1988). 'Rechtsstaat, grondrechten en subsidieverhoudingen.' In: Geschriften van de Vereniging voor Administratief Recht XCIX, *Rechtsstatelijke Subsidieverhoudingen*. Alphen aan de Rijn: 11-71.

Hoop Scheffer, J. de, en Dankers, N. (1999). 'Maatschappelijk middenveld met nieuwe spelers.' *Christen Democratische Verkenningen*, 6: 19-27.

Kalshoven, F. (2002). 'Paul Kalma wil de consumentenmacht niet snappen.' *De Volkskrant*, 30 juni.

Korsten, A.F.A. (2002) 'Benchmarking.' *Binnenlands Bestuur*, 7 juni.

Leeuwen, W.D. van (2002). 'Herstel van horizontale hechting.' *Christen Democratische Verkenningen, Themanummer 2002, Ontketening door vraagsturing*, nummer 7/8/9.

Sociaal Cultureel Planbureau: Burger, A., en Dekker, P. (2001). *Noch Markt, Noch Staat: De Nederlandse non-profitsector in vergelijkend perspectief*. Den Haag.

Waal, S.P.M. de (2000). *Nieuwe Strategieën voor het Publieke Domein: Maatschappelijk ondernemen in de praktijk*. Alphen aan de Rijn.

Deel IV: Inbedding

16
Compliance: stand van zaken binnen beursgenoteerde ondernemingen

Door Wim Bartels, Muel Kaptein en Marlies Sikken

Corporate Governance staat sinds het begin van de jaren negentig volop in de belangstelling. Met name de publicatie van het Cadbury-Rapport in 1992 heeft een belangrijke bijdrage geleverd aan deze belangstelling. Deze toegenomen aandacht is volgens De Jong e.a. (2001) een gevolg van het inzicht dat Corporate Governance het hart raakt van de wijze waarop het toezicht en verantwoordelijkheid van en binnen ondernemingen zijn georganiseerd. Corporate Governance gaat volgens Wallage (1995) over besturen (door de bestuurders), toezicht houden (door de toezichthouders) en zekerheid toevoegen aan informatie (door de accountants). Goed ondernemingsbestuur en het toezicht daarop vergroot de betrouwbaarheid van zowel de bestuurders zelf als van de organisatie waaraan wordt leiding gegeven. Maar wat doen ondernemingen feitelijk aan Corporate Governance? Hoe relevant vinden ondernemingen de naleving van wet- en regelgeving? Wat doen ondernemingen aan intern toezicht op de naleving van externe regels? Op welke wijze geven ondernemingen gestalte aan hun maatschappelijke verantwoordelijkheden op het gebied van bijvoorbeeld de preventie van corruptie en gebruik van voorwetenschap? In dit hoofdstuk worden de resultaten gepresenteerd van een onderzoek onder beursgenoteerde ondernemingen naar de mate waarin en de wijze waarop zij compliance inhoud geven. De resultaten zijn geordend naar de wijze waarop het compliancebeleid is vormgegeven waarna twee concrete compliance thema's worden uitgediept: corruptie en voorwetenschap. Maar allereerst de vraag: Wat is de betekenis van compliance?

16.1 Compliance

De aandacht in Nederland voor het toezicht op het gedrag van ondernemingen neemt toe. De Autoriteit Financiële Markten besteedt veel aandacht aan de voorkoming van het gebruik van voorwetenschap, wat regelmatig leidt tot publicitaire aandacht. Zuiver handelen in bredere zin zorgt eveneens met steeds grotere regelmaat voor media-aandacht, zie bijvoorbeeld de berichtgeving over vermeende beperking van mededinging in de bouwnijverheid en de boekhoudfraudes binnen grote met name Amerikaanse ondernemingen.

Zo blijkt uit onderzoek door Ethicon (2002) naar de wijze waarop bedrijven negatief in het nieuws komen, dat gedurende het jaar 2001 een op de drie grote bedrijven met laakbaar gedrag de dagbladen heeft gehaald. De meest voorkomende onderwerpen zijn:

1. Fraude: 33%
2. Wanbeleid: 18%
3. Oneerlijke concurrentie: 12%
4. Handel met voorkennis: 5%
5. Schending mensenrechten: 4%
6. Schending intellectueel eigendom: 2%
7. Seksuele intimidatie: 2%

Ook de overheid zelf stimuleert bedrijven tot verantwoord ondernemen, zoals in 2001 met de invoering van vernieuwde corruptiewetgeving en het pleidooi van de Sociaal Economische Raad in 2000 voor een betere inbedding binnen bedrijven van wet- en regelgeving en verantwoordelijkheidsbesef, opgetekend in het rapport 'De Winst van Waarden'.

In de financiële sector is het reeds langere tijd gebruikelijk intern toezicht te houden op de naleving van zowel externe regelgeving als interne gedragsnormen. In die wereld staat dit toezicht en de functie daarvoor bekend onder het begrip 'compliance'. Het thema compliance is afkomstig uit de Verenigde Staten, waar ondernemingen reeds lange tijd interne 'compliance officers' hebben aangesteld om toezicht te houden op de regels die overheidsinstanties hebben opgelegd. Zo heeft bijvoorbeeld het Amerikaanse bedrijf Texaco maar liefst vijftig compliance officers in dienst. Op basis van de zogenoemde Federal Sentencing Guidelines wordt bij overtreding van regels voor de strafmaat rekening gehouden met de mate waarin de onderneming zich heeft ingespannen voor de naleving ervan (Ferrel e.a., 1998).

In Europa valt onder compliance ook de naleving van intern vastgestelde gedragscodes. Compliance, breed omschreven, bevordert zowel de naleving van de externe wetten en regels als de handhaving van de interne gedragscodes ter waarborging van de integriteit van de directie en medewerkers van de organisatie. In de Verenigde Saten is compliance bij verscheidene bedrijfstakken, zoals bijvoorbeeld het farmaceutisch onderzoek, aan de orde van de dag, maar in Nederland beperkte de aandacht voor compliance zich tot voorkort op de financiële sector.

Binnen de financiële sector wordt de term compliance gehanteerd in de betekenis van 'het interne toezicht op de naleving van wet- en regelgeving op het gebied van integriteit.' Met de introductie van de Wet Toezicht Effectenverkeer in 1995, heeft de regelgeving en het toezicht op de naleving daarvan zich snel uitgebreid. Recentelijk is ook in andere branches aandacht voor het fenomeen compliance ontstaan. Zo is bijvoorbeeld in de farmaceutische industrie de controle op de naleving van de richtlijnen uit de zogenaamde reclamecode op dit moment een actueel vraagstuk. Voor alle ondernemingen spelen privacy-aspecten tegenwoordig een rol; het College Bescherming Persoonsgegevens houdt toezicht op de naleving van de privacy wetgeving. En voor bedrijven in de bouwnijverheid is toezicht op marktondermijnende handelingen een actueel vraagstuk; evenzo voor organisaties (zoals de overheid) waarvan medewerkers zakelijke relaties onderhouden met bedrijven in de bouw.

Voor beursgenoteerde ondernemingen is het onderwerp compliance op dit moment met name van belang vanwege het toezicht van de Autoriteit Financiële Markten op de handel in eigen aandelen. Beursgenoteerde ondernemingen zijn bij wet verplicht een regeling inzake handel in eigen aandelen op te stellen en de naleving daarvan te controleren. Zoals bekend heeft het Openbaar Ministerie in de afgelopen jaren een aantal zaken van vermeend gebruik van voorwetenschap vervolgd. In enkele gevallen heeft dat tot veroordeling geleid.

Bij compliance gaat het feitelijk om de integriteit van handelen van de organisatie (Kaptein en Buiter, 2001). Het toezicht richt zich met name op het gedrag van ondernemingen of personen binnen ondernemingen en moet bijvoorbeeld voorkomen dat de vrije marktwerking wordt verstoord door belangenverstrengeling, concurrentievervalsing of misbruik van informatie. Ondernemingen die zich onvoldoende aan geldende regelgeving houden, lopen het risico van (langdurige) reputatieschade.

Hoewel het in Nederland bij wet niet verplicht is een compliance officer aan te stellen, die controleert op de naleving (behalve voor financiële instellingen), blijkt in de praktijk dat veelal een dergelijke functionaris wel is benoemd, hetzij als fulltime functie, hetzij als onderdeel van het takenpakket van bijvoorbeeld de secretaris van de Raad van Bestuur. De taak van een compliance officer gaat belangrijk verder dan te controleren of de medewerkers van de organisatie zich hebben gehouden aan de externe wet- en regelgeving. Regelgeving op zichzelf is niet zaligmakend. De intentie van de externe regelgeving ligt in het feit dat organisaties volgens bepaalde normen leven (zoals 'het voorkomen van belangenverstrengeling') en daar verantwoording over afleggen. De compliance officer zal dan ook moeten zorgen dat de gehele organisatie zich bewust wordt van het belang en inhoud van de normen.

Die normen zullen daarbij gebaseerd zijn op de externe regelgeving als een minimumeis, maar kunnen aangevuld worden met normen en waarden die de organisatie zelf nastreeft. Het is in praktijk nimmer zo dat een regel een oplossing biedt voor álle situaties. Er zullen steeds situaties ontstaan die 'wit' noch 'zwart' zijn. Met name in deze gevallen is de rol van de compliance officer ook belangrijk. Welke keuzes zijn voorhanden? Aan welke norm geeft de organisatie voorrang? In deze situaties van dilemma's is het van belang als organisatie duidelijke keuzes te maken. Voor de compliance officer ligt in die situaties de uitdaging ervoor te zorgen dat de organisatie vanuit het bewustzijn hierover open communiceert en betrokkenen ondersteunt in de beslissing. Ten slotte dienen ook overtredingen ontdekt, onderzocht en gesanctioneerd te worden. Daarvoor is een open en veilige communicatiestructuur naar de compliance officer nodig.

16.2 Model voor benadering van compliance

De afdeling Compliance Services van KPMG heeft voorjaar 2002 in samenwerking met Ethicon, centrum voor ethiekmanagement van de Erasmus Universiteit Rotterdam, een onderzoek uitgevoerd onder beursgenoteerde ondernemingen in Nederland[1]. Voor het onderzoek is een model als basis gebruikt dat rekening houdt met de aspecten die hierboven zijn genoemd (zie ook Sikken, 2001): de elementen structuur, cultuur en communicatie zijn belangrijke organisatiecondities om tot daadwerkelijke naleving van regelgeving te komen.

- Organisatiestructuur:
    - *Compliance-organisatie.* Het gaat hier om vragen als: waar bevindt de functie zich binnen de organisatie? Wat is het profiel van de compliance officer? Welke controleactiviteiten voert de compliance officer uit?
    - *Procedures en richtlijnen.* Een compliance manual en de gedragscode zijn handvatten voor de organisatie om kennis te kunnen nemen van normen en regels waaraan men zich dient te houden.
    - *Auditing en monitoring.* Controleactiviteiten kunnen zowel bestaan uit toetsing van meldingen (bijvoorbeeld van privé-effectentransacties) als periodieke audits op de mate van naleving.
- Organisatiecultuur:
    - *Bewustwording.* De cultuur van de onderneming is in belangrijke mate bepalend voor de daadwerkelijke naleving van regels en normen. Als medewerkers zich bewust zijn van het belang van naleving van regelgeving en onderkennen dat zij in situaties van overtreding kunnen raken, ligt de basis er om dat te bespreken en elkaar daarop aan te spreken.
    - *Stimulering.* Uiteraard is stimulering vanuit de organisatie nodig om daadwerkelijk te zorgen voor bespreekbaarheid van de integriteitsvraagstukken die gekoppeld zijn aan de (externe) regelgeving. Het management zal moeten zorgen voor een open en transparante organisatie, waarin dat kan gebeuren.
    - *Handhaving.* Ten slotte is van belang dat bij eventuele overtredingen of dilemmasituaties medewerkers elkaar daarop aanspreken. De cultuur zal er daarom mede op gericht moeten zijn dat men met elkaar de gestelde regelgeving en normen wil handhaven.

- Communicatie:
  - *Informatieverstrekking*. Bij de aspecten van communicatie gaat het om de juiste informatie over de toepassing van regels en normen zowel onder de aandacht van het personeel te brengen, als vanuit de organisatie naar de compliance officer te brengen. De informatieverstrekking aan het personeel kan bestaan uit bespreking of training bij indiensttreding, brochures, websites, training tijdens dienstverband, et cetera. Met name een afgewogen programma zal de effectiviteit verhogen.
  - *Verantwoording*. Medewerkers die vragen hebben over hoe te handelen in specifieke situaties moeten duidelijke lijnen kennen om die vragen te bespreken. De rol van de compliance officer daarin moet eveneens helder voor hen zijn. Verder is het van belang dat de compliance officer tijdig signalen van mogelijke overtreding krijgt. De inrichting van een zogenaamde 'vangnetstructuur' voor dergelijke signalen en vragen uit de organisatie ondersteunt dit.
  - *Rapportage*. Verder is – mede in het licht van de vraag van stakeholders van de organisatie naar transparantie over het gedrag – rapportage over de mate waarin de organisatie naleving heeft gewaarborgd en zich heeft gehouden aan de regelgeving, een aspect dat aandacht verdient om de effectiviteit van de compliance-activiteiten uit te dragen.

In figuur 16.1 zijn de verschillende elementen van een integrale benadering van compliance samengevat.

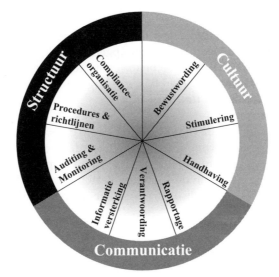

Fiuur 16.1 Model voor compliancemanagement

Het onderzoek onder Nederlandse Beursgenoteerde ondernemingen heeft zich gericht op de plaats, de bestaansduur en de inhoud van de compliance-functie bij deze ondernemingen. Daarnaast is de wijze van communiceren over compliance-beleid belicht en is er aandacht besteed aan de motieven om tot intern toezicht te komen en de effecten ervan. Alle 175 beursgenoteerde ondernemingen hebben februari 2002 een enquête toegestuurd gekregen. De enquête telde tien pagina's en dertig meerkeuzevragen. Twee weken later is een reminder verstuurd. Binnen vier weken heeft veertig procent de enquête volledig ingevuld geretourneerd.

16.3 De plaats van de compliance-functie

Tot op heden was de instelling van een compliance-functie met name in de financiële sector aan de orde. De ontwikkelingen op het gebied van extern toezicht in de afgelopen jaren hebben ook voor andere sectoren betekend dat zij een compliance-functie hebben ingericht. Hoewel in Nederland reeds door 95% van de beursgenoteerde ondernemingen een compliance-functie is ingesteld, bestaat deze functie bij de meeste beursgenoteerde ondernemingen nog niet zo lang. Bij 10% van de beursgenoteerde ondernemingen bestaat deze functie minder dan twee jaar, bij 51% minder dan vier jaar en bij 70% minder dan zes jaar. Met name organisaties in de sectoren bouw, voedingsmiddelen en biotechnologie hebben pas korte tijd een toezichtfunctie. Financiële dienstverleners, productiebedrijven en handelsbedrijven hebben al langere tijd een toezichtfunctie ingericht.

Slechts bij 9% van de beursgenoteerde ondernemingen is de compliance-functie ondergebracht in een separaat hiervoor opgerichte afdeling of benoemde functionaris. Dit betreft met name de beursgenoteerde ondernemingen die werkzaam zijn in de financiële sector. Bij de overige 91% is de compliance-functie onderdeel van een andere functie of afdeling.

Hoewel voor deze 91% de compliance-functie in de praktijk met veel verschillende functies en afdelingen wordt gecombineerd, is voor het grootste gedeelte van deze beursgenoteerde ondernemingen de compliance-functie ondergebracht bij de Secretaris van de Raad van Bestuur of een lid van de Raad van Bestuur (66%). Daarmee is de onafhankelijkheid mogelijk niet altijd voldoende gewaarborgd.

16.4 Compliance-thema's

Toezicht kan zich richten op een veelheid aan gebieden, zoals arbeidsomstandigheden, geschenken en mensenrechten. Het onderzoek heeft in kaart gebracht waar het toezicht van beursgenoteerde ondernemingen zich momenteel op richt en wat zij in de toekomst (aanvullend) in aanmerking vinden komen voor toezicht. Daaruit kan tevens de ontwikkeling van compliance worden afgeleid.

Opvallend aan de resultaten is dat een groot deel van de thema's die door de ondernemingen als belangrijk werden aangemerkt voortkomen uit de eigen normenstelsels van organisaties. Het gaat dan bijvoorbeeld om internetgebruik, nevenactiviteiten en de omgang met vertrouwelijke informatie. Voor dit laatste aspect heeft tweederde van de onderneming toezicht ingesteld, ruim 85% vindt toezicht hierop noodzakelijk. Eveneens blijkt dat er grote verschillen bestaan tussen de mate waarin toezicht voor een bepaald thema gewenst is en de mate waarin dit toezicht op dit moment aanwezig is. De thema's met de grootste verschillen staan in figuur 16.2 weergegeven.

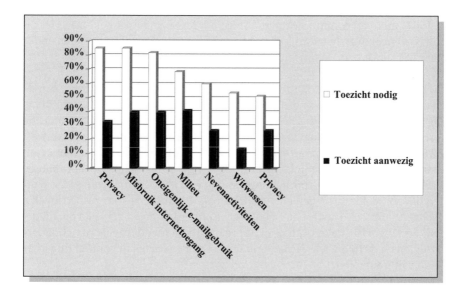

Figuur 16.2   Op welke thema's is toezicht nodig of gewenst?

Op de gebieden internettoegang en e-mailgebruik is het aantal ondernemingen dat toezicht wenst tweemaal zo hoog als het aantal ondernemingen dat nu toezicht uitvoert. Dit geldt ook voor nevenactiviteiten, waar 27% van de ondernemingen nu toezicht houdt en 60% dit nodig vindt. Toezicht op privacy (33%), geschenken (27%) en witwassen (14%) staat nog in de kinderschoenen, terwijl ook hier meer dan de helft van de ondernemingen (bij privacy zelfs 85%) vindt dat toezicht nodig is. Voor het thema geschenken heeft eenderde van de beursgenoteerde ondernemingen nog geen interne regels of richtlijnen. In combinatie met de mate van toezicht en de mate waarin organisaties toezicht wenselijk vinden kan dit risico's van corruptie verhogen. Slechts een op de vier ondernemingen vindt de thema's mensenrechten en reclame momenteel belangrijk om toezicht op te houden. Voor beide gebieden bestaan eveneens weinig interne regels of richtlijnen (26% respectievelijk 15%).

16.5 Communicatie

Het opstellen van (interne) regels is niet voldoende om de naleving van wet- en regelgeving te waarborgen. De communicatie aan medewerkers van regels en richtlijnen, een vangnetstructuur en rapportage (terugkoppeling) zijn zoals eerder beschreven mede van groot belang voor daadwerkelijke naleving. Door op structurele wijze en via verschillende kanalen regels en richtlijnen te communiceren en open te staan voor terugkoppeling of meldingen van overtredingen, wordt de bewustwording van de medewerkers van het belang van de regels gestimuleerd en ontstaat een veilige omgeving om moeilijke situaties te bespreken en incidenten te melden. Voor effectieve communicatie is het essentieel dat de juiste mix van communicatiemiddelen en -kanalen wordt gekozen. Herhaling is eveneens een belangrijk element om blijvend bewustzijn te creëren onder medewerkers en hun kennis up-to-date te houden.

Uit het onderzoek blijkt dat de communicatie over regels en richtlijnen aan de medewerkers tot nu toe voornamelijk schriftelijk plaatsvindt (zie figuur 16.3). De meest genoemde manieren waarop deze schriftelijke communicatie geschiedt zijn het uitreiken als bijlage bij en onderdeel van het arbeidscontract (82%) of de verspreiding van een brochure (47%). Hiermee ligt het initiatief om kennis te nemen van de geldende regelgeving voornamelijk bij de (nieuwe) werknemer zelf. Actieve voorlichting vindt in veel mindere mate plaats. Zo worden bijvoorbeeld trainingen en voorlichtingsprogramma's door respectievelijk slechts 19% en 24% van de beursgenoteerde ondernemingen gebruikt om medewerkers bewust te maken van de in de organisatie geldende regels en richtlijnen. Overigens is de financiële dienstverleningssector wel actief in voorlichting in de vorm van trainingen.

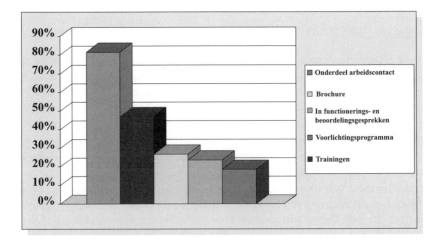

Figuur 16.3   Welke communicatie vindt plaats?

Om inzicht te krijgen en te houden in de beheersing van compliance-risico's is het gewenst managementinformatie te genereren over de naleving van regels en richtlijnen en activiteiten die erop zijn gericht dit te bevorderen.

Rapportage op het gebied van compliance aan de Raad van Bestuur is nog niet voor alle beursgenoteerde ondernemingen een structureel onderdeel van de rapportagecyclus. Bij in totaal 50% van de beursgenoteerde ondernemingen wordt periodiek aan de Raad van Bestuur mondeling en/of schriftelijk over compliance gerapporteerd. De andere helft van de ondernemingen rapporteert uitsluitend incidenteel over compliance-issues. In totaal rapporteert overigens 80% incidenteel aan de Raad van Bestuur, 20% laat ook dat achterwege.

16.6 Motieven voor compliance

Zoals aan het begin van dit hoofdstuk is uiteengezet, betreft compliance de integriteit van de organisatie. Ondernemingen die het thema uit eigen beweging op de agenda zetten kunnen een hoger commitment tonen dan ondernemingen die het doen 'omdat het moet'. Uit het onderzoek blijkt dat met name externe wet- en regelgeving voor beursgenoteerde ondernemingen de aanleiding is om een compliance-functie in te stellen (bij 78% van de respondenten). Een op de vier ondernemingen heeft toezicht zelfs uitsluitend om deze reden ingesteld. Tegelijkertijd is opvallend dat interne regelgeving, zoals een gedragscode, voor 61% van de respondenten een belangrijke aanleiding is voor het instellen van een compliance-functie. 31% van de respondenten geeft eveneens als reden de eisen van een externe toezichthouder.

In de toekomst ziet 80% van de beursgenoteerde ondernemingen het belang van een interne toezichtfunctie toenemen. De overige 20% ziet het belang gelijk blijven. Deze respondenten bevinden zich met name in de IT/Telecom-sector. Het feit dat geen van de bedrijven het belang van compliance ziet afnemen kan erop duiden dat we aan de vooravond staan van een belangrijke ontwikkeling op dit gebied, waarin beursgenoteerde ondernemingen verdergaande aandacht voor integriteit krijgen.

16.7 Gevolgen van het toezicht

Een belangrijke vraag vanuit het perspectief van beursgenoteerde ondernemingen is wat de aandacht voor compliance uiteindelijk oplevert. In het onderzoek is daarom aandacht besteed aan de gevolgen van het toezicht. De respondenten hebben aangegeven een aantal gevolgen van het opstellen van beleid en het controleren op de naleving daarvan in hun organisatie waar te nemen.

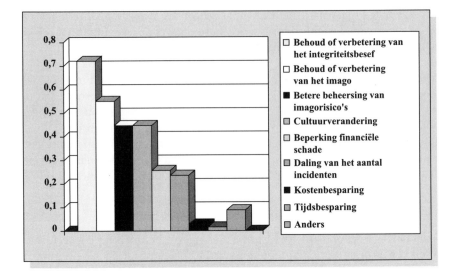

Figuur 16.4   Waartoe leidt toezicht?

Zoals uit figuur 16.4 blijkt, zien beursgenoteerde ondernemingen met name behoud en verbetering van integriteitbesef in de organisatie (72%) en behoud of verbetering van het imago (55%) als effect van compliance. Iets minder dan de helft van de beursgenoteerde ondernemingen ziet een betere beheersing van imagorisico's als een positief effect van de aandacht voor compliance. Met name vanuit het perspectief van mogelijke media-aandacht bij overtreding van regels zou dit een belangrijk effect van het interne toezicht moeten zijn. Blijkbaar is dit in beperkte mate het geval.

Serieuze aandacht voor de naleving van wet- en regelgeving binnen een organisatie zal ervoor zorgen dat iedereen het onderwerp op zijn netvlies krijgt en wordt doordrongen van het belang van integer handelen. Tegelijkertijd zal daadwerkelijke inbedding er ook voor zorgen dat het gedrag van werknemers voor zover nodig daadwerkelijk verandert. Van de beursgenoteerde ondernemingen heeft 45% deze effecten waargenomen.

Ondanks het beleid en toezicht op het gebied van compliance geeft slechts 33% van de beursgenoteerde ondernemingen aan dat het aantal incidenten en/of financiële schade daalt als gevolg van beleid en toezicht. De aandacht voor integriteit zou er logischerwijs voor moeten zorgen dat niet-integer gedrag wordt voorkomen en effectief wordt bestreden. Blijkbaar is dit in de praktijk nog niet altijd het geval. Uiteraard kan een oorzaak hiervan zijn dat juist door het verscherpte toezicht meer incidenten dan in het verleden worden ontdekt en daarmee noch het aantal noch de financiële schade afneemt.

16.8 Corruptie

Corruptie is al jaren een wereldwijd thema. Het bestaan van corruptie belemmert de vrije en zuivere marktwerking. De landen die deelnemen aan de Organisatie voor Economische Samenwerking en Ontwikkeling (OESO) hebben ter bestrijding van corruptie in 1997 een verdrag gesloten, waarin zij onder andere hebben afgesproken corruptie in het buitenland ook binnenlands strafbaar te stellen. Hoewel corruptieschandalen zich vooral lijken voor te doen in minder ontwikkelde of stabiele gebieden (zoals Oost-Europa, Afrika en Azië), duiken ook in Westerse landen regelmatig gevallen van corruptie op in de media. Dat corruptie ook in Nederland een actueel thema is blijkt uit de parlementaire enquête naar de zogenaamde bouwfraude, waarin ook de omkoping van ambtenaren besproken is. In hoeverre hebben beursgenoteerde ondernemingen maatregelen getroffen om de gewijzigde strafwet nader te vertalen in normen en toezicht binnen hun organisatie?

Wetgeving in vogelvlucht

Onder corruptie wordt verstaan het beïnvloeden van beslissingen van personen door middel van beloften en/of giften. Het was in Nederland reeds strafbaar om Nederlandse ambtenaren en functionarissen binnen het bedrijfsleven om te kopen. Het Wetboek van Strafrecht bevat bepalingen die zowel de omkoper (het bedrijf) als de gecorrumpeerde (de ambtenaar) als strafbaar betitelen. Het gaat niet alleen om daadwerkelijke verlening van de gunst (betaling of anderszins), maar ook om het doen van de belofte op zichzelf. Verder is het niet van belang of de ambtenaar in verband met de omkoping iets heeft gedaan of nagelaten dat in strijd is met zijn taak (de wet spreekt van 'plicht'). Ook als hij handelt (bijvoorbeeld een beslissing neemt) in lijn met zijn plicht (bijvoorbeeld handelen binnen geldende regelgeving op het gebied van vergunningverstrekking) is de omkoping strafbaar.

Sinds 2001 kan men in Nederland ook vervolgd worden voor het omkopen van ambtenaren in het buitenland. Daarmee voldoet Nederland aan het anti-corruptieverdrag van de OESO. Als gevolg hiervan zijn de mogelijkheden om corruptie aan te pakken uitgebreid. Het Openbaar Ministerie heeft een landelijke Officier van Justitie aangesteld om corruptie te vervolgen.

Nederland heeft er voor gekozen om de zogenaamde *facilitating payments* ook strafbaar te stellen. Binnen het kader van het OESO-verdrag was het mogelijk geweest dergelijke afgedwongen betalingen, waar geen bijzondere gunsten uit voortvloeien, niet strafbaar te stellen, zoals dat ook niet gebeurd is in de Amerikaanse Foreign Corrupt Practices Act van 1977. Bij *facilitating payments* gaat het bijvoorbeeld om betalingen aan douaneambtenaren die zonder zo'n fooi de grensformaliteiten niet tijdig willen afwikkelen.

Corruptie als compliance-thema

Uit het onderzoek blijkt dat maar liefst 75% van de beursgenoteerde ondernemingen corruptie niet als een thema ziet in het licht van compliance. Met name
ondernemingen met minder dan 2.500 werknemers zien corruptie niet als een
thema. Van de grotere ondernemingen ziet 50% corruptie niet als thema. Kij-
kend naar de geografische verdeling zullen de risico's van corruptie zich waarschijnlijk eerder voordoen in de landen buiten Europa. Daarmee rekening houdend is het opvallend dat driekwart van de respondenten corruptie niet als
thema ziet, terwijl 54% activiteiten heeft buiten Europa.

Om meer inzicht te krijgen in de achtergronden om corruptie niet als thema te
zien, is gevraagd naar de redenen die beursgenoteerde ondernemingen hiervoor
geven. Een groot deel van de bedrijven die corruptie niet als thema ziet, geeft
aan omkoping niet als risicogebied te onderkennen (56%). Verder denkt één op
de vijf van deze ondernemingen dat corruptie vanuit hun organisatie niet voorkomt. Hoe deze beursfondsen weten dat het niet voorkomt als zij daarop geen
toezicht uitoefenen is een interessante vraag voor vervolgonderzoek. Slechts een
beperkt aantal respondenten geeft aan dat de organisatie de risico's niet kent
(2%) dan wel de risico's wel onderkent, maar corruptie op dit moment geen
prioriteit te geven (7%).

Aanpak van corruptie

Een op de vier beursgenoteerde ondernemingen heeft geantwoord corruptie
wel als thema te zien. Aan deze respondenten is voorgelegd welke maatregelen
zij hebben genomen om corruptie aan te pakken. Van de ondernemingen die
hebben aangegeven dat corruptie een thema is, probeert 63% actief corruptie te
voorkomen. Met name de zeer grote ondernemingen hebben geantwoord dat zij
actief corruptie proberen te voorkomen. Van de groep die corruptie actief aanpakt heeft in totaal 75% enige vorm van toezicht ingesteld op de naleving van
regels inzake corruptie of is hiermee bezig. De ondernemingen met meer dan
2.500 werknemers zijn hier bijna allemaal mee bezig of houden momenteel reeds
toezicht. In figuur 16.5 is weergegeven op welke wijze beursgenoteerde ondernemingen aandacht voor corruptie vormgeven.

De belangrijkste maatregel die de respondenten hebben genomen is de gedragsregels door middel van een gedragscode duidelijk te maken aan het personeel;
van het totaal aantal respondenten heeft een op vier het op deze wijze gedaan.
Dit houdt overigens tevens in dat alle ondernemingen die corruptie een thema
vinden in ieder geval bepalingen erover in hun gedragscode hebben opgenomen.

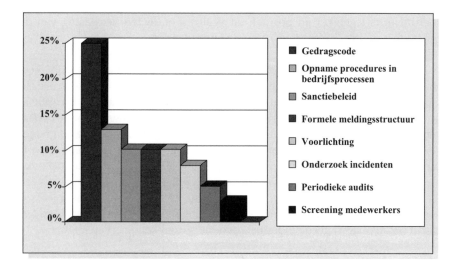

Figuur 16.5   Wat doen ondernemingen om corruptie te voorkomen?

De maatregelen zijn ieder op zichzelf door een beperkt aantal respondenten ingevoerd. De samenhang van maatregelen zoals die bijvoorbeeld in figuur 16.5 staat zal ervoor moeten zorgen dat corruptie ook effectief wordt voorkomen. Uitsluitend één van de maatregelen invoeren zal hoogst waarschijnlijk niet het gewenste effect hebben. Zo kan een onderneming wel bepalingen opnemen in de gedragscode, echter als daar geen duidelijk sanctiebeleid bij hoort blijft onduidelijkheid bestaan over de ernst en gevolgen van overtreding. Evenzo kunnen – specifiek voor corruptie – signalen vooral uit de organisatie komen via anderen die een overtreding begaan zien worden. Het is dan van belang een snelle en eenduidige meldingstructuur te hebben ingericht. Er kunnen kortom nog verbeteringen worden bereikt in de samenhang van de genomen maatregelen. Geografisch gezien beperkt het toezicht op de naleving van gedragsregels voor corruptie zich vooral in Europa. In totaal 46% van de beursgenoteerde ondernemingen die toezicht op corruptie heeft ingesteld onderneemt ook stappen buiten Europa. Gezien de geografische spreiding van de activiteiten en de risicogebieden zou men meer toezicht juist in die gebieden verwachten.

Toekomst van corruptie

De beursgenoteerde ondernemingen die corruptie een thema vinden zijn nog niet tevreden over het door hun gevoerde beleid. Van hen vindt het merendeel dat zij nog verbeteringen kunnen bereiken op de gebieden controle (22%), communicatie (78%) en bewustwording (67%). Met name de grote ondernemingen zien het belang van het laatstgenoemde. Deze laatste gebieden zijn juist de gebieden die uiteindelijk moeten zorgen voor gedragsverandering. Het lijkt dat ondernemingen nu vooreerst de hardere, concretere maatregelen hebben ingevoerd. Het is tegelijkertijd positief dat veel respondenten het belang van de andere factoren voor effectieve naleving onderkennen.

Wat zal het belang van (de beheersing van) corruptie in de toekomst zijn? Veel beursgenoteerde ondernemingen weten niet het antwoord op deze vraag. In totaal 40% van de respondenten heeft aangegeven niet te weten of corruptie in de toekomst een thema zal worden of qua belang zal toenemen. Voor de ondernemingen die corruptie geen thema vinden ligt dit percentage nog iets hoger (46%) dan voor de andere respondenten (38%). Van de ondernemingen die corruptie nu geen thema vindt, denkt bijna de helft (43%) dat dat in de toekomst niet zal veranderen. Eenderde van de ondernemingen die corruptie wel als een thema ziet denkt dat het belang van beheersing ervan in de toekomst niet verder zal stijgen. Het overgrote deel is van mening dat corruptie wel belangrijker wordt (29%) of heeft geen helderheid over de ontwikkeling ervan (38%).

16.9 Voorwetenschap

Voorwetenschap is vanaf medio jaren negentig een actueel thema voor het Nederlandse bedrijfsleven. De Autoriteit Financiële Markten (destijds nog Stichting Toezicht Effectenverkeer) heeft voorkoming van het gebruik van voorwetenschap als een van haar belangrijke aandachtsgebieden. In een aantal gevallen is het Openbaar Ministerie overgegaan tot vervolging van vermoedens van gebruik van voorwetenschap. Voor beursgenoteerde ondernemingen is het thema voorwetenschap met name van belang in het licht van handel in eigen aandelen. Het zal duidelijk zijn dat binnen de onderneming bij bepaalde personen gedurende een jaar koersgevoelige informatie bekend is als overnames, winstcijfers, et cetera. Gebruik van deze informatie door personen, die deze kennis hebben, kan leiden tot bevoordeling van hen boven andere beleggers die niet over deze informatie beschikken. Voor een zuivere, eerlijke werking van de financiële markten acht de overheid dit onwenselijk. In het onderzoek is gevraagd wat ondernemingen doen ter voorkoming van het gebruik van voorwetenschap en hoe zij toezicht hierop hebben ingericht. Tevens is de respondenten gevraagd naar hun visie op de toekomstige ontwikkelingen van (het toezicht op) het gebruik van voorwetenschap.

Regelgeving in vogelvlucht

Met de invoering van de Wet Toezicht Effectenverkeer in 1995 heeft de overheid ook het misbruik van voorwetenschap strafbaar gesteld. Daarmee is het verboden te handelen in effecten als degene die de transactie doet over koersgevoelige informatie beschikt.

In 1999 is de wet aangepast, vanaf dat moment is *gebruik* van voorwetenschap strafbaar. De wijziging hield onder meer in dat de overtreder niet noodzakelijk voordeel moet hebben genoten uit de effectentransactie en dat de richting van de effectenkoers na de transactie niet meer relevant is.

Beursgenoteerde ondernemingen moeten een reglement opstellen over het gebruik van voorwetenschap. In dat reglement moet onder meer staan wat de taken en bevoegdheden van de zogenaamde Centrale Functionaris zijn (als de onderneming voor aanstelling van een dergelijke functionaris heeft gekozen), de verplichtingen van meldingsplichtige personen rondom melding van effectentransacties en de periode waarin zij niet mogen handelen (de verboden periode(n)).

Het externe toezicht op eventueel gebruik van voorwetenschap is ondergebracht bij de Autoriteit Financiële Markten. Werknemers van de instelling die onder de regeling van de Autoriteit Financiële Markten vallen moeten hun effectentransacties in de eigen onderneming direct melden.

Voorwetenschap en de compliance-functie

Van de beursgenoteerde ondernemingen heeft 95% een functionaris die toezicht houdt op het gebruik van voorwetenschap. Zij hebben derhalve een zogenaamde Centrale Functionaris aangesteld of het toezicht ingericht als onderdeel van de compliance-functie. Van de 5% beursgenoteerde ondernemingen die nog geen toezicht op de regels voor gebruik van voorwetenschap hebben ingesteld, is meer dan de helft van mening dat dit wel moet. Het is dan ook te verwachten dat op korte termijn bijna alle beursgenoteerde ondernemingen in welke vorm dan ook toezicht houden op de naleving van regels omtrent het gebruik van voorwetenschap.

De aanpak van gebruik van voorwetenschap

De wijzen waarop beursgenoteerde ondernemingen toezien op de naleving van regels over voorwetenschap binnen de organisatie zijn zeer divers, variërend van het verstrekken van richtlijnen tot het uitvoeren van periodieke audits (zie figuur 16.6).

Wellicht vanzelfsprekend hebben alle respondenten een verboden handelsperiode ingesteld voor meldingsplichtige personen. Zoals hiervoor beschreven is dit verplicht gesteld vanuit de Autoriteit Financiële Markten. Eén op de acht beursgenoteerde ondernemingen heeft een algeheel transactieverbod ingesteld voor specifieke groepen personen. Veel beursgenoteerde ondernemingen hebben een informatiepunt ingesteld, waar betrokken personen hun transacties kunnen melden en vragen kunnen stellen. Opvallend is dat niet alle respondenten richtlijnen hebben verstrekt aan het personeel. Bewustwordingsactiviteiten op het gebied van voorwetenschap zijn vooralsnog beperkt: minder dan één op de drie beursgenoteerde ondernemingen ontplooit dergelijke activiteiten.

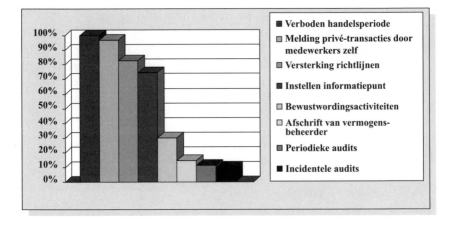

Figuur 16.6   Hoe wordt gebruik van voorwetenschap voorkomen?

Opvallend is dat ondernemingen vooralsnog met name vertrouwen op de eigen verantwoordelijkheid van de medewerkers; zo laat 97% van de beursgenoteerde ondernemingen transacties melden door medewerkers. Voor 83% van de beursgenoteerde ondernemingen is dit zelfs de enige invulling die zij hebben gegeven aan het toezicht op het gebruik van voorwetenschap.

Van de respondenten voert 20% ook interne en externe periodieke of incidentele audits uit die er op gericht zijn om eventuele niet-gemelde transacties op te sporen en (het belang van) de regels onder de aandacht te houden. Hieruit kan worden afgeleid dat het toezicht voornamelijk passief is ingericht en zich vooral richt op maatregelen in de structuur en procedures.

Een belangrijk element van het interne toezicht op het gebruik van voorwetenschap betreft de categorieën personen op wie het toezicht en de meldingsplicht van toepassing is (zie figuur 16.7). Voor alle beursondernemingen geldt dat de leden van de Raad van Bestuur onder het toezicht vallen. Voor de leden van de Raad van Commissarissen is dat niet in alle gevallen zo, waar men dit gezien hun mogelijke voorkennis wel zou verwachten. Zeer opvallend is dat bij per saldo 20% van de beursgenoteerde ondernemingen de secretaris van de Raad van Bestuur niet zelf ook onder toezicht valt. Deze functionaris lijkt net als de leden van de Raad van Bestuur bij uitstek op de hoogte van mogelijke koersgevoelige informatie, aangezien hij over het algemeen vergaderingen van de Raad van Bestuur bijwoont.

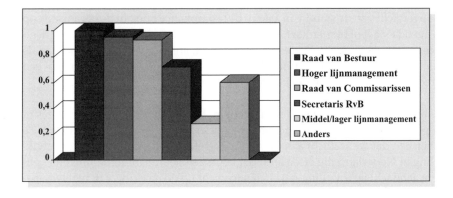

Figuur 16.7 Op wie richt het toezicht op het gebruik van voorwetenschap zich?

Toekomst van voorwetenschap

De beursgenoteerde ondernemingen zijn van mening dat verschillende activiteiten in het kader van toezicht in de toekomst (verder) verbeterd kunnen worden. Bijna 40% van de respondenten denkt dat controle kan worden uitgebreid. Ongeveer de helft van de respondenten geeft aan dat verbeteringen mogelijk zijn op het vlak van communicatie. Ten slotte meent 60% dat in bewustwording verbeteringen bereikt kunnen worden.

Vanuit de huidige praktijk bij beursgenoteerde ondernemingen betekent dit dat ook op het vlak van het toezicht op voorwetenschap belangrijke ontwikkelingen zich lijken aan te dienen. Uit de verwachtingen van ondernemingen over de toekomst blijkt dat de combinatie van structuur, cultuur en communicatie ook door hen wordt onderkend en in de toekomst in onderlinge samenhang kan leiden tot effectieve preventie van het gebruik van voorwetenschap.

16.10 Ten slotte

Compliance is een noodzakelijk aspect van de maatschappelijke inbedding van ondernemingen. Bestuurders zullen ook in toenemende mate door de maatschappij worden aangesproken op de mate waarin er binnen hun organisatie sprake is van compliance. Daarbij wordt het steeds moeilijker om zich te verschuilen achter opvattingen als 'Mijn mensen hebben mij het nooit verteld', 'Het is een kwestie van vertrouwen in je eigen mensen' en 'Geen nieuws is binnen ons bedrijf goed nieuws'. Bestuurders dienen actief toezicht uit te oefenen op de naleving van vigerende regels en principes.

Het in dit hoofdstuk besproken onderzoek blijkt een actueel thema te raken: bijna 40% van alle beursgenoteerde ondernemingen in Nederland heeft deelgenomen aan de enquête. Daarmee vormen de uitkomsten een meer dan indicatief overzicht van de stand van zaken. Dat compliance hoog in de organisatie op de agenda staat of binnenkort zal staan, blijkt uit het functieniveau van de deelnemers aan de enquête. De respondenten bestaan voor 70% uit een lid van de naleving van Raad van Bestuur, de secretaris van de Raad van Bestuur of een directielid. Eén op de vijf deelnemers is compliance officer.

De uitkomsten bieden niet alleen inzicht in de huidige situatie, maar tevens in de verwachtingen van beursgenoteerde ondernemingen voor de toekomst. Ze geven aan dat we wellicht aan de vooravond staan van een belangrijke ontwikkeling in Nederland die ertoe leidt dat beursgenoteerde ondernemingen expliciete aandacht en invulling geven aan toezicht op de naleving van regelgeving, al dan niet extern opgelegd.

Literatuur

Committee of Sponsoring Organizations of the Treadway Commission (1992). *Internal Control-Integrated Framework*. Jersey City: American Institute of Certified Public Accountants, 1992.

Ethicon (2002). 'Grote bedrijven negatief in het nieuws'. *Persbericht*. Maart. Zie: www.eur.nl.

Ferrell, O.C., LeClair, D.T., en Ferrell, L. (1998). 'The Federal Sentencing Guidelines for Organizations: a framework for ethical compliance'. *Journal of Business Ethics* 17: 353-363.

Jong, D.A. de, Mertens, G., en Wasley, C. (2001). 'Corporate Governance in Nederland: Governance en financiële prestaties'. *Maandblad voor Accountancy en Bedrijfseconomie*, p. 76.

Kaptein, M., en Buiter, F., 2001. *De Integere Organisatie 2: Handvatten voor een sluitend vangnet voor ongewenst gedrag*. Den Haag: Stichting Beroepsmoraal en Misdaadpreventie.

Kaptein, M. (2002). *De Integere Manager: Over de top, dilemma's en de diamant*. Assen: Van Gorcum.

Nivra-studierapport 46 (1999). *Naleving van Regels, Managementverantwoordelijkheid en Accountantsvraagstuk*. Amsterdam.

Ministerie van Financiën (1997). *Nota Integriteit Financiële Sector*. Den Haag: SDU Uitgevers, 25 830, 2.

Morf, D.A., Schumacher, M.G., en Vitell, S.J. (1999). 'A survey of ethics officers in large organizations'. *Journal of Business Ethics* 20: 265-271.

Sikken, M. (2001). 'Compliance in de Nederlandse financiele sector: aanzet tot een integrale benadering.' *Tijdschrift voor Compliance*, 1, 4: 67-71.

Sociaal Economische Raad (2001). *Corporate Social Responsibility*. Assen: Koninklijke Van Gorcum.

Trevinio, L.K., Weaver, G.R., Gibson, D.G., en Toffler, B.L. (1999). 'Managing ethics and legal compliance: what works and what hurts'. *California Management Review* 41, 2: 131-151.

Wallage, P. (1995). *Corporate Governance en de Rol en Functie van de Accountant*. Amsterdam: Vossiuspers AUP.

1   Met dank aan Florian Luiken voor de ondersteuning bij de uitvoering van dit onderzoek.

17
Risico- en crisiscommunicatie: een pleidooi voor een receptief debat

Door Willem Roeterdink

Een onderneming die op zoek is naar vertrouwen communiceert met haar omgeving. Maar hoe transparant dient een onderneming te zijn? In welke mate dient zij open te zijn? In dit hoofdstuk wordt geanalyseerd op welke wijze bedrijven inhoud kunnen geven aan risicocommunicatie.

Om te begrijpen wat risicocommunicatie is, is het onderscheid met crisiscommunicatie belangrijk. Het verschil komt ruwweg hierop neer dat een goede risicocommunicatie de organisatie voor crises moet behoeden. De organisatie kan dit doen door goed in contact te blijven met, en haar oor te luisteren leggen bij haar stakeholders. Dikwijls blijkt een crisis te ontstaan vanwege een gesloten relatie met de omgeving. De Franse politicoloog Claude Gilbert (1988) spreekt in dit kader van een 'pre-existing structural crisis'. Een crisis bestaat volgens hem doordat de organisatie ineffectief omgaat met de publieke opinie. De crisis is dus al aanwezig voordat de ramp zich voordoet. Turner en Wynne (1992) spreken in dit verband over een 'pre-existing credibility crisis'.

In dit hoofdstuk wordt de behoefte aan risicocommunicatie gerelateerd aan het debat over de risicomaatschappij, waardoor risicocommunicatie in een breder perspectief wordt geplaatst. Omdat veiligheid een gezamenlijke verantwoordelijkheid is van zowel de overheid als het maatschappelijk middenveld en de burgers, is communicatie over risico's en crises noodzakelijk. Ten behoeve van de boodschap van dit hoofdstuk worden eerst bovenstaande termen nader gedefinieerd. Eerst zal worden ingegaan op de risicomaatschappij, vervolgens op risicocommunicatie en crisiscommunicatie. Ten slotte zal er dieper worden ingegaan op het beheer en belang van reputaties van bedrijven en hoe bedrijven hierop adequaat kunnen inspelen via onder meer het receptieve debat.

17.1 Risicomaatschappij

Een doordachte visie op risicocommunicatie is alleen mogelijk met een visie op de risicomaatschappij. Hierbij spelen diverse disciplines een rol. Enkele belangrijke disciplines zijn communicatiewetenschappen, beleidswetenschappen, psychologie, sociologie, antropologie en de filosofie. Daarnaast wordt in maatschappelijke discussies over risico's gebruik gemaakt van de natuurweten-schappen. De resultaten van natuurwetenschappelijk onderzoek worden door de voorstanders (van bijvoorbeeld nieuwe technologie) gebruikt om de kansen te benadrukken en de risico's af te zwakken terwijl de tegenstanders diezelfde natuurwetenschap gebruiken om te wijzen op de risico's die door de kansen niet zouden worden gerechtvaardigd.

We leven in een maatschappij waar wij ons niet meer kunnen onttrekken aan risico's. Het gevaar is onzichtbaar geworden en de macht om te bepalen wie risi-co loopt ligt bij een kleine groep mensen. Voor- en tegenstanders van het te nemen risico discussiëren met elkaar in wetenschappelijke termen en aannames. Als er daadwerkelijk zaken mis gaan wordt het onzichtbare gevaar beschreven in wetenschappelijke eenheden. De betekenis van deze eenheden is echter weer onderdeel van een controverse tussen diegenen die menen dat er niets aan de hand is en diegenen die zeggen dat er sprake is van een van de grootste rampen die de mensheid in jaren getroffen heeft. Beck (1986) gebruikt in dit kader ook de term 'nieuwe risico's'. Nieuwe risico's zijn door Beck getypeerd als risico's die niet langer meer met de menselijke zintuigen en door directe waarneming zijn waar te nemen. De aanwezigheid van nieuwe risico's is vaak alleen door tus-senkomst van experts vast te stellen. Een tweede kenmerk van nieuwe risico's dat door Beck wordt genoemd, is de onomkeerbaarheid van de gevolgen, zoals bijvoorbeeld de schade die door straling wordt opgelopen. Ten derde laten de nieuwe risico's zich niet meer binden aan tijd en plaats. De Tsjernobylramp is hiervan een duidelijk voorbeeld en het geldt ook voor de schadelijke effecten van allerlei chemische stoffen die gevolgen voor het nageslacht kunnen hebben. Tot slot is de omvang van nieuwe risico's zo groot, dat eerdere antwoorden als verzekering en aansprakelijkheid tekortschieten.

Al in 1986 stelde Beck dat keer op keer zou blijken dat de overheidsorganen hun verantwoordelijkheid niet kunnen nemen. De laatste tijd krijgt de overheid harde kritiek bij crises omtrent BSE en MKZ en de rampen in Volendam en Enschede. Weliswaar zijn deze crises terug te voeren op menselijke beslissingen om bepaalde technologieën te gebruiken of bepaalde maatregelen niet te nemen, tegelijkertijd wijzen deze crises op fundamentele lacunes in het verantwoorde-lijkheidsbereik van overheden.

Een groot probleem binnen deze risicomaatschappij is de wetenschappelijke onzekerheid, met als bekende voorbeeld het al dan niet bestaan van het broei-kaseffect. Was er vroeger het idee dat de wetenschap ons zekerheden aanreikte om de wereld om ons heen beter te begrijpen, tegenwoordig zien we weten-schappers steeds vaker openlijk in de media met elkaar in de clinch liggen. Ulrich Beck stelt zelfs dat onzekerheden het voornaamste product vormen van wetenschap. In deze visie wordt de rol van wetenschap naar mijn mening te sterk gerelativeerd. Feit is wel dat wetenschappelijke onzekerheden een pro-bleem vormen bij de aanpak van bovengenoemde crises. Daarnaast vormen de wetenschappelijke onzekerheden ook een obstakel bij de besluitvorming over moderne technologieën als biotechnologie en mobiele telefonie.

Vertrouwen speelt een centrale rol binnen deze risicomaatschappij. Aanvankelijk was er bij sociaal wetenschappelijke risicostudies voornamelijk oog voor het publieke vertrouwen in experts. Wynne (1995) brengt het onderwerp vertrouwen ook in verband met instituties. In de huidige maatschappij gaat men er van uit dat er altijd wel iemand voor ons zal narekenen dat we niet teveel risico lopen. In onze huidige maatschappij zal het vertrouwen in deze instituties vaak op de proef worden gesteld. Freudenburg (1993) gebruikt in dit verband de term 'recreancy', het verschil tussen de taken van een institutie en wat de institutie feitelijk doet. Hij refereert hiermee aan het onvermogen van institutionele actoren om op zo'n manier verantwoordelijkheid te dragen, dat het maatschappelijk vertrouwen dat ze hebben gerechtvaardigd is (Merkx e.a., 1999).

Beck (1986) heeft net als het teleurgestelde publiek weinig vertrouwen in de capaciteiten van de instituties op het gebied van risicobesluitvorming. Hij heeft meer vertrouwen in een maatschappij waar de verantwoordelijkheden voor risicobesluiten liggen bij een samenspel tussen bedrijven en publiek met de NGO's als schakel om dit publiek te mobiliseren. Het feit dat de overheidsinstanties hun verantwoordelijkheden niet meer kunnen nakomen wordt door Beck ook wel 'georganiseerde onverantwoordelijkheid' genoemd. Geen van de instanties kan de verantwoordelijkheid nemen voor de crises die op ons afkomen. Beck stelt daarom dat de invloed van politiek en overheid zal afnemen, de zogenaamde subpolitisering. In Beck's subpolitiek worden risicobeslissingen overgelaten aan de wisselwerking tussen apolitieke groeperingen als NGO's en het bedrijfsleven. De echt belangrijke beslissingen worden volgens Beck op dit moment genomen in de laboratoria van de bedrijven. De burgers en de NGO's zullen hierop controle moeten kunnen uitoefenen omdat deze beslissingen grote impact hebben op het leven in de risicomaatschappij. De burger zal volgens hem de koophandeling als direct stembiljet ontdekken. Deze subpolitiek is enigszins anarchistisch. Toch stemt deze vorm van besluitvorming hem niet somber. Hij ziet deze 'politiek van onderop' als een uitstekend correctiemechanisme.

Hetzelfde proces dat Beck beschrijft voor de risicomaatschappij zien we nu reeds in de vorm van maatschappelijk verantwoord ondernemen. Als gevolg van de globalisering heeft het bedrijfsleven de laatste jaren steeds meer macht gekregen. De andere maatschappelijke actoren eisen dat het bedrijfsleven in ruil daarvoor meer verantwoording aflegt aan de maatschappij (Olins, 2001). In een moderne maatschappij wordt er veelvuldig gekeken naar de overheid voor de oplossing van veel problemen. Dit heeft als gevolg een soort 'georganiseerde onverantwoordelijkheid' bij de burgers. Het gevolg van het politieke bestuur van de collectieve instituties is dat politici, wanneer er een ramp plaats vindt, meteen ingrijpende maatregelen beloven, zonder acht te slaan op de uitvoering van reeds gemaakt beleid. Volgens publicist Hans Wansink (2000) is dit een verschil met het bedrijfsleven, dat immers gewend is geraakt aan het voortdurend bekijken van de goede uitvoering van zijn plannen. Unilever deelt op dit punt de analyse van Beck en Wansink: "Het grote verschil tussen ons en de politiek is dat op Unilever miljoenen keren per dag gestemd wordt. Je moet je dus telkens bewijzen."

Bij risico's maakt het bedrijfsleven onderscheid tussen 'reële' en 'emotionele' risico's. Bij reële risico's ziet men de overheid als verantwoordelijke voor norm-stelling en handhaving. Hierbij gaat men geen debat aan met de NGO's of andere groepen in samenleving. In het geval van emotionele risico's keurt de overheid het product, het ingrediënt of de installatie wel goed maar is er desondanks publieke bezorgdheid. Het bedrijfsleven geeft aan in zulke gevallen wel te (willen) overleggen met NGO's. De term emotionele risico's zou zeer ten onrechte kunnen impliceren dat het hier om bijkomende zaken gaat. Het is daarom ook beter om te spreken over 'gepercipieerde risico's.' Het fenomeen reële risico's is complexer dan het op het eerste gezicht lijkt. Dit hangt nauw samen met de wijze waarop producten worden geproduceerd. Het begrip reële risico's kan worden opgedeeld in reële risico's van grondstoffen, processen en producten. Proces-risico's kunnen doorwerken op productveiligheid maar ook op bedrijfsonge-vallen of rampen. Omdat processen zich voordoen binnen de bedrijfspoorten dragen ondernemingen hier een relatief grote verantwoordelijkheid. Op basis van deze splitsing van het begrip reële risico's, kan ook de stelling dat de over-heid verantwoordelijk is voor reële risico's genuanceerd worden.

Risicoverantwoordelijkheid voor het eind- en beginproduct liggen dus verder van de producent dan verantwoordelijkheid voor het productieproces zelf. De overheid kan niet als enige de verantwoordelijkheid nemen voor risicobeheer-sing. De overheid kan eisen dat bedrijven zelf controles uitvoeren op basis van normen die worden opgesteld in samenspraak met die overheid. De overheid is er echter wel verantwoordelijk voor dat deze controles op de juiste wijze plaats-vinden. Men kan controlerende instanties aanwijzen die op al dan niet com-merciële basis de uitvoering van de controletaak op zich nemen. Toch is dit niet voldoende. Volgens Wansink (2000) dienen de politiek en de regering scherp toe te zien op een goede uitvoering van haar beleid. Dit lijkt voldoende grond om te kunnen stellen dat de overheid de controlerende instanties scherp moet contro-leren. Eventueel kan de overheid hierbij een vergunningenstelsel hanteren waarbij in geval van twijfel omgekeerde bewijslast ligt bij de certificerende of controlerende instantie om aan te tonen dat zij zorgvuldig te werk is gegaan.

17.2 Risicocommunicatie

Over het thema risicocommunicatie is een grote verscheidenheid aan weten-schappelijke literatuur verschenen. Merkx e.a. (1999) geven een overzicht van belangrijke wetenschappelijke publicaties van de afgelopen dertig jaar. Hun stu-die signaleert onder andere dat wetenschapscommunicatoren een meer open dialoog met het publiek kunnen faciliteren, waarbij ook wordt geluisterd naar wat het publiek te vertellen heeft. Tevens zouden ze de kwaliteit van het publiek debat kunnen vergroten door met gerichte communicatie patstellingen te voorkomen en maatschappelijke leerprocessen te bevorderen. Wanneer wetenschapscommunicatoren verantwoordelijkheid willen nemen voor de kwaliteit van het publieke debat omtrent risico's van nieuwe technologie dan moeten ze reflecteren op de maatschappelijke effecten van hun activiteiten. De verantwoordelijkheid van de wetenschapscommunicator kan niet alleen gevangen worden met publieksparticipatie of een 'open dialoog.' De situatie in Groot-Brittannië bijvoorbeeld, waar emoties rond 'Frankensteinfood' hoog opliepen en er sprake was van grote publieke onrust, vergt een ander soort invulling van verantwoordelijkheid dan de situatie in Nederland, waar het publiek veel minder geïnteresseerd is in een debat over nieuwe technologie ondanks dat er belangrijke zaken op het spel staan.

Leiss (1996) hanteert als definitie voor risicocommunicatie: "een heen en weer gaande stroom van informatie en risico-evaluaties tussen academische experts, regulerende instanties, belangengroeperingen, consumenten en het algemene publiek." Leiss onderscheidt drie fasen in de ontwikkeling van de risicocommunicatie.

1   In de jaren zeventig, ongeveer tussen 1975 en 1984, lag de nadruk op kwantitatieve risicoschattingen. Uit onderzoek in die tijd was gebleken dat experts en leken een totaal andere visie op risico's hanteerden (Slovic, 1980). Zij maakten zich druk om heel andere risico's. Met behulp van risicocommunicatie wilde men de leken overtuigen van het gelijk van de experts. Deze benadering had een aantal nadelen. Het grootste nadeel van deze benadering was wat Leiss noemt de 'technische arrogantie.' Het belangrijkste wat hier over het hoofd gezien werd is dat je vertrouwen van het publiek moet hebben.

2   De periode tussen 1985 tot 1994 wordt volgens Leiss gekenmerkt door een nieuw soort risicocommunicatie waar sterk de nadruk ligt op het winnen van publiek vertrouwen. Critici typeren dit soort persuasieve communicatie ook wel als publieke manipulatie. Vertrouwen winnen om het vertrouwen werkt niet. Dit moet ook vertaald worden in beleid. Zonder zichtbare veranderingen binnen organisaties wint men geen vertrouwen.

3   Vanaf 1995 tot nu zitten we volgens Leiss in een nieuwe fase. Vertrouwen in instituties als het bedrijfsleven kan langzaam groeien als men zich committeert aan een verantwoordelijke vorm van risicocommunicatie waar het niet alleen gaat om woorden maar ook om daden. Tegenwoordig moet risicocommunicatie onderdeel uit maken van de langere termijn en is het niet alleen van belang als antwoord op een crisis. Leiss raadt bedrijven aan een 'code of good risk communication practice' te formuleren en hier geregeld een 'risk communication audit' op uit te voeren. Het belangrijkste element is echter de tweerichtingscommunicatie. De leek moet open staan voor de visie van expert en vice versa.

Risicocommunicatie is meer dan alleen het overdragen van informatie. Maar wat dan en hoe precies? En wat kunnen we leren uit de praktijk? In het kader van deze bijdrage is onderzoek verricht naar de wijze waarop (life-science) bedrijven in hun communicatie omgaan met wetenschappelijke onzekerheid over risico's van innovatieve (voedings)technologieën. Met uiteenlopende bedrijven, zoals Pharming en Unilever, zijn ook gesprekken gevoerd. Wat zijn de resultaten?

Openheid voor klachten en zorgen van consumenten

De klachten en zorgen van de consument dienen door het bedrijfsleven serieus te worden afgehandeld. Van alle mogelijke stakeholders zijn het de consumenten die doorgaans de meeste aandacht krijgen. Het bedrijfsleven hanteert voor de klachten van consumenten zeer professionele verwerkingssystemen. De tevredenheid van deze stakeholder heeft immers direct effect op de omzet van het bedrijf. Tevens kunnen klanten natuurlijk de beste terugkoppeling geven als er iets mis is met de kwaliteit van de producten. Bijna alle bedrijven hebben een klantenservice, vaak in de vorm van telefoonlijnen die in verbinding staan met grote call-centers waar getrainde telefonisten het luisterend oor vormen voor de organisaties. In de detailhandel heeft men daarnaast ook de beschikking over fysieke klantenbalies waar mensen met hun vragen terechtkunnen. Deze kunnen vaak op hun beurt weer met hun vragen op het hoofdkantoor terecht. Weinig bedrijven maken nog gebruik van de mogelijkheden van het internet als medium voor de terugkoppeling vanuit de consument. Vaak kan men wel een e-mail sturen en kan men op het web telefoonnummers vinden van de klantenservice. Op het internet zijn voor sommige producten websites te vinden waar ook een lijst staat met veelgestelde vragen. Er zijn echter nog weinig bedrijven te vinden waar een forumachtige omgeving is ingericht voor de terugkoppeling van consument naar bedrijf.

Overleg met NGO's over gepercipieerde risico's

De NGO's vormen een tweede categorie van stakeholders die van groot belang is voor het bedrijfsleven. Overleg met non-gouvernementele organisaties blijkt alleen plaats te vinden indien er sprake is van zogenaamde gepercipieerde risico's. Het gaat dan om producten en technieken die de overheid heeft goedgekeurd maar waarover desondanks zorgen bestaan bij het publiek. In een dergelijke situatie acht het bedrijf de producten wel veilig maar proberen zij door onderhandelingen en gesprekken met NGO's te inventariseren of ze tegemoet kunnen komen aan de zorgen die leven over de desbetreffende producten. Deze politiek blijkt te bestaan bij bijna alle bedrijven die zijn geïnterviewd. De geïnterviewde bedrijven bleken weliswaar de dialoog aan te gaan met NGO's, maar de meeste bedrijven hadden, ondanks hun open houding, confrontaties gehad met NGO's. Men is hier vaak met open vizier tegenin gegaan. Dit bleek volgens de geïnterviewde bedrijven niet altijd effect te sorteren. NGO's bleken vaak niet te willen praten en wilden vaak geen inhoudelijke dialoog aangaan.

Bedrijven zien NGO-acties, zonder dat deze gericht zijn op een inhoudelijke dialoog, meer als een poging de naamsbekendheid van NGO's te vergroten. Volgens de geïnterviewde zegsman van Pharming is het bedrijf in zulke gevallen gewoon het 'substraat': in het bedrijf speelt een issue dat voor de NGO een interessant aangrijpingspunt vormt om de eigen naamsbekendheid te vergroten. Veel NGO's hechten inderdaad grote waarde aan naamsbekendheid (Abeling, 1997). Dit is voor het bepalen van de houding van het bedrijf ten opzichte van acties een belangrijk gegeven. Inhoudelijke reacties op protestacties zijn niet altijd even effectief. Door gewoon mee te werken en een NGO de aandacht te geven waar zij om vraagt kan een bedrijf veel aan goodwill winnen. Ook al gaat dit in tegen de principiële overtuigingen van het bedrijf. Een van geïnterviewde bedrijven heeft naar aanleiding van een protestactie meegewerkt aan een TV-debat met de betrokken NGO. Hierbij kwam volgens deze zegsman pijnlijk aan het licht dat de actie bijzonder weinig om het lijf had. In het huidige poldermodel zijn de soms weinig inhoudelijke acties van NGO's ook wel begrijpelijk. Als men echt inhoudelijk het debat aan wil gaan, staan bijna alle bedrijven open voor een dialoog. Maar met een dialoog speelt een NGO zich niet in de kijker, terwijl haar bestaansrecht grotendeels op publiciteit is gebaseerd. Zonder uitgekiende PR lopen de donaties terug.

Centrale strategieën over communicatie van beelden naar burgers ontbreken veelal

Ten slotte is er nog de burger als stakeholder. Er bestaan goede argumenten om burgers te betrekken bij keuzen over de wenselijkheid van technologie of de besluitvorming omtrent risico's. Een bedrijf dat burgers hierbij betrekt heeft betere voelsprieten voor wat er leeft in de maatschappij. Hiermee kan men maatschappelijke onrust voorkomen of hierop anticiperen. Onderwerpen met betrekking tot nieuwe technologie of risicobesluitvorming zijn voor het brede publiek vaak te abstract. Als het bedrijfsleven het publiek wil betrekken bij keuzes die gemaakt worden over nieuwe technologie dient men oog te hebben voor het gebruik van beelden in de communicatie (Hanssen, 2001). Weinig bedrijven blijken centrale strategieën te ontwikkelen voor het gebruik van beelden. Er bestaat angst voor vertroebeling van de feiten en men ziet dit soms ook als iets dat men niet centraal kan bepalen. Unilever hanteert bijvoorbeeld de multi-lokale multinationale aanpak, waarbij alles dat niet absoluut centraal geregeld hoeft te worden gedecentraliseerd wordt. Zo wordt voedselveiligheid centraal georganiseerd maar is het gebruik van beelden een taak voor de lokale marketingafdelingen die het beste weten wat er speelt in de verschillende landen.

Toch is het wel van belang dat er centrale uitgangspunten ontwikkeld worden voor het gebruik van beelden. Dit geldt sterker voor beelden met betrekking tot risico's of wenselijkheid van technologie dan voor beelden die dienen voor marketingdoeleinden. Hiermee creëert men ook lokale bewustwording over het belang van beeldgebruik. NGO's zijn hier tot nu toe vaak effectiever in dan het bedrijfsleven. Zo heeft Greenpeace de Shell-Groep gedwongen na te gaan denken over het beeld dat zij als geheel uitstraalden. Dit heeft het bedrijf veranderd van een groep los van elkaar opererende bedrijven in een organisatie waar centraal nagedacht wordt over issues als veiligheid, sociale verantwoordelijkheid en duurzaamheid (Elkington, 2000).

Het medium internet kan ook ingezet worden als middel om burgers de mogelijkheid te bieden om vragen te stellen. Vooral forumachtige discussies kunnen de tongen los maken over bepaalde onderwerpen. Hiervan wordt momenteel nog weinig gebruik gemaakt in het bedrijfsleven. Van de geïnterviewde bedrijven is Shell het enige bedrijf dat dit grondig aanpakt met de Tell Shell faciliteit op hun website. Op basis van bepaalde uitgangsthema's kan men hier discussiëren over issues die spelen rond het bedrijf. Shell is als bedrijf ook actief met burenraden om de burger actiever te betrekken bij problemen rond bepaalde installaties.

17.3 Crisiscommunicatie

Bij een crisis staat de organisatie onder grote druk vakkundig te communiceren. Crisismanagement bestaat daarom voor een belangrijk deel uit crisiscommunicatie. De organisatiedeskundige Kreps (1986) ziet ze zelfs als synoniem en definieert crisismanagement als "The use of public relations to minimize the harm to the organisation in emergency stituations that could cause the organisation irreparable damage." Michael Bland (1998) stelt dat een 'crisis' een 'Crisis' kan worden door publiciteit. "Het is dan ook verstandig het begrip crisis niet te strak te definiëren, zodat men er op beducht is dat kleine incidenten tot een crisis kunnen leiden."

Hanssen (2000) noemt drie belangrijke elementen die een rol spelen bij het ontstaan van crisissituaties.
* Bij risico- en crisisproblematiek is er vaak wantrouwen tussen partijen (conflict).
* Het wantrouwen ontstaat door werkelijke of vermeende belangentegenstellingen.
* Het wantrouwen wordt versterkt door communicatieve interacties (mediahype).

Organisaties die een vertrouwensrelatie willen opbouwen met hun omgeving moeten op dit wantrouwen inspelen door tijdig, volledige, niet misleidende en verifieerbare informatie te leveren en duidelijk te maken wat de intenties zijn bij het verstrekken van die informatie. Crisis wordt gekenmerkt door complexiteit, kettingreacties, dynamiek en strijd. Een organisatie die hiermee niet kan omgaan, kan zelf de belangrijkste crisisveroorzaker worden (Van Ginneken, 1999).

Bland (1998) onderscheidt vijf factoren die een crisis kunnen versterken. Als één van deze factoren op een incident van toepassing is, dient de organisatie op zijn hoede te zijn.
- Iemand is er schuldig aan. Beck (1986) ziet dit ook als het grote verschil tussen rampen in de oude wereld en de industriële risicomaatschappij. Een industriële ramp is geen natuurramp. Hier is bijna altijd iemand aan te wijzen op een menselijke fout. Alleen weten we vaak niet wie.
- Er staat iets op het spel (winst, reputatie overleving et cetera).
- Iemand ontdekt het.
- Het raakt de man in de straat.
- Het is geografisch dichtbij.

Vooral de laatste twee factoren kunnen de publieke aandacht aanzienlijk vergroten.

Bland (1998) schetst enkele maatschappelijke ontwikkelingen die een beter crisismanagement in de huidige maatschappij noodzakelijk maken.
- Vroeger kenmerkte de maatschappij zich door meer gezagsgetrouwheid. De burger laat zich tegenwoordig echter minder leiden door overheid en gevestigde organisaties. De media zijn hierin meegegaan. Zij schrijven niet meer op wat de instituties hen vertellen maar volgen besluitnemers op kritische wijze. Zeker bij crises, als het vertrouwen in instanties sowieso al lager is, hebben de media grote invloed op de opinie van de burgers. Op dit moment hebben de media volgens Bland zelfs de kracht om een organisatie te vernietigen.
- Het recht is veranderd op het gebied van aansprakelijkheid. Grote organisaties worden eerder verantwoordelijk gehouden, ook voor zaken die ze niet opzettelijk verkeerd hebben gedaan. Deze ontwikkeling is ook zichtbaar in Nederland. In Nederland is vooral de Consumentenbond op dit gebied actief met proefprocessen en discussies over het omstreden en in Nederland nog verboden 'no cure, no pay' systeem, waarmee het voor particulieren veel gemakkelijker wordt grote bedrijven aan te klagen. Rechtssocioloog Bruinsma meent overigens dat de Nederlandse claimcultuur zich niet geheel zal ontwikkelen naar de Amerikaanse. Wij zijn daarvoor teveel gehecht aan en vertrouwd met collectiviteit in tegenstelling tot de (individualistisch ingestelde) Amerikaan. Hier speelt een belangrijk thema binnen onze risicomaatschappij, het thema vertrouwen. De Amerikaanse politicoloog Fukuyama stelt namelijk dat recht een substituut is voor vertrouwen (Obbema, 2000).
- Er moeten koppen rollen. "Men gelooft heden ten dage niet meer in ongelukken." aldus Bland. Hiervoor is altijd wel een direct of indirect verantwoordelijke aan te wijzen. Dit ziet men zelfs bij natuurrampen als de Maasoverstromingen in 1993 en 1995. Men ziet dat de media sterk inspringen op

sentimenten die zich op zulke momenten voordoen. Het belang van de mening 'van de man in de straat.' Dit punt ligt deels in het verlengde van de groeiende claimcultuur. Freek Bruinsma: "We willen (...) alle nadelige gevolgen zoveel mogelijk afwentelen – pech moet weg. Nederlanders lieten zich altijd al tegen alles verzekeren, daar komt nu de neiging van de moderne mens bij om alles af te wentelen – je wilt er zelf niet meer voor opdraaien." (Obbema, 2000)

- Publiciteitscrises bij bedrijven worden steeds vaker aangezwengeld door NGO's. Deze NGO's worden steeds slimmer en groter. NGO's zijn echte machtsblokken geworden die professioneel te werk gaan.
- De wereld is mede dankzij internet een 'global village' geworden. De grote persbureaus hebben in het kleinste dorp nog een freelancer met camera en satelliet- of internetverbinding. Ook NGO's zijn goed georganiseerd aanwezig op het internet. Hiermee roepen ze burgers in de wereld op actie te ondernemen tegen grote multinationals als Unilever, Coca-Cola en Monsanto. Daarnaast wordt internet ook gebruikt om de pers van foto- en videomateriaal te voorzien. Volgens Bland (1998) is de groei aan experts te danken aan de groei van de media die behoefte heeft aan experts om hun visie op een zaak te geven. Beck (1986) daarentegen stelt dat wij mensen de wereld om ons heen niet meer met onze zintuigen kunnen bevatten en dat wij daardoor overgeleverd zijn aan experts. Een duidelijk voorbeeld hiervan is de ramp in Tsjernobyl die we niet konden zien, niet konden ruiken en niet konden voelen. Toch werden we er door bedreigd. Bij veel van dit soort complexe wetenschappelijke zaken geven de experts ook nog eens een verschillende uitleg. Ook NGO's 'leveren' natuurlijk graag experts aan de media.

Er zijn communicatiedeskundigen die menen dat ondernemingen en overheden zich niet op een crisis kunnen voorbereiden. Hier komt het volgens hen volledig aan op improviseren. Aansluiting bij de zienswijze van de Nederlandse School voor Openbaar Bestuur lijkt echter in deze beter. Zij stelt dat onvermijdelijke improvisatie (I) beter is naarmate de voorbereiding (V) professioneel geweest is (de zogenaamde I/V-quote). Het is hierbij van belang om gezaghebbend, vertrouwenwekkend en inspirerend over te komen (d'Hondt, 1999). Een bedrijf moet dus een juiste balans zien te vinden tussen voorbereiding en improvisatie. Bland (1998) noemt een aantal nadelen van omvangrijke crisis-manuals:

- Het is gewoon te duur om grote voorbereidingen te treffen. Zelfs de best voorbereide miljardenbedrijven zijn ondanks hun manuals in crises verzeild geraakt.
- Op het moment van een ramp is er geen tijd een boekwerk van een paar honderd bladzijden door te werken. Vaak zijn de beoogde crisismanagers ook in het dagelijks leven te druk om de gehele manual door te lezen.
- Veel manuals bevatten telefoonnummers en de namen van contactpersonen en verantwoordelijke functionarissen. De meest gehoorde klacht bij crisisevaluaties is dat dergelijke gegevens altijd gedateerd zijn op het moment dat de crisis zich daadwerkelijk aandient.

• Men gelooft dat alles wel goed geregeld is omdat er een indrukwekkende manual in de kast staat. Bland vergelijkt dit met een brandblusser waarvan iedereen vaak wel weet waar deze hangt maar niet in staat is het te bedienen.

17.4 De strategie: het peilen van de publieke opinie via het receptieve debat

Bij risicocommunicatie gaat het om de vraag hoe de publieke opinie in de besluitvorming meegewogen kan worden. Momenteel maken bedrijven vaak gebruik van publiekssurvey's voor het peilen van de meningsvorming. Maar om er achter te komen wat de emoties onder het publiek zijn, is het onvoldoende om grote publiekssurvey's te houden, vanwege de daaraan gerelateerde manco's. Eén van de belangrijkste manco's is dat grote enquêtes ieder persoon een gelijke stem geven in de 'mening van het publiek'. In de samenleving zijn echter zeer kleine, actieve groepen mensen te vinden die grote invloed hebben op onze meningsvorming of op de besluitvorming bij bedrijven. Enquêtes geven de mening van de gemiddelde, veelal zwijgende en weinig betrokken Nederlander. Maatschappelijke onrust of opstand wordt niet geïnitieerd vanuit zwijgende meerderheden maar vanuit actieve minderheden die bepaalde thema's aan de kaak stellen (Van Ammelrooij, 1996). Een van de manieren om de mening van de maatschappelijk betrokken groeperingen te peilen is de brede maatschappelijke discussie of het publieke debat, dat echter enige karakteristieken heeft die soms moeilijk zijn in te passen in de praktijk van het bedrijfsleven. Daarom wordt hiervoor de term 'receptief debat' gehanteerd, dat duidt op het te luister leggen van de oren van het bedrijf bij de maatschappij inzake nieuwe technologieën. Openstaan voor de zorgen van de maatschappij is de belangrijkste pijler voor deze vorm van debat.

'Gewone' dialogen tussen bedrijven en stakeholders behelzen de beheersaspecten van risico's en niet de wenselijkheid van technologie. Dat laatste nu is onderwerp van een brede maatschappelijke discussie. Het ethisch debat over wenselijkheid van technologie mondt veelal uit in beslissingen van de wetgever. Het publieke debat of brede maatschappelijke discussie wordt vaak geïnitieerd vanuit de overheid.

In sommige definities wordt naast de maatschappelijke *discussie* (die ook wordt aangeduid als het publieke debat) ook nog het het maatschappelijke *debat* onderscheiden.

Het receptieve debat kan beschouwd worden als bijdrage van het bedrijfsleven aan het maatschappelijke debat, zoals de brede maatschappelijke discussie gezien kan worden als bijdrage vanuit de rijksoverheid. Aan de brede maatschappelijke discussie, dat besluitvoorbereidend van aard is, neemt ook het bedrijfsleven deel. Dit debat dient om de maatschappij een stem te geven bij de besluitvorming door de overheid. Aan het receptieve debat wordt naast het bedrijf deelgenomen door consumenten, burgers en NGO's. Dit debat is inven-tariserend van aard. De maatschappij kan haar bedenkingen kenbaar maken die kunnen worden meegenomen bij de besluitvorming door het bedrijf.

Praktisch uitvoerbare receptieve debatten zijn kleinere debatten of fora waaraan iedereen mag deelnemen maar waaraan geen grote publiekscampagnes ver-bonden zijn. De kleine debatten kunnen, als het om onderzoeksvragen gaat, al in vroege onderzoeksstadia georganiseerd worden. Het moment dient echter goed gekozen te worden. Zo waarschuwt De Jong (2000) voor een debat in een te vroeg stadium waarin nog niets concreet is. Ook zou het wellicht beter zijn als het bedrijf zich niet zou hoeven te committeren aan de uitkomst. Het receptieve debat dient immers vooral om de maatschappij de mogelijkheid te geven haar zorgen kenbaar te maken. Eventueel kan het bedrijf tegemoet komen aan de bestaande zorgen en kunnen de kritische kanttekeningen worden meegenomen bij het ontwikkelingsproces. Twee belangrijke elementen van het receptieve debat zijn:
- Het open staan voor zorgen van burgers (waaronder zich ook consumenten en leden van NGO's bevinden).
- Het eventueel tegemoetkomen aan deze zorgen van burgers.

Het is uiterst moeilijk gebleken het grote publiek te betrekken bij brede maat-schappelijke discussies (De Jong, 2000). Als een bedrijf veel kleine debatten of fora organiseert zullen naar verwachting dus (nog) kleine groepen geopinieer-den actief participeren. Dit is geen probleem, het kan zelfs positief werken omdat zich onder geopinieerden vaak ook mensen bevinden die de opinie sterk kunnen beïnvloeden. Het is als bedrijf van belang te weten waar deze 'opinie-duwers' zich zorgen over maken.

Het begin van publieke onrust draait vaak in sterke mate om de opinie van de opinieduwers. Zij vormen een soort voorhoede. Hierbij spelen emoties een grote rol. Een bedrijf moet open staan voor deze emoties. Dit soort emoties speelt niet alleen bij actiegroepen of kritische intellectuelen. Een van de geïnterviewde bedrijven gaf aan dat ook zij zich niet aan de indruk konden onttrekken dat emo-ties ook een grote rol spelen bij de zittende macht. Beleidsmakers en commissies kunnen ook voor het hoofd gestoten worden als een bedrijf te weinig oog heeft voor maatschappelijke gevoelens en reacties die een besluit kan oproepen.

Het is hierbij van belang te benadrukken dat de hier voorgestelde praktisch uit-voerbare debatten niet bedoeld zijn voor de bovenlaag. Dat mag absoluut niet de insteek zijn. De drempel voor deelname moet laag zijn. In het algemeen leert de ervaring echter dat voornamelijk de maatschappelijke bovenlaag van opinie-duwers participeert in debatten.

Voor ieder debat, dus ook voor het receptieve debat, geldt dat er issues moeten bestaan waarover men kan debatteren. Volgens Turner en Killian (1987) bestaat een issue uit die punten waar mensen 'het over eens zijn dat ze het erover oneens zijn.' Dit sluit twee soorten gespreksonderwerpen uit. Punten waarover men het bij voorbaat al volledig eens is, en onderwerpen waarover men het eens is dat men het er nooit over eens zal worden. Het moet dus gaan over punten waarover men uitvoerig debat kan voeren. Dit wordt nog eens bevestigd door de opmerkingen van een bedrijf tijdens de interviews. Dit bedrijf had geen contacten meer met NGO's: "We hebben een soort wapenstilstand. We zijn het er met elkaar over eens dat we het toch nooit eens worden." Bij een receptieve vorm van debat speelt het probleem van onoplosbare meningsverschillen en issues echter naar verhouding minder sterk omdat de debatten niet direct leiden tot besluitvorming. Het gaat er meer om dat de partijen open staan voor elkaars visie op het issue dan dat ze met elkaar over het issue gaan onderhandelen.

Als een bepaalde problematiek niet publiekelijk bekend is kan het publiek er zich nog geen mening over vormen. Daarom is het bedrijf zelf vaak in de beste positie bepaalde issues te selecteren en hier een receptief debat over aan te gaan.

Een receptief debat kan tevens leiden tot effectievere informatieoverdracht met reguliere vormen van communicatie. Turner en Wynne (1992) stellen dat voor het naar het buiten brengen van informatie het van belang is vooronderzoek uit te voeren voor een beter begrip van de informatiebehoefte en zorgen van het publiek. De gewenste informatiebehoefte hoeft niet direct te maken te hebben met risico's of handvatten te bieden voor risicocommunicatie. Wanneer het publiek echter niet gevraagd is waarover men geïnformeerd wil worden kan dat negatieve gevolgen hebben voor de mening die men over het bedrijf heeft. Overigens is luisteren geen eenmalige verplichting maar een proces dat continu zal moeten plaatsvinden (zie daarvoor ook het volgende hoofdstuk).

Het internet stelt organisaties in staat een continue debat aan te gaan met de samenleving. Internetfora zijn een uitstekend voorbeeld van laagdrempelige low-profile en makkelijk te organiseren debatten. Iedereen kan zijn mening geven maar ook kritische vragen stellen aan het bedrijf. Oliemaatschappij Shell is hier al ver mee op weg. Zo blijft de organisatie continu scherp op wat zich in de samenleving afspeelt. Voor de directe omgeving kan men open dagen organiseren waar men bepaalde zorgen vanuit de omgeving op de agenda kan zetten. Ook hier is Shell reeds mee bezig. Van Woerkum e.a. (1999a) stellen dat fora op het internet beter toe te passen zijn bij debatten die tot doel hebben te inventariseren en minder bij debatten die tot doel hebben tot overeenstemming te komen.

Turner en Wynne (1992) stellen dat communicatie ook door gaat zonder uitgedachte informatiecampagnes. Het bedrijf moet zich afvragen welke praktische zaken nu geaccepteerd of getolereerd worden (buiten de bedoelde informatiecampagnes om) en die een negatieve uitstraling naar buiten kunnen hebben. Om dit uit te vinden zal er beter geluisterd moeten worden naar subtiele gevoelens die mensen uitdragen. Die kleine nuances gaan vaak verloren bij het verwerken van de boodschap. Dit vraagt om meer dan de grote 'attitude-surveys.' Ook hiervoor is het internet een goed middel. Men kan zich op het internet laten informeren, maar men kan ook meediscussiëren in een forum. De boodschappen die hier worden achtergelaten blijven goed bewaard en zijn voor iedereen (ook binnen het bedrijf) leesbaar. Het pleidooi hier voor de mogelijkheden van het internet betekent echter niet een afschaffing van telefonische klachtenverwerking. Bij Albert Heijn krijgt men bijvoorbeeld ongeveer drieduizend telefoontjes per week. Dat zijn aantallen die met internet nog onhaalbaar zijn, omdat men hier nog minder mee vertrouwd is. Op dit moment kan internet een rol vervullen bij de kwalitatieve analyse van zorgen en klachten binnen de maatschappij terwijl de telefoon een beter middel is voor kwantitatieve analyse.

Het receptieve debat kan ook tegenwicht bieden aan het 'sociale exchange' gedrag van de medewerkers van een communicatie-afdeling. Van Woerkum e.a. (1999b) zien de social exchange als oorzaak van een zwakke oriëntatie op de eigenlijke ontvangers. Deze theorie stelt dat mensen zich in hun alledaagse interacties laten leiden door de kosten en baten van bepaald gedrag. In de werkkring van de communicatiemedewerker kan men denken aan een aantal relaties die iets kunnen opleveren. Een tevreden baas; aanzien binnen de communicatiewereld omdat men schrijft volgens de nieuwste en beste inzichten op communicatiegebied; kennisbronnen die behulpzaam zijn en medewerking verlenen; en ten slotte goed bediende cliënten. De kans is dan groot dat men in de eigen belangenafweging weinig rekening houdt met de laatste groep die eigenlijk het belangrijkste zou moeten zijn. Hier kan het receptieve debat een oplossing voor zijn.

De Jong (2000) heeft onderzoek gedaan naar de uitvoering van publieke debatten. In zijn onderzoek komt ook de rol van vertrouwen aan bod. De Jong noemt twee soorten vertrouwen: bronvertrouwen en procesvertrouwen. Bronvertrouwen duidt op het vertrouwen in degene die het debat is gestart. Procesvertrouwen wijst op de wijze waarop het debat is georganiseerd. Beide soorten hangen nauw met elkaar samen. Het bronvertrouwen is een essentiële voorwaarde voor procesvertrouwen. Het opbouwen van beide soorten vertrouwen vraagt twee aparte benaderingen. Hiervoor doet De Jong een aantal aanbevelingen. Voor het opbouwen van procesvertrouwen doet hij een aanbeveling die centraal zou moeten staan bij het receptieve debat. Het is volgens De Jong van groot belang aan te geven wat er met de resultaten van de gesprekken gedaan wordt. Dit geldt des te meer omdat een receptief debat over emotionele risico's minder verplichtingen voor het bedrijf meebrengt dan een breed maatschappelijk debat over reële risico's of de wenselijkheid van technologie.

Samengevat dient een receptief debat te voldoen aan de volgende kenmerken. Receptieve debatten kunnen het beste met enige regelmaat gehouden worden om voeling te houden met de maatschappelijke zorgen en actoren. Het internet kan hiervoor worden ingezet als medium maar kan tevens dienen als platform. Het dient open te staan voor iedereen en is dus laagdrempelig. Men kan hierbij streven naar een veelheid van actoren. Hiervoor zijn geen grote/dure publiciteitscampagnes noodzakelijk. Bedrijven die een receptief debat organiseren moeten zich niet teveel zorgen maken als bezoekers van het debat voornamelijk afkomstig blijken te zijn uit een geopinieerde bovenlaag. Voorts hoeven organisatoren zich niet vooraf te commiteren aan de uitkomst. Het gaat er immers om het oor te luister te leggen. Hierbij is het van belang dat deelnemende actoren conflicterende boodschappen omtrent risicocommunicatie niet alleen zien als bronnen van verwarring maar ook als een pluralistische visie op de werkelijkheid. Voorafgaand aan het debat moet duidelijk gemaakt worden waarom het bedrijf dit organiseert en wat er gedaan wordt of kan worden met de uitkomsten. Dat het bedrijf zich niet hoeft te committeren aan de uitkomst betekent immers niet dat het hier niets mee hoeft te doen. Tijdens het debat moet men niet teveel zoeken naar een uitkomst of consensus. Het is belangrijk om gewoon te kunnen luisteren naar de zorgen die er leven in de maatschappij. Alle partijen moeten hetzelfde recht tot spreken hebben en op gelijke voet met elkaar staan. Als men een receptief debat organiseert moet het wel mogelijk zijn plannen aan te passen op basis van geuite zorgen en kritiek. Hierbij moeten de deelnemers de mogelijkheid hebben op de hoogte te blijven van wat het bedrijf met de debatuitkomsten gedaan heeft.

Literatuur

Abeling, J. (1997). 'De Groene Spagaat'. *NRC Handelsblad*, 21 juni.

Ammelrooij, A. van (1996). 'Opiniepeiling zegt niets over de werkelijkheid.' *De Volkskrant*, 20 december.

Beck, U. (1986). *Risikogesellschaft : Auf dem Weg in eine andere Moderne*. Frankfurt am Main: Suhrkamp.

Bland, M. (1998). *Communicating out of a Crisis*. Basingstoke: Macmillan Press.

d'Hondt, E.M. (1999) in Gutteling, J. (1999). *Crisiscommunicatie: Een kwestie van vertrouwen*. Alphen aan de Rijn: Samsom.

Elkington, J. (2000) in interview met CNN, 30 september. Internetadres: http://europe.cnn.com/SPECIALS/2000/yourbusiness/stories/elkington/

Freudenburg, W.R. (1993). 'Risk and Recreancy: Weber, the division-of-labor, and the rationality of risk perceptions'. *Social Forces*, 4: 909-932.

Ginneken, J. van (1999). *Brein-bevingen: Snelle omslagen in opinie en communicatie*. Amsterdam: Uitgeverij Boom.

Gutteling, J. (1999). *Crisiscommunicatie: Een kwestie van vertrouwen*. Alphen aan de Rijn: Samsom.

Hanssen, L. (2000). 'Communiceren in de risicomaatschappij: Het zekere van het onzekere.' In: Gutteling, J. M., Hanssen, L., en Jansen, S. (2000). Collegedictaat crisis- en risicocommunicatie in het kader van de Major Strategische Communicatie. Universiteit Twente.

Hanssen, L. (2001). 'Het debat is dood, leve het debat!' *Genokrant*: 19.

Jong, J.M. de (2000). *Communicatiestrategieën voor Onbekende Technologieën*. Twente: Universiteit Twente.

Kreps, G.L. (1986). *Organizational Communication*. New York: Longman.

Leiss, W. (1996). 'Three phases in the evolution of risk communication practice.' *The Annals of the American Academy*, 5: 85-94.

Marra, F. (1998). 'Crisis communicaton plans: poor predictors of excellent crisis public relations.' *Public Relations Review*, 24: 461-474.

Merkx, F., Dijck, J. van, en Rip, A. (1999). *Risicocommunicatie over Nieuwe Technologie op het Gebied van de Levenswetenschappen*. Utrecht: Stichting WeTeN.

Obbema, F. (2000). 'Angst en liefde voor de claim.' *De Volkskrant*, 22 januari.

Olins, W. (2001). 'Maatschappelijk bewust ondernemen: waarom bedrijven en landen elkaars rol overnemen.' *Tijdschrift voor Strategische Bedrijfscommunicatie*, 7: 62-74.

Slovic, P., Fischoff, B., en Lichtenstein, S. (1980). 'Facts and fears: understanding perceived risks.' In: Schwing, R.C., en Albers jr., W.A., (red). *Societal Risk Assessment: How safe is safe enough?* New York: Plenum: 181-214.

Turner, G., en Wynne, B. (1992). 'Risk communication: a literature review and some implications for biotechnology.' In Durant, J. (red.) *Biotechnology in Public: A review of recent research*. Londen: Science Museum for the European Federation of biotechnology.

Turner, R. H., en Killian, L.M. (1987). *Collective Behavior*. New York: Prentice Hall.

Wansink, H. (2000). 'Regeren is achteruitzien.' *De Volkskrant*, 20 mei.

Woerkum, C. van, en Meegeren, P. van (1999a). *Basisboek Communicatie en Verandering*. Meppel: Uitgeverij Boom.

Woerkum, C. van, Kuiper, D., en Bos, E. (1999b). *Communicatie en Innovatie: Een inleiding*. Alpen aan de Rijn: Samsom.

Wynne, B. (1995). 'Public understanding of science.' In: Jasanoff S., Markle G.E., Petersen J. C., en Pinch T. (red.), *Handbook of Science and Technology Studies*. Thousand Oaks, Ca.: Sage: 361-388.

18

De stakeholderdialoog: enkele beginselen

Door Muel Kaptein en Rob van Tulder

De noodzaak om maatschappelijk ondernemen in de bedrijfsprocessen te integreren, te waarborgen en hierover te communiceren dringt zich steeds sterker op. De stakeholderdialoog zou daarbij een waardevolle exercitie kunnen zijn. Via deze dialoog overlegt de onderneming met haar stakeholders. Organisaties die over een code en/of duurzaamheidverslag beschikken kunnen niet langer om stakeholderdialoog heen. De lakmoesproef voor de geloofwaardigheid en de implementatie van een code en een duurzaamheidverslag is immers een georganiseerde dialoog met de stakeholders. Dit hoofdstuk verkent de noodzaak van een dialoog en formuleert tien randvoorwaarden daarvoor.

De *license to operate and growth* van ondernemingen wordt tegenwoordig niet langer louter in termen van winstmaximalisatie gezien. Een duurzame inbedding van de onderneming in de samenleving is voorwaarde geworden voor continuïteit en groei. Duurzame ontwikkeling vergt van ondernemingen dat niet alleen op financieel-economisch maar ook op ecologisch en sociaal-maatschappelijk gebied, zowel afzonderlijk als in samenhang, prestaties worden geleverd die door de stakeholders positief worden gewaardeerd (Elkington, 2001). De financiële bottom line maakt plaats voor de Triple Bottom Line (Elkington, 1997), waarin winstdoelstellingen (*Profits*) worden gekoppeld aan milieu- (*Planet*) en sociale doelstellingen (*People*). In hoeverre van een win-win-win strategie (Elkington, 1994) sprake kan zijn, is open voor debat.

Zowel de primaire stakeholders als secundaire stakeholders spreken bedrijven in toenemende mate rechtstreeks aan op hun *triple bottom line*. "Civil society is demanding greater accountability and transparancy from business" aldus de World Resources Institute en World Business Council for Sustainable Development (2002: 52). Het aantal door de Union of International Associations geregistreerde NGO's is sinds 1985 meer dan verdubbeld en bedraagt begin eenentwintigste eeuw wereldwijd 40.000. Ondernemingen hebben daarbij nog vaak de schijn tegen. Onderzoek van de Nederlandse Consumentenbond uit 1999 laat zien dat slechts dertig procent van de bevolking vindt dat ondernemingen ook daadwerkelijk 'maatschappelijk verantwoord' bezig zijn. Van de weeromstuit is 76 procent van de bevolking van mening dat de overheid bedrijven moet verplichten om maatschappelijk verantwoord te ondernemen. De overheid neemt in de meeste landen een meer afwachtende houding aan. Met name een groeiende groep van aandeelhouders en investeerders hecht een groot belang aan de duurzaamheid van de onderneming (IRRC, 2001). Is het niet vanwege ethische overwegingen, dan wel omdat diezelfde aandeelhouder ook onderdeel vormt van de maatschappij en derhalve gebaat is bij een duurzame ontwikkeling daarvan. En ontbreekt ook dit perspectief, dan is er altijd nog het inzicht dat duurzaam ondernemen de winstgevendheid van de onderneming ten goede komt en daarmee het directe belang van de aandeelhouders (KLD, 2001). Onderzoek van Social Investment Fund (1999) wijst uit dat de markt voor duurzame beleggingen de jaren negentig vertienvoudigd is. Eind jaren negentig bedroeg de markt ruim 2000 miljard dollar. Getuige de belangen en de belangstelling voor duurzaamheid, kan er daardoor worden uitgegaan dat ondernemingen zelfstandig en autonoom tot nieuwe vormen van zelfregulering en duurzaamheid komen, of is meer nodig? In dit hoofdstuk willen we nagaan hoe naast – en in interactie met – vrijwillige bedrijfscodes en duurzaamheidverslaglegging een stakeholderdialoog kan bijdragen aan effectieve zelfregulering. We zullen allereerst de opkomst van stakeholderdialoog plaatsen vanuit het toenemend gebruik van bedrijfscodes en duurzaamheidsrapportages. Vervolgens definiëren we de kenmerken van een stakeholderdialoog en zullen we nagaan wat de voorwaarden zijn voor een effectieve stakeholderdialoog en wat de resultaten daarbij kunnen zijn.

18.1 Codes en verslagen

Sommige bedrijven reageren terughoudend op de verbreding van hun verantwoordelijkheden richting *triple bottom line*. Andere bedrijven zijn daarentegen vooruitstrevend en passen deze ontwikkeling toe op bijvoorbeeld hun concurrentiestrategie en personeelsbeleid. Het aantal bedrijven met een bedrijfscode groeit. Eind 2001 blijkt uit eigen onderzoek dat van de tweehonderd grootste ondernemingen in de wereld er ten minste de helft een eigen code hebben. In een dergelijk document formuleert het bedrijf zijn eigen verantwoordelijkheden richting haar stakeholders en/of de waarden en normen die zij hanteert in de bedrijfsvoering.

Zo stelt Nestlé – een onderneming die sterk beïnvloed is door een conflict met haar stakeholders over de verkoop van babymelk in de jaren tachtig – in de introductie van haar 'business principles':
"Nestlé carriers out its global social responsibility, firstly, by taking a long term approach to strategic decision making which recognizes the interests of our consumers, shareholders, business partners, and the world-wide economies in which we operate. Secondly, our responsibilities and values are reflected by the commitment of management and employees at all levels, to the following specific Corporate Business Principles, which define standards of behavior for all companies in the Nestlé Group, and are intended to complement applicable legislation and international recommendations."

Waar ondernemingen niet met een adequate gedragscode komen, kunnen invloedrijke non-gouvernementele maatschappelijke organisaties zelf initiatieven ontwikkelen, zonder dat daarbij overheden wetten hoeven te formuleren. Een interessant voorbeeld is de internationale voetbalbond FIFA die zich als primaire stakeholder opstelde bij het organiseren van de wereldcup in 1998 en participerende ondernemingen een gedragscode voorlegde waarin bijvoorbeeld het maken van voetballen door kinderen werd tegengegaan. Dit standpunt verstevigde de positie van die ondernemingen die hiervoor zelf al met een gelijkwaardige gedragscode waren gekomen (zoals Nike), maar blijkt in de praktijk ook slechts het begin van een dialoog te zijn, aangezien bij de wereldcup in 2002 maatschappelijke organisaties als de Clean Clothes Campaign de effectiviteit van de FIFA gedragscode met enig recht ter discussie stelden.

Het ontwikkelen van een code is dikwijls een eerste stap op weg naar een duurzame onderneming. De code is een instrument waarlangs het besef van medewerkers voor de ondernemingsverantwoordelijkheden kan worden verankerd en vergroot (Webley, 1998). Een code stimuleert de organisatie ook om haar systemen en processen in lijn te brengen met wat in de code staat verwoordt. Maar een code is vooral ook een document waarbij de kaders en grond worden aangereikt om intern met elkaar te spreken over de eigen verantwoordelijkheden en de dilemma's die zich daarbij in de dagelijkse werkzaamheden voordoen.

Ook naar de externe stakeholders toe fungeert de code als een toetsteen voor het ondernemingsgedrag en een grond waarop stakeholders de onderneming kunnen aanspreken. Stakeholders zullen vroeg of laat de onderneming ter verantwoording roepen over de mate waarin de code ook daadwerkelijk wordt nageleefd. Zo was het de Engelse aandeelhoudersvergadering van Shell die in 1997 de directie verzocht te rapporteren over de mate waarin de Shell Business Principles leefden binnen de gehele organisatie. Waar ondernemingen zich vroeger nog konden redden met aan stakeholders de oproep te doen van 'trust me', zo zijn het nu de stakeholders die (in koor) oproepen tot 'show me.' *Sustainability Reporting* doet daarbij haar intrede als geïntegreerd jaarverslag voor de *triple bottom line*. Shell, British Telecom, ING Bank, Volkswagen, De Body Shop en BP Amoco beschikken sinds een of enkele jaren over een dergelijk verslag. Met een duurzaamheidverslag (zie daarvoor ook het volgende hoofdstuk) leggen ondernemingen verantwoording af over de geleverde prestaties op de *triple bottom line* en verwoorden zij het duurzaamheidbeleid voor de nabije toekomst.

In 2002 beschikt 45% van Global Fortune Top 250 over een milieu, sociaal of duurzaamheidsrapport (KPMG en UvA, 2002). De praktijk van zowel duurzaamheidverslaggeving als gedragcodes laat echter zien dat er nog een lange weg te gaan is op het terrein van objectieve externe verificatie. 29% van de ondernemingen laat hun codes en verslagen door externe partijen daadwerkelijk verifiëren (KPMG en UvA, 2002). Duurzaamheidverslagen bevatten nog weinig harde gegevens en zijn vaak anekdotisch. De meeste verslagen melden niet hoe de informatie is verzameld en slechts zelden zijn doelstellingen opgenomen in het verslag (SustainAbility, 2000). De 'hardheid' van de verslagen is dan ook vrij laag. Er wordt voornamelijk geïsoleerde informatie gegeven op de deelgebieden *People*, *Planet* en *Profit*. Geïntegreerde informatie wordt nog nauwelijks gepresenteerd, terwijl juist daarin de meerwaarde van het duurzaamheidverslag zou moeten schuilen.

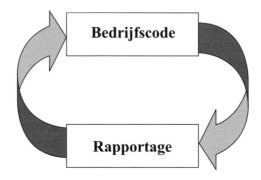

Figuur 18.1   Van bedrijfscode naar rapportage en vice versa

Duurzaamheidverslaggeving bevat in toenemende mate ook een beschrijving van de dilemma's waarmee de onderneming wordt geconfronteerd. Het kernvraagstuk voor duurzame ontwikkeling betreft namelijk de keuzen die ondernemingen maken tussen conflicterende belangen van stakeholders (Kaptein en Wempe, 2002). In situaties waarbij een onderneming een keuze moet maken tussen bijvoorbeeld grootschalige milieu-investeringen versus korte termijnrendement, tussen massaontslag versus het veiligstellen van rendementseisen, of tussen het respecteren van de mensenrechten en het verplaatsen van productiefaciliteiten naar lage lonen landen, blijkt waarvoor een onderneming staat. Juist in de situaties waarin ondernemingen worden geconfronteerd met een *overload* aan legitieme verwachtingen, schuilt in de wijze waarop met deze dilemma's wordt omgesprongen de duurzaamheid van de onderneming.

18.2 Stakeholderdialoog

Omdat niet ieder belang van iedere stakeholder altijd kan worden zekergesteld, is het belangrijk dat stakeholders erop kunnen vertrouwen dat de onderneming op een zorgvuldige wijze met hun belangen omgaat. Het vertrouwen van de stakeholders in de onderneming kan met name worden gerealiseerd door hen deelgenoot te maken van de dilemma's waarvoor de onderneming staat. Enerzijds door middel van het informeren via bijvoorbeeld een jaarverslag, maar anderzijds ook door er met elkaar over te communiceren. De stakeholderdialoog doet daarmee in het midden van de jaren negentig haar intrede, in eerste instantie geinitieerd vanuit NGO's als het Wereld Natuur Fonds (bijvoorbeeld in het kader van de Marine Stewardship Council), maar later in steeds sterkere mate ook geïnitieerd vanuit individuele ondernemingen en ondernemingscoalities zoals de World Business Council for Sustainable Development (Bendell, 2000).

In de dialoog met stakeholders (zowel de directe als indirecte belanghebbenden) worden meningen uitgewisseld, (toekomstige) belangen en verwachtingen besproken en normen ten aanzien van het ondernemingsfunctioneren ontwikkeld. Uiteindelijk zorgt een goede dialoog niet alleen voor een betere gevoeligheid van de onderneming voor de omgeving (Waddock en Smith, 2000), maar ook van de omgeving voor de vraagstukken van de onderneming (Wheeler en Sillanpää, 1997). "Stakeholder dialogue is a powerful catalyst for change. It promotes greater transparency, information sharing and inspires society to work together." (WBCSD, 2002: 1). Verslaglegging structureert de stakeholderdialoog. Door te rapporteren wordt gecontroleerd of alle relevante perspectieven in de dialoog worden betrokken. Door middel van rapportage wordt iedere stakeholder die aan de dialoog deelneemt ook geïnformeerd over de gesprekken die met andere stakeholders plaatsvinden. De stakeholders die niet aan tafel zitten worden door middel van rapportage geïnformeerd over de wijze waarop de onderneming inhoud geeft aan haar verantwoordelijkheden en, voor zover relevant, over de wijze waarop met hun rechten en belangen worden omgesprongen. Zeker wanneer rapportage gepaard gaat met een uitnodiging om te reageren (zoals Shell uitdrukkelijk doet), zal dit leiden tot een grotere betrokkenheid van stakeholders bij de dialoog en daarmee bij de onderneming. Rapportage in die zin ondersteunt de stakeholderdialoog en vice versa. In 36% van de niet-financiële jaarverslagen wordt melding gemaakt van stakeholderdialoog (KPMG en UvA, 2002).

In veel gevallen worden door ondernemingen al gesprekken met stakeholders gevoerd zoals met de werknemersvertegenwoordigers, overheidsorganisaties, consumentenorganisaties en omwonenden. Door deze op te vatten als onderdeel van de stakeholderdialoog kunnen ze op een meer gestructureerde en gerichte wijze plaatsvinden. Stakeholderdialoog is in dit opzicht ook niet een zeer arbeidsintensief en kostbaar traject. Door middel van rapportage wordt samenhang gecreëerd in de stakeholdergesprekken dat zowel van waarde is voor de onderneming als de stakeholders zelf.

Een stakeholderdialoog leent zich ook goed voor het ontwikkelen van KPI's. Voor rapportage over en interne besturing van de duurzame onderneming dienen namelijk adequate *key-performance indicatoren* (KPI's) te worden ontwikkeld. Dit geeft de noodzakelijke vertaling van ambities en verantwoordelijkheden uit de code in meetbare doelstellingen voor zowel management en medewerkers als externe stakeholders. De ontwikkeling van KPI's voor duurzaam ondernemen staat nog in de kinderschoenen. Enkele standaarden, zoals de SA 8000 en

AA 1000, zijn recentelijk verschenen. Vooralsnog belichten deze standaarden echter een of enkele aspecten van duurzaam ondernemen. Een uitgekristalliseerde en evenwichtige set aan KPI's ontbreekt momenteel. Wellicht is dat voor op dit moment zelfs wenselijk. Afwezigheid van een dergelijke set KPI's stimuleert ondernemingen eens te meer om zelf, en in samenspraak met de stakeholders, na te gaan waaruit de duurzaamheid van de onderneming valt af te lezen.

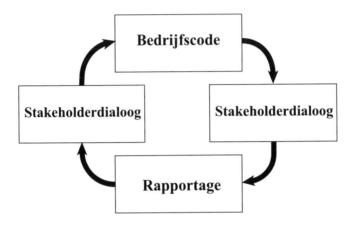

Figuur 18.2 Stakeholderdialoog als linkingpin tussen code en rapportage

Met een stakeholderdialoog verschuiven de relaties van de onderneming met stakeholders van confrontatie en competitie naar consultatie en coöperatie. Het 'trust me' en 'show me' maakt daarbij plaats voor de oproep tot 'involve me', 'join me' of 'engage me'. In tabel 18.3 staan enkele verschillen weergegeven tussen het debatteren met stakeholders en het aangaan van een dialoog met hen.

Tabel 18.3 Twee discussievormen met stakeholders: debat versus dialoog

	Stakeholderdebat		Stakeholderdialoog
1.	Competitie met één winnaar (het 'of-of' denken).	→ → →	Coöperatie waarbij iedereen winnaar is (het 'en-en' denken).
2.	Egocentrisch waarbij de ander een bedreiging is of een middel tot eigen gewin.	→ → →	Empathisch waarbij de ander een kans is en een intrinsiek belang vertegenwoordigt.
3.	Jezelf beter voordoen.	→ → →	Jezelf zijn.
4.	Zelf spreken waarnaar de ander moet luisteren.	→ → →	Luisteren naar de ander om zelf te kunnen spreken.

	Stakeholderdebat		Stakeholderdialoog
5.	Overreden.	→ → →	Overtuigen.
6.	Confronterend en strijdlustig, waarbij wordt gezocht naar de zwakke punten en het ongelijk van de ander.	→ → →	Constructief en vanuit wederzijds begrip en respect op zoek naar overeenkomsten om van daaruit naar de verschillen te kijken.
7.	Een gesloten en defensieve opstelling vanuit de opvatting zelf de waarheid in pacht te hebben.	→ → →	Kwetsbare opstelling omdat er vele waarheden zijn en waarbij partijen open staan voor kritiek op het eigen functioneren om van daaruit te leren van elkaar.
8.	Nemen en houden.	→ → →	Geven en krijgen.
9.	Verdeel en heers.	→ → →	Delen en dienen.
10.	Afzonderlijke/geïsoleerde verantwoordelijkheden.	→ → →	Ook gezamenlijke verantwoordelijkheden.

Stakeholder dialoog is een gestructureerd interactief en pro-actief proces gericht op het creëren van duurzame strategieën. Het aangaan van een stakeholderdialoog is geen waardevrije exercitie. Met de keuze voor een stakeholderdialoog uiten ondernemingen respect voor stakeholders om te luisteren naar hun inbreng en de inzet om van elkaar te leren (Kaptein en Wempe, 2002). Het medium is daarmee alleen al een belangrijke boodschap.

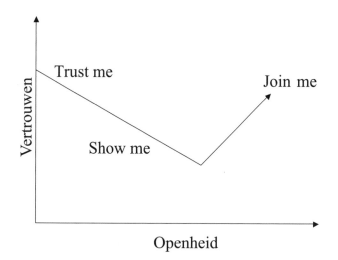

Figuur 18.4 Van trust me, show me naar join me

18.3 Randvoorwaarden voor effectieve stakeholderdialoog

Stakeholderdialoog is geen panacee. Niet alles is pratend op te lossen. In sommige gevallen zullen andere wegen, zoals overheidsregulering, publieke druk en eigen initiatief voor de hand liggen. Niet alles hoeft ook besproken te worden. Veel zaken zullen toch interne aangelegenheden blijven. Bovendien vervangt een stakeholderdialoog niet de eigen verantwoordelijkheden van een onderneming, maar blijft zij aanspreekbaar op haar beleid en gedrag. Een onderneming is immers geen vertegenwoordigende democratie. Stakeholders moeten daarbij accepteren dat er keuzes worden gemaakt en compromissen worden gesloten. Stakeholderholderdialoog betekent dus niet dat stakeholders in alle beslissingen betrokken dienen te worden, aan iedere stakeholderverwachting voldaan moet worden of dat de onderneming zich achter de stakeholderdialoog kan verschuilen. Het succes van een stakeholderdialoog hangt derhalve af van diverse factoren (zie bijvoorbeeld Institute for Social and Etical Accountability (1999) en Zadek (2001)). Enkele belangrijke eisen aan een stakeholderdialoog willen we hier noemen.

- *Kennen en gekend worden*. De partijen moet elkaar kennen en weten te vinden. Zonder een gesprekspartner is er immers geen dialoog. Dat vergt van ondernemingen met name het doordenken wie welke gevolgen ondervindt van het ondernemingshandelen (zowel op de korte termijn als de lange termijn en zowel de directe als de indirecte gevolgen) en wie als representant fungeert van bepaalde maatschappelijke belangen.
- *Vertrouwen en betrouwbaarheid*. Een stakeholderdialoog kan niet slagen als er niet een bepaalde mate van vertrouwen is in de integriteit van de ander en de waarde van de dialoog. Natuurlijk leidt een goede dialoog tot vergroting van het vertrouwen. Tegelijk zal bij afwezigheid van iedere vorm van vertrouwen de dialoog nooit van de grond komen en dientengevolge het vertrouwen ook niet kunnen groeien. Zo kunnen partijen zichzelf alleen open en kwetsbaar opstellen als de ander dat ook doet.
- *Duidelijke spelregels*. Ondanks dat er sprake kan zijn van een groot vertrouwen tussen de gesprekspartners is het wenselijk afspraken te maken over bijvoorbeeld de omgang met in vertrouwen meegedeelde informatie en de wijze waarop betrokkenen verslag doen van het gesprek naar de achterban en de media. Het is funest voor een vertrouwelijk gesprek als daags erna de informatie op straat ligt of de ander in het openbaar in diskrediet wordt gebracht. Met name wordt de kans op schending van de afspraken groter naarmate machtsverhoudingen tussen de partijen ongelijker worden. Met het aangaan van een dialoog leggen beide partijen zichzelf dan ook beperkingen op.
- *Een samenhangende visie op stakeholderdialoog*. Een gesprek met een stakeholder vindt meestal plaats in een reeks van gesprekken. Het is van belang dat de stakeholder dit beseft. Voor een onderneming betekent dit dat zij een visie dient te hebben op het geheel van stakeholdergesprekken. Wat is de achterliggende filosofie? Wat wordt uiteindelijk beoogd? Welke criteria worden

gehanteerd bij het selecteren van stakeholders voor een dialoog en de wijze waarop en de frequentie waarmee de gesprekken worden gevoerd? De onderneming moet daarbij waken voor een te grote mate van willekeurigheid en een balans tussen enerzijds het ingaan op uitnodigingen van stakeholders voor een gesprek en anderzijds het zelf uitnodigen van stakeholders.

- *Dialoogvaardigheden.* De partijen moeten over de vaardigheden beschikken om een dialoog aan te gaan. De kenmerken van een dialoog, zoals opgesomd in tabel 3, vergen een geheel ander repertoire en stijl van communiceren dan het voeren van een debat.

- *Inhoudsdeskundigheid.* Een goede dialoog vereist een goede voorbereiding. Om een dialoog volwaardig te kunnen voeren dient materiedeskundigheid aanwezig te zijn om te weten waarover zowel men zelf praat als de ander.

- *Heldere dialoogstructuur.* Voor het voeren van een goede dialoog is het wenselijk dat er heldere en duidelijke verwachtingen bij de partijen zijn omtrent de mogelijkheden en beperkingen van de dialoog. Evenzo gaat het daarbij om een duidelijke agenda voor de ontmoetingen en een nauwkeurige vastlegging van het gesprek en de vervolgafspraken.

- *Valide informatie als basis.* Veelal baseert zich de dialoog op de informatie die partijen presenteren over de feitelijke situatie. Er bestaat daarbij een natuurlijke neiging om feiten naar de hand te zetten of alleen die feiten te presenteren die in het eigen straatje passen. Daarom is het van belang dat de gepresenteerde feiten niet aan enige twijfel onderhevig zijn. Daarom zal soms een externe partij de ter berde gebrachte informatie op haar validiteit vooraf hebben beoordeeld. In toenemende mate worden duurzaamheidverslagen dan ook door accountants geverifieerd.

- *Opeenvolgende gesprekken.* Een dialoog kan geen eenmalige exercitie zijn. Op zijn minst zal er feedback moeten plaatsvinden op hetgeen is afgesproken. Juist door meerdere ontmoetingen ontstaat de ruimte om elkaar beter te leren kennen.

- *Terugkoppeling van de resultaten.* Het is wenselijk dat de discussiepartijen niet los zingen van hun achterban. Hierdoor ontstaat de kans dat een partij naderhand door de achterban wordt teruggefloten of overruled en dientengevolge gemaakte afspraken in de dialoog niet worden nagekomen. Er is niets zo dodelijk om na drie constructieve gesprekken te moeten zeggen dat het bestuur of de directie bij nader inzien toch niet achter de uitkomsten kan gaan staan. Of dat met het vertrek van een van de personen, de opvolger geen boodschap heeft aan hetgeen de eerdere gesprekken hebben opgeleverd. Vertrouwen in elkaar betekent dus ook dat er op vertrouwd kan worden dat de ander op een goede wijze de belangen en inzichten van zijn achterban representeert.

18.4 Resultaten van een effectieve stakeholderdialoog

Wat kunnen de resultaten zijn van een effectieve stakeholderdialoog? Wat is de business case?

- Het vroegtijdig signaleren van trends en toekomstige issues en een prioriteitstelling ervan.
- Inzicht krijgen in de waardering van stakeholders voor de organisatie en evaluatie van de huidige prestaties.
- Een groter begrip kweken van de organisatie en stakeholders voor elkaars belangen en dilemma's en een groter draagvlak voor besluiten van de ondernemingen.
- Het oplossen van concrete spanningen in de relatie met stakeholders.
- Suggesties en ideeën verzamelen voor het verbeteren van de maatschappelijke prestaties van de onderneming alsmede voor KPI's ten behoeve van stakeholderrapportage.
- Het vergroten van de gevoeligheid binnen de organisatie voor de verwachtingen van stakeholders en een groter verantwoordelijkheidsgevoel voor maatschappelijke issues.
- Een groter onderling buffer van vertrouwen opbouwen waardoor mogelijke problemen beter worden opgevangen.
- Een basis voor gezamenlijke projecten, allianties en partnerships creëren.
- Het voorkomen van incidenten die publiekelijk en in de media worden uitgespeeld.

18.5 Aandachtspunten bij het opzetten van een stakeholderdialooog

Van belang is dat een stakeholderdialoog op een weloverwogen manier wordt gevoerd. Relevante vragen voor een organisatie zijn onder andere:

- Hoe krijgen wij voor onszelf helder wat de concrete doeleinden zijn van de stakeholderdialoog'
- Hoe bepalen we met welke stakeholders wij gaan praten?
- Hoe bepalen we de onderwerpen van het gesprek?
- Wie van de organisatie zullen participeren in de gesprekken?
- Hoe kunnen we de volgorde van de gesprekken bepalen?
- Met welke frequentie zullen de gesprekken plaatsvinden?
- Hoe voorkomen we dat we stakeholders over het hoofd zien en zij zich daardoor gepasseerd voelen en daarover veel stampij gaan maken?
- Hoe behouden we onze besluitvormingsvrijheid en – verantwoordelijkheid?
- Hoe voorkomen we dat stakeholders misbruik maken van het vertrouwen dat we in hen stellen en de informatie die wij met hen delen?
- Hoe voorkomen we dat stakeholders het idee (achteraf) krijgen dat zij zich misbruikt voelen?
- Hoe kunnen we optimaal leren van de gesprekken?
- Hoe voorkomen we dat bij stakeholders te hoge verwachtingen worden gewekt over de inhoud en de follow-up van de stakeholderdialoog?

- Hoe voorkomen we dat een stakeholderdialoog een tijdverslinde exercitie wordt zonder rendement?
- Hoe kan de dialoog worden verankerd in de managementsystemen en het eventuele duurzaamheidverslag?
- Hoe kunnen we weten dat de stakeholderdialoog voldoet aan de wensen van de stakeholders?

18.6 Ten slotte: de weg bepaalt het eindresultaat

Een stakeholderdialoog kan het begin zijn van een nieuw 'sociaal contract' (Donaldson en Dunfee, 1999). Terugtrekkende overheden lijken een groot deel van het vraagstuk van duurzaamheid aan internationaal opererende ondernemingen en hun primaire stakeholders over te willen laten. Daarbij wordt veel verwacht van het zogenaamde 'reputatiemechanisme' waarin consumenten ondernemingen die niet verantwoord ondernemen af kunnen straffen. Internationaal zijn de meeste regeringen nauwelijks van zins om ondernemingen op hun maatschappelijke verantwoordelijkheid te controleren of hen daar op aan te spreken (SER, 2001). NGO's zijn in de jaren negentig weliswaar steeds actiever geworden om ondernemingen aan te spreken ' onder andere door zelf met gedragscodes te komen ' maar ontberen vaak de middelen om met realistische alternatieven te komen in het geval ondernemingen te weinig serieus werk maken van duurzaam ondernemen. Ondernemingen maken weliswaar steeds meer werk van codes, duurzaamheidverslagen, maar ontberen legitimiteit, transparantie, maar ook vaak inzicht in de exacte richting waarin zij hun duurzaamheidstrategie kunnen/moeten sturen.

Een maatschappelijk speelveld van tegengestelde belangen en navenant debat ontvouwt zich (Van Tulder en Van der Zwart, 2003). De opstelling of aanpassing van sociale contracten is in de geschiedenis van de mensheid regelmatig onderwerp geweest van intensieve strijd – compleet met revoluties en zelfs oorlogen. Om Von Clausewitz te parafraseren: oorlog als de meest extreme vorm van debat met andere middelen. Er is alle reden om te vrezen dat het touwtrekken rondom maatschappelijk verantwoord, c.q. duurzaam, ondernemen ook vooral de vorm van een debat zal krijgen. Spelers zullen daarbij meer belang hebben in het najagen van hun eigen gelijk dan van een maatschappelijk gelijk. Dat lijkt niet erg vruchtbaar. In dit hoofdstuk hebben we daarentegen geprobeerd om de eerste contouren te schetsen van een procedure om uit dit dilemma te geraken: door een manier te schetsen waarop via een dialoog tussen de stakeholders uiteindelijk een nieuw sociaal contract kan worden gerealiseerd waarbij het onderlinge vertrouwen wordt versterkt. Overheden kunnen zich niet aan deze dialoog onttrekken. Hoewel ze slechts een van de spelers in de arena kunnen zijn, is het niet wenselijk overheden de rol van 'secundaire' stakeholder of scheidsrechter te geven. De contouren van duurzaam ondernemen zijn nog te onduidelijk om uit te gaan van vaste spelregels, waar vervolgens overheden (of andere toezichthouders) toezicht op zouden kunnen houden. In de internationale business-society literatuur worden overheden overigens over het algemeen ook steeds meer als primaire stakeholders gezien (Wartick en Wood, 1999). Dat lijkt een adequate inschatting, die echter niet altijd door de betrokken overheden wordt gedeeld.

De exacte invulling van de dialoog tussen primaire stakeholders kan onmogelijk worden gegeven – die moet juist onderwerp van discussie zijn. De rechtvaardigheid van de uitkomst hangt naar onze inschatting sterk af van de juiste organisatie van het proces.

Literatuur

Bendell, J. (2000a). *Talking for Change? Reflections on effective stakeholder dialogue*. A paper for New Academy of Business Innovation Network.

Donaldson, T., en Dunfee T. (1999). *Ties that Bind: A social contracts approach to business ethics*. Boston: Harvard Business School Press.

Elkington, J. (1994). 'Towards the sustainable corporation: win-win-win business strategies for sustainable development'. *California Management Review*, 36, 2: 91-100.

Elkington, J. (1997). *Cannibals with Forks: The triple bottom line of 21st century business*. Oxford: Capstone.

Elkington, J. (2001). *The Chrysalis Economy: How citizen CEOs and corporations can fuse values and value creation*. Oxford: Capstone.

Global Reporting Initiative (2002). *Sustainability Reporting Guidelines*. Boston. Zie www.global-reporting.org

Institute of Social and Ethical Accountability (1999), *AccountAbility 1000*. London.

Investor Responsibility Research Center (2001). *Social Issues Service: Shareholder resolution database 1973-2000*. IRRC.

Kaptein, M., en J. Wempe (2002). *The Balanced Company: A theory of corporate integrity*. Oxford: Oxford University Press.

Kaptein, M. (2002). *De Integere Manager: Over de top, dilemma's en de diamant*. Assen: Van Gorcum.

Kinder, Lyenberg & Domini (2001). *Benchmarks*. Zie www.kld.com/benchmarks/dsi.

KPMG en Universiteit van Amsterdam (2002). *KPMG International Survey of Corporate Sustainability Reporting 2002*. De Meern.

Lamoen, C. van, en Tulder, R. van (2001). 'Accepteren, aanmodderen of afwijzen'. *Economische Statistische Berichten*, 86: 932-934.

Sociaal Economische Raad (2001). *Corporate Social Responsibility*. Assen: Koninklijke Van Gorcum.

Social Investment Forum (1999). *SRI Trends Report*. Zie www.socialinvest.org.

SustainAbility (2001). *The First International Benchmark Survey of Corporate Sustainability Reporting 2000*. Zie www.sustreport.org/business/report/trends.html.

Tulder, R. van, en Zwart, A. van der (2003). *Reputaties op het Spel: Maatschappelijk verantwoord ondernemen in een onderhandelingssamenleving*. Utrecht: Het Spectrum.

Union of International Associations (1999). *Yearbook of International Organizations*. Geneve.

Waddock, S., en Smith, N. (2000). 'Corporate Responsibility Audits: Doing well by doing good.' *Sloan Management Review*, winter: 75-83.

Wartick, S., en Wood, D. (1999). *International Business & Society*. London: Blackwell Business.

Webley, S. (1998). *Business Ethics and Company Codes*. London: The Institute for Business Ethics.

Wheeler, D., en Silanpää, M. (1997). *The Stakeholder Corporation: A blueprint for maximizing stakeholder value*. London: Pitman Publishing.

World Business Council for Sustainable Development (2002). *Stakeholder Dialogue: The WBCSD's approach to engagement*. Zwitserland.

World Resource Institute, United Nations Environment Programme en World Business Council for Sustainable Development (2002). *Tomorrow's Markets: Global trends and their implications for business*.

Zadek, S. (2001). *The Civil Corporation*. London: Earthscan.

19
Maatschappelijke verslaglegging: nieuwe ontwikkelingen

Door Ans Kolk

Steeds meer bedrijven publiceren een duurzaamheidverslag in plaats van het meer traditionele milieuverslag. In toenemende mate brengen zij een gecombineerde rapportage uit, waarin naast milieu ook de sociale verantwoordelijkheid aan de orde komt en veelal ook de financiële aspecten van de bedrijfsvoering. Dit hoofdstuk geeft inzicht in de nieuwste ontwikkelingen op het gebied van deze duurzaamheidverslaglegging, ook wel 'sustainability', 'triple bottom line' of '3-P' (people, planet and profit) reporting genoemd. Dit gebeurt aan de hand van concrete voorbeelden, gebaseerd op een onderzoek naar de duurzaamheidverslagen van bedrijven uit de Fortune Global 250 (KPMG en UvA, 2002).

19.1 Inleiding

In het afgelopen decennium is het aantal bedrijven dat een duurzaamheidverslag uitbrengt sterk toegenomen. In een periode van tien jaar is het percentage bedrijven met niet-financiële verslaglegging gestegen van 12% in 1993 naar 28% in 2002; voor Nederland zijn deze cijfers respectievelijk 5% en 35% (Kolk, 2000a; KPMG en UvA, 2002). De internationale gegevens hebben betrekking op de honderd grootste bedrijven in ongeveer tien landen. Wanneer gekeken wordt naar de 250 grootste multinationale ondernemingen wereldwijd (de Fortune Global 250), dan blijkt duurzaamheidverslaglegging nog veel wijdverbreider. In 2002 publiceerde 45% van de Fortune Global 250 een duurzaamheidverslag; in 1999 was dat 35% (KPMG en UvA, 2002). En terwijl het in 1999 nog vrijwel uitsluitend milieuverslagen betrof, is in 2002 het aantal bedrijven dat hun rapportage over milieu combineert met sociale en/of financiële aspecten sterk gestegen, tot bijna 30% van het totale aantal met een niet-financieel verslag.

Juist vanwege de toenemende aandacht voor duurzaamheidverslaglegging, zowel binnen bedrijven als daarbuiten, is het interessant te bekijken hoe de actiefste bedrijven dit doen. De Fortune Global 250 blijkt daarvoor een zeer geschikte graadmeter. Dit artikel behandelt de bedrijven binnen de Fortune Global 250 die in het afgelopen jaar een verslag hebben gepubliceerd dat breder is dan milieu en veiligheid alleen. Het betreft er in totaal 33 verslagen, de overige 79 verslagen van de Fortune Global 250 hadden uitsluitend betrekking op het milieu. In het artikel worden veel concrete voorbeelden gegeven van opvallende onderwerpen, en daarmee eveneens van de nieuwste ontwikkelingen op het gebied van de duurzaamheidverslaglegging en van duurzaam ondernemen zelf. Na een kort overzicht van soorten duurzaamheidverslagen en richtlijnen, wordt aandacht besteed aan de economische aspecten en de 'business drivers'. Vervolgens komt de dialoog met stakeholders aan de orde en hoe bedrijven daarover in hun verslag rapporteren. In de laatste paragraaf wordt ingegaan op sociale aspecten van duurzaamheid en prestatie-indicatoren.

19.2 Soorten duurzaamheidverslagen

Hoewel de ervaring met het publiceren van duurzaamheidverslagen toeneemt, blijft er een grote variatie bestaan in soorten, titels, inhoud en verschijningsvorm (op papier en/of elektronisch, verschillende talen). In een aantal landen is er inmiddels wetgeving voor milieu- en/of sociale verslaglegging, zoals in Nederland, Denemarken, Noorwegen en Zweden, maar dit betreft bedrijven die binnen de landsgrenzen opereren. Meestal betreft het ook niet alle bedrijven, zoals in Nederland, waar de wettelijke verplichting voor 250 bedrijven geldt.

Op de grootste 250 multinationals, waarvan de overgrote meerderheid uit de Verenigde Staten, Japan en de grote Europese landen afkomstig zijn, zijn dergelijke verplichtingen niet wereldwijd van toepassing. Hooguit geldt dit voor de nationale vestigingen in de landen waar wetgeving is. Voor deze grote multinationals zijn er wel diverse nationale en internationale richtlijnen en andere vrijblijvende aanbevelingen. Japan kent bijvoorbeeld zowel richtlijnen van het ministerie van milieu als van economische zaken. Veel bedrijven volgen deze tamelijk nauwgezet op, hetgeen ertoe leidt dat de Japanse verslagen sterk op elkaar lijken qua opzet en inhoud. Zo besteden ze bijna alle aandacht aan milieukosten en andere milieuindicatoren. De Japanse situatie is echter zeer uitzonderlijk.

De bekendste internationale richtlijnen zijn afkomstig van het Global Reporting Initiative (GRI), waarin een groot aantal organisaties samenwerkt. De GRI richt zich op geïntegreerde duurzaamheidverslaglegging met betrekking tot zowel financiën, milieu als sociale aspecten (de *triple bottom line*), en heeft daartoe in juni 2000 richtlijnen uitgebracht (die recentelijk verder zijn geactualiseerd, zie GRI, 2002). Verschillende bedrijven gebruiken deze als inspiratie voor de opstelling van hun eigen duurzaamheidverslag, soms worden ze tamelijk nauwgezet gevolgd. Van de 33 geanalyseerde verslagen van de top 250 verwijst 36% expliciet naar de GRI; bijna de helft publiceert een daadwerkelijk duurzaamheidverslag, met aandacht voor de *triple bottom line*, voor alle drie de P's (*people, planet and profit*). Enkele bedrijven doen dit overigens in twee verschillende rapporten: een milieuverslag en een verslag dat sociale en financieel-economische prestaties combineert. Het komt ook voor dat milieu en sociale aspecten uitgebreid in het financiële verslag worden behandeld, inclusief een verificatie van de milieucijfers. Vanwege de grote diversiteit is het van belang niet uitsluitend af

te gaan op de titel, omdat er achter een 'milieuverslag' soms een duurzaamheidverslag blijkt schuil te gaan, en omgekeerd, en kan een zogenaamd sociaal
of maatschappelijk verslag wel degelijk ook milieuaspecten en/of financiële
gegevens bevatten.

19.3 Economische aspecten en 'business drivers'

Sommige bedrijven geven in hun duurzaamheidverslaglegging een interessante invulling van hun toegevoegde waarde, waarbij de verdeling over de verschillende stakeholders eveneens wordt aangegeven. Dit geldt bijvoorbeeld
voor BASF (2001), dat in het social responsibility rapport specificeert welke per-
centages toevallen aan onder meer crediteuren, aandeelhouders, de overheid en
werknemers (zie afbeelding 19.1).

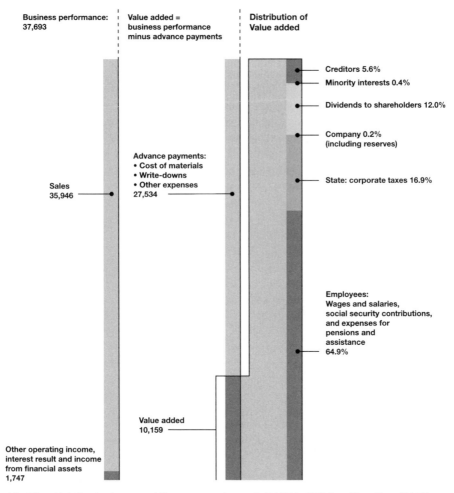

Afbeelding 19.1 Berekening en verdeling toegevoegde waarde BASF in 2000 in miljoen Euro (BASF, 2001)

Unilever (2001) doet iets soortgelijks in de zogenaamde social review, maar geeft ook aan waar de 'cash value added' vandaan komt (inkomsten van afnemers minus betalingen aan toeleveranciers), en het heeft een iets andere verdeling over de verschillende stakeholders. Bij Unilever bestaan deze uit vijf categorieën: werknemers, overheid, kapitaalverschaffers, de lokale gemeenschap, en datgene dat in het bedrijf wordt geïnvesteerd voor de toekomstige groei (zie afbeelding 19.2).

Cash value added Unilever Group 1999 e ($) million

Cash generated

Costumers and consumers		
Income from sales[1]		40,977 (43,650)

Suppliers		
Payments for materials and services		
raw materials & packaging	14,531 (18,677)	
advertising & promotions	5,345 (5,695)	
Others supplies	6,547 (6,975	

		29,423 (31,347)

Cash generated

Distribution of cash value added

Employees		
Wages and other benefits[2]		5,828 (6,209)

Governments		
Taxation[3]		1,443 (1,538)

Providers of capital		
Dividend and financing costs[4]		1,422 (1,515)

Local communites		
Voluntary community contributtions		44 (47)

Invested in bisiness for future grouwth		
capital expenditure	1,501 (1,599)	
acquisitions and disposales	362 (388)	
net tetained in the business	954 (1,007)	

		2,817 (2,994)

Cash value added distributed		**11,554 (12,303)**

Notes
1 Excludes sales and value added taxes colltectied from customers and consumer and pait to government.
2 Includes payroll taxes collected from employees and paid to governments.
3 Mainly tax on corporate profits.
4 Excludes a special dividend declared in 1998 but paid in 1999 (effectively a return of capital arising from the sale of Speciality Chemicals in 1997).

Afbeelding 19.2 Berekening en verdeling toegevoegde waarde Unilever in 1999 in miljoen euro (tussen haakjes in miljoen dollar) (Unilever, 2001)

Behalve aan de 'maatschappelijke' toegevoegde waarde besteden enkele bedrijven ook aandacht aan de economische redenen voor duurzaamheid, en voor de verslaglegging die daarvan veelal een integraal bestanddeel vormt. Deze vraag naar de 'business drivers' komt regelmatig terug, ook in de internationale discussie. Vaak genoemde redenen voor het opstellen van een duurzaamheidverslag zijn de volgende (Sustainability en UNEP, 1998):

- Het vergroot de mogelijkheden om de voortgang te controleren en deze te vergelijken met de doelstellingen.
- Het vergemakkelijkt de invoering van de duurzaamheidsstrategie.
- Het verhoogt het bewustzijn in de gehele organisatie en zo ook het moreel van het personeel.
- Het biedt goede mogelijkheden om de concernboodschap intern en extern uit te dragen.
- Het verhoogt de algehele geloofwaardigheid door grotere transparantie, en verbetert het imago (en vergemakkelijkt daardoor onder meer het werven en behouden van nieuwe medewerkers, en het verkopen van producten).
- Het helpt bij het behouden van de maatschappelijke 'licence to operate'.
- Het helpt bij het identificeren van kostenbesparingen en verhoogt de efficiëntie.
- Het biedt kansen voor de verdere ontwikkeling van het bedrijf.

Interessant aan de set geanalyseerde verslagen is dat bedrijven dergelijke voordelen ook toedichten aan de activiteiten op het terrein van duurzaamheid in het algemeen. Of zoals Barclays Bank (2001: 3) het verwoordt in het duurzaamheidsverslag:

> "Een verantwoordelijke organisatie is beter in staat om consumenten, werknemers, aandeelhouders en toeleveranciers aan te trekken, te behouden en tevreden te stellen. Het opereert met grotere cohesie en een duidelijker focus, en is beter in staat te luisteren en snel te reageren op veranderende behoeften en markten. Verantwoordelijkheid, dialoog, actie en verslaglegging zijn kernelementen in een heilzame cirkel waarvan iedereen profiteert."

BMW (2002: 16-17) is nog stelliger door te benadrukken dat bedrijven die milieu en sociale criteria integreren succesvoller zijn dan hun concurrenten, en dat milieubescherming, maatschappelijke betrokkenheid en gerichtheid op werknemers geen kostenfactoren zijn, maar sleutels tot langetermijn succes. De autoproducent ondersteunt deze bewering met een vergelijking van zijn aandelenkoers met de Dow Jones Index en met de onlangs gelanceerde Dow Jones Sustainability Index, waarbij zowel BMW zelf als de Sustainability-aandelen beter presteren dan de 'gewone' index. Ongeveer eenderde van de bedrijven vermeldt in hun duurzaamheidverslag dat ze zijn opgenomen in deze Dow Jones Sustainability Index, of in de recenter opgestelde FTS4Good Index.

Het Zweedse ABB (2001: 38) constateert dat de meeste maatschappelijke initiatieven van het bedrijf 'business-driven' zijn: zij combineren betrokkenheid bij de
gemeenschap met economische voordelen en leveren een 'win-win' situatie op.
In sommige gevallen is er direct maatschappelijke nut, maar ontstaat het
bedrijfsvoordeel op de langere termijn, waarbij steun voor onderwijs in ontwikkelingslanden als voorbeeld wordt genoemd.

19.4 Dialoog met stakeholders

Bedrijven benadrukken het belang van een goede maatschappelijke dialoog,
bijvoorbeeld door het opnemen van beschouwingen van interne of externe
belanghebbenden in hun verslag, het vermelden van stakeholderspanels die zij
hebben ingesteld of het verwijzen naar opiniepeilingen onder werknemers.
Voor deze drie vormen geldt dat zij in bijna veertig procent van de 33 onder-
zochte verslagen worden genoemd.

Sommige duurzaamheidverslagen behandelen de uitkomsten van medewer-
kersenquêtes vrij uitgebreid, hetgeen het interne communicatiebelang van de
rapporten duidelijk illustreert. Dit blijkt ook het feit dat ethische (gedrags)codes
veel aandacht krijgen, in meer dan zestig procent van de gevallen. Soms zijn
deze gedragscodes ook integraal in het duurzaamheidverslag opgenomen. Een
aantal bedrijven houdt ook externe opiniepeilingen, zoals Dow Chemical (2001),
dat in negen landen heeft laten onderzoeken welke percentage van de omwonenden positief is over het bedrijf. Uit het verslag blijkt dat de bedrijfsdoelstel-
ling (die op zestig procent was gesteld) niet in alle vestigingen wordt gehaald.

Voor de stakeholdermeningen in de verslagen geldt dat ze meestal positief zijn.
Een interessante uitzondering daarop vormt Shell (2001), dat een groot aantal
citaten opneemt, afkomstig van de 'Tell Shell' website, waarvan een deel
behoorlijk kritisch is. Het ING-verslag (2001) bevat een kritische noot van de
voormalige voorzitter van Amnesty International, Sir Geoffrey Chandler, over
het gebrek aan aandacht voor mensenrechten in de business principles van het
bedrijf.

Rapporten kunnen ook dienen om over controversiële onderwerpen te communiceren. Zo beschrijft BASF (2001) de compensatie gegeven aan voormalige
dwangarbeiders (tewerkgesteld door voorganger IG Farben tijdens de Tweede
Wereldoorlog) en Tokyo Electric Power (2002) haar activiteiten om de publieke
acceptatie van kernenergie te vergroten, waarin het ontkennen van problemen
door het beschrijven van technische oplossingen als een minder geschikte benadering wordt betiteld.

Feedback over de prestaties van het bedrijf en de duurzaamheidverslagen zelf
wordt vaak verkregen door het meesturen van een formulier of antwoordkaart.
De resultaten daarvan worden dan in het volgende rapport weer vermeld. Voor-

al Japanse bedrijven doen dit vaak. Soms beperken bedrijven zich tot het vermelden van het aantal verspreide exemplaren, dat voor internationale bedrijven als Tokyo Electric Power (2002) en het Zwitserse Novartis (2001) rond de 40.000 blijkt te liggen. In incidentele gevallen worden de uitkomsten van de lezersenquête uitgebreider opgenomen. Het Japanse Matsushita Electric (2002) beschrijft de stakeholdersbijeenkomst die het bedrijf organiseerde op basis van de reacties op het verslag, en waarvoor alle respondenten werden uitgenodigd. De meningen van de aanwezigen zijn achterin het verslag opgenomen. Dergelijke visies van individuele stakeholders of maatschappelijke organisaties zijn een aanvulling op, of soms een alternatief voor de externe verificatie van duurzaamheidverslagen door accountants of milieudeskundigen, dat ongeveer eenderde van de geanalyseerde bedrijven laat uitvoeren. Behalve de duurzaamheidverslaglegging vertoont ook de verificatie ervan een duidelijk stijging in de afgelopen jaren, ondanks het ontbreken van vaste richtlijnen op dit terrein (KPMG en UvA, 2002).

19.5 Aspecten van duurzaamheid en prestatie-indicatoren

Vanwege de geleidelijke overgang van verslaglegging over milieu naar duurzaamheid in brede zin, is het relevant te kijken welke sociale/maatschappelijke aspecten de rapporten behandelen. Tabel 19.3 geeft een overzicht van de sociale onderwerpen die in de geanalyseerde duurzaamheidverslagen aan de orde komen. Het is opvallend dat de 'traditionele' onderwerpen het hoogst scoren. Dit betreft veiligheid en gezondheid, en de tevredenheid en de samenstelling van het personeel naar afkomst en geslacht. Dit zijn aspecten die meestal in milieuverslagen ('Health, Safety and Environment') zijn opgenomen, en ook wel in (interne) sociale verslagen. Veel aandacht krijgen ook de onderwerpen die van oudsher worden opgenomen in 'community'-rapporten, iets dat vooral is ontstaan in de Amerikaanse context van filantropie, van giften, donaties en bijdragen aan maatschappelijke organisaties en charitatieve instellingen. Duurzaamheidverslagen bieden bij uitstek de mogelijkheid om alle verschillende aspecten in een geïntegreerde publicatie op te nemen. Bedrijven gaan langzamerhand dit pad op, door bijvoorbeeld te rapporten over hoe sociale aspecten in de relatie met toeleveranciers een rol spelen. Het maatschappelijke onderwerp dat het meest aan bod komt is mensenrechten, gevolgd door kinderarbeid.

Tabel 19.3 Behandelde sociale onderwerpen in duurzaamheidverslagen van de Fortune Global 250

	Onderwerpen	N = 33
1.	Betrokkenheid bij de gemeenschap	97%
2.	Veiligheid en gezondheid	91%
3.	Gelijke behandeling / samenstelling personeelsbestand	88%
4.	Tevredenheid werknemers	67%
5.	Mensenrechten	55%
6.	Sociale aspecten in relatie met toeleveranciers	39%
7.	Kinderarbeid	36%
8.	Vrijheid van vereniging	27%
9.	Eerlijke handel / internationale ontwikkeling	18%
10.	Corruptie	15%

Om de voortgang van bedrijven op het gebied van duurzaamheid vast te stellen, is het voor zowel interne als externe doeleinden van belang dat er prestatieindicatoren zijn. In de afgelopen jaren is er toenemende interesse voor de meting van niet-financiële gegevens om zo de bedrijfsprestaties te beheersen, waarvoor nieuwe management accounting technieken, zoals de balanced scorecard, zijn ontwikkeld (Perego en Hartmann, 2000). Bedrijven rapporteren hierover en soms eveneens over de interne organisatie, zoals het Zweedse ABB (2001), dat zowel sustainability controllers per land als per business area heeft, die ook in het verslag worden vermeld. In het algemeen geldt echter dat de kennis over milieuprestatiemeting veel verder is dan die op het terrein van sociale, maatschappelijke indicatoren (Mauser en Kolk, 2001). Een aantal bedrijven laat al benchmarks uitvoeren om milieuprestaties te vergelijken met hun concurrenten, en rapporteren daarover in hun verslag.

Uit de analyse van de duurzaamheidverslagen blijkt dat de hierboven geconstateerde kenmerken ten aanzien van de behandelde onderwerpen eveneens naar voren komen bij de sociale prestatie-indicatoren waarover bedrijven rapporteren. Tabel 19.4 toont dat de vijf meest gebruikte prestatie-indicatoren betrekking hebben op veiligheid en gezondheid (het aantal ongelukken en gewonden op het werk), gevolgd door de hoogte van de charitatieve bestedingen en donaties, en de samenstelling van het personeelsbestand. Hierbij gaat het zowel om het percentage vrouwelijke medewerkers (soms ook in managementfuncties) als het aandeel van minderheden in het personeelsbestand. Het zijn met name Amerikaanse bedrijven die gegevens over de etnische achtergrond van werknemers rapporteren. Een multinational als Ford (2001) geeft deze informatie alleen voor de Verenigde Staten, omdat deze in andere landen heel anders wordt ingevuld en opgevat, en gestandaardiseerde registratie ontbreekt. Europese bedrijven illustreren de diversiteit van hun personeelsbestand soms door statistieken over nationaliteit of land van herkomst. De laatstgenoemde prestatie-indicator in tabel 19.4 heeft ook uitsluitend betrekking op de Amerikaanse situatie, waar soms verslag wordt gedaan over het percentage van hun inkopen dat afkomstig is van bedrijven die eigendom zijn van etnische minderheden of vrouwen.

Tabel 19.4 De vijf meest gebruikte sociale prestatie-indicatoren in duurzaamheidverslagen van de Fortune Global 250

Indicator	N = 33
Bedrijfsongevallen en gewonden door het werk	76%
Charitatieve bestedingen en donaties	48%
Vrouwelijke medewerkers / stafleden	42%
Etnische samenstelling personeelsbestand	27%
Toeleveranciers met eigenaren uit minderheidsgroeperingen	12%

Echte maatschappelijke indicatoren worden vrij zelden gebruikt. Shell (2001) is in dit verband uitzonderlijk, aangezien het gegevens publiceert over bijvoorbeeld het aantal landen waar het bedrijf:
- screent op het gebruik van kinderarbeid door toeleveranciers en onderaannemers
- screeningprocedures heeft voor acceptabele naleving van de Shell business principes door directe en indirecte toeleveranciers
- procedures heeft met betrekking tot steekpenningen
- gebruik maakt van beveiligingspersoneel (bewapend of niet, overheidspersoneel of particulier).

Tevens geeft Shell cijfers over het aantal beëindigde contracten vanwege schending van de business principes, het aantal pogingen tot omkoping alsmede de totale waarde van smeergeldbedragen die zijn aangeboden, gevraagd en betaald. Deze gegevens worden ook over de jaren heen vergeleken, omdat alleen de absolute waarde in een jaar op zichzelf weinig zegt. Behalve een historische vergelijking kan de betekenis ook worden vergroot door indicatoren af te zetten tegen een norm of verwachting, 'best practice' of de prestaties van vergelijkbare bedrijven.

BP (2001) doet verslag van een internationale benchmarking van haar reputatie en positionering in vergelijking met concurrerende oliebedrijven en bekende merknamen buiten de sector. In het verslag maakt het bedrijf melding van het resultaat op het gebied van integriteit en milieubescherming, waarbij BP relatief hoog scoort in Engeland, maar laag in Venezuela en de VS.

19.6 Conclusies

De verslaglegging over niet-financiële aspecten van de bedrijfsvoering is de afgelopen jaren niet alleen in omvang toegenomen, maar ook steeds uitgebreider geworden, zowel qua onderwerpen als qua diepgang. Tegelijkertijd blijft er een grote diversiteit bestaan, vanwege het ontbreken van internationale wetgeving en algemeen aanvaarde richtlijnen, hoewel er voor dat laatste met de Global Reporting Initiative wel stappen worden ondernomen.

Bedrijven uit de Fortune Global 250 tonen interessante ontwikkelingen met betrekking tot de rapportage over de economische aspecten van duurzaamheid, de verdeling van hun toegevoegde waarde over hun belanghebbenden, en de communicatie met hun stakeholders. Hoewel de sociale onderwerpen die zij in hun duurzaamheidverslagen behandelen nog met name liggen op de meer 'traditionele' terreinen als gezondheid en veiligheid, de samenstelling van het personeelsbestand en giften aan charitatieve instellingen en goede doelen, krijgen maatschappelijke onderwerpen als mensenrechten ook aandacht, maar vooralsnog in mindere mate. Dit vindt ook zijn weerslag in de ontwikkeling van niet-financiële prestatie-indicatoren om de bedrijfsprestaties op het gebied van duurzaamheid te kunnen vaststellen en beheersen.

Literatuur

ABB (2001). *Sustainability report. ABB Group annual report 2000*, Växjö en Zürich.
Barclays Bank (2001). *Social and environmental report 2000*. Londen.
BASF (2001). *Social Responsibility 2000: We take our responsibility seriously*. Ludwigshafen.
BMW (2002). *Sustainable Value Report 2001/2002: Environment, economy, social responsibility: meeting the future*. München.
BP (2001). *Environmental and Social Review 2000*. Londen.
Dow Chemical (2001). *Dow Public Report: 2000 results*. Midland.
Ford (2001). *Connecting with Society: 2000 corporate citizenship report*. Dearborn.
GRI (2002). *Sustainability Reporting Guidelines*. Boston: Global Reporting Initiative.
ING (2001). *ING in society 2000*. Amsterdam.
Kolk, A. (2000a). 'Milieuverslaglegging en verificatie'. *Tijdschrift voor Bedrijfsadministratie*, mei: 156-163.
Kolk, A. (2000b). 'Verificatie van milieuverslagen'. *Maandblad voor Accountancy en Bedrijfseconomie*, september: 363-374.
Kolk, A., Walhain S., en Wateringen, S. van de (2001). 'Environmental reporting by the Fortune global 250: exploring the influence of nationality and sector'. *Business Strategy and the Environment*, 10, 1: 15-28.
KPMG en Universiteit van Amsterdam (2002). *KPMG International survey of corporate sustainability reporting 2000*. De Meern.

Mauser, A., en Kolk, A. (2001). 'Het meten en begrijpen van milieuprestaties'. *Maandblad voor Accountancy en Bedrijfseconomie*, september: 364-371.

Matsushita Electric Group (2002). *Environmental Sustainability Report 2001*. Osaka.

Novartis (2001). *Innovation and Accountability: Health, safety, environment report 2000: sustainability and the UN Global Compact*. Basel.

Perego, P., en Hartmann, F. (2000). 'De ontwikkeling van environmental management control'. *Tijdschrift voor Bedrijfsadministratie*, mei: 174-180.

Shell (2001). *People, Planet & Profits: The Shell report*. Den Haag.

Sustainability en UNEP (1998). *The Non-Reporting Report*. Londen.

Tokyo Electric Power (2002). *The Earth, People and Energy: TEPCO environmental action report 2001*. Tokyo.

Unilever (2001). *Unilever's Approach to Corporate Social Responsibility: Social review 2000*. Londen.

20
Verantwoording en accountantscontrole: op zoek naar vertrouwen

Door Hans Blokdijk

Door nieuwe ontwikkelingen zijn twee thema's de laatste jaren opnieuw in de belangstelling komen te staan: de verantwoording (door de discussie over maatschappelijk verantwoord ondernemen) en de accountantscontrole (door de evaluatie van de Nederlandse accountantswetgeving). De belangstelling is stellig verhevigd door de 'boekhoudschandalen' en de 'bouwfraude'.

Ondernemen is een wezenskenmerk van de markteconomie, het economisch stelsel dat tot dusverre het best geslaagd is in de bevrediging van behoeften van derden. In het eerste deel van dit hoofdstuk wordt hieraan een nadere beschouwing gewijd, waarbij tevens aandacht wordt geschonken aan de verwevenheid van ondernemingen in de maatschappij.

Ondernemen kan slechts geschieden in vrijheid. De keerzijde van vrijheid is verantwoordelijkheid. Deze komt tot uitdrukking in het afleggen van verantwoording, tegenover derden. Ondernemen impliceert dus een relatievorm waarbij het afleggen van verantwoording past. Het tweede deel van dit hoofdstuk bestaat dan ook uit een beschouwing over de aard van een verantwoording in de context van een markteconomie.

De verantwoording wordt afgelegd door de ondernemer. Degenen die kennis nemen van de verantwoording moeten er op kunnen vertrouwen dat de daarin vervatte informatie betrouwbaar is. De zorg daarvoor is thans toevertrouwd aan accountants. De aan hen te stellen eisen worden behandeld in het derde deel van dit hoofdstuk.

Over de functie van de accountant bestaan thans uiteenlopende opvattingen, die niet alle passen in de context van de markteconomie. Aan het slot van dit hoofdstuk wordt daarom aandacht besteed aan enkele uitingen hierover in het maatschappelijk verkeer.

20.1 Onafhankelijkheid en interdependentie bij ondernemen

Een onderneming ontleent haar bestaansrecht aan het bevredigen van behoeften van derden, aan het leveren van goederen en diensten die door derden ' letterlijk ' op prijs worden gesteld. Een onderneming moet zelf bedenken of ervaren welke goederen of diensten op welke prijs worden gesteld; anders is het geen onderneming, maar een (staats)bedrijf. Een onderneming moet dus in een betrekkelijk grote mate van vrijheid kunnen opereren.

Om de op prijs gestelde goederen of diensten te kunnen leveren moet de onderneming kosten maken. Deze vallen grofweg uiteen in twee categorieën: vaste en variabele kosten. De vaste kosten zijn per tijdsperiode constant. De hoogte van de variabele kosten vertoont een verband met de hoeveelheid geproduceerde goederen c.q. geleverde diensten. Van de omstandigheid dat sommige kosten een gemengd karakter hebben, wordt nu geabstraheerd.

De prijs die derden betalen voor de goederen of diensten moet aanmerkelijk hoger zijn dan de variabele kosten daarvan, teneinde de vaste kosten te kunnen dekken; anders overleeft de onderneming op den duur niet. Dit betekent dat per tijdsperiode ten minste een bepaalde hoeveelheid goederen of diensten moet worden geleverd. Als de onderneming er in slaagt méér te leveren, dan maakt deze winst. Zo geraakt de succesvolle ondernemer tot welstand.

Dat vooruitzicht kan ook anderen er toe bewegen hun vrijheid te benutten om soortgelijke ondernemingen op te zetten. Dan ontstaat concurrentie: de afnemers van de goederen of diensten krijgen een keuzemogelijkheid. Om toch voldoende goederen of diensten te kunnen leveren ter dekking van de vaste kosten, moeten ondernemers zich van elkaar onderscheiden, door hun kosten en hun prijzen te verlagen en/of door steeds betere goederen of diensten aan te bieden.

Ondernemers zullen dus steeds nieuwe wegen zoeken om tot betere resultaten te komen; de andere kant van de medaille is dat daarbij steeds andere, nieuwe gedragingen tot ontwikkeling komen, waarvan niet bij voorbaat vaststaat dat zij geen ongewenste inbreuk op de vrijheid van anderen maken, bijvoorbeeld door uitbuiting van arbeidskrachten of door aantasting van het milieu. De overheid moet hier ordenend optreden door het geven van verboden en voorwaardelijke geboden (dat wil zeggen geboden die gelden indien men zich – vrijwillig – in een bepaalde situatie plaatst).

De complexiteit, die het gevolg is van de zojuist gesignaleerde menselijke vindingrijkheid, maakt het de overheid echter onmogelijk alleen uit eigen waarneming alle ontwikkelingen tijdig te onderkennen. De laatste halve eeuw hebben personen en samenwerkingsverbanden met gelijk gerichte belangen zich in toenemende mate gebundeld tot maatschappelijke groeperingen, in instellingen die de ontwikkelingen waarnemen en toetsen aan de belangen van hun leden.

Deze instellingen trachten op allerlei wijzen de ordening door de overheid te beïnvloeden. Zij richten hun belangstelling echter ook rechtstreeks op die samenwerkingsverbanden waarmee hun leden een relatie (zouden kunnen) hebben. Deze instellingen hebben in het maatschappelijk verkeer in belangrijke mate de plaats van de eigenlijke belanghebbenden ingenomen.

Personen, samenwerkingsverbanden en instellingen zijn in beginsel onderling onafhankelijk. Om hun doel te bereiken en hun functie te vervullen moeten zij echter vaak verbintenissen met anderen aangaan, waaruit een zekere wederzijdse afhankelijkheid ontstaat. Maar ook zonder verbintenissen kunnen relaties ontstaan, en wel uit hoofde van gemeenschappelijke of strijdige belangen. De deelnemers aan het maatschappelijk verkeer hebben regelmatig de behoefte hun vrije relatie te evalueren, vast te stellen of deze moet worden voortgezet of beëindigd, of een houding van samenwerking, van wedijver of van strijd moet worden aangenomen. Voor een dergelijke evaluatie van het tot dusverre gevoerde eigen beleid in deze moet men beschikken over de uitkomsten van dat beleid. Daartoe is niet alleen informatie nodig over hetgeen men zelf heeft bereikt, maar ook over de situatie van anderen, van degenen met wie men een relatie onderhoudt of overweegt, en over de te verwachten ontwikkelingen daarin. Laatstbedoelde informatie moet worden opgeleverd door die anderen: personen, samenwerkingsverbanden of instellingen. Het spreekt echter zeker niet vanzelf dat men die informatie ook ter beschikking zal stellen: dit impliceert immers een zekere aantasting van de vrijheid.

Als men in een relatie een zekere overwicht op de ander heeft, kan men die informatie evenwel afdwingen. Dat gebeurt ook vaak, maar de basis hiervoor is dan een soort recht van de sterkste, waarin een overheid die zijn ordenende taak goed opvat, op den duur niet kan berusten. Er moet dan een institutionalisering plaatsvinden op een andere grondslag dan macht. Deze is slechts te vinden in een maatschappelijke verantwoordelijkheid die verder gaat dan het blijven binnen de grenzen van de door de overheid gegeven verboden en voorwaardelijke geboden. Die maatschappelijke verantwoordelijkheid vindt haar oorsprong in de erkenning dat men met het optreden in (beperkte) vrijheid de belangen van anderen kan raken; voor het gebruik van die vrijheid moet men zich dan, als uitvloeisel van die erkenning, tegenover die belanghebbenden verantwoorden. Op basis van die verantwoording kunnen belanghebbenden beslissen over voortzetting, wijziging of verbreking van de relatie.

De informatie aan belanghebbenden wordt hun dus verstrekt als verantwoording. Maar dit heeft consequenties voor de aard van de informatie: de inhoud moet qua karakter in overeenstemming zijn met de vrijheid en met de verantwoordelijkheid. Zoals nog nader aannemelijk zal worden gemaakt kan een wijziging in de aard van de te verstrekken informatie gemakkelijk een tevoren niet goed overzienbare wijziging in de maatschappelijke verhoudingen teweeg brengen. Het is daarom noodzakelijk dieper in te gaan op de vraag: wat is een verantwoording? Tot goed begrip van het vervolg zij hier aangetekend dat verantwoordelijkheid alleen bij natuurlijke personen kan berusten; een rechtspersoon kan slechts aansprakelijk worden gesteld. Waar over de verantwoordingsplichtige wordt gesproken, wordt bij samenwerkingsverbanden dus gedoeld op de bestuurders. Ook de term belanghebbenden eist enige verklaring: deze omvat in beginsel elke denkbare betrokkene, behalve de verantwoordingsplichtige. Zij worden tegenwoordig vaak aangeduid als 'stakeholders'.

De verantwoording, waarin de maatschappelijke verantwoordelijkheid gestalte krijgt, is nog slechts ten dele geïnstitutionaliseerd. Tot dusverre is slechts de verantwoording aan de verschaffers van risicodragend vermogen wettelijk geregeld, zij het dat deze – onder andere via de publicatieplicht – vaak ook aan andere stakeholders ter beschikking wordt gesteld. De bevoorrechte positie van de verschaffers van risicodragend vermogen is historisch goed verklaarbaar: hun functie is een afsplitsing van die van de 'eigenaar' die bezat en beheerde; de splitsing van eigendom en beheer was zonder verantwoordingsplicht niet te realiseren.

De andere stakeholders (leveranciers, werknemers, financiers, omwonenden enzovoort) zijn niet van binnenuit maar van buitenaf gekomen, hetgeen met zich mee heeft gebracht dat zij de verantwoordingsplichtige alleen kunnen beinvloeden door wijzigingen in hun relatie. De verantwoording aan deze groepen belanghebbenden wordt door dezen vaak nog als onvolledig ervaren. Er zijn in het verleden wel pogingen gedaan hierin verbetering te brengen. Reeds over 1976 publiceerde de Deutsche Shell Aktiengesellschaft (1977) een 'Geschäftsbericht/Sozialbilanz' waarmee naar mijn smaak werd aangetoond dat een zinvolle maatschappelijke verslaggeving wel degelijk mogelijk is. Na de grote stagflatie aan het einde van de zeventiger jaren is de belangstelling echter vrijwel uitgedoofd; een uitzondering vormde de studie van Dekker en Jetten (1986) waarbij in samenwerking met Ballast-Nedam in 1983 en 1984 een nieuwe poging is gewaagd, die nauwelijks weerklank heeft gevonden. Aan het einde van de negentiger jaren kwam het thema weer tot leven, met als lichtend voorbeeld het verslag 'People, Planet & Profits' van Shell International (2001). In dit licht wordt het Global Reporting Initiative uiteraard van groot belang.

De afbakening van de verplichtingen van een onderneming tot verantwoording leidt echter tot controverses. In dit licht is een analyse van het begrip 'verantwoording' thans stellig niet overbodig. Bij deze analyse zal impliciet worden uitgegaan van de autonome ontplooiing van de behoeftebevrediging. Deze beschouwing is in belangrijke mate gegrondvest op een eerder artikel (Blokdijk, 1979).

20.2 De aard van een verantwoording

De verantwoording concretiseert de verantwoordelijkheid voor het gebruik van de vrijheid. De inhoud van een verantwoording moet in overeenstemming zijn

met zowel de vrijheid als de verantwoordelijkheid van de verantwoordingsplichtige. Een verantwoording moet de verantwoordelijkheid tot uitdrukking
brengen zonder de vrijheid in wezen aan te tasten. In het navolgende wordt
getracht deze vage, tegenstrijdig klinkende beginselen af te wegen en te concretiseren, en daardoor de grenzen van de inhoud van een verantwoording aan te
geven. Die grenzen kunnen worden gekenschetst met de volgende uitspraken:

* Uitkomsten, geen methoden.
* Feiten, geen meningen.
* Beperking tot het eigen bereik.

Uitkomsten, geen methoden

Men is verantwoordelijk voor zijn daden, voor wat men doet of nalaat. In een
vrije maatschappij betekent dit dat men de *gevolgen* van zijn daden moet dragen;
daarom moet men in een verantwoording de *uitkomsten* van zijn activiteiten
weergeven. In een financiële verantwoording omvatten de uitkomsten uiteraard méér dan het eindcijfer van de resultatenrekening; de verantwoording
moet de relevante aspecten weergeven van de situatie waarin men door zijn
daden is beland. De *daden zelf* worden slechts be- en eventueel veroordeeld
indien de verdenking bestaat dat verboden overtreden en/of conditionele geboden niet zijn nageleefd. In een vrije maatschappij bestaat evenwel geen verplichting tot zelfbeschuldiging, zodat er ook langs deze weg geen verplichting
kan en mag worden geconstrueerd tot vermelding van de *methoden* waarmee de
uitkomsten zijn bereikt. Aan een verantwoording kan dan ook niet de eis gesteld
worden dat deze een morele of ideologische beoordeling van het handelen toelaat; de verplichting om zich aan een dergelijke beoordeling te onderwerpen
werkt in beginsel vrijheidsberovend. Als de overheid het handelen binnen door
haar gestelde grenzen vrijlaat, behoort men de verantwoordingsplichtige niet te
dwingen die vrijheid aan anderen prijs te geven. Dit neemt uiteraard niet weg
dat belanghebbenden het recht moeten hebben het handelen te beïnvloeden,
maar dat moeten zij dan doen door voorwaarden te verbinden aan hun medewerking.

Het komt voor dat een verantwoordingsplichtige informatie geeft over de
methoden die hij heeft toegepast en de overwegingen die hem daartoe hebben
gebracht. Dit geschiedt veelal in situaties waarin hij vermoedt dat belanghebbenden hun relatie met hem in ongunstige zin dreigen te wijzigen, en die informatie heeft dan de teneur ongunstige uitkomsten toe te schrijven aan niet of nauwelijks beïnvloedbare factoren. Deze informatieverstrekking beoogt in feite een
oneigenlijke overdracht van verantwoordelijkheid aan belanghebbenden, die
deze achteraf uiteraard moeilijk kunnen overnemen. Dergelijke uitingen behoren qua karakter dan ook niet tot de eigenlijke verantwoording te worden gerekend.

Feiten, geen meningen

Deze begrenzing lijkt misschien overbodig: men verantwoordt zich niet met (eigen) meningen, maar met feiten! Bovendien behoort in een vrije maatschappij niemand verplicht te worden zijn meningen te geven: daarmee zou in feite de verplichting ontstaan zich aan een morele of ideologische beoordeling te onderwerpen en wel in veel sterkere mate dan door mededeling van de methoden waarmee de uitkomsten bereikt zijn. Het achterwege laten van meningen in een verantwoording houdt ook de relatie tot degenen die kennis moeten nemen van de verantwoording zuiver. Zij zijn het die een mening moeten vormen voordat zij over de toekomstige ontwikkeling van hun relatie met de verantwoordingsplichtige beslissen.

Het is overigens niet zeker of het vorenstaande tot de communis opinio gerekend mag worden. De Werkgroep Management Audit van het NIVRA opperde in een in 1978 verschenen studierapport de mogelijkheid dat men – naast de financiële en sociale informatieverstrekking – verantwoording zou gaan afleggen over de 'conditie' van de organisatie van het samenwerkingsverband. Uit het rapport wordt niet duidelijk wat die 'verantwoording' dan zou moeten omvatten. Aangezien het om de conditie van de organisatie gaat, dringt zich de indruk op dat de verantwoordingsplichtige een mening geeft, in de zin van 'de conditie is goed maar kan op enkele punten worden verbeterd'. Dit is geen verantwoording, maar een min of meer openhartige advertentie.

Anderzijds brengt de werkgroep ook de mogelijkheid van certificering van deze 'verantwoordingen' door externe deskundigen ter sprake. Dat leidt weer tot de veronderstelling dat aan een mededeling van feiten gedacht is, want certificering van meningen is zinloos. Een beschrijving van de organisatie lijkt op het eerste gezicht goed als verantwoording te kunnen dienen. De organisatie is echter een methode, en zoals zojuist is gesteld, behoren methoden niet in een verantwoording te worden opgenomen. Ook deze mededelingen beogen een oneigenlijke overdracht van verantwoordelijkheid aan belanghebbenden teweeg te brengen; zij zullen althans dit effect hebben. Immers, enige tijd na de verschijning van een dergelijke 'verantwoording' hebben de belanghebbenden het morele recht verspeeld om in te grijpen; zij zijn als het ware medeplichtig gemaakt, terwijl te betwijfelen valt of een buitenstaander zich uit een beschrijving van een organisatie een oordeel kan vormen.

Onder 'meningen' zijn ook te verstaan 'verwachtingen'. Het is soms onontkoombaar verwachtingen in een verantwoording te verwerken, en wel indien de uitkomsten van plaatsgevonden gebeurtenissen nog niet bekend zijn; men spreekt dan in het algemeen van 'schattingen'. Indien schattingen een meer dan normale betekenis hebben ligt het voor de hand in de verantwoording zo veel informatie over de onzekere omstandigheden te geven dat degene die daarvan kennis neemt zijn eigen verwachting kan vormen en deze kan vergelijken met die van de verantwoordingsplichtige. Verwachtingen omtrent de uitkomsten van activiteiten die nog niet hebben plaatsgevonden (prognoses) kunnen uiteraard nooit onderwerp van een verantwoording zijn; men kan niet verantwoordelijk zijn voor iets wat nog niet gebeurd is.

Beperking tot het eigen bereik

De verantwoording dient zich te beperken tot de uitkomsten voor de persoon c.q. het samenwerkingsverband zelf en behoort zich niet verder uit te strekken dan tot de gevolgen aan eigen kant van de relaties met belanghebbenden. De gevolgen bij de belanghebbenden behoren buiten de verantwoording te blijven. Deze beperking heeft een aantal redenen.

Ten eerste lijkt er geen reden te bestaan waarom een belanghebbende zich een onderzoek naar de gevolgen van zijn relatie met de verantwoordingsplichtige zou moeten laten welgevallen. Voorts zijn gevolgen vaak moeilijk aan één oorzaak toe te rekenen; indien een belanghebbende stelt dat de relatie hem ongunstige uitkomsten oplevert, dan zou de bewijslast op onredelijke wijze omgekeerd worden als de verantwoordingsplichtige dergelijke uitkomsten in zijn verantwoording zou moeten opnemen. Ook kan de verantwoordingsplichtige nauwelijks voor de betrouwbaarheid van die informatie instaan. Maar de belangrijkste reden is, dat belanghebbenden een enorme macht over de verantwoordingsplichtige zouden krijgen indien deze verplicht zou worden (direct of indirect) van belanghebbenden afkomstige informatie in zijn verantwoording op te nemen; dit zou tot zelfbeschuldiging kunnen dwingen. In een vrije maatschappij past een dergelijke macht niet.

Degenen die regelmatig kennis nemen van de thans gebruikelijke verantwoordingen zullen wellicht wat verbaasd zijn over de lengte van het betoog op dit punt. In een jaarverslag vindt men wel de winst per aandeel en het dividend, doch niet de koerswinsten of -verliezen die (gewezen) aandeelhouders op hun aandelen in de desbetreffende vennootschap hebben behaald respectievelijk geleden. Dit vloeit voort uit de beperking van de verantwoording tot het eigen bereik. Deze beperking was echter bepaald geen gemeengoed onder degenen die zich met maatschappelijke verslaggeving bezig hebben gehouden. Een enkel voorbeeld. In de studie 'Maatschappelijke Berichtgeving: Een indicatorenbenadering' (Dekker en Jetten, 1986) worden tevredenheidsindicaties van werknemers en consumenten als elementen van het maatschappelijk verslag gepropageerd; deze zouden moeten worden ontleend aan enquêtes onder werknemers respectievelijk afnemers. De objectiviteit van deze gegevens valt te betwijfelen. Gegeven het feit dat deze informatie gepubliceerd zou moeten worden, zou een werknemersorganisatie hiermee bovendien een geweldig machtsmiddel in handen krijgen. Het zal duidelijk zijn dat een vrije maatschappij niet met een dergelijke ontwikkeling gediend is. Dergelijke voorstellen bevorderen de totstandkoming van de maatschappelijke verantwoording niet.

Met de drie geschetste grenzen is het karakter van de inhoud van de verantwoording bepaald. Het begrip 'verantwoording' kan dan ook als volgt worden omschreven: een door een verantwoordingsplichtige in die kwaliteit gedane mededeling, inhoudende de binnen zijn bereik liggende feitelijke gevolgen van zijn activiteiten.

Enkele elementen van deze omschrijving vragen wellicht om verduidelijking. Deze is niet beperkt tot financiële verantwoordingen, zoals jaarrekeningen, en zelfs niet tot kwantitatieve voorstellingen van feitelijkheden; de grens ligt bij feiten, en is dus ruimer getrokken. Zo vallen daarbinnen ook mededelingen in het kader van de afwikkeling van overeenkomsten met, of andere verplichtingen aan, belanghebbenden, zoals een belastingaangifte; ook met dergelijke mededelingen wordt vaak een zekere verantwoording afgelegd. De zojuist gegeven omschrijving spreekt dan ook niet van 'beheer', maar van 'activiteiten'. Anderzijds vallen hieronder geen kwalitatieve mededelingen; zo is een mededeling van de leiding van een computerservicebureau, inhoudende dat de organisatie en de werkwijze van dit bureau voldoen aan de daaraan te stellen eisen van beveiliging en controle, stellig geen verantwoording, doch een mening over het eigen beleid.

Gezien de maatschappelijke functie van de verantwoording moeten er enkele eisen gesteld worden die hierna besproken worden, en wel:
• Getrouwe weergave.
• Relevantie.
• Controleerbaarheid.

Getrouwe weergave

Om nut te hebben voor de besluitvorming van belanghebbenden moet een verantwoording een 'getrouw beeld' geven van (het aspect van) het object waarover verantwoording wordt afgelegd. Dit houdt in dat de verantwoording feitelijk juist moet zijn, geen wezenlijke gegevens mag weglaten, en de informatie duidelijk en met inbegrip van een toereikende toelichting moet presenteren. De verantwoording mag de stakeholders niet misleiden. Voor andere of ruimere verantwoordingen dan jaarrekeningen zal de inhoud van hetgeen getrouw weergegeven dient te worden zich nog verder moeten ontwikkelen voordat zich een maatschappelijke consensus zal aftekenen. Dit zal ook (de maatschappelijke organisaties van) stakeholders noodzaken zich onbevangen in de materie te verdiepen. Bovendien mag van een belanghebbende lezer van een verantwoording enige kennis van zaken worden verlangd.

Relevantie

Deze eis lijkt sterk op de voorgaande, doch benadrukt een ander facet. De getrouwe weergave van allerlei irrelevante feiten werkt eerder belemmerend dan bevorderend voor de besluitvorming van stakeholders. Maar ook stakeholders kunnen, uit gebrek aan inzicht, dergelijke informatie vragen, en misschien zelfs afdwingen. Daar is niemand mee gediend.

Binnen de eerder geformuleerde grenzen moet de verantwoording de belanghebbenden in staat stellen hun beslissing tot voortzetting, wijziging of beëindiging van de relatie op goede gronden te nemen. Anderzijds behoren belanghebbenden aannemelijk te maken dat zij bepaalde informatie daartoe nodig hebben; de vrijheid eist mijns inziens deze verdeling van de bewijslast. Ook hiertoe zal eerst een algemene maatschappelijke discussie gevoerd moeten worden.

Controleerbaarheid

De beperking van de verantwoording tot uitkomsten, tot feiten die binnen het bereik van de verantwoordingsplichtige liggen betekent dat de verantwoording in beginsel controleerbaar is. Maar dat is niet alleen een prettige bijkomstigheid, het is ook een maatschappelijke eis: de juistheid en de volledigheid van de feiten moeten door derden vastgesteld kunnen worden, anders heeft men zich niet echt 'verantwoord'. De eis van controleerbaarheid is kennelijk ook gesteld door de accountants die verklaringen hebben afgegeven bij de eerder genoemde verslagen van Deutsche Shell AG (1977) en Shell International (1998-2002).

Hoewel feiten in beginsel vast te stellen zijn, moeten voor de controleerbaarheid verder gaande eisen gesteld worden. Feiten kunnen voor een controleur worden achtergehouden; deze kan er niet zonder meer van uitgaan dat alle relevante feiten correct in een administratie worden vastgelegd. Daarop kan een verantwoordingsplichtige leiding van een onderneming of instelling óók niet zo maar vertrouwen; mede daarom richt de leiding de organisatie zodanig in, dat daarin 'interne controle' is verweven, waardoor al dan niet opzettelijke fouten zo veel mogelijk worden voorkomen, dan wel snel worden gesignaleerd.

Bij kleine ondernemingen en instellingen kan de organisatie niet altijd op dat niveau van controleerbaarheid worden ingericht. Het verdient dan ook aanbeveling de maatschappelijke verantwoordingsplicht daarvoor niet volledig te laten gelden, mede gezien de vaak betrekkelijk kleine en overzichtelijke kring van belanghebbenden. Anderzijds is het denkbaar dat een verantwoordingsplichtige zich aan zijn plicht onttrekt door zonder noodzaak te weigeren zijn verantwoording controleerbaar te maken; daarin kan – maatschappelijk gezien – uiteraard niet worden berust. Met dit laatste punt raakt de positie van de controleur in zicht.

20.3 De maatschappelijke rol van de accountant

De verantwoording wordt afgelegd door de verantwoordingsplichtige zelf. Dit is een wezenlijk element van de vrijheid: men verantwoordt *zich*, men wordt niet door een ander verantwoord. Maar de inhoud van de verantwoording kan van grote invloed zijn op de relaties met alle mogelijke belanghebbenden, en de verantwoordingsplichtige heeft er dan ook alle belang bij dat uit de verantwoording een voor zijn relaties zo gunstig mogelijk beeld naar voren komt. Daardoor kan bij belanghebbenden twijfel aan de geloofwaardigheid van de verantwoording rijzen. De maatschappelijke functie van de accountant vindt hierin zijn bestaansgrond; de primaire maatschappelijke rol van de accountant is: het verlenen van geloofwaardigheid aan verantwoordingen.

Door het optreden van de accountant is het probleem van de geloofwaardigheid niet onmiddellijk opgelost: in eerste instantie verschuift het van de verantwoordingsplichtige naar de accountant. Belanghebbenden moeten erop kunnen rekenen dat de accountant onpartijdig is, zijn vak verstaat en al het nodige werk goed verricht. Hoe dit alles wordt gewaarborgd, wordt hier niet beschreven; op dit moment vindt een evaluatie van de accountantswetgeving plaats, waarover het kabinet reeds een in grote trekken zinnig standpunt heeft ingenomen. Daarin wordt een duidelijke versterking van de waarborgen voorgesteld, maar de Twee-de Kamer wenst nogal wat water in de wijn. De uitkomst is dus thans onzeker.

Een kernpunt is uiteraard de verhouding van de accountant tot de verantwoordingsplichtige. Deze moet worden beheerst door het beginsel dat de vrijheid en de verantwoordelijkheid van laatstgenoemde onverlet blijven. Dit betekent dat de verantwoordingsplichtige evenmin afhankelijk mag worden gemaakt van de accountant als omgekeerd. Dit wordt hierna uitgewerkt voor de volgende aspecten:
- Onafhankelijkheid.
- Openheid en geheimhouding.
- Belangenbehartiging.
- Aard van het toezicht.

Onafhankelijkheid

Om onpartijdig te kunnen oordelen, moet de accountant ten opzichte van de verantwoordingsplichtige een onafhankelijke positie hebben, ook als uiterlijke waarborg voor die onpartijdigheid. Die waarborg is niet perfect: de accountant ontvangt zijn honorarium van de verantwoordingsplichtige, terwijl aan het accountantsoordeel niet is te zien of hij daartoe voldoende goed werk heeft verricht. Verleidingen liggen dus op de loer. Anderzijds schaadt twijfel aan zijn geloofwaardigheid de accountant ook in zijn relatie tot andere verantwoordingsplichtigen, zoals dezer dagen publiekelijk blijkt. Dit zal accountants sterken in hun weerstand tegen de verleidingen.

Openheid en geheimhouding

De accountant moet het recht hebben op inzage van alle gegevens, tegenover de plicht tot geheimhouding. De vrijheid van de verantwoordingsplichtige impliceert het recht zelf zijn mededelingen aan belanghebbenden te doen, tegenover de plicht zich te verantwoorden. Slechts in het uitzonderingsgeval dat de verantwoordingsplichtige zich aan deze plicht onttrekt en de accountant hieraan medeplichtig dreigt te maken, is spreken gerechtvaardigd. De geheimhouding brengt ook een zekere beperking in de te hanteren controlemiddelen met zich mee; het inschakelen van andere externe deskundigen zal slechts kunnen geschieden indien de verantwoordingsplichtige redelijkerwijs niet kan stellen dat daardoor geheimen worden prijsgegeven.

Openheid in de verhouding tussen verantwoordingsplichtige en accountant kan slechts duurzaam zijn indien deze wederkerig is. Als de accountant een onvolkomenheid constateert, moet hij zijn cliënt kunnen adviseren over de verbetering. Als de accountant daarvoor moet verwijzen naar een andere expert, kan zijn onpartijdigheid echter worden bedreigd indien deze expert uit zijn eigen organisatie komt; over diens advies kan hij niet meer onbevangen oordelen. Bovendien kan daardoor een onzuiver financieel belang ontstaan. De accountant kan het advies dus slechts geven indien hij daartoe zelf in staat is, op grond van kennis en kunde die hij vanuit een normale accountantsopleiding heeft verworven. Dit staat bekend als de 'natuurlijke adviesfunctie' van de accountant.

Geen belangenbehartiging

De accountant verricht zijn onderzoek van de periodieke beheersverantwoording in het belang van de gezamenlijke belanghebbenden, maar hij mag daarbij niet enig bijzonder belang van een specifieke belanghebbende behartigen: dit zou immers de verantwoordingsplichtige via de accountant afhankelijk maken van die specifieke belanghebbende. Het vorenstaande houdt in dat de accountant in het kader van de opdracht tot controle van de periodieke beheersverantwoording niet gevraagd behoort te worden de naleving te controleren van overheidsvoorschriften die geen betrekking op de verantwoording hebben. Wel kan de accountant een afzonderlijke opdracht tot controle van een specifieke verantwoording in het kader van de afwikkeling van een overeenkomst of van een andere verplichting aanvaarden. Dit is in het algemeen zeer doelmatig, zij het dat hier het gevaar van partijdigheid dreigt, zoals in de praktijk helaas al herhaaldelijk is gebleken.

Geen permanent toezicht

Onderwerp van de controle is slechts de verantwoording, niet de activiteit van de verantwoordingsplichtige. Daarom zijn controlemiddelen die gebaseerd zijn op voortdurend toezicht ontoelaatbaar. Een permanente waarneming die in beginsel ten doel zou hebben de volledigheid van de verantwoording vast te stellen, zou de voortdurende aanwezigheid van de accountant of een van diens medewerkers vereisen op alle plaatsen waarop zich relevante gebeurtenissen zouden kunnen afspelen. Het is de vraag of dit effectief zou zijn: voor een zinvolle waarneming is in vele gevallen een deskundigheid vereist die accountants niet geacht kunnen worden te bezitten. Voorts is een dergelijke permanente waarneming economisch nogal onereus. Maar het belangrijkste bezwaar is van principiële aard.

In beginsel zou het toezicht een zwijgend waarnemerschap kunnen zijn, maar het zou in de praktijk ook ongewild de beheersdaden omvatten. Dit is in strijd met de autonomie waarop de verantwoordingsplichtige aanspraak mag maken. Voorts heeft een functie met een dergelijk permanent karakter de neiging deel van het systeem van de gecontroleerde te gaan uitmaken, hetgeen op den duur de onafhankelijke positie van de accountant zou ondergraven. Bij voortdurend toezicht treedt onontkoombaar een verlies van onafhankelijkheid van één van beide partijen op (Blokdijk, 1975).

Honorarium voor noodzakelijke arbeid

De onafhankelijkheid van de accountant brengt met zich mee dat hij in vrijheid de noodzakelijke werkzaamheden moet kunnen vaststellen, en daarvoor ook gehonoreerd moet worden. Anderzijds moet de verantwoordingsplichtige het vertrouwen kunnen hebben dat hem geen onnodig werk ten laste gebracht wordt. Voor een rationeel gebruik van de verantwoording door belanghebbenden is volledige exactheid geenszins noodzakelijk. Dit betekent dat rationele beperkingen kunnen worden aangebracht in de omvang van de verschillende deelonderzoeken, die overigens tezamen wel een organisch en logisch geheel van controlemaatregelen moeten blijven vormen. Een strikte beperking van het onderzoek tot hetgeen voor de geloofwaardigheid van de verantwoording noodzakelijk is, betekent wel dat verder reikende doelstellingen (bijvoorbeeld de ontdekking van kleinere fraudes) niet altijd verwezenlijkt kunnen worden. Zowel de verantwoordingsplichtige als de belanghebbenden dienen zich hiervan bewust te zijn.

20.4 Enkele opvattingen over de rol van de accountant

Geheel buiten de discussie over maatschappelijk verantwoord ondernemen woedt thans een debat over de maatschappelijke functie van de accountant. Een zeker maatschappelijk bewustzijn is de Nederlandse accountant stellig niet vreemd geweest; integendeel, sedert de rede van Limperg voor het Tweede Internationale Accountantscongres van 1926 en vooral sinds zijn artikelenserie van 1932/33 zijn alle Nederlandse accountants vertrouwd met de gedachte dat de bestaansgrond voor accountantsverklaringen gelegen is in de functie die deze verklaringen in het maatschappelijk verkeer vervullen. Deze gedachte is

Limpergs belangrijkste bijdrage aan de ontwikkeling van het accountants-beroep geweest en hij was daarmee – internationaal gezien – zijn tijd vooruit.

In de daarop volgende decennia werd echter weinig aan Limpergs theorie toe-gevoegd; de gedachten dreigden te verstarren tot staande uitdrukkingen zoals 'vertrouwensman van het maatschappelijk verkeer' en 'leer van het gewekte vertrouwen'. Daardoor hebben buitenstaanders, zonder voldoende kennis van de achterliggende ideeën, zich van deze uitdrukkingen meester gemaakt en er eigen interpretaties aan gegeven, die menigmaal correctie behoefden.

De discussie over de door Limperg (1932/33) geïntroduceerde term 'vertrou-wensman van het maatschappelijk verkeer' is ontstaan doordat buitenstaanders blijk gaven van misverstand over de betekenis. Dat misverstand is niet zonder enige grond. Van Dale omschrijft een vertrouwensman als 'een persoon wien men zekere zaken ter behartiging toevertrouwt'; in de Grote Koenen vindt men de vertrouwensman omschreven als 'iemand die in het vertrouwen zijner opdrachtgevers als tussenpersoon optreedt'. Hieruit komt het beeld naar voren van een zaakwaarnemer, met zekere volmachten. Dit beeld is strijdig met de eis dat de accountant bij het onderzoek van de periodieke beheersverantwoording geen specifieke belangen van groepen belanghebbenden behoort te behartigen.

Voorts is in het verleden wel gesteld, dat Limpergs 'leer van het gewekte ver-trouwen' beter 'leer van de rationele verwachtingen' zou kunnen heten. Dat heeft natuurlijk wel de vraag opgeleverd: wat is 'rationeel' in dit verband? Welke ver-wachtingen kunnen redelijkerwijs in het maatschappelijk verkeer ten opzichte van de accountant worden gekoesterd? Het antwoord is: rationeel zijn die ver-wachtingen, waarbij aan de accountant een zinvolle, eigen functie wordt toege-dacht die in overeenstemming is met de vrijheid en met de verantwoordelijkheid van de verantwoordingsplichtige. De maatschappelijke verwachtingen zijn niet rationeel indien zij bij vervulling zouden leiden tot onzuivere verhoudingen tus-sen verantwoordingsplichtige, accountant en belanghebbenden. In het maat-schappelijk verkeer geuite verwachtingen moeten dus hieraan getoetst worden alvorens ze als legitiem door accountants aanvaard kunnen worden. In dit opzicht leven wij thans in een gevaarlijke tijd. De evaluatie van de Nederlandse accountantswetgeving valt samen met de geruchtmakende ENRON en World-com affaires, die het vertrouwen in accountants een ernstige knauw hebben gege-ven. Het nut van accountants is hierdoor overigens op een perverse manier bewe-zen: van ondernemingen waarvan de betrouwbaarheid van de cijfers werden betwijfeld, daalden de beurskoersen. Toch kan de verontwaardiging over het (al dan niet terecht) vermeende falen van accountants gemakkelijk aanleiding geven tot minder goed doordachte voorstellen voor wijzigingen in hun positie.

In het verleden zijn wel voorstellen gedaan om de accountant een nog zwaar-dere rol te geven. Zo is wel eens geopperd om de accountant publiekelijk een oordeel over het gevoerde bedrijfsbeleid te laten uitspreken (Kok, 1975). In het licht van de thans afnemende vertrouwen in accountants zal een dergelijk voorstel wel niet opnieuw gedaan worden, maar tijdens het huidige debat over maatschappelijk verantwoord ondernemen zouden wel eens soortgelijke gedachten kunnen rijzen. Deze moeten zeker niet zonder diepgaande bezinning worden aanvaard.

Voor het publiekelijk uitspreken van een beleidsoordeel is de accountant volslagen ongeschikt, indien men hem althans wil handhaven als degene die de geloofwaardigheid van verantwoordingen moet verhogen. Men ziet namelijk over het hoofd dat de ondernemingsleiding bij elke belangrijke beslissing het oordeel van de accountant zal vragen, en wel om te voorkomen dat de accountant met achteraf verkregen wetenschap publiekelijk of tegenover derden een minder gunstig oordeel zal uitspreken. In feite moet de accountant dan in alle belangrijke zaken meebeslissen, en dat maakt hem ongeschikt voor het certificeren van verantwoordingen.

Maar ook een door een andere onafhankelijke instantie uitgesproken publiek beleidsoordeel heeft grote bezwaren. Ook deze instantie zou zeer snel in de positie gedrongen worden dat hij moet meebeslissen; hij heeft in ieder geval *de facto* het recht van veto. Om de (schijn van) onafhankelijkheid te bewaren zullen de beleidsbeoordelaars zich in samenwerkingsverbanden moeten verenigen. Dat worden, nationaal-economisch gezien, zeer machtige lichamen: zij domineren in feite het bedrijfsleven. Dergelijke lichamen kunnen, politiek gezien, niet buiten de overheidssfeer blijven, en dan ligt het in de lijn der verwachting dat daaruit een staatsbeheersinstelling voor ondernemingen ontstaat. Dit betekent dan in feite het einde van de vrije ondernemingsgewijze productie. Dit scenario mag op het eerste gezicht overtrokken lijken, te bedenken zij dat het evenwicht tussen vrijheid en verantwoordelijkheid, waarop de vrije ondernemingsgewijze productie stoelt, door verandering van een enkel element verbroken wordt: acties van belangengroeperingen roepen reacties van anderen op, van verantwoordingsplichtigen, van verschillende groepen belanghebbenden, van politici en van de overheid, totdat een nieuwe evenwichtstoestand ontstaat. Hoe dat evenwicht uitvalt is uiteraard maatschappelijk van de grootste betekenis. Ook een verandering in de positie van de accountant kan leiden tot drastische wijzigingen in de maatschappelijke ordening. Een scenario als zojuist voor het beleidsoordeel gegeven kan met dezelfde mate van waarschijnlijkheid worden opgesteld voor de gevolgen van ingrepen als het afschaffen van de geheimhoudingsplicht en het afschaffen van de vorm van vrij beroep voor de uitoefening van de accountantsfunctie. Dergelijke ingrepen zouden niet op zichzelf kunnen blijven, zij zouden een labiele situatie doen ontstaan en steeds nieuwe ingrepen noodzakelijk maken, ook in de verhouding tussen verantwoordingsplichtige en belanghebbenden. Dergelijke veranderingen zouden noodzakelijk kunnen blijken, maar zij moeten zeer goed doordacht worden. Dat pleegt tijd te kosten, maar dat is onvermijdelijk.

20.5 Samenvatting

In een vrije maatschappij kan de ondernemingsgewijze productie zich op een maatschappelijk gunstige wijze ontplooien indien de verantwoordelijkheid voor het gebruik van de vrijheid erkend wordt. Die erkenning wordt belichaamd in het afleggen van verantwoording. In het voorafgaande zijn aard en inhoud van een verantwoording geanalyseerd in het licht van verantwoordelijkheid en vrijheid van de verantwoordingsplichtige in zijn relatie tot belanghebbenden. Ook de rol van de accountant moet passen in deze relatie. Belangrijke aspecten van de verhouding van de accountant tot de verantwoordingsplichtige zijn in het voorafgaande in het kort besproken. De verwachtingen van belanghebbenden kunnen eerst redelijk genoemd worden indien zij in overeenstemming zijn met de vrijheid en met de verantwoordelijkheid van de verantwoordingsplichtige. Nieuw geuite verwachtingen moeten in de eerste plaats hieraan worden getoetst.

Literatuur

Blokdijk, J.H. (1975). 'Een kernvraagstuk van de leer der accountantscontrole.' *Maandblad voor Accountancy en Bedrijfshuishoudkunde*, april-mei: 147-159 en 190-207. Ook opgenomen in de bundel *Maandblad voor Accountancy en Bedrijfshuishoudkunde 1973-1983*, deel 2: 149-179. Purmerend: Muusses.

Blokdijk, J.H. (1979). 'De maatschappelijke rol van de accountant.' *Maandblad voor Accountancy en Bedrijfshuishoudkunde*, november: 482-496.

Dekker, H.C., en Jetten, J.W. (1986). *Maatschappelijke Berichtgeving: Een indicatorenbenadering*. Amsterdam: Limperg Instituut.

Deutsche Shell Aktiengesellschaft (1977). *Geschäftsbericht/Sozialbilanz 1976*. Hamburg.

Kok, W. (1975). 'De maatschappelijke behoefte aan ondernemingsinformatie.' *De Accountant*, maart: 424.

Limperg, Th. Jr. (1926). 'De betekenis van de accountantsverklaring in verband met de verantwoordelijkheid van de accountant.' *Congresboek Tweede Internationale Accountantscongres*. Amsterdam: Nederlands Instituut van Accountants.

Limperg, Th. Jr. (1932/33). 'De functie van de accountant en de leer van het gewekte vertrouwen.' *Maandblad voor Accountancy en Bedrijfshuishoudkunde*. Ook opgenomen in de bundel *Vijftig jaar M.A.B.*, deel 2 Accountancy: 222-251. Purmerend: Muusses, 1955.

NIVRA (1978). *Studierapport Management Audit*. Amsterdam: Nederlands Instituut van Registeraccountants.

Shell International (2001). *People, Planet & Profits: The Shell Report 2000*. Londen.

21
Onderneming en maatschappij: wie organiseert het vertrouwen?

21.1 Over veranderingen, stakeholders, ondernemingsvormen en reacties

Veranderingen rond de onderneming

De laatste tien jaar van de twintigste eeuw groeide er een groot vertrouwen in de onderneming, de ondernemingsgewijze productie en de ondernemingsvorm als model voor efficiënte oplossing van te verzelfstandigen overheidsdiensten. Een decennium later wordt er kritischer naar de onderneming gekeken. Nadat de beslissende laag van de onderneming gescheiden was van de toezichthouders had aan dat vertrouwen geen einde mogen komen. Het liep anders. De gegroeide transparantie met betrekking tot succesafhankelijke elementen zoals beoordelingscriteria, eigen verdiensten en optieregelingen, voedde op den duur een nieuw soort antikapitalistische stemming. De belangrijkste trends rond de onderneming hebben te maken met veranderingen op hun traditionele markten, met de komst van nieuwe stakeholders en de emancipatie van oude stakeholders.

Ondernemingen ontlenen hun bestaansrecht aan het feit dat ze waarde toevoegen en die toegevoegde waarde te gelde weten te maken. Daar zijn afzetmarkten voor nodig, maar juist die zijn wispelturiger dan ooit omdat ze een kortere horizon hebben gekregen. Waar vroeger prijs en kwaliteit adequate concurrentiefactoren waren, letten afnemers nu meer op reputatie en imago. Daarnaast staat het 'markthandelen' als zodanig ter discussie. De Nederlandse Mededingingsautoriteit probeert in het kleine Nederland het ideaal van marktwerking te construeren. Wat tien jaar geleden onderhandse aanbesteding was, heet nu bouwfraude.

De onderneming heeft ook te maken gekregen met meer stakeholders en een reeks belanghebbenden. Niet alleen maatschappelijke organisaties als Amnesty, Greenpeace, Transparency en Milieudefensie zijn zich met ondernemingen gaan bemoeien; er zijn ook sportverenigingen, musea, theaterfestivals, charitatieve instellingen en universiteiten, die de ondernemingen benaderen voor sponsoring. Ook lokale en provinciale overheden en zelfstandige bestuursorganen (ZBO's), van het eerbiedwaardige Centraal Bureau voor de Statistiek (CBS) tot de nieuwe Voedsel en Waren Autoriteit, richten zich tot het bedrijfsleven.

De nieuwe stakeholders komen bij de traditionele productiefactoren arbeid en kapitaal. Maar ook de leveranciers van arbeid en kapitaal tonen een verminderde loyaliteit. Bedrijven ervaren in ieder geval dat werknemers lastiger te binden en te boeien zijn – de feiten zijn hierover minder stellig – en hebben te maken met aandeelhouders die hun aandelen sneller verkopen dan in het verleden. De kapitaalmarkt speelde tot in de jaren tachtig een volgende rol; zowel nominaal als materieel was haar betekenis gering. Zij heeft in het laatste decennium van de twintigste eeuw te maken gekregen met actieve deelnemers, die naast rationeel gedrag ook emoties en onlogische voorkeuren vertonen (Boot en Schmeits, 2001). De aandelen van bepaalde ondernemingen behalen op de beurs een jaarlijkse omzet die groter is dan de beurswaarde van de onderliggende onderneming. Die ondernemingen wisselen daarmee als het ware gemiddeld elk jaar van eigenaar. De dagelijkse beursinformatie in de nieuwsbulletins van radio en televisie is een signaal van een bepaalde beleggersmentaliteit, waarin een aandeel geen langdurige participatie maar een kortstondig gokje op koerswinst is.

Deze trends duiden op een meer complexe samenleving die zich met de onderneming bemoeit. De onderneming heeft te maken met tallozen externe en interne relaties en laat zich wel typeren als 'the relational enterprise' (Cooper, 2002). Deze veranderingen maken de onderneming in ieder geval onzeker. Hoewel haar stakeholders in aantal groeien en in voorspelbaarheid afnemen, willen die stakeholders wel dat die onderneming zich van haar meest betrouwbare kant laat zien. Het is in ieder geval van belang om als onderneming in beeld te hebben welke eisen moderne stakeholders (kunnen) stellen.

Oude en nieuwe stakeholders

Het oorspronkelijke idee van stakeholder bevatte een woordspeling op het begrip van shareholder of aandeelhouder. Het zijn partijen die een belang hebben bij de wijze waarop de onderneming reilt en zeilt. In dit boek was sprake van een viertal stakeholders: werknemers, consumenten, beleggers en milieubeschermers. Bij de laatste categorie komen we zowel overheden als maatschappelijke organisaties tegen.

De consumenten zijn de sterkste stakeholders: hun gedrag is van een zichtbaar en rechtstreeks belang voor het voortbestaan van de onderneming. De consumentenmarkt bestaat uit talloze individuen, met steeds gedifferentieerdere voorkeuren, die ieder voor zich te zwak zijn om informatie bij bedrijven af te dwingen. Consumenten zijn weer afhankelijk van bedrijven en brancheorganisaties om die informatie te genereren. Consumenten willen 'zorgenvrij' boodschappen doen, de behoefte aan informatie over voedsel- en gebruiksveiligheid groeit, maar de behoefte aan informatie over de productiewijze volgt op enige afstand, evenals de bereidheid voor die informatie te betalen.

Institutionele beleggers, zoals pensioenfondsen, gedragen zich anders. Zij zijn in staat maatschappelijk verantwoord te beleggen in het kader van een beleid gericht op een zeker rendement en zo laag mogelijke premies. Daar vindt een belangenafweging plaats tussen een financieel zekere toekomst voor de deelnemers en een duurzame toekomst voor allemaal. En dat alles moet passen in de opdracht aan elk pensioenfonds, namelijk verantwoord met de toevertrouwde gelden om te gaan. De besluitvorming vindt plaats door de besturen van pensioenfondsen, die worden gevormd door de organisaties van werkgevers en werknemers. En een van de analyses achter het 'poldermodel' is dat deze organisaties rekening houden met het maatschappelijk belang. Pensioenfondsen hoeven zich, met betrekking tot duurzaam beleggen, niet te laten leiden door de waan van de dag maar kunnen de turbulentie van de beurzen naast zich neer leggen. Pensioenfondsen zoeken een langetermijnrelatie. Dat is een andere houding dan die van de kleine en vooral gokkende belegger. Er is een spanning tussen de op lange termijn gerichte beleggers en de op koerswinst gerichte particulieren. Pensioenfondsen zoeken zekerheid van de pensioenuitkeringen van de deelnemers door op de lange termijn gerichte beleggingen in bedrijven. Een belegging als 'vertrouwensvotum'. Het is van belang om de discussie over corporate governance ook vanuit dat perspectief te bezien.

Werknemers zijn in de kantelende en vergrijzende arbeidsmarkt en individualiserende productieprocessen belangrijker geworden voor de onderneming. In hoeverre wordt de relatie tussen bedrijf en werknemer bepaald door het vertrouwen dat de werknemer in de onderneming heeft? Voor deze relatie geldt dat deze meer nog dan de andere is gereguleerd, en wel in talloze bepalingen van arbeidsrecht, waaronder ook het medezeggenschapsrecht, de Wet Arbeid en Zorg en de Arbeidstijdenwet. De wetgever verwacht niet dat de werkgever op voorhand te vertrouwen is in zijn relatie met zijn werknemer en motiveert daarom nieuwe wetten op gronden als rechtsbescherming en ongelijkheidscompensatie. De recente Flexwet is een voorbeeld van een poging van de wetgever (in samenspraak met sociale partners) om de belangen van de werkgever (die meer flexibiliteit wil) samen te laten vallen met de belangen van de werknemer (die meer zekerheid maar ook meer keuzevrijheid wil). De ervaringen met deze wet tonen aan hoe lastig het is via het instrument van arbeidsrecht vertrouwen te versterken. Ditzelfde zou te zeggen zijn voor de ontwikkeling van medezeggenschap. De vraag is of het huidige arbeidsrecht en de vele uitwerkingen ervan in specifieke wetgeving nog recht doen aan de huidige relatie tussen werkgever en de moderne mondige werknemer.

Grotere innovaties vinden plaats binnen het HRM binnen ondernemingen, waar de relatie tussen werknemer en leidinggevende meer en meer wordt gezien als samenwerkingsrelatie, in iets mindere mate als ruilrelatie en nog minder als hiërarchische relatie. Een aspect dat daarmee samenhangt is leiderschap. Waar in het verleden de nodige ervaring is opgedaan met hiërarchische structuren en top-down-management, wordt momenteel veel meer waarde toegekend aan stimulerend en participatief leiderschap. Leiderschap behelst het motiveren van mensen, het aanboren van creativiteit, het verkennen van nieuwe mogelijkheden. Leiderschap is dan niet een softe aanpak, maar een vorm van openheid, helderheid en gedrevenheid.

Het belang van een leefbaar en duurzaam leefmilieu heeft in het maatschappelijk verkeer een stem gekregen door de milieubewegingen en actiegroepen. 'Het milieu' is zelf niet in staat vertrouwen aan de onderneming te geven of te onthouden. De mogelijkheden van vrijwillige initiatieven bij ondernemingen blijven beperkt, ook al kan de eco-efficiency in de keten worden vergroot. Het ziet er naar uit dat voor veel milieuproblemen van de bedrijven zelf geen oplossing verwacht kan of hoeft te worden. Moeten de initiatieven dan vanuit de samenleving komen?

Ondernemingsvormen

De onderneming zoekt vertrouwen met haar omgeving, maar is zelf ook geen uniform en statisch geheel. Er zijn verschillende ondernemingsvormen die variëren in de mate waarin eigendom en zeggenschap zijn geanonimiseerd. Het vertrouwen van de kapitaalverschaffers in de ondernemingsleiding heeft nog het meest het karakter van een persoonlijke relatie bij familieondernemingen. Duidelijk is dat deze ondernemingsvorm ook in deze tijd levensvatbaar is. De coöperatie poogt het eigendom neer te leggen bij stakeholders als klanten of leveranciers, een constructie die eveneens een beroep blijkt te kunnen doen op de behoefte van deze stakeholders om een meer duurzame relatie te onderhouden met deze bedrijven.

De belangrijkste ondernemingsvorm in Nederland blijft die van de naamloze vennootschap, waarbij de eigendomsrelatie bewust geanonimiseerd is om ook de verhandelbaarheid te vergroten en deze verhandelbaarheid ook te benutten voor het toezicht op de onderneming. In Nederland konden ondernemingen de invloed van de anonieme en niet-anonieme kapitaalverschaffers mitigeren door de Rijnlands getinte structuurvennootschap. Angelsaksische aandeelhoudersdruk en Europese harmonisatie zouden een bedreiging kunnen zijn voor de Rijnlandse ondernemingsvorm waarbij ruimte is voor onafhankelijk toezicht en benoeming door aandeelhouders én werknemersvertegenwoordigers. Zowel het model voor de Europese Vennootschap als het SER-advies over een nieuw Structuurregime duiden op de mogelijkheid en wens om de bipartite voordrachten bij de benoeming van het toezicht op de ondernemingen in stand te houden.

Een nieuwe organisatievorm – of beter gezegd een nieuwe typering van een langer bestaande organisatiewijze – is de maatschappelijke onderneming. Deze biedt de mogelijkheid op zakelijke basis maatschappelijke diensten als nieuws, cultuur, zorg, onderwijs en wonen te bieden. Het belangrijkste verschil met de commerciële onderneming is het not-for-profit karakter en het feit dat het eigendom bij een stichting of vereniging ligt. Het biedt een kans om de verzorgingsstaat te vernieuwen door via uitbouw van vraagfinanciering maatschappelijke goederen ondernemingsgewijs te produceren.

Duidelijk is dat traditionele ondernemingsvormen worden getest en besproken. Zowel onder ondernemers als onder veel van de stakeholders blijft er de behoefte marktrelaties te versterken met vertrouwensrelaties. Binnen bestaande en nieuwe organisatievormen blijft de vraag: hoe organiseer je dat?

21.2 Vertrouwen: voorwaarden en resultaat

Wanneer we inventariseren wat ondernemingen nu (kunnen) ondernemen om het vertrouwen van die stakeholders te organiseren, zien we verschillende vormen ontstaan. Allereerst speelt natuurlijk transparantie een rol; dit betekent verslaglegging, op basis van wettelijke eisen (het accountantstoezicht) of via een gedelegeerd toezicht op naleving van regels dat compliance wordt genoemd. Veel ondernemingen gaan daarnaast verder dan de eisen en de grenzen die de wetgever stelt. Van ondernemingen en ondernemingsverbanden wordt bijvoorbeeld verwacht dat ze gedragscodes opstellen die verder gaan dan wettelijke verplichtingen, en dat ze ook stakeholders betrekken bij de monitoring van het, soms in overleg met hen, vastgestelde beleid. Terwijl overleg van concurrenten onderling afgekeurd en in sommige gevallen zelf verboden is, wordt overleg met stakeholders aangemoedigd. Een stakeholdersdialoog is volstrekt anders dan de doorgaans illegale kartelovereenkomst. Het is in het belang van de samenleving dat onderneming en stakeholders elkaar vinden en bereid zijn door uitruil van eisen oplossingen te vinden, waarbij voor concurrenten vooralsnog van een *fair competition* wordt uitgegaan, die onderling overleg verbiedt.

Maar afzonderlijke ondernemingen willen concurrentienadeel beperken. Veel ondernemingen zijn niet in staat uit eigen beweging datgene te doen wat op de korte termijn ten goede komt van de samenleving en op de lange termijn waarschijnlijk van henzelf. Indien alle ondernemingen maatschappelijk zouden kunnen handelen, dan zou dit ook het individuele ondernemingsbelang ten goede komen. We willen aan het slot van dit boek de vraag stellen hoe we de huidige acties van ondernemingen en het huidige instrumentarium beoordelen en waar we reden voor aanpassing zien.

Verantwoording

Op de eerste plaats zien we dat verantwoording actueler is dan ooit. Verantwoording is de eerste stap op weg naar verantwoordelijkheid, wat een sterke basis heeft in de christelijk-sociale traditie. Verantwoordelijkheid heeft een normatieve component: burgers en bedrijven zijn onderdeel van de samenleving en daarom verantwoordelijk voor de effecten van hun beslissingen op anderen (Etzioni, 1988; Selznick, 1992; Kaptein en Wempe, 2002). De groeiende aandacht voor waarden en normen duidt erop dat burgers van alle gezindten daar belang aan hechten. Maar vóór verantwoordelijkheid ligt natuurlijk het afleggen van verantwoording. Verantwoording heeft een operationele betekenis in de vorm van transparantie. Op dit terrein worden vele debatten gevoerd en ook juridische conflicten uitgevochten. Het pleit is echter nog niet beslecht. Vanouds richtte de verantwoording zich vooral op de financiële activiteiten van de onderneming, waar gelet op recente boekhoudschandalen weer nieuwe piketpalen geslagen zullen worden. Andere stakeholders komen nog minder aan hun trekken. Zelfs het sociaal jaarverslag – met de kapitaalverschaffers zijn de werknemers de stakeholders die wat ons betreft een bijzondere plaats innemen – is niet verplicht, terwijl milieu- en risicorapportages nog in ontwikkeling zijn en geïntegreerde maatschappelijke verslagen nog niet het stadium van adolescentie hebben bereikt. Het debat over deze verantwoording dient naar onze mening voort te gaan. Want transparantie is immers een voorwaarde om stakeholders in de gelegenheid te stellen adequate – verantwoorde – afwegingen te maken. Pensioenfondsen maar ook een deel van de private beleggers zouden de 'performance' van bedrijven op HRM-terrein (groeit het menselijk kapitaal in de onderneming of wordt het over de balk gegooid?) sterker willen meenemen in hun beleggingsbeslissingen, maar missen nu de informatie.

De positie van de stakeholders

Die eis van transparantie betreft ook de stakeholders zelf. Actiegroepen die zich richten tot de onderneming moeten verantwoording kunnen afleggen over de wijze waarop zij tot hun standpunten komen en waarom zij bepaalde actiemiddelen gebruikt hebben. De zichtbaarheid en de transparantie van de doelstellingen van de diverse stakeholders zijn essentieel voor de onderneming om het vertrouwen van de samenleving te winnen. Hoe behartigen de stakeholders hun belangen? Hoe zijn de verhoudingen tussen de diverse stakeholders, en welke instituties zijn er die de respectievelijke posities bewaken? Hoe zijn, anders gezegd, de checks-and-balances georganiseerd?

Er zijn grote verschillen tussen de diverse stakeholders. Werknemers maken dagelijkse de gang naar de onderneming en aandeelhouders kunnen dagelijkse hun band met de onderneming opzeggen. Zij bieden samen het menselijke en financiële kapitaal dat nodig is voor het acute én structurele voortbestaan van de onderneming. In het Nederlandse ondernemingsrecht vormen arbeid en kapitaal dan ook de twee stakeholders die medezeggenschapsrechten hebben over (het toezicht op) de onderneming. De onderlinge krachtsverhoudingen wisselen regelmatig en zijn ook even vaak onderwerp van debat. Tegelijkertijd hebben zij er beide belang bij om als onderneming het vertrouwen te winnen van de externe stakeholders. Zo is het bijvoorbeeld technisch mogelijk om de controle op sommige chemische productieprocessen vanuit huis te doen – wat ook voor de procesoperator telewerk mogelijk maakt – maar werkgever en werknemer zullen ook rekening moeten houden met het gevoel van veiligheid van de omwonenden, dat gebaat is bij voldoende medewerkers op de site. Een actueel voorbeeld is de spanning tussen belangen van gepensioneerden – die indexering en een hoog dekkingspercentage willen – en van de werkgever en de huidige werknemers - die liever geen al te hoge pensioenpremie willen betalen. Wij vertalen deze waarneming in de volgende vragen: (1) hoe beoordelen we de actuele verhoudingen tussen de interne stakeholders, en (2) hoe kunnen de interne stakeholders gezamenlijk bijdragen aan de relatie tussen onderneming en externe stakeholders?

De verhouding tussen de interne stakeholders...?

Wanneer we allereerst kijken naar de verhouding tussen werknemers, kapitaalverschaffers en bestuurders – de interne 'deelnemers' aan de onderneming – dan kunnen we vaststellen dat het met de Nederlands medezeggenschapswetgeving beoogde doel na ruim vijftig jaar niet is bereikt. Dat komt mede omdat het kapitaal internationaal is geworden maar werknemers, ondanks het vrije verkeer van werknemers in Europa, nog steeds hechten aan het werken binnen de landsgrenzen. Een deel van het bedrijfsleven opereert daadwerkelijk internationaal, een groter deel heeft te maken met internationale eigenaars, kapitaalverschaffers en afzetmarkten. Daarnaast is de interne organisatie van het bedrijfsleven gedecentraliseerd, hetgeen het lastig maakt om als werknemers 'collectief' invloed uit te oefenen op de (strategische) beslissingen binnen bedrijven, waarbij in toenemende mate de vraag wordt gesteld of werknemers dat altijd willen. Nu bedrijven en instellingen steeds minder gestandaardiseerde producten en diensten verkopen, maar het veel meer gaat om het leggen en opbouwen van 'relaties met klanten' die door unieke medewerkers gestalte moeten worden gegeven, hebben bedrijven en instellingen ook steeds minder behoefte aan standaardisatie van arbeid. Ook zien we dat werknemers er steeds minder belang bij hebben om hun autonomie over te dragen (ofwel hun vertrouwen te schenken) aan collectieve actoren als vakbonden en politieke partijen. In een tijd van krapte geven werknemers ook niet gemakkelijk hun vertrouwen aan een werkgever, en spelen de reputatie en het referentiekader van de onderneming een rol (Dankbaar, 2001). Ten slotte willen werknemers de inrichting van hun baan aanpassen aan hun levensloop en zullen om die reden vaker hun relatie met het bedrijf beëindigen of wijzigen. Er ontstaan nieuwe verhoudingen tussen *exit, voice* en *loyalty* (Hirschman, 1970) omdat waarden, gekoesterd in andere levenssferen, ook in de werksfeer belangrijker gevonden worden.

Waar de contractuele relatie tussen onderneming en werknemer geen voldoende voorwaarde meer is voor het organiseren van vertrouwen tussen onderneming en werknemer, wordt er juist meer waarde gehecht aan de relatie tussen manager en werknemer. Het gaat dan ook om moreel leiderschap binnen de onderneming. Managers die kiezen voor eigen megasalarisstijgingen en die vervolgens werknemers oproepen tot loonmatiging geven een slecht voorbeeld van moreel leiderschap. Leiderschap behoort vooral betrokkenheid te bevorderen, waardoor het interne vertrouwen wordt versterkt. Dit betekent ook dat er steeds ruimte zal moeten zijn voor wisselwerking tussen de verschillende lagen of compartimenten binnen de onderneming. Er is wat betreft zeggenschap niet een *one way traffic*. Het versterken van vertrouwen binnen de onderneming is een uiting van de erkenning van de betekenis van sociaal kapitaal. In die zin vervult sociaal beleid dan ook een wezenlijke functie. Sociaal beleid kan dan breed worden opgevat: directe betrokkenheid van mensen op de werkvloer, investeren in de kwaliteit van mensen via scholing en training, en reïntegratie bij arbeidsongeschiktheid. Wanneer via diverse sporen wordt gewerkt aan versterking van vertrouwen binnen de onderneming wordt er aan bijgedragen dat de functionele verantwoordelijkheid voor de eigen functie wordt verbreed naar een substantiële verantwoordelijkheid voor de onderneming als geheel. Traditionele, formele structuren bieden voor het laatste een te smal spoor.

Binnen de bedrijven zien we dat de relaties tussen de stakeholders zich steeds minder in hiërarchische of beschermende regels laten vastleggen. Dit wil niet zeggen dat de trend omgebogen wordt naar een onderhandelingseconomie, zoals verwacht werd eind jaren zeventig. Dialoog en onderhandeling zijn twee verschillende concepten. Bij dialoog behouden de partners hun autonomie terwijl bij onderhandeling de gesprekspartners aan elkaar overgeleverd zijn. In de economische situatie van de jaren zeventig waren vakbeweging en bedrijfsleven tot elkaar veroordeeld, terwijl thans de vakbeweging de trekken gaat krijgen van een niet op de overwinning gerichte belangbehartiger. Succes bij de CAO-onderhandelingen is niet het ultieme doel en derhalve de vuist, in geval van een staking, niet langer het ultieme middel. Sociale partners zullen hun succes op het economische terrein moeten aanvullen met facilitering van de relaties tussen de stakeholders binnen de onderneming.

Het vertrouwen tussen onderneming en kapitaalverschaffers is naar onze mening gebaat bij een situatie waarin de spanning tussen belangen van werknemers en kapitaalverschaffers geminimaliseerd is. Dit betekent een pleidooi voor een verandering van de Rijnlandse ondernemingsvorm. Zowel in de nationale alsook Europese discussie over de wettelijke vereisten voor een vennootschap heeft de nationale overheid en de Europese Commissie een belangrijke taak waar het gaat om het formuleren van nieuwe wettelijke eisen ten aanzien van adequate verslaglegging, transparantie en governance. Wij bepleiten daarnaast voor versterking van de responsiviteit van de onderneming door de inbreng van werknemers en aandeelhouders een wettelijk vastgelegde positie te geven.

...als bron voor vertrouwen van externe stakeholders

Ten slotte zullen, en dat sluit aan bij de tweede vraag die we eerder stelden, de gezamenlijke stakeholders binnen de onderneming hun bijdrage kunnen leveren aan behoud van vertrouwen van externe stakeholders. Leiderschap bijvoorbeeld blijkt dan niet alleen van betekenis voor de relatie met de werknemers, maar ook voor de relatie met de omgeving van de onderneming. Wie terugblikt op de bijdragen in deze bundel realiseert zich dat de meeste scribenten veel mogelijkheden zien voor zelfregulering – onder de voorwaarde dat transparantie en toezicht geregeld zijn. Wanneer ondernemingen gedwongen worden naast hun financiële ook hun sociale en milieuprestaties te rapporteren, biedt dat andere stakeholders gelegenheid in actie te komen en prikkelt dat werknemers en kapitaalverschaffers om hun eigen verantwoordelijkheid te nemen. Deze aanpak laat zich nog uitbreiden tot andere sectoren. Niet alleen traditionele consumenten worden kritischer – een ontwikkeling die gefaciliteerd moet worden door goede productinformatie – ook op terreinen als zorg en onderwijs zal naar onze mening de vraagsturing (moeten) toenemen. Naast commerciële ondernemingen zullen ook maatschappelijke ondernemingen blootstaan aan een kritisch oog van klanten, omwonenden en maatschappelijke organisaties. Moet dit kritische oog een gereguleerde plaats krijgen in het Nederlandse ondernemingsmodel, vergelijkbaar als nu werknemers en kapitaalverschaffers? In de christelijk-sociale traditie is er vertrouwen in het vermogen van werknemers, kapitaalverschaffers en management om gezamenlijk hun maatschappelijke verantwoordelijkheid op te pakken. Wel spelen vakbonden en ondernemingsorganisaties een belangrijke rol in het aanwakkeren van die verantwoordelijkheid en eventueel in het organiseren van sectorale faciliteiten en, indien nodig, regelgeving.

Jan Peter Balkenende,
Muel Kaptein,
Eduard Kimman en
Jan Peter van den Toren.

Literatuur

Boot, A.W.A., en Schmeits, A. (2001). 'Onderneming en financiële markt.' In: Koninklijke Vereniging voor de Staathuishoudkunde. *Herpositionering van Ondernemingen*. Utrecht: Lemma.

Cooper, K.C. (2002). *The Relational Enterprise*. New York: Amacom.

Dankbaar, B. (2001). 'De factor arbeid aan de macht.' Herpositionering van ondernemingen in de post-industriële economie. In: Koninklijke Vereniging voor de Staathuishoudkunde. *Herpositionering van Ondernemingen*. Utrecht: Lemma.

Etzioni, A. (1988). *The Moral Dimension: Toward a new dimension*. New York: The Free Press.

Hirschman, A.O. (1970). *Exit, Voice and Loyalty: Responses to decline in firms, organizations and states*. Cambridge, Ma: Harvard University Press.

Kaptein, M., en Wempe, J. (2002). *The Balanced Company: A theory of corporate integrity*. Oxford: Oxford University Press.

Selznick, P. (1992). *The Moral Commonwealth: Social theory and the promise of community*. Los Angeles/Oxford: Berkley.

Over de auteurs

Jan Peter Balkenende was tot 2002 onder meer bijzonder hoogleraar Christelijk Sociaal Denken aan de Vrije Universiteit Amsterdam. Vanaf 22 juli 2002 is hij minister president.

Wim Bartels is partner bij Compliance Services van KPMG.

Martijn Beversluis studeerde bedrijfseconomie en is thans werkzaam als controller in het Slotervaartziekenhuis, Amsterdam.

Hans Blokdijk is emeritus hoogleraar Accountantscontrole aan de Vrije Universiteit en oud-vennoot van KPMG Klynveld.

Jacqueline Cramer is hoogleraar Duurzaam Ondernemen, Erasmus Universiteit Rotterdam.

Teun Hardjono is hoogleraar Kwaliteitsmanagement en Certificatie, Faculteit Bedrijfskunde, Erasmus Universiteit Rotterdam.

Frank van den Heuvel is hoofd Publieke Sector van Rabobank Nederland.

Muel Kaptein is hoogleraar Bedrijfsethiek en Integriteitmanagement, Faculteit Bedrijfskunde, Erasmus Universiteit Rotterdam; daarnaast is hij organisatie-adviseur voor KPMG Ethics & Integrity.

Bas Koene studeerde en promoveerde aan de Universiteit Maastricht en is thans universitair docent bij de vakgroep Organisatie, Faculteit der Economische Wetenschappen, Erasmus Universiteit Rotterdam.

Eduard Kimman is secretaris-generaal van de katholieke bisschoppenconferentie; daarnaast is hij hoogleraar Bedrijfsethiek aan de Universiteit Maastricht en de Vrije Universiteit Amsterdam.

Huib Klamer is secretaris van de stichting NCW (centrum maatschappelijk ondernemen van het VNO-NCW) en directeur van de stichting Beroepsmoraal en Misdaadpreventie.

Ans Kolk is hoogleraar Sustainable Management aan de Universiteit van Amsterdam en onderzoeksdirecteur van de Amsterdam graduate Business School.

Johan de Koning was ten tijde van het schrijven van zijn bijdrage beleidsmedewerker Economische Zaken van de CDA Tweede Kamerfractie.

Michel Ladrak studeerde bedrijfseconomie en is thans productiemanager bij de Nederlandse Spoorwegen.

Cees Loonstra is hoogleraar Arbeidsrecht, Erasmus Universiteit Rotterdam.

Jaap Paauwe is hoogleraar Organisatie, Faculteit Economische Wetenschappen, Erasmus Universiteit Rotterdam.

Willem Roeterdink is medewerker consumentenbeleid bij het ministerie van Landbouw, Natuurbeheer en Visserij.

Marlies Sikken is als adviseur verbonden aan Compliance services van KPMG.

Rob van Tulder is hoogleraar International Business-Society Management, Faculteit Bedrijfskunde, Erasmus Universiteit Rotterdam.

Jan Peter van den Toren is senior managing consultant van Berenschot; hij was tot 2002 bijzonder hoogleraar Arbeidsverhoudingen aan de Universiteit van Amsterdam.

Dominique Waterval is docent Economie aan de Universiteit van Maastricht.

Roger Wildeboer Schut studeerde economie en heeft gewerkt bij PGGM en ING Bank; thans is hij werkzaam bij Aegon.

Van Gorcum

DE INTEGERE MANAGER

Over de top, de dilemma's en de diamant

Muel Kaptein

2002. 152 p. - ISBN 90 232 3857 5

Waarom dit boekje voor u is geschreven...
"Als nu een medewerker over de schreef zou gaan, valt onze organisatie dan iets te verwijten?" "Als ik morgen zou worden beschuldigd van onregelmatigheden, heb ik dan alle schijn tegen?" "Als ik volgende week zou moeten stoppen met werken, kijk ik dan met een ontevreden gevoel terug op mijn loopbaan?" "Doen wij nu dingen die ons volgend jaar met de kennis van dan zeer kwalijk worden genomen?"

Vindt u deze vragen:
Onzinnig? Ontdek in dit boekje het belang van integriteit voor iedere leidinggevende.
Moeilijk? Dan geeft dit boekje handvatten om uw integriteit te toetsen, te ontwikkelen en in de praktijk te brengen.
Overbodig (u antwoordt viermaal volmondig nee)? Dan is dit boekje de proef op de som.

Aan de hand van herkenbare voorbeelden bespreekt dit boekje zes principes die voor iedere leidinggevende gelden. De gepresenteerde integriteitsdiamant is gestoeld op onderzoeken binnen talrijke organisaties en op velerlei gesprekken met leidinggevenden over hun binnenkamer.

Muel Kaptein is werkzaam bij KPMG Ethics & Integrity, bij het wetenschappelijk centrum Ethicon en bij de Erasmus Universiteit Rotterdam, Faculteit Bedrijfskunde, vakgroep Business-Society Management.

Verkrijgbaar in de boekhandel of rechtstreeks bij de uitgeverij

Koninklijke Van Gorcum
Postbus 43
9400 AA Assen

[p] 0592 37 95 56
[f] 0592 37 95 52
[e] info@vangorcum.nl
[i] www.vangorcum.nl

Van Gorcum

ONDERNEMEN MET HOOFD EN HART

Duurzaam ondernemen: praktijkervaringen

J. Cramer

2002. 94 p. - ISBN 90 232 3884 2

Duurzaam ondernemen staat in de kinderschoenen en roept nog veel vragen op in de praktijk. Hoe kun je als bedrijf een daadwerkelijk verantwoorde balans vinden tussen het welzijn van mensen ('People'), de ecologische kwaliteit ('Planet') en de economische welvaart ('Profit')? Hoe kun je als bedrijf soepel leren 'jongleren' met deze drie P's?

Is er echt iets nieuws onder de zon? Ondernemers houden zich toch al lang bezig met welzijn, milieu en welvaart? Wat maakt duurzaam ondernemen zo anders? Het verschil zit vooral in de manier waarop bedrijven de drie P's inhoud geven vanuit een eigen visie en ambitie. Duurzaam ondernemen is onderdeel van hun strategisch beleid en dagelijks handelen. De interne organisatie is er op aangepast. Hun zorgzame houding voor mens en milieu blijkt hand in hand te kunnen gaan met goede financiële prestaties. Zij ondernemen met hoofd en hart.

Dit alles lijkt gemakkelijker gezegd dan gedaan. Dat blijkt ook uit de ervaringen die negentien bedrijven met elkaar hebben opgedaan in het kader van een programma van het Nationaal Initiatief Duurzame Ontwikkeling (NIDO). Dit boek doet daar verslag van.

Verkrijgbaar in de boekhandel of rechtstreeks bij de uitgeverij

Koninklijke Van Gorcum
Postbus 43
9400 AA Assen

[p] 0592 37 95 56
[f] 0592 37 95 52
[e] info@vangorcum.nl
[i] www.vangorcum.nl